LA QUÊTE DE NATHAN BARKER

ROMAN

ÉDITION DU CLUB QUÉBEC LOISIRS INC.
© Avec l'autorisation des Éditions J.C.L.
Dépôt légal — Bibliothèque nationale du Québec, 1995
ISBN 2-89430-153-7
(publié précédemment sous ISBN 2-89431-123-0)

PHILIPPE PORÉE-KURRER

LA QUÊTE DE NATHAN BARKER

«Nus et seuls nous entrâmes dans l'exil.»
Thomas Wolfe, *Look Homeward, Angel.*

Au-delà de la vie
et des souterrains de la mort
dans l'amour dépassé
plus haut que l'espérance
tu aborderas
seul et nu
aux Grands Nords de la Connaissance.

La barque du soleil
traversera la nuit
et le jour flamboiera
d'astres incandescents
qui t'ouvriront la route
vers la Terre Promise
de l'ultime renoncement
où s'effacera ton histoire.

Pierrette Sartin, *AU-DELÀ*

1

BLUESTONE, BADLANDS, SASKATCHEWAN

Loin de la rumeur des villes, presque isolées dans le temps sous le regard glacé des étoiles, à mi-chemin entre le crépuscule et l'aube, les «Mauvaises Terres» enneigées ondulent dans les bleus lunaires qui, tamisés par les rideaux de tulle de la fenêtre de Nathan Barker, baignent la chambre d'une lumière d'argent dans laquelle le mobilier géométrique, rectiligne et noir dresse ses angles vifs. Mais l'adolescent ne voit rien de tout cela, il s'est enfoui dans le cocon que constitue l'abri de ses couvertures où, tout éveillé, il rêve. Comme d'habitude, il a repris son vieux fantasme: l'océan Arctique est d'un noir d'obsidienne, le ciel d'un noir cosmique, ici et là, aussi majestueux qu'effrayants, flottent des icebergs déchiquetés dont l'étonnante blancheur aux reflets jade ou mauves tranche sur les ténèbres. Lui est sur l'un d'eux, en son cœur, dans une caverne de glace tapissée de fourrure blanche. Étendu là, il n'a pas froid, car, étrangement, il fait chaud. Il ne fait rien, pas besoin, l'iceberg navigue au gré des vents et des courants dans un voyage éternel et sans but. Il n'a ni faim ni soif, l'air de la caverne pourvoit à tous ses besoins.

Il y a longtemps que les instants qui précèdent le sommeil lui apportent ce mirage dont il a glané inconsciemment des éléments visuels sur des photos du *National Geographic* dont Rose-Ange, sa mère, renouvelle l'abonnement pour lui et Jonas à chaque Noël. D'habitude ces images le conduisent rapidement au sommeil, mais cette nuit il y a du grand nouveau: il n'est plus seul au cœur de l'iceberg. Tout contre lui, sans avoir besoin de parler, car ils se disent tout avec les yeux, Missy Bagriany lui sourit. Comme tout est fourni: air, nourriture et mouvement, ils ne font aucun projet. Ils se contentent d'être ensemble, heureux, loin du monde et de ses turpitudes. Et au fur et à mesure que l'illusion se prolonge, ils savent l'un et l'autre ne plus faire qu'une seule entité; un monolithe de compréhension isolé de l'adversité.

Elle est là, tout contre lui. Il la sent par tous ses nerfs comme si elle était incorporée à lui. Elle est lui et elle, tout comme lui est elle et lui. Ils se sentent et se comprennent au-delà de tout ce qu'ils n'avaient jamais imaginé. C'est merveilleux!

Lorsque le sommeil finit enfin par le rejoindre dans la chambre solitaire ionisée d'argent, il est en boule sur lui-même, les bras crispés autour de ses épaules, les joues baignées de larmes et les lèvres abandonnées dans un sourire de béatitude. Pendant quelques secondes d'éternité, revêtu d'une étincelante armure d'illusions, les flèches acérées de la réalité ne l'ont pas atteint.

Encore mieux, dans un sens, que l'autre jour dans la cabane de terre où Missy et lui se sont rendus en *skidoo*, juste avant qu'une tempête de neige ne les contraigne à y rester de longues heures. D'abord inquiets, ils se sont vite laissés aller, presque fascinés, à la contemplation du blizzard silencieux. Puis, le spectacle faisant son œuvre, il leur est venu le sentiment plein d'irréalité d'être aux premières loges d'un premier matin du monde, accentuant de manière draconienne leur impression d'être seuls tous les deux sur cette terre. Seuls et unis.

«C'est beau! avait-elle dit avec une émotion mêlée de crainte.

— Oui, c'est beau! avait-il répété.»

Il l'avait observée alors qu'elle semblait hypnotisée par la multitude étourdissante de traits obliques, entre le ciel omniprésent mais caché et le sol où s'accumulait rapidement ce débordement céleste imprévu. S'arrachant par moments à cette démonstration des éléments, elle aussi lui avait rendu ses regards. Ils se souriaient alors avec un air de bonheur sans partage.

Il était fier, comme s'il avait commandé tout spécialement pour elle cette représentation atmosphérique. Au point qu'il s'était étonné lorsqu'il l'avait vue s'éloigner à l'extérieur et longer le mur de la cabane.

«Où vas-tu? lui avait-il demandé, perplexe.

— Heu... de l'autre côté... pour... enfin, pour un petit besoin.

— Ah!»

Pour lui ç'avait été l'inattendu. Avec une espèce de banale brutalité, il avait soudain découvert que Missy Bagriany, comme tout le monde, pouvait avoir de ce genre de besoin *bassement* organique. Tout d'abord, comme s'il venait de décrypter un secret interdit, cela l'avait fait frémir, puis ç'avait été la gêne – comme pour Missy, qui avait espéré que son compagnon ne poserait pas de questions indélicates. «*Pourquoi est-ce qu'elle m'a dit ça? J'avais pas besoin de le savoir.*»

En second lieu il avait réalisé que les filles, «*c'est pas pareil*», que Missy risquait d'avoir froid et que «*les fesses à l'air par ce temps-là, ça ne doit pas être joyeux.*»

«Attends, avait-il lancé d'une voix rauque, t'as qu'à revenir dans la cabane, moi je vais sortir.

— Ça va bien, merci», lui avait-elle répondu, jugeant inutile de préciser qu'à l'intérieur ce ne serait pas propre.

Puis, malgré les entraves qu'il avait tenté d'y mettre, était venue la représentation mentale de Missy accroupie les fesses à l'air, là, juste derrière la cabane. N'ayant pour connaissance de l'anatomie féminine que de furtives observations de magazines proscrits, en émoi, il avait imaginé un bas-ventre glabre, plus généreux en troublantes énigmes qu'en franches révélations. Tentant de réprimer une brutale érection qui lui donnait l'impression de vouloir tout accaparer de lui-même, il s'était laissé aller à imaginer, supposer, concevoir, fabuler, conjecturer, sur la représentation intime de Missy qui du même coup avait pris à ses yeux une dimension chargée de mystère, que jusqu'alors elle n'avait pas encore vraiment présentée. «*Ça ne se fait pas,* s'était-il désapprouvé, *je ne dois pas penser à elle comme ça, c'est pas correct. Je l'aime. Je ne dois pas me la représenter comme ces filles de rien qui s'écartillent sur les revues pornos...*

Sais-tu que t'es un peu idiot, c'est une fille comme les autres; si tu faisais le tour de la cabane maintenant tu verrais...

Non! ne pense pas comme ça à Missy!»

Le temps s'était écoulé sans apporter aucune amélioration aux conditions météorologiques. Le blizzard avait soufflé sans discontinuer, infatigable, arrachant toujours aux nuées une telle quantité de neige que Nathan s'était demandé comment tout cela pouvait tenir en l'air. Longtemps d'un gris pâle aux nuances de rouille, l'atmosphère était passée sans véritable transition perceptible à une teinte encore plus inquiétante. Ils avaient beaucoup parlé, de leurs espoirs, de leurs ambitions, de leurs familles, à tel point qu'il leur avait semblé à ce moment se connaître intimement depuis toujours, que les liens créés entre eux par toutes ces confidences plus ou moins personnelles devaient exister de toute éternité.

«As-tu froid? s'était-il inquiété.

— J'ai pas très chaud, toi?

— Ça va.

— Je me demande s'il y en a encore pour longtemps, avait-elle soupiré.

— En tout cas on est ensemble...

— On pourrait l'être à la chaleur.

— Tu trembles, on dirait?

— Ça va passer.

Elle avait marqué un silence puis ajouté sur un ton des plus confidentiels.

— Toi aussi tu trembles?

— Oh ça va passer aussi, t'inquiète pas pour moi.»

Alors, pour la plus grande surprise de Nathan, Missy l'avait entouré de ses bras – comme lui rêvait de le faire depuis très très longtemps.

«C'est mieux comme ça, avait-elle affirmé.

— Oui, c'est mieux...» lui avait-il répondu, la gorge serrée.

Dehors les grands froids hivernaux semblaient avoir définitivement pris possession de la Prairie. En tombant, la neige bruissait.

Puis, juste avant le crépuscule, tout avait changé. L'air était devenu dur, chacun de ses atomes attaquait méchamment les extrémités exposées du corps. Cristal gazeux, le ciel était revenu au bleu. Ce bleu presque insoutenable à la vue, ce bleu sans tache, ce bleu oxygène, pur, froid, sans âme. Et puis aussi le vent qui

12

siffle, qui hurle et cingle. Ce vent qui tue le silence mais qui en même temps en renforce la présence. Il vient de loin, il fait le tour de toutes les galaxies, se frotte aux nuages de météores erratiques, plonge dans la nuit polaire, s'écorche sur les dents de l'Arctique, souffle lugubrement dans la toundra, ultime spoliaire de la Grande Forêt malachite dont il agite les faîtes et les cimes avant d'arriver, ermite de la minéralité, dans le Grand Désert américain.

Et, peut-être parce que là, seul avec elle, il s'était rendu compte qu'il était heureux – comme tout à l'heure dans l'iceberg –, le vent avait commencé à lui parler de la mort, des choses qui sont et ne seront plus, emportées comme le seront les jours et les nuits, comme le seront la chair et le sang, et la poudre blanche des os.

Ce soir aussi le vent parle du néant, parle de ceux qui vont mourir et dont le nom restera peut-être le temps d'un cycle de comète avant d'être incorporé dans la masse anonyme de l'Histoire qui elle-même finira par se perdre dans quelque symphonie galactique, qui à son tour n'atteindra pas les oreilles du tout petit enfant d'une nouvelle histoire; ou bien sur les murs anti-sons du dortoir des anges rêvant à une autre histoire.

2

De l'autre côté de la cloison, dans la chambre à coucher des parents, les stores laissent filtrer en raies parallèles la lumière lunaire bleue et froide reflétée par la neige. Ayant renoncé à trouver le sommeil, étendue sur le dos, yeux ouverts, Rose-Ange détourne légèrement la tête lorsque son mari, prenant des précautions pour ne pas faire de bruit, entre dans la pièce. Avec des gestes lents, sans allumer la lampe de chevet pour ne pas déranger sa femme, il se déshabille, inconscient d'être l'objet d'une attention soutenue. Rose-Ange observe le grand corps sec de son époux se découpant telle une ombre chinoise dans l'obscurité ionisée par les reflets lunaires. Il porte l'odeur de son atelier, celle de la sciure de bois qui parle de la forêt mystérieuse, celle de l'acier bleui des ciseaux, des chignoles et des égoïnes. Associés au feu qui ronfle dans le poêle, ces outils évoquent les forges de légende où règnent la flamme éclatante, la sueur dorée, le tablier de cuir brun, le muscle noueux, l'enclume noire, le soufflet noir, la séculaire science des métaux et le fracas du métal qui fait ciller les paupières. Le creuset, la fusion qui engendre l'outil qui à son tour, mêlé à la sueur, au muscle, à la mesure, aux copeaux blonds et frisés, formera l'objet. L'objet engendré par l'esprit dans la vaine tentative de se survivre. Son odeur, celle de son atelier, parle de tout cela, occultant la réalité lointaine des fabriques extérieures où pistons d'acier et labyrinthes de silicone produisent les objets sans âmes qui satisfont les sens et lapidifient les cœurs.

Presque surprise, Rose-Ange prend conscience de ses membres, de sa poitrine, de son ventre. Ils subissent les atteintes d'ondes de plus en plus serrées qui exacerbent ses terminaisons nerveuses, les rendent presque douloureuses.

«Viens..., murmure-t-elle alors qu'il s'assoit au pied du lit et s'apprête à enfiler son pyjama.

— Tu ne dors pas?

— Non, je ne dors pas. Allez, viens...

— Mais?

— Qu'est-ce qu'il y a, Joshua?

— C'est que... c'est inhabituel.»

Indécis, il demeure au pied du lit, pyjama entre les mains. Rose-Ange se redresse, avance à genoux à ses côtés et s'assied sur les talons.

«J'ai besoin de toi, avoue-t-elle.»

— Mais qu'est-ce qui t'arrive ce soir?» s'étonne-t-il sur un ton où ne perce que le reproche.

Pour toute réponse, elle imprime un mouvement caressant à la main qu'elle a posée sur la cuisse de son mari, puis, impulsivement, se penche pour embrasser ce pénis qu'elle voudrait tendu et vibrant pour elle. Le pasteur Joshua Barker a un brusque mouvement de recul.

«Rose! Que fais-tu? Je ne t'ai jamais vue comme ça!

— C'est peut-être le temps, murmure-t-elle. Tu sais, il n'y a pas que l'épouse et la mère en moi, il y a aussi la femme. Une femme avec ses désirs. Et tu es mon mari, alors...»

Figé, presque paralysé, il est incapable de faire quoi que ce soit alors qu'elle se penche à nouveau en avant, le caresse de ses cheveux, glisse ses lèvres sur son torse.

«Rose! Rose! s'écrie-t-il enfin, ça ne se fait pas!»

Profitant de ce qu'elle se redresse, il se lève brusquement et enfile rapidement son pantalon de pyjama.

«Je vais dormir dans la chambre de Jonas, dit-il un peu rudement. Cela nous évitera de sombrer et demain tout sera oublié.»

Aucun son ne sort de la bouche de Rose-Ange tandis qu'il traverse la pièce et en sort. Mais lorsqu'il referme la porte derrière lui, elle jette son visage dans l'oreiller afin d'étouffer un sanglot.

Jonas, réveillé dans son premier sommeil, a du mal à saisir ce qui se passe.

«Pousse-toi sur le côté, lui demande Joshua Barker, ta mère n'est pas bien ce soir, et puisque tu as un grand lit je vais dormir ici cette nuit.»

Dans l'impossibilité de s'endormir, Rose-Ange a empilé les deux oreillers sous sa nuque et demeure étendue sur le dos.

«Eh bien voilà, se dit-elle, je savais bien qu'il se sauverait le jour où je prendrais les devants. Seize ans! Seize ans pendant lesquels nous n'avons pas su faire autre chose que, lui se mettre sur moi une fois de temps en temps, et moi rester sous lui le temps qu'il se vide, et puis bonsoir. Pour la première fois j'ai voulu me découvrir à lui, j'ai voulu qu'il en fasse autant, et, au lieu de cela, il se sauve comme si j'étais le diable. Suis-je en train de gâcher ma vie? Est-ce que je n'aurais pas dû...» Emportée par un courant de regrets informulés, elle se laisse entraîner dans le fleuve des réminiscences, jusqu'au temps – pas si lointain – où elle était encore une riante jeune fille courtisée, une fraîche demoiselle qui, dans l'esprit local, n'avait pas été *corrompue* par la ville. Sa mémoire lui impose le défilé des visages de ceux qui ont ou auraient pu se poser en tant que prétendants. Et c'est toute une atmosphère, toute une époque qui afflue cette nuit dans la chambre bleu lune par une de ces brèches temporelles dont la nuit détient le secret. Le premier souvenir qui se présente est celui de ce fameux voyage à la Nouvelle-Orléans, celui que sa «meilleure amie», Aline Lapierre (une autre branche de la famille Lapierre, dont Rose-Ange fait partie) avait gagné en répondant, comme elle avait toujours l'habitude de le faire, à un jeu questionnaire au dos d'une boîte de céréales: «GAGNEZ UNE SEMAINE POUR DEUX PERSONNES TOUS FRAIS PAYÉS À LA NOUVELLE ORLÉANS». Et Aline l'avait choisie pour l'accompagner. On a bien raison de dire que c'est une ville de perdition; ce qu'elles ont pu rire et vivre là-bas avait dépassé – et de beaucoup – ce qu'elles ont pu en raconter par la suite. Existe-t-il encore, cet hôtel de Canal Street, dont le balcon des chambres donnait sur un petit jardin intérieur? Un petit jardin

tropical luxuriant, avec des fontaines multicolores la nuit et des haut-parleurs invisibles d'où émanait un soul chargé de toute la chaude langueur des nuits du Sud mêlée aux sombres rythmes d'un peuple dont, justement, cocktails exotiques aidant, elles avaient invité deux jeunes représentants qui roulaient des yeux si «mignons» qu'ils leur paraissaient encore plus «vierges» qu'elles. Cet hôtel où, sans réfléchir, presque sans s'en rendre compte, «pour s'amuser» elles avaient laissé prendre, ce que jusqu'alors elles avaient considéré comme le Graal qu'un unique *Prince Charmant* pourrait se mériter au terme d'une conquête assidue. Il faut dire que les *voleurs* avaient su y faire, se faisant tellement passer pour de jeunes pubères que jusqu'à ce qu'ils les fouillent douloureusement avec, sans plus de doute, une certaine expérience, elles avaient presque eu le sentiment que c'étaient elles les dévoyeuses. Sitôt leur besogne terminée, les deux gandins s'étaient éclipsés de leur démarche roulante, lèvres retroussées en des sourires satisfaits qui n'avaient plus rien de l'innocence charmante qu'elles avaient préalablement cru voir chez eux. Dans leur esprit, les «gentils petits gars» s'étaient transformés en de sombres phallus tout droit sortis de l'implacable jungle originelle. Restées seules, tandis que les haut-parleurs continuaient à emplir l'air d'une musique suave, presque liquide à force de glisser sur elles et de se fondre dans les perles de sueur roulant le long de leur échine ou entre leurs seins avant d'aller s'étaler dans la texture des draps froissés et de se mêler à une semence à laquelle elles ne pouvaient même pas donner de nom.

«Qu'est-ce qu'on a fait? avait demandé Rose-Ange

— Je crois bien qu'on s'est fait dépuceler, ma vieille.

— C'est affreux, non?

— Je ne sais pas... C'est peut-être aussi bien comme ça; il n'y a personne, par chez nous, qui pourra s'en vanter et nous sommes quasiment certaines de ne plus jamais les rencontrer.

Elle marque un long silence avant de poursuivre.

— Dis-moi, Rose, comment tu as trouvé ça?

— Excitant, mais aussi plus douloureux qu'agréable; mais il paraît que c'est normal la première fois... Tu crois que ce sera un mauvais souvenir?

— Je n'en sais rien du tout. En tout cas, pour l'instant je ne me sens pas traumatisée.

— Moi non plus.

— Je crois bien que c'est de la faute à l'atmosphère qui règne ici. Nous n'étions pas prévenues, cette moiteur..., ça réveille la chair. Toutes ces senteurs lourdes de fleurs, de mer, de saucisses-moutarde, de mazout, de sueur, toutes ces lumières qui maquillent la nuit, cette foutue musique, qui doit être au country ce que le whisky est au lait, pas besoin de chercher plus loin: les jeunes vierges blanches de la Prairie ne pouvaient que tomber comme des fruits murs.

— Avec des Noirs en plus.

— Il est bien temps de faire du racisme.

— Pas du tout! Je pense simplement que, si on racontait ça par chez nous, nous serions cataloguées pour le restant de nos jours.

— Ça c'est vrai!»

Elles n'en avaient plus jamais parlé à quiconque, pas même l'une à l'autre. Aline avait épousé un Québécois, un professeur de chimie qui, après un an à Biggar dans le nord, l'avait emmenée au Québec d'où, tous les ans, elle envoyait une carte de souhaits en promettant de passer bientôt. À la même époque, Rose-Ange s'unissait à Joshua Barker et, au soir des noces, lui laissait entendre qu'elle était vierge même si, «plus jeune et mal informée» elle s'était «un peu abîmé» l'hymen en mettant des tampons pour dames.

Outre le fort lapsus des tampons, il y avait aussi la *folle* équipée jusqu'à Great Falls dans le Montana.

Toujours étendue sur le dos, Rose-Ange pousse un profond soupir en repensant à cette fin de semaine qui, dans ses souvenirs, représente en quelque sorte le condensé et le bouquet final de sa période étudiante. Cela avait eu lieu durant ces quelques jours de printemps, trop vite passés, où tout se conjugue pour créer la sensation que tout est lumière, douceur, fraîcheur et légèreté. La Prairie se couvre de jeunes pousses d'herbe d'un vert tendre et scintillant, presque fragile. Le ciel, plus que jamais, est un océan de lumière qui perce les paupières les plus closes et inonde l'esprit d'une clarté nouvelle. L'air éthéré, délicatement parfumé, s'insinue jusqu'à l'esprit et soûle les sens les plus secs. Bref, cette période privilégiée de l'année où chaque créature se réconcilie avec le reste de la création. Rose-Ange terminait sa dernière année collégiale à Swift Current, la remise des diplômes aurait lieu quelques semaines plus tard. Certains iraient à l'université, d'autres plongeraient dans la vie professionnelle, elle, ne savait pas encore. Jusque-là elle avait suivi avec assez de facilité des études générales, remettant toujours à plus tard la décision de choisir une branche plutôt qu'une autre. Et, au fond, si on lui avait demandé ce qu'elle désirait, sûrement aurait-elle répondu: rien de spécial, m'occuper de ma maison, lire des romans lorsque ça me tente, me promener lorsque j'en ai envie, jouer avec les enfants, discuter de tout et de rien avec des voisines. Mais il y avait déjà longtemps, à cette époque, qu'il était de bon ton pour une jeune fille d'exprimer le souhait de faire carrière. Toujours est-il que ce jour-là, un vendredi midi, Alfred Fairfield, qui lui aussi terminait ses études collégiales, avait proposé une virée au Montana pour la fin de semaine. Le soir même, ils s'entassaient trois gars et trois filles dans son bolide asiatique rouge vif, pour un voyage ponctué de rires et de bonne humeur, le tout placé sous le signe de l'insouciance. Quelques heures plus tard, ils arrivaient à Great Falls, bien décidés à profiter de tous les plaisirs de cette ville moyenne qui offrait entre autres l'intéressante particularité qu'ils y étaient inconnus. Ils commencèrent par un restaurant dit italien, tenu par un Chypriote portant des moustaches à la turque et qu'ils ne virent pas autrement qu'avachi dans un fauteuil près de la caisse, ses yeux globuleux constamment fixés sur l'arrière-train de la serveuse, une plantureuse rouquine à en juger l'épiderme, mais malheureusement teinte couleur aile de corbeau, peut-être pour faire plus italienne? Rose-Ange se souvient des murs verts avec, ici et là, des aquarelles sans prétention représentant d'inévitables gondoliers et un non moins inévitable: Vésuve. Sur les tables rondes, il y avait des nappes à carreaux rouges et blancs recouvertes d'un plastique transparent fixé à la table par des attaches en acier inoxydable. La pizza, elle, était succulente et, chianti aidant, ils en recommandèrent. Aucune conversation sérieuse, juste des rires qui éclataient pour n'importe quoi, peut-être tout simplement parce qu'ils étaient heureux. Cela attirait les regards un peu sévères, un peu envieux, des quelques couples d'âge moyen qui formaient le reste de la clientèle. Les hommes étaient costauds, portaient chapeaux, chemises à carreaux, larges ceintures n'arrivant pas à dissimuler des ventres de bière, poignets velus, visages hâlés aux pores dilatés, yeux de glace, le genre à s'embuer durant *La Mélodie du bonheur* mais qui restent impitoyablement secs pour les vivants qui ont échoué. Les femmes portaient les cheveux courts, blonds ou argentés, frisés artificiellement, le rouge à lèvres agressif, le fond de teint généreux, la bouche amère lorsqu'elles ne se surveillaient pas, des pantalons ou de longues jupes pastels, des escarpins ou des sandales blanches, des lunettes à monture extravagante ne dissimulant pas toujours ces regards aigus et noirs qui parfois crèvent la surface tranquille des iris azurés. Mais eux s'en fichaient, ils s'amusaient. Les deux autres garçons avec Alfred étaient Rodney et Charles. Tous deux du même milieu que lui et tous deux, comme lui, se destinant au droit. Avec le recul, Rose-Ange se rend compte qu'ils étaient presque interchangeables dans leur espèce de naïveté d'enfant gâtés – sans l'être assez cependant pour devenir cyniques. Curieusement, Rose-Ange et ses compagnes ne venaient pas du même milieu que les garçons, comme si (elle y songe à présent) en attendant de trouver une compagne de la même *caste*, ils savaient qu'il valait mieux voir ailleurs pour les plaisirs insouciants. Il y avait Nicole qui se destinait aux Travaux Publics et Clemente à la technique électronique, ou quelque chose dans le genre. Vus de l'extérieur, ils pouvaient facilement donner l'illusion de trois couples en balade, mais aucun n'était autrement attaché aux autres que par la camaraderie de cette escapade commune. Tandis qu'à bouchées voraces ils dévoraient la seconde pizza, venant du plafond, Sinatra chantait en duo avec sa fille et les violons y allaient de bon cœur...

«On se croirait revenu dans les années cinquante-soixante, celles de nos parents, avait fait remarquer Rodney en grand amateur de cinéma qu'il était. Il ne manque que le noir et blanc et un feutre sur la tête du patron.

— Et toi, avait ajouté Alfred, tu serais Philip Marlowe, dînant dans ce restaurant à quatre sous parce qu'une fascinante blonde

20

t'aurait demandé de surveiller son vieux et riche mari supposé venir ici pour rencontrer sa maîtresse. En attendant tu pâtis d'un mal de bloc de tous les diables que t'essaies de dissiper en ingurgitant des tonnes d'aspirine que tu fais passer avec des litres de bourbon. Tu vois, je connais mes classiques.

— Vous tombez dans le noir, avait grimacé Nicole. Non, pour moi, l'époque dont vous parlez évoque plutôt des balades romantiques sur Sunset Boulevard dans d'énormes voitures chromées, des arrêts prolongés sur les hauteurs de la Ville qui étend ses tentacules lumineux dans la nuit chaude et complice, tandis qu'un beau mâle, je dis bien un beau mâle! essaie de me renverser sur la banquette arrière d'une énorme bagnole.

— Ouah! s'étaient exclamé à l'unisson Rose-Ange et Clemente.

— C'est une autre scène du même film, avait estimé Rodney. Nous sommes tous conditionnés par le cinéma. Nous voyons la vie à travers le zoom des Panaflex. Ah! misère de misère!

— Pour ma part, avait commenté Rose-Ange, je dois plutôt être conditionnée par d'autres sortes de films, car je vois plein de John Wayne dans ce restaurant.

— C'est peut-être ton style d'homme? avait demandé Alfred, affectant le sérieux d'un éventuel psychologue.

— Oh! Je crois que mon type d'homme n'existe pas; c'est celui qui m'emmènerait sur la montagne et me montrerait le monde, en riant quand il faut rire et en pleurant quand il faut pleurer.

— Tu es la femme qu'il me faut! s'était exclamé Charles; tu ne veux pas de vison, ni de résidence secondaire dans le sud, juste un nid d'aigle dans les Rocheuses avec un ange. (Il avait tendu la main, paume tournée vers le haut.) Tope-là! tu as trouvé celui que tu cherchais.

— Non, Charles, avait-elle répliqué en riant; je serais vite obligée de t'intenter un procès pour fausse représentation.»

Les propos s'étaient poursuivis dans la même veine, ils utilisaient la plaisanterie et l'à-propos pour faire part de leurs idées.

Sortant du restaurant, ils avaient déambulé dans les rues commerçantes illuminées. Les magasins fermés avaient la nostalgie des heures d'ouvertures, des heures d'agitation. Eux riaient toujours de tout et de rien, avec un niveau dans l'échelle des décibels qu'ils n'auraient pas osé à Swift Current. Avisant un dancing, ils s'y étaient engouffrés à la suite de jeunes gens qui leur ressemblaient. Sitôt à l'intérieur, on oubliait immédiatement le Montana, ses ranchs et ses vallées. Résolument, le décor transportait le client dans ce qui avait l'apparence d'un palais décadent mi-oriental mi-futuriste. Les jeux de lumière forçaient la pâleur des visages, la musique, barbare, frappait directement au plexus et s'étalait en vagues qui résonnaient le long du corps, obligeant presque celui-ci à se mouvoir selon le rythme imposé. Un peu «amochée» par le chianti, Rose-Ange s'était laissée aller sur une banquette de moleskine blanche tandis que les autres se «libéraient» sur le miroir de la piste de danse. Baignant dans une espèce de torpeur, elle examinait ceux de sa génération qui évoluaient sur la piste. Il lui était venu à l'idée que tous étaient là dans le but unique de rencontrer l'âme sœur ou, plus prosaïquement, de trouver un placebo au mal de la solitude. Du côté des filles, il y en avait pour tous les goûts: cette grande blonde aux cheveux raides, à la très courte robe fourreau noire, qui, menton relevé, paupières closes, lèvres humides, se mouvait au gré des notes, comme si tel ou tel mouvement avait pu correspondre à un fa, un ré, une ronde, une blanche, une croche, une pause, un soupir, un point; presque en symbiose avec l'image musicale qu'elle devait ressentir. Cette autre en paréo orange fluorescent, coiffée à la Ninon, pieds nus, exécutant un mouvement ondulant du bassin qui ne manquait pas de fasciner l'assistance mâle. Cette autre en très sage corsage blanc à col cravate et non moins sage jupe longue marine à plis plats, la chevelure ramassée en une torsade française compliquée, qui dansait les bras perpendiculaires au corps, en se mordant légèrement la lèvre inférieure et en jetant de brefs coups d'œil autour d'elle, comme pour évaluer son potentiel d'attraction. Et, juste en face d'elle, se démenait une petite au sourire polisson, aux cheveux ultra-courts, incroyablement vêtue d'un corsage-culotte jaune or et, ayant certainement décidé de passer outre la jupe, d'une paire de collants de fine laine rose. Rose-Ange ne pouvait s'empêcher de penser qu'elles étaient les mères de demain. Elles n'étaient pas différentes d'elle. Ce soir-là, dans cette lumière blafarde, dans le vortex d'une musique primitive agréable aux sens, elles avaient besoin de convaincre qu'elles étaient femmes, qu'elles étaient belles, qu'elles pouvaient être désirées, qu'elles pouvaient être aimées. Et ce n'était pas tellement différent pour les gars qui tournaient autour d'elles, guettant avec peut-être un peu trop de fatuité et d'impatience toute marque de réaction positive dans leurs yeux. Elle se souvient avoir dansé un slow avec l'un d'eux, juste avant la fermeture, d'avoir perçu son rut dissimulé sous le couvert de paroles courtoises et égocentriques, d'en avoir agréablement frémi, et d'avoir décliné l'offre de «poursuivre la soirée» avec, au fond, une petite pointe de regret.

À la sortie, de nouvelles connaissances les avaient convaincus de les suivre en dehors de la ville où devait se trouver un bar qui ne fermait pas. «Trop éloigné, les flics n'y vont pas.» Ils avaient suivi leur voiture pendant près d'une demi-heure, ne distinguant de l'environnement que les deux feux arrières de leurs guides. Alfred et Charles étaient assis devant, Rose-Ange, Clemente et Rodney côte à côte sur la banquette arrière, et Nicole sur les genoux de ce dernier que l'alcool rendait un peu grivois dans ses propos: «Si ça te dérange que je bande, ne te gêne pas, dis-le.» À la radio un saxo colorait la nuit, Rose-Ange se sentait bien, elle aurait voulu que ce voyage se poursuive toujours, et ce fut presque avec des soupirs qu'elle avait vu la voiture des «guides» se garer dans un parking éclairé par une enseigne au néon mauve représentant une Vénus coiffée d'un chapeau de cow-boy et faisant tournoyer un lasso dans la boucle duquel clignotaient les mots RODEO BAR. Immédiatement en entrant, assaillie par un fort relent de bière et de fumée, Rose-Ange avait plissé le nez, et ce qu'elle avait vu n'était pas davantage pour la rasséréner. «Un bar pour vieux satyres», avait-elle murmuré à Clemente qui avait pouffé avant de répliquer: «Et pour vieilles satyres». La pièce, vaste et très enfumée, était presque entièrement occupée par un gigantesque comptoir circulaire dont la largeur inaccoutumée s'expliquait au premier coup d'œil: évoluant sur le comptoir, un danseur, uniquement vêtu d'une paire de bottes mexicaines aux éperons dorés, se déhanchait pour le bénéfice de la moitié du comptoir visiblement réservé à la clientèle féminine. De l'autre côté, les hommes, eux, avaient droit à une danseuse vêtue d'un long boa de fourrure synthétique rose qu'elle faisait glisser de façon lubrique entre ses cuisses, sous les rires goguenards des consommateurs. Se pliant à l'usage, les filles avaient pris place du côté féminin et les gars de l'autre, conscients les uns et les autres de détonner parmi une clientèle qui affichait en général la quarantaine passée. Les hommes comme les femmes étaient principalement divisés en deux catégories. Du côté féminin on retrouvait d'une part le style *femme de carrière* venue «s'encanailler» avec des consœurs; vêtues de robes élégantes, affichant l'air blasé quant au spectacle, elles se souriaient entre elles avec l'air entendu de quelqu'un venant de jouer un bon tour à autrui; d'autre part le style *star sur le retour d'âge*: blonde platinée, fardée à outrance, portant pantalon et spencer ou pantalon et boléro toujours de couleur blanc immaculé, bleu paradis, rose anglais, jaune souci ou vert céladon; celles-ci criaient et riaient fort, lançaient les propos le plus souvent vulgaires, et c'est dans cette catégorie que se trouvaient celles qui glissaient un billet entre les fesses du danseur afin d'obtenir le privilège de le voir s'agiter le bassin à un souffle de leur visage. «Visez-moi la bête!», «Allez, mon joli, bande pour moi, bande!», «Hé, Julia, ça doit te changer de celle de ton pauvre bonhomme», «Approche, mon minet, dresse ton mât pour Maggy». Mais c'était avec celles de la première catégorie que les danseurs, qui se succédaient tous les quarts d'heure, s'éclipsaient par une porte qui devait bien mener à quelque endroit plus intime. À quelque chose près, c'était exactement le même scénario du côté masculin. Les hommes en complet cravate étaient l'équivalent des *femmes de carrière*, les *cow-boys* celui des *stars*. «Ouah! le péteux», «Vise la cochonne! elle, elle doit aimer ça», «Hé, Henry, arrête donc d'y reluquer le trou-mignon comme ça, tu vas péter ta braguette». Du côté des hommes, Rose-Ange avait identifié cependant une catégorie supplémentaire. Peu nombreuse, représentée par des jeunes gars en jeans serrés, blouson de cuir, cheveux mi-longs, «belle gueule», et regard éteint, presque mort. Et, de tout ce qu'elle voyait ici, c'est ce qui lui faisait le plus d'impression. «*On dirait qu'ils ont déjà trop vu, trop et mal vécu?*» C'était une impression angoissante: comment des jeunes gars de son âge pouvaient-ils déjà en être rendus là? Qu'avaient-ils fait? Elle avait un peu peur de ce qu'ils représentaient ou, peut-être, sans s'en rendre compte, craignait de se sentir attirée par ce qu'ils étaient.

«J'ai hâte de partir d'ici, avait-elle confié à Clemente.

— Aurais-tu peur que tes sens te travaillent? avait blagué cette dernière.

— Parle pour toi. Non, ici ce serait plutôt le contraire.

— Tu es comme moi, pour nous le plaisir doit être moral.

— Où avez-vous pêché que le plaisir pouvait être moral? avait dit Nicole. L'un n'est-il pas l'ennemi de l'autre?

— Bien sûr que non! s'était insurgée Rose-Ange.

— Arrêtez, les filles! cessez de vous raconter des histoires. Ne me dites pas que vous n'avez jamais imaginé qu'un bel inconnu vous entraînait dans une chambre rouge et or pour vous en faire voir de toutes les couleurs avant de disparaître dans la nuit.

— Pas moi! avait affirmé Rose-Ange.

— Je crois que tu te fais des illusions sur toi-même. Tiens, celui qui danse, là, il est plutôt beau mâle, non?

— Physiquement, il est pas mal...

— Bien, ne me dis pas que tu n'éprouverais aucun plaisir à te retrouver seule avec lui dans une chambre après son show?

— Tu es bête!

— Tu esquives ma question, Rose. Tiens, je suis prête à te le payer juste pour que tu apprennes à te connaître toi-même.

— Pourquoi ne te le payes-tu pas toi-même si tu es certaine d'avoir du plaisir?

— Eh bien justement, parce que je ne trouve pas ça moral.»
Rose-Ange avait observé Nicole quelques secondes.

«Je crois comprendre ce que tu veux dire.

— Contente de te l'entendre dire, je n'avais pas envie d'y passer mon argent de poche du mois.

— Moi je ne suis pas convaincue», avait claironné Clemente
Toutes trois avaient éclaté de rire.

«Finalement, avait affirmé Rose-Ange redevenue plus sérieuse, je crois que le plaisir dont tu parles, celui que tu t'apprêtais à me financer, ce plaisir-là n'est que douleur et destruction.

— C'est ça, le plaisir n'est pas moral. Rien à voir avec le

bonheur. Du moins pour nous qui sommes élevés dans la tradition chrétienne, pour le reste je l'ignore.

— Allons-nous-en d'ici», avait proposé Rose-Ange.

Les garçons ne s'étaient pas fait prier, eux aussi étaient encore trop pleins d'espoir en eux-mêmes pour trouver un intérêt participant à la débauche du RODEO BAR.

«Qu'en serait-il aujourd'hui? se demande Rose-Ange. Serais-je de celles qui glissent un billet?... De celles qui se retirent dans les chambres?... Ou de celles à qui cela paraît encore trop immoral?»

Un instant, dans la pénombre bleutée de sa chambre, Rose-Ange s'imagine dans la chambre pourpre évoquée par Nicole. Malgré elle, elle ressent un vide douloureux au ventre et doit lutter pour garder ses mains nouées sous sa nuque, avant de reprendre le fil de ses souvenirs.

Ils avaient repris la route et roulaient dans la nuit sans destination précise. Quelque part, ils s'étaient arrêtés devant un passage à niveau fermé et avaient regardé passer un train. À la radio, Dionne Warwick chantait *Morning Star*, les phares éclairaient le convoi, révélant des noms évocateurs au passage des wagons: Santa-Fé, Duluth, Central Vermont, Canadian Pacific. À cet instant, plus que jamais, alors que déjà une ligne de feu rougeoyait à l'est, que les étoiles pâlissaient sur la voûte céleste qui tournait à l'indigo, que par la vitre ouverte entrait l'odeur à la fois fraîche et capiteuse de la terre hydratée par la nuit, que se répercutait en eux le claquement répétitif des roues d'acier sur les joints de dilatation, Rose-Ange avait réalisé l'immensité du continent qui la portait. Son immensité, mais aussi sa solitude. Qu'était-elle dans tout cela? Qu'était-elle en dehors du microcosme que représentait sa famille, ses amis, ses connaissances, et les murs qui l'attendaient? Qu'était-elle dans la grande nuit américaine? Tout, absolument tout lui semblait possible, mais aussi, et cela était effrayant, vain. Inutile. Quoi qu'elle fasse, les convois de la nuit continueraient toujours à rouler, et des Dionne Warwick continueraient toujours à chanter l'étoile du matin avec laquelle on finit toujours par se retrouver. Seul. *«Que c'est beau!»* pensait-elle sans savoir elle-même si elle pensait au train, à la nuit, au continent tout entier, ou au fait de pouvoir exister parmi tout cela, ou encore était-ce un cri des entrailles pour se cacher le Grand Gouffre Solitaire qui attend?

Ils avaient roulé encore quelque temps, dans un silence apprécié de chacun, jusqu'à ce qu'Alfred indique du doigt une enseigne rouge et verte qui luttait contre les premières lueurs de l'aube.

«Faudrait peut-être se trouver un motel? avait-il proposé.

— Pourquoi pas celui-ci?», avait demandé Nicole qui depuis un moment bâillait sans interruption.

Alfred avait sonné longuement à la réception avant qu'un homme dans la cinquantaine, en robe de chambre beige défraîchie, cheveux gris ébouriffés et mine réprobatrice, vienne ouvrir. Ils regardaient Alfred discuter avec lui puis revenir vers eux sans clefs.

«Il ne lui reste qu'une chambre avec un seul grand lit...

— Allons ailleurs, avait proposé Charles.

— Il paraît qu'il n'y a rien à moins d'une heure et je n'ai pas envie de rouler encore tout ce temps.

— Même si nous étions tous en amour les uns avec les autres, on ne pourrait pas coucher à six dans le même lit, avait rétorqué Nicole.

— Non, mais ce qu'on pourrait faire, c'est de mettre le matelas par terre; deux coucheraient dessus, deux sur le sommier et deux dans la voiture, puisque les sièges se rabattent.

— En couple? avait demandé Nicole. C'est ce que tu proposes?

— N'importe comment, je m'en fous. Je peux dormir dans la voiture avec Charles ou Rodney, deux filles sur le matelas et puis les deux qui restent sur le sommier. On est entre adultes, merde.

— Pour moi ça marche, avait concédé Rose-Ange, je n'ai pas envie de finir la nuit en accordéon dans un fossé.»

Les autres avaient acquiescé à leur tour et Alfred était allé régler la chambre. Il fut fait comme il avait proposé; lui était resté dans la voiture avec Charles. Nicole et Clemente avaient pris le sommier. Rose-Ange et Rodney le matelas.

Parce que, au sens propre, c'était la première fois qu'elle partageait le même lit qu'un garçon, Rose-Ange avait pris un peu plus de temps que les autres à s'endormir. Elle trouvait étrange de

27

sentir un corps masculin tout à côté d'elle, quoique sentir n'était pas le mot exact puisqu'elle se tenait méticuleusement de son côté. Tout à l'heure, lorsqu'ils s'étaient déshabillés, elle avait été un peu gênée de la présence de Rodney, puis, avec une fraction de temps en retard, elle avait imité Nicole et Clemente, ne gardant que ses sous-vêtements. Maintenant elle ne pouvait s'empêcher de penser qu'il lui suffirait de s'écarter de quelques centimètres pour sentir contre sa peau celle d'un gars. Elle s'était endormie sur l'idée qu'elle devait être encore bien naïve, que pour les gens *évolués*, le fait d'avoir un gars dans son lit n'impliquait pas nécessairement que l'on *couche* ensemble.

Malgré les rideaux, le jour éclaboussait la chambre de taches de lumière lorsqu'elle s'était réveillée. D'abord, dans les brumes du sommeil, elle s'était demandé ce qui lui appuyait dans le dos. Puis elle avait vite réalisé que ce devait être Rodney qui était contre elle. Sur le coup elle faillit s'insurger, mais, amadouée par la situation elle-même, avait pris aussitôt en considération que le garçon devait tout simplement dormir. Cherchant réponse à cette question, elle avait pris conscience de la main posée inerte sur son épaule, du léger souffle tiède à la base de sa nuque, du contact presque soyeux du torse contre son dos. Elle sentait bien quelque chose contre ses fesses mais était incapable de déterminer si la *chose* était ou non endormie. «*Comment on fait, lorsqu'on n'y connaît rien et qu'on ne peut pas voir ni toucher, pour savoir au jugé d'un contact s'il s'agit d'un gros pénis au repos, d'un pénis en érection ou tout simplement d'un débordement d'imagination?*» Ce qu'elle avait connu à la Nouvelle-Orléans ne lui en apprenait pas plus à ce sujet. Elle savait pertinemment qu'il lui suffirait de s'écarter pour que cesse le contact, mais usait de fausses excuses envers elle-même pour rester ainsi. «*Si je m'écarte, je ne saurai jamais s'il dort ou non.*» C'est alors que, comme s'il avait obéi à une volonté autre que la sienne, son propre bras était parti en arrière et, contredisant toutes les lois de la gravitation, *avait glissé* jusqu'à ce que les doigts se trouvent entre son propre sous-vêtement et celui du garçon. Elle avait fait comme si quelque chose la gênait puis, obéissant à une force «*épouvantable*», ses doigts, ses propres doigts s'étaient refermés sur le pénis de Rodney, de toute évidence – ses doigts le lui affirmaient – en érection. Le cœur battant à tout rompre, ne sachant plus que faire, Rose-Ange ne bougeait pas. Le garçon non plus, aussi immobile qu'une statue. Un fouillis d'idées contradictoires dans la tête, elle ne savait plus que penser. Jamais elle ne s'était sentie aussi vide, jamais non plus elle n'avait cru posséder une telle puissance sur autrui. «*Je le tiens, là, entre mes doigts et il ne bouge pas, il n'ose pas bouger.*» Il bougea pourtant un peu, et son bras, à l'instar de celui de Rose-Ange, *avait glissé*, jusqu'à ce que la main, tout en douceur, vint s'échouer exactement sur son entre-jambes. Elle voulait sauter du matelas, mais, paralysé, son corps restait sur place, soumis à un index. Interdite, muette, honteuse, elle savait, elle se sentait en train d'inonder le drap comme jamais elle ne l'aurait cru possible. Serrant les paupières, crispant les mâchoires, elle luttait pour ne pas bouger, toujours faire comme si elle dormait. Plus elle luttait, plus elle voulait se retourner, introduire Rodney en elle. Rodney qui subitement devenait le garçon le plus intéressant de la terre. Oui, à cet instant elle aimait Rodney. Rodney si doux. Rodney si fort. Rodney qui, sans un mot, sans rien imposer, semblait la connaître mieux qu'elle-même ne se connaissait. Mais elle ne s'était pas retournée, n'avait pas bougé, sinon pour se recroqueviller imperceptiblement lorsqu'elle n'en pût davantage, sinon de serrer plus fort ses doigts sur le coton autour de Rodney, de son sexe qui, lorsqu'elle s'était tendue, se dilatait entre ses doigts et, l'émouvant presque aux larmes, lâchait sa semence à travers le coton. «Rodney! Rodney!» avait-elle crié en elle-même avant de sombrer dans une torpeur béate.

Beaucoup plus tard, lui avait-il semblé, on frappait à la porte. Elle s'était retournée pour apercevoir Nicole qui ouvrait la porte et... Rodney qui s'encadrait dans celle-ci.

«Je prends mon tour de douche», avait-il annoncé gaiement.

Elle s'était retournée davantage et, ahurie, avait aperçu à côté d'elle Alfred qui s'était rendormi.

«Tu ne couchais pas à côté de moi hier soir?», avait-elle demandé à Rodney.

Celui-ci avait soupiré:

«Je suis incapable de dormir gentiment à côté d'une jeune fille, alors, plutôt que de te violer, je suis allé demander à Alfred s'il voulait prendre ma place. Apparemment ça ne le trouble pas, regarde, il dort comme un bébé.

— C'est très aimable à toi.

— J'espère que tu n'es pas insultée, je t'assure que j'ai fait ça pour ne pas t'imposer ma libido.

— Peut-être que je n'aurais rien dit», avait-elle fait, énigmatique.

Du regard il faisait le tour de la pièce.

— Allons bon! avait-il dit, voilà que je suis en train de parler libido dans une chambre avec trois filles en petites culottes. Vite sous la douche!»

Pendant qu'il entrait dans la salle de bains, accompagné des rires clairs de Nicole et Clemente, elle avait enfoui la tête aux creux de ses bras et avait essayé de remplacer l'image de Rodney par celle d'Alfred dans son souvenir. Elle n'y était pas parvenue.

Et n'y est toujours pas parvenue. En fait, elle s'est toujours refusé de repenser à ces instants, moins parce qu'elle en a honte que de peur d'en souhaiter d'autres semblables. C'est presque comme si elle avait obtenu un plaisir interdit sans que cela lui soit retenu sur son ardoise céleste. Car, bien entendu, lorsque Alfred s'était réveillé ce matin-là, il n'avait jamais été question de ce qui s'était produit, ni en parole, ni même en regard entendu. À tel point que, cette nuit, elle se demande si au fond il ne dormait pas?

Le pasteur Joshua Barker non plus ne trouve pas le sommeil. Tout s'entrechoque dans son crâne. «*Rose-Ange se conduit comme une véritable Jézabel.*» Il lui en veut d'avoir allumé le feu en lui, car c'est ce feu qui est son principal sujet de préoccupation. «*À cause de Rose-Ange*» les images sont là, dans sa tête, plus fortes que jamais. Il a beau faire, beau soupirer, elles agissent dans sa chair, le font souffrir d'un mal qu'il ne rejette pas. Habituellement, lorsqu'elles deviennent trop fortes, lorsqu'il commence à trop scénariser autour, il se résout à accepter le secours de sa main. Il la laisse agiter le «*putride morceau de viande*» avec la conviction de brader une certaine part de pureté morale, mais aussi de circonvenir sa perte. Ce soir, à force de vouloir éviter ce dernier recours, peut-être parce que sa fuite l'a amené au cœur du piège (et peut-être même savait-il qu'elle le mènerait là), ce soir les images ont pris des latitudes encore jamais atteintes. Il préfère la mort à ce qu'il imagine, mais les images sont plus fortes que la mort. Implorant une aide supérieure, ses yeux fixent la fenêtre qui, dépourvue de store, laisse pénétrer le flot blême de la lumière lunaire. Cette nuit plus qu'aucune autre, cette lumière lui paraît mauvaise. Pour lui cette clarté ivoirine prend les reflets des masques mortuaires, ceux des sourires sardoniques, et ceux des angelots de marbre blanc sur les tombes d'enfant. Personne ne lui répond. Personne ne lui dit comment contourner le gouffre qui s'ouvre sous lui et dans lequel les images l'entraînent. Où sont-elles apparues ces images? N'est-ce pas durant cette nuit de printemps, son premier printemps d'orphelin lorsqu'il rassemblait les vaches avec le Rancher? Ou n'est-ce pas peu après le chantier? Peu après la Baleine? Il la revoit, comme il n'a jamais osé le faire depuis ce jour-là. Grasse, nue, toute en chair sombre et luisante dans le halo de l'ampoule nue, les yeux exorbités autant de douleur que de terreur alors que le sang jaillissait en saccades de son vagin où, en rigolant, ils venaient d'introduire une vieille ampoule grillée. «Éclairons la cathédrale», avait ricané Robert Frink. Mais sous les yeux de ce dernier, de Tyron Fox, de Noël A. Fitzpatrick et de Joshua Barker, l'ampoule avait éclaté. La Baleine avait commencé à crier, pris de panique Fitzpatrick avait stupidement imploré son silence: «Tais-toi! Mais tais-toi, bordel! Faites-la taire, les gars, elle va nous attirer des emmerdements avec ses cris.» À l'époque, lui, Joshua Barker, et Tyron Fox étaient déjà mariés, c'est peut-être pour cela que Fox avait pris un oreiller et l'avait appuyé sur la tête de la Baleine pour la faire taire. Comme elle se débattait, les autres s'étaient joints à lui pour la maintenir. L'idée n'était pas de la tuer, absolument pas, juste de l'empêcher de crier et d'ameuter d'improbables curieux.

Il ressent encore les soubresauts de la Baleine. Ils montent dans ses bras comme des vagues déferlantes, irradient sa poitrine, son ventre.

Plus il la maintenait, plus il éprouvait la fluidité de sa chair, la contraction de ses muscles, la fragilité de ce qu'elle était, plus il se sentait ému et investi d'un irrésistible besoin de l'aimer. Et il avait cru que, de toutes ses forces, il était en train de l'aimer. Il avait tout confondu, alors qu'en fait il se cramponnait à elle pour la contraindre au silence éternel, il croyait participer à un acte d'amour. À tel point qu'il avait interprété son ultime soubresaut comme un moment de communion, d'extase, et avait éjaculé.

Cela se passait là-bas dans le Nord, dans les Territoires-du-Nord-Ouest où, «pour se faire un *cash* pour la maison», il travaillait avec les autres sur un chantier établi dans le cadre d'un programme de logement pour les autochtones. Comme la Baleine les avait reçus dans une petite roulotte de chantier qu'elle utilisait pour son *commerce* et qui était située un peu à l'extérieur du village, ils l'avaient laissée là et avaient pu, incognito, regagner le baraquement où ils logeaient.

Cela avait été la première fois de sa vie que Joshua Barker avait désiré avoir recours aux services d'une fille. Sans doute parce que le mariage lui avait enseigné les plaisirs des sens et que trois mois dans le Nord l'en avait privé, sans doute parce que c'était le principal sujet de conversation de ses confrères et qu'absolument tous les murs du baraquement étaient couverts de posters plus libidineux les uns que les autres, sans doute parce qu'il avait fini par se laisser convaincre qu'avec les «sauvagesses, c'est pas péché», il s'était décidé, après quelques bières, à accompagner les trois autres qui, il s'en était vite rendu compte, avaient davantage en tête que de satisfaire un besoin d'affection ou même tout simplement de s'épancher.

L'enquête n'avait abouti à rien, sinon à conclure qu'elle était décédée des suites d'une hémorragie due à des perforations internes causées par des morceaux de verre. Rien ne prouvait qu'elle ne fût pas seule au moment de l'accident. Et rien, officieusement, n'autorisait à dépenser davantage l'argent des contribuables dans une enquête dont les suites ne pourraient qu'être funestes pour tout le monde.

Ce fut peu de temps après que Joshua Barker commença à lire la Bible, cherchant par ce moyen à exorciser le démon dont il se sent toujours le refuge. Ce fut également encore un peu plus tard qu'il s'attira l'estime de tout Bluestone en adoptant un petit «papoose» orphelin. Et ce fut ensuite que les images arrivèrent. Peut-être avaient-elles toujours existé et n'y avait-il jamais pris garde? Ou est-ce le sang de la Baleine qui retombe sur lui et, pour sa pénitence, l'oblige à imaginer le Mal et à vouloir le concrétiser? Ou encore, est-ce que là-bas, dans la pénombre de la Grande Forêt sub-arctique, l'esprit du Windigot se serait emparé du sien? N'est-il pas le Windigot ayant pris forme humaine? Le Windigot qui un jour frappera au cœur des siens? *«Non, je ne suis pas le Windigot! Non, ce n'est pas le sang de la Baleine! C'est moi! Moi qui ai joui en participant à son assassinat. Et maintenant son fils est là, à côté de moi. J'imagine qu'il me touche et je ne peux pas m'en empêcher. J'imagine qu'il s'en extasie alors que je sais pertinemment au contraire qu'il ne pourrait ensuite que me détester, me haïr. Je sais que c'est horrible et parce que c'est horrible cela m'attire, fait battre mon cœur, rend mes mains moites et tremblantes, ma gorge sèche. Le Diable sait qu'il ne peut me tromper en faisant passer le mal pour le bien. À ceux qui ne croient pas en lui, il laisse entendre que leurs images sont des fantasmes et que les fantasmes sont naturels, donc bien. Mais à moi il sait qu'il doit me montrer le mal dans toute sa laideur car il sait que j'y ai déjà goûté et que malgré moi j'en veux encore. BIEN NON! NON! NON! JE N'EN VEUX PAS!»*

Mais ce cri n'est qu'un cri, un paravent. Parce qu'il a peur d'aller plus loin en lui, peur d'y rencontrer la bête tapie, de la combattre pour ce qu'elle est, il veut croire que ses mots suffiront à l'aider. Il veut le croire, mais, encore là, n'est pas complètement dupe de lui-même. Il sait. Il sait et pourtant il cherche encore les excuses qui pourraient l'absoudre: *«David avant moi semble avoir aimé Jonathan pour son corps, et n'a-t-il pas envoyé Urie à la mort pour prendre sa femme Bath-Shéba. Suis-je meilleur que David?»*

Les images sont toujours là, prêtes à prendre vie, baignant dans le pourpre.

3

Depuis un bon moment, Nathan, vaguement inquiet, se demande, en arrière-plan d'autres pensées concernant principalement Missy, pourquoi la maison est si calme. Bien qu'il fasse encore nuit et que rien concrètement ne vienne l'appuyer, subjectivement il sait que l'heure du lever doit être passée. Il trouve quelque chose de différent dans l'atmosphère. «*C'est bizarre ce matin, on dirait que c'est pas pareil?*» Il ne saurait dire ce qui est différent, il ne fait que le ressentir. N'ayant ni montre ni réveil, il se décide à descendre à la cuisine pour voir l'heure et se prouver qu'il se trompe, que c'est le milieu de la nuit. Pourtant, en descendant il reçoit de plein fouet l'impression que vraiment quelque chose ne va pas. Rien, sinon le silence anormal, ne permet d'affirmer cela, cependant le simple escalier lui semble étranger, et jusqu'aux murs qui paraissent hostiles. «*C'est à cause de la nuit*», s'explique-t-il sans trop se rassurer, car, depuis quelques instants, l'angoisse, qui semblait jusque-là planer dans les ténèbres grises de la maison, s'infiltre en lui par tous les pores de sa peau. Allumant dans la cuisine, il cligne une seconde des yeux puis, fixant la pendule ronde en plastique imitation bois, constate qu'il est plus de sept heures. «*Personne n'est réveillé ce matin, se dit-il, c'est bien la première fois que c'est moi qui vais les réveiller... C'est quand même bizarre tout ça.*»

Remontant l'escalier, il choisit d'aller d'abord réveiller Jonas. «*Il sait peut-être quelque chose que j'ignore?*» Devant la porte entrouverte, toujours dans les ténèbres, il a un instant d'hésitation qu'il ne comprend pas. Sans s'expliquer pourquoi, il appréhende de passer la porte, certain, quelque part, de trouver quelque chose de moche de l'autre côté. Inquiet, il observe une seconde la différence entre l'obscurité gris-noir qui règne sur le palier et celle gris ardoise qui a l'air de suinter par l'entrebâillement de la porte.

«Jonas? fait-il en passant celle-ci.

N'obtenant pas de réponse, il hausse le ton.

— Jonas, réveille-toi, on a passé l'heure, on va être en retard. Personne n'est réveillé. Toujours sans réponse, il appuie sur l'interrupteur. Attention les yeux, j'allume.»

Comme dans la cuisine, il cligne des paupières, regarde sans rien comprendre, murmure: «Jonas? Jonas?», et, tremblant, commence à réaliser que Jonas ne répondra pas. Il est sur le dos, les bras en croix, les reins soulevés par une vague formée du drap et des couvertures repoussés, un oreiller est appuyé sur le côté de son visage. Ce visage qui permet à Nathan de réaliser que son frère ne parlera plus. Les yeux, vitreux, sont exorbités, la bouche, comme un gouffre noir, est toute grande ouverte, et la peau ressemble à celle des morts-vivants dans un film qu'il a vu à la télévision chez son grand-père. Nathan veut crier mais aucun son ne sort de sa bouche; au lieu de cela, sans même qu'il y prenne garde, sa vessie se relâche et il mouille son pyjama. Sans faire un geste, il regarde et regarde encore comme si le fait de regarder pouvait changer les choses. Bien entendu, pour l'instant, il ne réalise pas toutes les conséquences de ce qu'il voit. Il voit la mort, et la mort suffit à occuper tout son raisonnement. *Il est mort... Il est mort... Il est mort...»*

Jusqu'à présent, sans jamais l'avoir rencontrée en personne, il croyait néanmoins la connaître. Il l'avait surprise au cours de ses lectures, sur la mousse sombre et fraîche d'une forêt de chênes, làbas dans les vieux pays, alors que le Chevalier Blanc était étendu, visage serein sur lequel les ramures des grands arbres séculaires et les rayons dorés du soleil d'avril dessinaient des paysages d'ombre et de lumière, tandis qu'une tache vermeille allait en s'élargissant sur l'étoffe blanche couvrant sa poitrine percée par le sinistre javelot du Chevalier Noir. Cette fois-là, il avait pleuré parce que la mort n'était pas juste. Il l'avait vue des milliers de fois à la télévision, mais, à travers le tube cathodique, elle fait partie du monde cathodique, elle n'est qu'une borne marquant les histoires, l'Histoire, l'actualité; quelque chose donnant du relief à la vie. Et il l'a imaginée il y a quelque temps (lorsque le père de Missy s'est égaré dans le blizzard et n'est jamais rentré) sans pourtant qu'elle se dévoile à lui comme elle est en train de le faire, révélant sans pudeur l'implacable et inéluctable destin de la chair.

Sortant de l'espèce de transe qui l'a cloué sur place, il veut crier mais se ravise sur le champ en pensant à sa mère. Déjà l'instinct protecteur qui est en chaque fils lui commande de se taire. «*Il ne faut pas que Maman le voie comme ça! Mais qu'est-ce qu'il a eu? C'est peut-être une maladie?*» À cette idée, épouvanté, il recule vers le palier. «*Bon sang! si Papa et Maman ne sont pas réveillés, c'est peut-être que...*» Son cerveau refuse de concevoir la suite de cette pensée et, à présent terrifié, il sort sur le palier, le cœur emballé, essayant sans y parvenir de mettre de l'ordre dans ses pensées. «*C'est pas possible! J'ai dû me tromper, oui, je me suis trompé!*» De nouveau il entre dans la chambre pour constater que rien n'a changé. Il voudrait maintenant s'approcher un peu plus du lit pour voir, mais il a peur d'«*attraper la maladie*». Dans sa tête, à toute allure, il cherche quelles maladies peuvent être aussi brutales et conclut rapidement qu'il doit s'agir de quelque chose comme la peste noire. «*Il faut que j'aille dans la chambre de Papa et Maman*», s'ordonne-t-il.

«*Tu sais bien que d'habitude à cette heure, ils sont réveillés et debout. Ils sont sûrement... Ils sont... NON! NON! NON!*» Rendu là, il ne peut réprimer un cri, un appel à l'aide qui porte en lui tout l'effroi qu'il éprouve.

«MAMAN!»

Il est presque surpris, mais combien soulagé, au bout de quelques secondes, d'entendre Rose-Ange lui répondre derrière la porte de sa chambre:

«Nathan? Qu'y a-t-il?»

Il ne sait que dire et éclate en sanglots convulsifs, dus tout autant au relatif relâchement de ses craintes qu'à la peine qu'il éprouve, non pas tellement pour lui-même – il n'a pas encore réalisé –, mais en imaginant celle de sa mère. Secoué, il tombe à genoux tandis qu'une plainte continue s'évade de ses lèvres. Presque aussitôt, enfilant sa robe de chambre, Rose-Ange apparaît sur le palier.

«Nathan? Nathan? Que se passe-t-il, mon Dieu!»

Se rendant compte de l'état de son fils, son ton est déjà plein d'affolement. Nathan, lui, est incapable de répondre. Ramassé sur lui-même, à genoux, il ne peut que secouer la tête comme pour réfuter ce qu'il est en train de vivre.

«Maman? Oh! Maman!»

Elle s'énerve:

«Mais enfin, Nathan, répond? Où est ton père?»

À cette question il redresse la tête, réalisant que son père devrait être là avec sa mère, s'inquiétant de ce qui arrive.

«Papa? Je ne sais pas, il n'est pas dans la chambre?

— Mais non, mais enfin qu'est-ce que tu as?»

Se rendant compte qu'il ne peut plus différer le moment de la renseigner, il désigne du regard la chambre de Jonas.

« N'y va pas! N'y va pas, Maman...

— Hein? Mais pourquoi? Jonas?!»

N'ayant pas de réponse, livide, ses yeux vont de la porte entrouverte à Nathan qui ne fait rien pour contredire ce qu'elle est en train de présumer. Soudain elle se précipite dans la pièce.

Toujours sur le palier, Nathan l'entend crier, implorer Jonas pour le réveiller. Lorsqu'il l'entend s'affaisser à son tour, il se relève pour la rejoindre.

«Maman, Maman, je suis là, essaie-t-il de la soutenir. Pleure pas, Maman. Il faut sortir, c'est peut-être une maladie.»

Elle secoue négativement la tête.

«Va chercher ton père, demande-t-elle. Va chercher ton père.

— Où?

— Je l'ignore, va le chercher. Mais qu'est-il arrivé? Qu'est-il arrivé?»

Comme un automate il sort, redescend l'escalier, éclaire la cuisine déserte, le salon tout aussi désert, revient dans la cuisine, aperçoit le sac d'études de Jonas et réalise soudain que son frère est mort. Puis ça lui paraît impossible. Impossible puisque son sac d'école en nylon rouge et jaune est là. Tout à l'heure, ils vont y aller tous les deux, et tout s'arrangera. Oui, il a hâte que ça s'arrange. La vie ne peut pas changer comme ça, pour rien; et Jonas fait partie de la vie. Lentement il remonte l'escalier, rencontre les yeux atterrés de sa mère debout dans l'encadrement de la porte de Jonas.

«Où est ton père? demande-t-elle.

— Il n'est pas là...»

Soudain, de concert, ils tournent leurs regards vers la salle de bains dont, normalement, la porte reste ouverte la nuit afin d'éclairer le pallier. Elle est fermée.

«Joshua? appelle Rose-Ange qui déjà secoue la tête de gauche à droite, refusant une nouvelle évidence. Joshua, tu es là?»

Nathan s'approche de la porte, tourne la poignée et constate que c'est verrouillé de l'intérieur. *«Pourquoi qu'il ne répond pas? Pourquoi? Est-ce qu'il est aussi... Qu'est-ce qui se passe?!»* Il regarde sa mère et lit les mêmes interrogations dans son regard. Il cogne à la porte.

«Papa? Papa!»

Rose-Ange attrape Nathan par l'épaule et l'entraîne vers l'escalier.

«Il faut appeler un docteur ou... ou la police, dit-elle d'une voix qu'il reconnaît à peine.

— Mais... Et Papa?

— Je ne sais pas! Je ne sais pas!»

Au milieu de l'escalier, elle se laisse aller à s'asseoir sur une marche et enfouit son visage entre ses mains, les épaules agitées, gémissant. Aussitôt Nathan s'assoit à côté d'elle, la bouche déformée à force de retenir ses propres pleurs. Mais il se persuade qu'il doit paraître fort s'il veut soutenir sa mère.

«Pleure pas, Maman», dit-il en réalisant aussitôt toute la bêtise d'un tel propos.

Mais, comme si elle l'écoutait, elle relève la tête.

«Appelons le docteur, fait-elle.

— Bouge pas, je l'appelle.

— Non! moi je vais l'appeler. Il faut avertir l'hôpital. Il faut une ambulance... Ou plutôt non! C'est ça! toi, toi tu appelles une ambulance immédiatement. Vite, Nathan, vite!»

À peine a-t-elle dit cela qu'elle se redresse, descend le reste de l'escalier, ouvre un tiroir sous le comptoir de l'évier, y prend un tournevis, un marteau, et remonte l'escalier en se précipitant.

«Maman? demande Nathan qui l'observe.

— Appelle l'hôpital, vite!»

Tandis qu'il trouve et compose le numéro des urgences que Rose-Ange a inscrit sur la première page de l'annuaire, il l'entend forcer la poignée de la salle de bains. Il obtient la communication juste comme, à l'étage, il reconnaît le grincement caractéristique de la porte de la salle de bains. À l'autre bout de la ligne, la standardiste de l'urgence répond d'une voix froide, un peu autoritaire et sans complaisance:

«Les urgences?

— S'il vous plaît, vite! Il faut une ambulance et un docteur tout de suite, mon frère est... mort.

— Qui parle?

— C'est Nathan Barker.

— D'où appelles-tu, Nathan?

— De chez moi, à Bluestone.

— Écoute-moi, Nathan, tu dis que ton frère est mort, (la voix devient moins froide, moins autoritaire, plus complaisante) comment est-ce arrivé?

— Je ne sais pas, vite! s'il vous plaît! je crois que mon père est mort aussi. Il est enfermé dans la salle de bains.

— Nathan, donne-moi ton adresse, veux-tu, et après, surtout, ne raccroche pas. Tu as compris?»

Il donne l'adresse, indique que c'est juste en face du magasin général, et presque aussitôt, d'en haut, il entend un râle profond qui le saisit tellement qu'une nouvelle fois il mouille son pyjama. Il lâche le combiné qui percute le sol.

«Maman? Maman, ça va?»

Comme elle ne répond pas il grimpe l'escalier quatre à quatre; cependant, juste avant qu'il n'entre dans la salle de bains, la voix de Rose-Ange l'arrête:

«N'entre pas! Tu as compris, Nathan, n'entre pas!

— Papa... Papa est là?

— Oui, gémit-elle.

— Heu...

— Oui.»

Il a presque du mal à la reconnaître lorsqu'elle repasse la porte et la referme derrière elle. L'air égaré, elle s'assied devant, comme pour monter la garde, les jambes étendues devant elle. À cet instant, Nathan se fait la réflexion qu'il faudrait aller chercher son père car il n'y a que lui qui peut remettre de l'ordre dans tout ça, puis il se rend compte que c'est justement lui qui manque. Éclatant de nouveau en sanglots, il hésite puis va se jeter dans les bras de sa mère. Cherchant ce qui a pu se produire, il imagine que son père a trouvé Jonas mort en allant le réveiller et que, fou de chagrin, il s'est enfermé dans la salle de bains pour se suicider. Il ne comprend pas cependant pourquoi il a fait cela alors que lui-même et Rose-Ange sont vivants. «*Il n'avait pas le droit!*» Et puis il se reproche d'avoir été comme il a été avec lui, se rend compte qu'il ne pourra plus lui demander pardon, et se sent tellement malheureux qu'il voudrait mourir lui aussi; rejoindre ceux qu'il vient de perdre. Étrangement, la seule chose qui lui redonne un peu de courage, c'est la peine de Rose-Ange. Sans l'analyser, il a le sentiment que c'est son chagrin à elle qui fait le sien. Il ne sait quoi lui dire, tous les mots d'encouragement qui lui viennent à l'esprit lui apparaissent hors de propos. Il s'en veut pour cela, comme si le fait pour lui de trouver les bons mots pouvaient faire se relever Jonas et replacer son père devant les poêles à crêpes du petit déjeuner. En ce moment, il ne réalise pas vraiment que Jonas n'occupera plus jamais son horizon, pas plus que demain, les jours suivants et les années, son père ne sera là pour faire partie de son quotidien. Pour l'instant, il n'y a que la déchirure qui, de seconde en seconde, va en s'élargissant.

4

Il y a eu les ambulanciers qui ont affirmé ne rien pouvoir faire. Ce sont eux qui ont demandé la police. Visiblement ébranlés, ils sont demeurés auprès de Rose-Ange et Nathan en attendant l'arrivée des patrouilleurs. Ils ont fait du café, et Nathan, qui n'en prend jamais, l'a ingurgité à petites gorgées. On sentait bien qu'ils auraient voulu aider, soulager, mais que dire en de telles circonstances? Puis la première voiture de patrouille est arrivée; ce qui, de concert avec l'ambulance, a créé une véritable inquiétude parmi les matinaux du *General Store* en face, dont la patronne, Jolene Lapierre, a donné le coup d'envoi téléphonique et depuis, toutes les lignes de la communauté sont en effervescence. Puis les patrouilleurs ont été remplacés, et maintenant ce sont des hommes en civil qui circulent dans la maison. Nathan, qui a compris qu'il s'agissait de policiers, ne comprend pas néanmoins la raison de leur présence. Il a vu des émissions comme *Columbo*, croit savoir que les inspecteurs ne viennent que lorsqu'il y a probabilité de crime, et ne voit pas pourquoi ils sont là. Depuis l'arrivée de tous ces gens agités, lui et Rose-Ange sont assis côte à côte sur le canapé du salon, comme si, durant le temps que la police occupe les lieux, le reste de la maison leur était interdit. L'un d'eux semble être le responsable, un homme assez large au crâne dégarni, vêtu d'un grand parka turquoise avec, telle une hotte de père Noël, un immense capuchon bordé de fourrure synthétique crème; ce vêtement s'ouvre sur une chemise jaune unie tendue par un ventre imposant sur lequel s'élance, comme un tremplin, une cravate vert franc passablement froissée. Cet homme vient parfois s'encadrer dans la porte du salon, pose une ou deux questions anodines et remonte à l'étage. Par la fenêtre du salon, Nathan aperçoit une foule de visages groupés derrière la vitrine du magasin général où suppositions et conjectures doivent aller bon train. Tout paraît se dérouler dans les limites d'un cauchemar, rien n'a de sens, les éléments ne sont en place que pour les besoins de la mise en scène. La seule chose qui lui paraît vraiment tangible, c'est le regard de sa mère: elle s'est arrêtée de pleurer et, d'une manière inquiétante, fixe le grand cadre doré où, dans une découpe ovale, elle pose au bras de Joshua Barker au matin de leur mariage. Nathan voudrait savoir de quoi est mort Jonas mais n'ose le demander. De nouveau, l'inspecteur en parka turquoise s'encadre dans la porte et s'éclaircit la gorge.

«Heu... Madame Barker?»

Rose-Ange reste fixe quelques longues secondes avant de se tourner vers lui.

«Oui?

— Pourrais-je vous parler (il désigne Nathan), seul à seul?

— Heu... oui. Nathan, s'il te plaît, pourrais-tu aller t'habiller.»

Mais à cet instant l'inspecteur se retourne et lève la main comme pour arrêter Nathan.

«Attendez», fait-il.

Rose-Ange et son fils regardent deux hommes qui traversent la cuisine en portant un brancard sur lequel une housse de plastique blanc abrite ce qui, de toute évidence, doit être la dépouille de Joshua Barker.

«Où l'emmenez-vous? demande Rose-Ange. Qu'allez-vous en faire?

— Madame, je suis obligé d'envoyer les corps à l'Institut médico-légal.

— Mais...»

De nouveau, le policier désigne discrètement Nathan, essayant de faire comprendre qu'il ne tient pas à parler en sa présence. Celui-ci le sent et s'insurge:

«C'est moi qui ai découvert Jonas, inutile de vouloir me cacher quelque chose, j'ai le droit de savoir! J'ai le droit...

— Je comprends, mon garçon, mais, pour les besoins de l'enquête, nous devons interroger séparément les témoins; c'est la procédure.

— L'enquête? Quelle enquête? Ce n'est pas une maladie? (Brusquement Nathan incarne l'image de la stupéfaction.) Vous croyez que quelqu'un aurait pu tuer Jonas durant la nuit? Oh! j'avais pas pensé à ça...»

L'inspecteur observe Rose-Ange et comprend en lisant sur le regard de cette dernière que par déduction, ou peut-être par le biais de la fameuse intuition féminine, elle doit à présent savoir grossomodo ce qui s'est passé. Elle le sait mais ne l'accepte pas. Il songe qu'il lui faudra noter cela dans ses réflexions ultérieures car, jusqu'ici, rien n'interdit de penser qu'elle n'a pas une part de responsabilité directe ou indirecte dans cette tragédie. À nouveau les brancardiers passent, portant à présent ce qui doit être la dépouille de Jonas. Cette fois Rose-Ange se lève, crie, bouscule le policier et se précipite vers le brancard.

«Pourquoi l'avez-vous mis là-dedans? Pourquoi? C'est horrible!»

Elle veut ouvrir la fermeture à glissière, les brancardiers ne savent que faire et interrogent l'inspecteur du regard comme si lui seul était habilité à pouvoir la ramener à la raison.

«Madame..., fait l'inspecteur.

— Vous n'avez pas le droit! Vous n'avez pas le droit de l'emmener dans ce... dans ce sac en plastique.»

Nathan, entièrement de l'avis de sa mère, se demande pourquoi elle n'a rien dit tout à l'heure lorsqu'ils sont passés avec le corps de son père: *«Il s'est peut-être ouvert les veines ou quelque chose comme ça? Il est peut-être plein de sang?»* D'imaginer son père ainsi ajoute encore davantage à l'étau qui douloureusement lui broie la gorge.

«Madame... répète l'inspecteur cherchant à l'amadouer, c'est juste pour le transport...»

Et pour lui faire admettre tout le bien fondé de cette façon de procéder, par la porte ouverte il désigne le *General Store* où les curieux s'agglutinent dans la vitrine et même, à présent pour certains, sur les marches extérieures, abasourdis par le second brancard. Nathan qui a suivi le regard du policier se demande si Missy se trouve dehors en train de se questionner sur ce qui se passe chez lui. Une fraction de seconde, il en éprouve une espèce de fierté déplacée puis se le reproche aussitôt: «*T'es un monstre! Papa et Jonas sont morts et toi, tout ce que tu te demandes, c'est si Missy pense à toi. Triste individu! Missy aussi elle vient de perdre son père, elle n'en a rien à faire de ce qui peut t'arriver, et quand même... Pourquoi est-ce que je pense à des choses pareilles en ce moment? C'est pas normal!*»

De son côté, Rose-Ange donne l'impression de s'être rendue aux arguments de l'inspecteur; les yeux agrandis de désespoir, elle suit le brancard et ce qu'il supporte jusqu'à une camionnette blanche non balisée où il est hissé sans trop de cérémonie.

«Aimeriez-vous attendre plus tard pour répondre à certaines questions?» demande l'inspecteur qui l'a suivie à l'extérieur et ne s'étonne pas de ce qu'en simple robe de chambre elle ne frissonne même pas.

Rose-Ange secoue négativement la tête.

«Allons-y tout de suite, il y a si peu à dire. (Elle regarde Nathan.) Allez, Nat, va te changer maintenant.»

Nathan obtempère et monte l'escalier d'un pas lourd. Ce n'est qu'arrivé sur le palier qu'il prend vraiment conscience qu'il est mouillé et sent mauvais. Plus par réflexe que par décision, il veut aller se laver et, sans y penser, entre dans la salle de bains où, du premier coup d'œil, il englobe le policier qui, un genou par terre, est en train de glisser quelque chose dans un contenant en plastique, et, ce qui le fait reculer brusquement, le sang. L'incroyable quantité de sang qui macule la céramique autour du bain. Le sang qui parle d'une mort qu'il n'a pas imaginée. Réalisant qu'il s'agit de celui de son père, il lui vient l'idée saugrenue de vouloir en récupérer un peu, comme «*un souvenir*». Cruellement il se rend compte qu'il ne lui reste rien de celui qui lui a donné le jour, et cette constatation ramène de nouvelles larmes tandis que ses lèvres sont agitées d'un tremblement qu'il ne peut maîtriser. «*Papa! Papa! Pourquoi tu t'es... Hein! mais au fait! tout ce sang? Mais oui! quelqu'un t'a tué, c'est un assassinat, quelqu'un les a tués! Mais pourquoi? Une vengeance? Non! impossible, ridicule!*

Quoi alors? Je comprends maintenant pourquoi la police est là. J'aurais pu être tué, et Maman aussi. Oh non! pas Maman! Mais pourquoi?» Intérieurement il visionne des hypothèses qu'il repousse les une après les autres et, machinalement, entre dans sa chambre pour s'habiller tandis qu'en bas, l'inspecteur, sans en donner l'impression, observe méticuleusement Rose-Ange.

«Vous avez deviné ce qui s'est produit, n'est-ce pas?»

Lentement elle fait oui du menton.

«Pensons-nous la même chose? reprend-il.

— Oui, dit-elle sur un ton dangereusement révélateur d'un esprit qui risque de sombrer dans l'abîme qu'il contemple. Oui si vous voulez dire que mon mari est lié à la mort de Jonas.

— Vous avez deviné pourquoi?

— Non, répond-elle en regardant vers l'étage comme on répond oui. Vous?

— Des hypothèses...

— Folie? C'est commode comme explication, non? En tout cas bien pratique, vous ne trouvez pas?»

Le policier forme comme un cul de poule avec ses lèvres et le déporte sur le côté droit dans une mimique illustrant un état d'interrogation.

«C'est à peu près ça», dit-il au bout d'un moment.

De nouveau elle regarde vers l'étage, visiblement pour lui faire comprendre quelque chose.

«La folie, répète-t-elle; il n'y a pas d'autre explication, n'est-ce pas?

— Est-ce que... Est-ce qu'il avait déjà donné des signes, comment dire? révélateurs? des signes qui pourraient expliquer cette... crise?»

Brusquement Rose-Ange baisse la tête vers le plancher et la secoue violemment.

«Je me trompe! Je me trompe! Dites-le-moi, inspecteur!»

Les mains dans les poches de son parka, il la fixe sans l'approuver ou la contredire. Il ne sait pas si cette femme est coupable de complicité, d'aveuglement ou de rien du tout. Il préfère la dernière hypothèse, mais l'exercice de son métier lui a enseigné qu'il ne faut rien rejeter, surtout pas le pire. Pour l'instant il fait le dur, mais derrière ce masque tout est chaviré. «*On croit être blindé*, se dit-il, *et chaque fois quelque chose vient démolir la cuirasse qu'on a tant de mal à bâtir. Il n'y a donc pas de limite à la bête humaine? Putain de métier!*» Tout à l'heure en arrivant, lorsque Perry lui a annoncé la présence de sperme sur la jeune victime, il s'est d'abord imaginé que le père, trop puritain, ayant surpris son fils en pleine masturbation juvénile, aurait vu rouge, aurait tué le garçon et se serait ensuite ôté la vie, c'était déjà une histoire tout ce qu'il y a de «*moche*», jusqu'à ce que Perry, d'habitude toujours dans les nuages, lui fasse remarquer que le garçon n'avait pas encore treize ans et qu'à sa connaissance, même si ce n'était pas impossible, il lui paraissait un peu jeune pour éjaculer.

«Vous croyez vraiment? avait-il demandé d'une voix blanche.

— Bah... je crois, d'autant plus que la victime ne présente aucune pilosité révélatrice d'une puberté précoce.

— Ouais... Puberté précoce, toujours le mot, hein, Perry? Quelle merde!»

Une seconde les deux hommes ont essayé de se rappeler l'âge de leur première éjaculation et, s'ils s'en sont souvenu le petit instant de frayeur, ont constaté, incrédules, qu'ils en avaient oublié l'âge. De «*moche*» l'histoire est devenue carrément révoltante. Depuis il lutte contre une vague sensation de nausée qui n'a rien à voir avec la paire d'œufs qu'il a avalés ce matin. Rose-Ange se dresse contre son silence:

«Pourquoi vous ne répondez pas? implore-t-elle.

— Je n'en sais rien, Madame. Il faut d'abord procéder à certaines expertises.

Il marque un silence puis décide de poursuivre son interrogatoire.

— Faisiez-vous chambre commune avec votre mari?

— Bien sûr.

— Avez-vous remarqué à quelle heure il a quitté votre chambre cette nuit?

— Il n'a pas couché avec moi cette nuit.

— Puis-je en connaître la raison?»

Rose-Ange hésite avant de répondre et l'inspecteur enregistre ce détail.

«Nous avons eu une mésentente hier soir, et il a dit qu'il allait dormir dans la chambre de Jonas.

— Une mésentente?»

Y songeant, Rose-Ange se laisse soudain emporter par la colère et la révolte:

«Le salaud! Le salaud! Le monstre! Quand je pense que je l'ai aimé, mais comment? Comment? La pourriture! Le salaud! (Elle regarde le policier comme si elle le voyait pour la première fois.) Hier soir, inspecteur, je voulais... faire l'amour, oui, je voulais faire l'amour! et Monsieur s'est sauvé comme si j'étais la dernière des putains, et au lieu de cela il... Oh le monstre!»

Dans un geste qui se veut apaisant, l'inspecteur lui pose la main sur l'épaule.

«Madame, votre fils pourrait entendre...

— Mon fils... Notre fils... Mais... Inspecteur, croyez-vous que...

— Non, Madame, ce n'est pas inscrit dans les gênes, si c'est là la question que vous vous posez. Adolph Hitler aurait pu engendrer Mère Teresa.

— Vous avez peut-être raison... sûrement...»

Le visage de Rose-Ange est un masque de souffrance sur lequel le policier croit pouvoir lire toute l'horreur qu'elle doit éprouver d'avoir aimé, de s'être donnée à un homme capable du pire. Il conçoit dans quel état de délabrement affectif elle doit se trouver. Tout ce sur quoi était bâtie son existence a été pulvérisé. En effet, dans la tête de Rose-Ange, tout bascule en tout sens, comme une vue au ralenti des débris d'une œuvre qui, après une explosion, retombent n'importe comment. Tout s'effondre, idées, valeurs, sentiments; tout semble l'avoir bernée. Ce qui était vrai ne l'est plus, et «*Jonas qui s'en va dans un sac en plastique!*»

«Nous l'avons adopté, vous savez, dit-elle plus pour elle-même que pour le bénéfice du policier; mais je l'aime, je l'aimais.

— Bien sûr, je n'en doute pas.

— Vous me croyez?

— Évidemment, Madame.

— Moi j'ai du mal; normalement je devrais être morte de chagrin. Vous savez, c'était une idée de... de lui, cette adoption. Je

47

dois dire qu'au début, je n'étais pas trop enthousiaste, mais Jonas, je l'ai vite aimé.»

Mentalement le policier prend note qu'il faudra qu'il vérifie les tenants et aboutissants de cette adoption.

«Rose! Rose! ma petite fille! qu'est-il donc arrivé?»

Le policier s'apprête à éconduire la grande femme en combinaison de motoneige qui, bras tendus, s'approche de Rose-Ange, puis il comprend qu'il doit s'agir de la mère de celle-ci.

«Oh Maman! Maman! Si tu savais!

— Pour l'instant, ma fille, je sais seulement que tu as besoin d'aide.»

Comme pour évaluer la situation, la femme jette un regard autour d'elle puis fixe le policier avec un regard bleu intense, si profond que l'homme en a presque froid dans le dos. «*Voilà une dame!*», se dit-il.

Virginie Lapierre est une femme de taille haute, svelte, au visage indubitablement empreint d'une certaine noblesse. Son mari travaillant dans le nord, comme la plupart des hommes du clan, elle a dû s'habituer à faire face, seule, à toutes les situations, et cela avec une famille de huit enfants. Encore aujourd'hui, âgée de soixante-cinq ans, elle en impose au policier qu'elle entraîne par le bras vers le salon pour savoir ce qui se passe chez sa cadette.

«Vous êtes policier? s'informe-t-elle.

— Tanovitch, inspecteur Tanovitch, Madame.

— Que se passe-t-il, inspecteur? Des voisins me disent que mon gendre serait décédé?

— Oui, Madame, et aussi... son fils.

— Nathan? Pas Nathan?

— Non, je crois que c'est Jonas.»

Il remarque que après avoir accusé l'angoisse la plus profonde, à cette dernière information, aussi imperceptible cela soit-il, le visage de cette femme qui le domine d'une bonne tête manifeste un certain soulagement. Il comprend très bien cette réaction; pourtant, peut-être en mémoire d'un petit gars qu'il n'a pas connu, il ne se sent pas loin de lui en vouloir de privilégier les liens du sang jusqu'en de pareilles circonstances. C'est peut-être pour cela qu'il ajoute crûment:

«Selon toute vraisemblance, son père l'aurait étouffé avec un oreiller.

— Comment? Que dites-vous?!

— Malheureusement ce qui est, Madame. Je m'en excuse, mais il fallait que vous le sachiez. Je crois qu'il n'y a que vous qui puissiez aider votre fille et votre petit-fils.

— Mais c'est insensé! Pourquoi aurait-il fait une chose pareille?

— Nous l'ignorons, dissimule le policier.

— Jonas... C'est terrible! Pauvre enfant!»

Virginie Lapierre passe sa main devant ses yeux. Pendant quelques instants elle offre l'image d'une femme très fatiguée puis se ressaisit très vite.

«Parons au plus pressé, fait-elle. Vous ne voyez pas d'inconvénients à ce que j'emmène ma fille et mon petit-fils chez moi.

— Mais pas du tout, Madame, au contraire, ce sera certainement préférable pour eux.

— Merci, Inspecteur.»

Le laissant là avec un sentiment d'admiration uniquement tempéré – et pourtant il le comprend fort bien – par le fait naturel d'avoir privilégié son descendant par le sang, elle revient auprès de sa fille qui regarde autour d'elle comme si chaque objet lui était devenu étranger.

«Ah! Grand-Maman, tu es venue, découvre Nathan qui descend l'escalier.

— Oui, mon garçon. Vous allez vous habiller chaudement, je vous emmène à la maison.»

«À la maison», les mots font presque du bien à Rose-Ange. Ils portent en eux un parfum d'autrefois, du temps d'avant. Ils ne la soulagent pas, mais représentent une bouée à laquelle se raccrocher. En réalité, elle est complètement perdue; ne sachant si elle doit ou non pleurer son mari. Par moment elle le fait, puis elle se souvient vite ce qu'il a commis et se dit qu'il ne faut pas le pleurer. Mais comment effacer d'un coup toutes ces années pendant lesquelles elle l'a aimé? L'a-t-elle aimé? Si oui, comment a-t-elle pu l'aimer puisqu'il était mauvais? Très mauvais, il l'a prouvé.

Elle comprend pourquoi elle pleure Jonas, mais ne sait pourquoi elle est tentée de le faire pour Joshua. «*Je pleure une illusion*, pense-t-elle. *J'ai été aveugle toutes ces années. J'ai cru aimer quelqu'un qui n'existait pas... Comme au Montana...*»

«Oui, Maman», fait-elle comme si, par ces deux mots, elle reconnaissait l'échec de sa maison à elle.

Et Nathan a l'intuition de ce qu'elle exprime. À travers le brouillard de la douleur, il sait que tout ce qu'il a connu s'en est allé cette nuit. Par la fenêtre, il y a le *General Store*, mais aussi et surtout, tout autour, immuable et pourtant sans cesse changeante, la Prairie qui s'enfonce vers l'horizon inaccessible, dominée par les vents qui portent la plainte lugubre du Nord ou l'invite langoureuse du Sud. Missy. «*Missy! Oh Missy! tu ne sais pas comme j'ai besoin de toi. Pourquoi tu m'as laissé, dis? Et puis pourquoi tu n'es pas avec moi? Pourquoi? On ne devrait pas pouvoir aimer ceux qui vous laissent tomber, non, on ne devrait pas!*»

Personne ne se doute que la larme qu'il verse à présent n'a pas seulement pour cause la perte d'un père et d'un frère, mais aussi l'absence de ce qu'il s'est inventé. Déjà sa grand-mère est sortie, a traversé la rue, est entrée dans le magasin général et demande une «bonne âme» qui veuille bien conduire Rose-Ange et Nathan chez elle.

«J'y vais, madame Lapierre», se propose Jolene qui, d'un simple signe de tête, invite ses «habitués» à surveiller son magasin.

Virginie Lapierre la remercie. D'un sourire triste et affectueux, elle adresse un signe de soutien à sa fille, puis, après avoir démarré sa motoneige, s'éloigne, debout sur son véhicule, un genou posé en travers du siège, bientôt avalée dans un halo de fines particules cristallines sur lesquelles le soleil se mire et reflète des millions d'infimes prismes colorés.

5

Peut-être que sans les journaux, tous les détails sordides de cette affaire seraient restés connus seulement de Rose-Ange, de la police et des grands-parents. Mais, dès le surlendemain, un hebdomadaire de Swift Current distribué gratuitement dans tous les foyers du comté titrait:

UN PASTEUR ABUSE SEXUELLEMENT DE SON FILS
ADOPTIF, IL L'ÉTOUFFE ET S'ÔTE LA VIE.

Durant les trois premiers jours consécutifs à cette publication, Nathan est resté dans la chambre mise à sa disposition, ne descendant que pour grignoter quelques miettes lors des repas. «Laisse-le», a dit sa grand-mère à sa fille qui voulait «faire quelque chose».

Lorsqu'on a demandé à Rose-Ange de quelle façon disposer de la dépouille de son mari, elle a répondu: «Qu'on le donne à la science». Quant à Jonas, après deux jours de veille et de prière familiale, il a été déposé au charnier en attendant que le dégel autorise la mise en terre.

Pour sa première sortie à l'extérieur, c'est justement vers le petit cimetière presbytérien que Nathan se dirige. Comme toujours le ciel est d'un bleu sans tache et la Prairie continue de parler de solitude et d'infini. C'est une de ces belles journées dont le froid, très piquant, renforce une luminosité déjà aveuglante. Comme il paraît loin le monde dont parle la télévision. Encore tout à l'heure, juste avant qu'il ne sorte, il était question du réchauffement de la planète. «*On nous a oubliés de ce côté-là*», se dit-il. Il y a aussi le niveau des océans qui grimpe, l'atmosphère dont la composition se dégrade d'une façon exponentielle non prévue, la sécheresse qui se généralise. «*Ça, à part la tempête de neige de l'autre jour, on y a droit*». Il paraît qu'il y a des inondations catastrophiques au Bangladesh, que des péniches sont échouées au beau milieu du Mississippi asséché, et certains experts en climatologie parlent d'un *Syndrome de Vénus*. Mais tout ça lui paraît bien loin et bien mesquin auprès de ses «*vrais problèmes*».

Le cimetière se trouve juste derrière la chapelle, qui demeure close depuis la tragédie. Une palissade basse de bois teint en bleu-gris, presque recouverte par la neige, quelques pierres grises qui émergent ici et là de la blancheur et forment des ombres bleues. La neige. Blanche et pure. Pourquoi est-elle blanche? Il retire ses mitaines, se penche pour en attraper une particule entre ses doigts et cherche à comprendre. «*Voyons*, réfléchit-il, *la neige c'est de l'eau, l'eau n'a pas de couleur, alors pourquoi la neige est-elle blanche? On nous a expliqué qu'il s'agit d'une gouttelette d'eau qui se fige autour d'une poussière, donc c'est la poussière qui doit faire que la neige est blanche. Pourquoi alors le blanc est-il symbole de pureté? Ça devrait être le transparent... Tu parles! Même le blanc est sale.*»

Il s'approche du charnier, une cabane de planches à peine plus haute que lui. Avec l'air de s'indigner sur l'état de la peinture qui s'écaille et forme des lambeaux, il cherche à établir une communication avec celui dont les restes, à l'abri du double rang de planches, doivent être «*gelés et durs comme pierre*».

«*Tu m'entends, Jonas? C'est moi, Nathan. C'est comment où tu es? Tu sais, je suis venu ici pour te dire que tu me manques. Ç'en a peut-être pas l'air, mais il faut me comprendre: avec ce qui est arrivé je ne sais plus très bien où j'en suis. Après ce qu'il t'a fait, je me demande si je dois encore le considérer comme mon père, ça ne m'intéresse pas tellement, tu dois t'en douter. Sans vouloir me faire passer pour plus malheureux que toi, je crois qu'il m'a fait autant de mal qu'à toi. Jamais je ne pourrai dire avec fierté, ou du moins sans honte: mon père c'était le pasteur Barker. Si tu savais le sermon qu'il m'a fait juste le soir où... juste parce qu'il imaginait* que j'aurais pu faire des choses avec Missy. Jamais non plus je ne pourrai me référer à lui pour moi-même, et, ce qui me fait le plus peur, c'est que si c'est mon père, il doit bien y avoir de lui en moi. Espérons qu'il ne s'agit que du bon car, après tout, il était peut-être fou, vicieux, tyrannique, tout ce que l'on veut, mais aussi je crois qu'il nous aimait tous. Toi aussi. Curieuse façon de le prouver tu vas dire, et je suis d'accord avec toi pour dire que c'était un monstre, mais, et ça je viens tout juste de le comprendre, je crois que c'était un monstre parce que justement il avait trop peur de l'être. En d'autres mots, il était comme ça parce qu'il avait peur du mal qu'il sentait en lui, et l'on finit toujours par se soumettre à ce dont on a peur. Enfin, je crois que c'est ça. D'où tu es tu dois en savoir plus long que moi sur tout ça... À propos, je t'en voudrais pas si tu me refilais quelques renseignements sur l'au-delà. Quoique... je dois dire qu'après tout ce qui nous est arrivé, l'au-delà, j'en prends et j'en laisse. Tu vois, en ce moment je te parle, mais je suis loin d'être convaincu que tu m'écoutes ou que tu puisses m'écouter. Peut-être que tout ce qui reste de toi, c'est ce qui est dans cette foutue cabane: de la viande gelée. C'est curieux, tu sais, de te savoir là-dedans, j'ai l'impression que tu es moins mort que lorsqu'ils te mettront en terre au printemps. Ouais, c'est dans la terre, quand tout est froid et noir, quand on sait que l'on retourne à elle, c'est là que ça doit être long. On doit se sentir terriblement seul. Mais je niaise! Toi tu es dans je ne sais quel paradis et tu dois bien rigoler de me voir en ce moment dans ce cimetière pour te parler. En parlant de paradis, je me demande quand même où il est, lui? T'as pas une idée? Il est peut-être en enfer? Je crois avoir compris que Maman a donné son corps pour la recherche, peut-être qu'il est en petits morceaux répartis dans des tas de laboratoires, et que chacun des petits morceaux doit souffrir et endurer des coups de scalpels, des gouttes d'acide ou de je ne sais quoi, sans parler du chaud et du froid. C'est une bonne représentation de l'enfer, tu ne trouves pas? Quoique... ça me paraisse encore moins pire que la longue et solitaire décomposition sous terre. Oui, dans le fond c'est sûrement ça l'enfer: ceux qui se sont trop laissés embobiner par leur corps restent dedans après la mort. Mais toi, Jonas, s'il y a quelque chose, tu es au paradis. Tiens! au fait, peut-être pourrais-tu voir si William Bagriany n'est pas dans ton coin, tu pourrais lui dire que j'aime bien sa fille et que s'il pouvait intervenir auprès d'elle... Oh et puis non! Ne lui dis rien. Mince! qu'est-ce qu'on peut être égoïste. Il y a juste quelques jours que tu es parti et voilà que je te demande des faveurs de l'au-delà. Excuse-moi Frérot, tu sais comment c'est ici... Bon, eh bien voilà... Je repasserai, t'en fais pas. Maintenant il faut que j'aille voir si Jolene veut bien m'engager au magasin, ça me changerait les idées, et puis aussi ça me rapporterait un peu d'argent. J'ai l'impression qu'on n'est pas parti pour vivre dans le luxe. Peut-être que Maman ne voudra pas rester longtemps chez Grand-papa. Voilà, Petit frère, j'ai fini de t'embêter avec mes histoires, à bientôt.»

Lentement il fait demi-tour, cherche quelque chose du regard et s'avise que ce doit être une stèle de granit qui n'existera jamais: celle de son père. Il jette un coup d'œil à la maison qu'il a toujours habitée et qui maintenant lui apparaît totalement étrangère. Il croit savoir, quant à lui, et se doute que ce doit également être le cas pour sa mère, qu'il n'y remettra jamais les pieds. Pour le moment, tout ce qui s'y est produit depuis qu'il est en âge de se souvenir est noyé dans une mare de fange glauque.

Entrant chez Jolene, il trouve celle-ci en compagnie d'Alfred Fairfield, le fils du Rancher (et père d'Endicott, l'autre qui court après Missy). Il est à moitié assis, une fesse posée sur le rebord d'une pile de cartons contenant des boîtes de jus de tomate et de sauce spaghetti. Elle est carrément assise sur le comptoir, face à lui, les semelles à un pied du plancher. À les voir ainsi, il comprend qu'il interrompt une conversation qui devait être amusante; elle a encore les joues rosies comme lorsqu'on a trop ri, et lui conserve dans le regard la fierté qu'il en ait été ainsi. En d'autres temps, il eût été évident qu'il les aurait dérangés, mais aujourd'hui il porte en lui les réponses aux questions que tout le monde pose: «Comment un jeune peut-il réagir à ça?», «Que va devenir la pauvre Rose-Ange?», «Que doit-il penser de son père?», «Pourrait-il devenir un jour comme son père?»

«Bonjour, Nathan, paraît s'enthousiasmer une Jolene toujours pleine de fraîcheur tandis qu'Alfred Fairfield se contente d'un signe de tête un peu distant.

— Bonjour, Jolene, (il incline lui aussi la tête à l'adresse du père d'Endicott) bonjour.

— Je suis vraiment contente de te revoir, reprend Jolene; j'avais pris l'habitude de te voir le soir.

— Justement, je viens voir si je ne pourrais pas continuer à travailler ici. (Avant qu'elle ne réponde il ajoute:) Si personne d'autre n'a pris la place pendant que...

— Bien sûr que non! Je te l'ai gardée. Je savais bien que t'allais revenir. Mes amis reviennent toujours.

— Merci, merci beaucoup!

— De rien, je suis très satisfaite de ton travail.

— Moi, j'aime bien travailler ici.»

Il ne peut en analyser la raison, mais d'être en présence de Jolene, là, qui balance un peu ses jambes au-dessus du plancher et, parce que ce qu'elle est ajoute à la robe orange qu'elle porte une dimension que le simple morceau d'étoffe n'aurait certainement pas sur une autre, oui, le fait d'être ici près d'elle semble alléger le poids ténébreux qui lui est tombé sur les épaules depuis qu'il a été chercher le journal dans la boîte à lettres au bord du chemin l'autre jour.

«Quand est-ce que je recommence? demande-t-il.

— Quand tu veux, ce soir?

— D'accord pour ce soir, n'importe quand, j'ai rien d'autre à faire.

— Tu ne vas pas retourner aux études?

— Ça doit..., répond-il avant qu'un brusque besoin de se confier le contraigne à poursuivre: Pour l'instant, j'ai peur de ce que les autres peuvent dire dans mon dos. Je ne sais pas si je pourrais le supporter sans réagir. Avec ce qu'ils ont mis sur les journaux...

— Tu sais, croit utile de le réconforter Alfred Fairfield, dans un cas comme celui-ci, personne n'aurait l'idée de penser de toi quelque mal que ce soit, au contraire!

— Hum... j'ai pas mal réfléchi ces derniers jours, et je crois, moi, que lorsqu'un malheur s'installe quelque part, les gens aiment bien en rajouter. Peut-être de peur qu'il vienne aussi chez eux.

— Il n'a pas tout à fait tort, dit Jolene en affichant son attitude *sérieuse et réfléchie* et s'adressant surtout à Alfred Fairfield qui n'a pas l'air convaincu.

— Quoi qu'il en soit, veut bien admettre ce dernier, la vie continue et il va toujours falloir que tu affrontes l'adversité, si adversité il y a.

— J'en ai assez affronté pour le moment, merci.

— Aimerais-tu quelque chose, un jus peut-être? propose Jolene qui sent une certaine défiance s'installer entre son *riche client* et son *jeune protégé*.

— Non merci, Jolene, je vais y aller. Je reviendrai ce soir pour remplir les tablettes et classer les bouteilles vides.

— Parfait, Nathan.»

Alfred Fairfield ne veut pas rester sur l'impression qu'il croit donner au garçon:

«Tu diras à ta mère, à Rose-Ange, que si elle a besoin de quoi que ce soit, qu'elle n'hésite pas à me faire signe. Elle ne te l'a peut-être jamais dit, mais nous étions bons amis lorsque nous étions étudiants.

— Ah! vous la connaissiez quand elle était étudiante? fait Nathan, surpris.

— Bien sûr, Bluestone n'est pas bien grand.

— C'est juste, je n'y avais jamais pensé. J'ai du mal à imaginer Maman en étudiante.

— C'est normal, on voit toujours sa mère en maman.

— Est-ce que... est-ce qu'elle était une bonne étudiante?

— Oui..., d'après ce que je peux m'en souvenir. Et une belle fille aussi.

— Ah!»

Alfred Fairfield s'esclaffe devant la surprise de Nathan.

«Tu as l'air surpris? Tu ne crois pas que ta mère était une jolie fille?

— Si...

— Hum, je vois ce que tu penses, je te rassure tout de suite, si elle a eu de nombreux prétendants, seul ton père a...»

Il se tait un peu abruptement, réalisant qu'il vient d'introduire dans la conversation un personnage qu'une certaine forme de bienséance interdit dorénavant et certainement pour longtemps de mentionner. Nathan, lui, réalise que si Alfred Fairfield connaissait sa mère comme il le prétend, il devait aussi connaître son père. Personne ne lui a jamais dit comment il était, jeune.

«Vous le connaissiez, lui? demande-t-il même s'il devine combien sa question peut être embarrassante.

— Heu... oui.

— Il était comment?

— Bien..., il paraissait très bien.

— Ouais..., je vois, je comprends que ça vous embête d'en parler. Je m'excuse, je cherchais seulement à savoir qui il pouvait être.

— Tu sais, j'ai été avec lui à l'école primaire, mais ensuite, comme tu dois le savoir, il a travaillé pour mon père au ranch où sa mère, ta grand-mère donc, était cuisinière. De mémoire comme ça, je dirais qu'il n'était pas différent de nous tous. Plus tard, lorsqu'il a travaillé chez nous, peut-être était-il plus... personnel, mais encore là, c'est dur à dire; à l'époque, je ne faisais que le croiser. Et puis son caractère renfermé pouvait s'expliquer par le fait qu'il n'a pas connu son père et qu'il a perdu sa mère de bonne heure, ça je m'en souviens, même que lorsqu'elle est tombée malade, angor intestinal je crois, mon père l'a fait installer dans la chambre Henri VIII et a embauché une infirmière tout exprès pour elle. Je me souviens aussi du jour où elle est décédée, mon père m'a mis une taloche parce que je devais jouer trop bruyamment.

— Je savais qu'elle était morte chez vous, il en avait parlé une fois.

— On dirait qu'il n'a pas eu non plus une jeunesse toute rose, constate Jolene.

— Je crois que mon père l'a bien traité.

— Tout de même, il y a une différence à grandir entre ses parents et un employeur, même s'il est gentil, prévenant et tout et tout.

— C'est vrai, mais ça n'expli...»

Encore une fois il se tait brusquement, réalisant que ce qu'il a failli ajouter n'est pas compatible avec la présence de Nathan. Celui-ci hausse les épaules.

«Vous pouvez le dire, dit-il; ça n'explique pas ce qu'il a fait et rien ne l'expliquera jamais.

— Je ne sais pas? se demande tout haut Jolene avec plus que jamais l'attitude *sérieuse et réfléchie*. J'ai lu il n'y a pas longtemps un article où un psychologue expliquait que, même chez les personnes qui font ce qu'il y a de plus horrible, il y a toujours une explication à leur comportement.

— Vous êtes gentils, dit Nathan; mais qu'il y ait une explication ou non, je ne crois pas que ce soit une excuse.

— On ne sait pas, Nathan. On ne sait pas...», ajoute Alfred Fairfield se faisant à son tour, et sans savoir pourquoi, l'avocat du pasteur.

Nathan sent ses lèvres s'agiter dans un tremblement qu'il connaît bien à présent.

«Je sais, dit-il réprimant un sanglot. Moi je sais, j'ai vu ce qu'il a fait à Jonas. Jonas il était là, mort sur le lit. Mort! Comment un être humain peut-il faire ça? Non! il n'y a pas d'excuse!»

Ils se taisent ne sachant que dire, imaginant ce qu'il peut éprouver, et néanmoins un peu dupes d'avoir été rabroués dans leur tentative d'humaniser pour lui le visage de son père; car pour eux c'est clair, il s'agissait d'un monstre.

«L'existence est parfois terrible, philosophe à bon marché le père d'Endicott.

— Je ne crois pas que ce soit l'existence, poursuit dans la même veine Nathan à qui tout ce qu'il a subi semble avoir apporté des opinions précises sur la condition humaine. Quand on se sera rendu compte que nous ne sommes qu'une machine à fabriquer un quart de livre de caca par jour, peut-être qu'à ce moment-là on pourra penser à s'élever un peu. Lui, il nous parlait toujours de l'enfer, et moi je ne le croyais qu'à moitié, l'enfer ça ne m'intéressait pas trop. Ce qu'il n'a jamais dit, c'est que l'enfer c'était lui, c'est moi, c'est nous tous.»

Un bref instant, les deux adultes se regardent avec un air entendu. Mais il ne s'agit que d'un air, car si pour elle Nathan est «*complètement traumatisé*», pour Alfred Fairfield «*la douleur a conduit ce garçon vers un niveau de réflexion qui outrepasse son âge*».

Il sait qu'ils ne le regardent plus comme avant, que personne, à moins de partir loin quelque part où il serait un parfait inconnu, ne le regardera pour ce qu'il est; désormais, on le regarde comme le pauvre fils du pasteur qui... Et demain on dira: c'est peut-être le fils de son père, qui sait. «*Demain, je m'en fous, se dit-il; je serai loin...*

Mais si tu es loin, tu seras loin de Missy.

De toute façon, Missy elle n'a rien compris ou elle s'en fiche, ce qui revient au même. Il y a longtemps qu'elle est déjà loin.

Peut-être pas, peut-être que tu te montes la tête?

J'en sais rien. Je ne sais plus rien, c'est trop compliqué. Si seulement elle pouvait m'expliquer, ce serait plus facile, tellement plus facile. Mais elle n'est pas là.»

6

«Père, ne vous entêtez pas à manger dans votre chambre, venez donc prendre vos repas avec nous.»

La chambre de Cornelius Fairfield – le Rancher – est spacieuse et donne résolument dans le style hacienda mexicaine. Des murs de crépi blanc, un grand lit à colonnades torsadées d'un bois presque noir; en face du lit une armoire de la même essence qui, de par son style, semble imposer à la pièce le fantôme de quelque conquistador. Au-dessus du lit, faisant face à l'imposante armoire, un vaste tableau représente une mystérieuse danseuse de flamenco grandeur nature, yeux noirs, chevelure d'ébène, robe écarlate, agressive sur fond de ciel ravagé. Le grand lit est installé parallèlement à une paire de fenêtres garnies de tentures assorties à la robe de la danseuse du tableau, et ses quatre pieds reposent sur (unique digression au style ibérique de la pièce) un extraordinaire tapis chilkat aux motifs blancs, noirs, jaunes et jade, tissé en laine de bouquetins et fibre de thuya. Entre les fenêtres se trouve une table sombre en ronce de noyer sur laquelle traînent, pêle-mêle, des revues d'éleveurs, des magazines d'actualité, d'autres à tendances érotiques, et des livres de comptes à couverture en tissu noir. La table est entourée de deux fauteuils à dossier haut et droit au recouvrement de cuir lustré sang-de-bœuf, garni de clous à tête cuivrée. Assis sur l'un d'eux, bras mollement posés sur les accoudoirs, Cornelius Fairfield regarde fixement vers l'extérieur, comme absorbé par les rougeoiements du couchant. Susan, sa belle-fille, est assise sur le bord du lit, les mains posées sur les genoux, attendant une réponse.

«Père?»

Il se tourne enfin vers elle et, visage fermé, l'observe un long et pénible moment. Sans faiblir, sans ciller, elle supporte le regard, sachant pertinemment que la moindre faiblesse de sa part serait exploitée par l'homme en complet de drap noir, qu'après plus de dix ans elle n'arrive toujours pas à considérer comme son beau-père. Lui de son côté dissimule assez bien l'admiration que sa bru suscite en lui. Et si cela est en grande partie dû à sa personnalité, le physique y tient une part non négligeable. Il ne se lasse pas des ondulations de la longue chevelure auburn, de la pâleur lactée de l'épiderme, de la gracieuse ligne du cou, et, aujourd'hui, de cette robe-fourreau satinée vieil-or à encolure bateau qui sans trop la mouler n'en fait pas moins, aux yeux du Rancher, ressortir les «courbes». Il n'ose pas s'appesantir sur le modelé des genoux, pas davantage sur le galbe long et ferme des mollets.

«J'ai dit que je prendrai mes repas ici, fait-il enfin avec une sécheresse dont le faux semblant n'échappe pas à Susan.

— Je sais ce que vous avez dit, Père, mais je suis venue pour vous convaincre que ce serait plus sympathique pour tout le monde si vous reveniez prendre vos repas avec nous.

— C'est pourtant vous-même, Susan, qui m'avez si bien fait comprendre, il n'y a pas si longtemps, à quel point je transformais les repas en joutes verbales.

— Oh, vous savez, il arrive que les paroles dépassent la pensée.

— Allons, Susan! ne dites pas des choses que vous ne pensez pas. Nous savons tous deux que vous êtes ici pour me convaincre de retourner prendre mes repas avec la famille parce que ce serait plus... comment dire? Normal, plus conventionnel. Je me trompe?

— Évidemment!

— Susan, voyons! pas de ça entre nous. Je sais autant qui vous êtes que vous savez qui je suis.»

Elle ne répond pas, sachant fort bien que toute dénégation est inutile et surtout pourrait mener à des propos plus difficiles.

«A-t-on des nouvelles de la famille du pasteur fou? demande-t-il en changeant de sujet.

— Non, pas que je sache. On dirait que cette histoire vous éprouve vraiment, Père?

— Il y a de quoi, vous ne trouvez pas?

— Oui, bien sûr, mais le monde étant le monde, il faut s'attendre à tout. Je sais que des histoires comme celle-ci existent et existeront certainement toujours, mais pourquoi se faire mal à y penser?»

De nouveau il regarde vers l'extérieur.

«Vous ne pouvez pas savoir, dit-il après un silence prolongé et sur un ton énigmatique.

— Père! Ce n'est pas gentil, vous vous amusez toujours à en dire trop et pas assez.

— C'est vrai, je parle trop. Vous n'aimez pas les mystères, Susan?

— J'aime bien les résoudre. Mais vous ne m'avez toujours pas dit si oui ou non vous alliez venir dîner avec nous?

— Pas ce soir en tout cas.

— Voulez-vous me dire pourquoi?

— Tout simplement parce que j'ai envie de rester ici. Tenez, je peux vous faire une proposition: un soir par semaine je dîne à la table familiale, les autres soirs, je reçois chacun d'entre vous à tour de rôle à ma propre table, ici. Suzie, Élisabeth, Endicott, Alfred et enfin, vous, Susan. Ce serait mieux que de s'engueuler en bas, non?

— C'est pour le moins étrange, je ne sais pas...

— Ça dérange votre conception de la vie familiale?

— Non, ce n'est pas cela...

— Alors c'est tout vu, Susan.

— C'est toujours vous qui devez obtenir ce que vous désirez, n'est-ce pas?

— Rien ne vous oblige. Pour ma part, j'ai toujours fait ce que j'avais envie de faire. Libre aux autres d'en faire autant.

— On ne peut pas faire tout ce que l'on désire.

— Pourquoi pas?

— Eh bien il y a des choses qui ne se font pas. Qui ne peuvent déboucher que sur l'iniquité.

— L'i-ni-qui-té! Mais où diable, Susan, allez-vous chercher ces mots?

— C'est sans doute mon éducation qui veut ça. J'avais une gouvernante calviniste qui parodiait souvent son maître à penser en s'écriant: *Satan, inventeur de toute malice et iniquité.*

— La pauvre femme devait en vouloir au ciel de ce qu'un gaillard ne lui ait pas forcé l'hymen.

— Père!

— Eh bien quoi, Susan? Ce ne sont pas ceux qui ne veulent pas qui crient au scandale, ce sont ceux qui n'osent pas ou ne peuvent pas. Regardez en vous, Susan, et constatez comme ce sont les actes contre lesquels vous avez le plus de mal à lutter qui chez les autres vous scandalisent. Le violent ne supporte pas la violence d'autrui, ainsi de même pour le voleur, le lubrique, le paresseux, le menteur, et cætera. Prenons mon cas, je ne suis pas gourmand, eh bien les autres peuvent s'empiffrer tant qu'ils veulent sans que j'y voie matière à m'offusquer. Par contre je suis orgueilleux et il n'y a rien que je déteste chez un homme comme sa suffisance.»

D'abord souriante, Susan rit doucement en portant ses doigts repliés devant ses lèvres.

«Maintenant, dit-elle, chaque fois que vous vous emporterez contre quelqu'un parce qu'il est ceci ou cela, je saurai qui vous êtes.

— Ouais... Comme je disais tantôt, je parle trop.

— C'est un défaut chez la plupart des gens. Un peu comme si en bout de ligne, inconsciemment, on voulait faire part aux autres du mal qui nous ronge.»

Le visage de Cornelius Fairfield devient vaguement douloureux.

«Vous voulez certainement parler de cette i-ni-qui-té que chacun commet un jour ou l'autre et n'osera jamais avouer à personne, pas même franchement à lui-même.

— Ceux qui portent un tel fardeau doivent être rares. Non, je parlais de la face cachée de notre personnalité.

— Tout le monde, Susan, du moins ceux qui ont un peu vécu, cachent aux autres et souvent à eux-mêmes un acte, une souillure ou tout ce que vous pouvez concevoir du même acabit. J'imagine cependant qu'il faudra en répondre au jour du Jugement dernier.

— Vous exagérez, essaie-t-elle pour alléger le propos.

— Vous croyez? Vous croyez vraiment que j'exagère?»

Ils s'observent de telle façon que chacun sait qu'il ne peut mentir à l'autre.

«Disons que c'est embarrassant, fait-elle.

— Susan?

— Oui?

— Dans le fond, nous nous aimons bien, non?

— Mais oui, Père, où voulez-vous en venir?

— Si je vous avouais le mien, m'avoueriez-vous votre secret le plus caché, celui que vous trouvez le plus fangeux, celui sur lequel bute votre bonne conscience?»

Elle voudrait tourner cela à la plaisanterie pour s'en échapper, mais elle sait qu'avec lui c'est inutile. Une nouvelle fois ils s'observent dans un silence que renforcent les ténèbres qui envahissent le firmament. Sans savoir pourquoi elle prend conscience de l'odeur de lavande qui imprègne la pièce. *«Il cherche sûrement à m'avouer le désir qu'il a de moi, s'imagine-t-elle, et si je le laissais faire? On saurait à quoi s'en tenir. Oh et puis non! c'est trop scabreux.»*

«Elle suppose que je veux lui avouer ce qu'elle m'inspire, extrapole-t-il. Elle va d'abord refuser puis voudra en avoir le cœur net; elles sont impuissantes contre leur coquetterie.»

«Je ne crois pas, répond-elle enfin.

— Votre secret est-il donc si terrible? Auriez-vous peur que le mien ne soit que broutille en comparaison?

— C'est plutôt que ce que vous demandez là est quelque chose de... vraiment très intime.

— Ne serait-ce pas là un moyen fondamental de se connaître?

— Est-il besoin de se connaître à ce point?

— Voici une question qui mérite d'être étudiée, mais d'emblée je peux vous affirmer que je n'ai que vous avec qui je peux aller au-delà des banalités. Je sais également que vous êtes d'une trempe qui peut aller au-delà de l'hypocrisie. Tiens, faisons un marché: je vous avoue tout ce que j'ai toujours caché, vous, de votre côté, vous ferez ensuite ce que vous voudrez. Entendu?»

Encore une fois le silence s'abat sur eux. Il ne reste pour éclairer la pièce qu'une lueur crépusculaire qui donne aux choses des allures inquiétantes.

«Pourquoi tenez-vous tant à m'avouer, à moi, ce qu'il y a de plus... caché en vous?

— C'est totalement égoïste, ma pauvre Susan, mais je crois qu'il faut que je m'ouvre à quelqu'un avant de mourir si je ne veux pas partir avec ça de l'autre bord.

— Vous n'êtes pas à la veille de partir, que racontez-vous là?

— Avez-vous remarqué, il y a quelques minutes il faisait jour et à présent il fait presque nuit. La mort vient comme la nuit, d'abord on est là et l'instant d'après, sans qu'on ait eu le temps de s'en apercevoir, on est parti. Comme l'ombre du soir a raison de la lumière, ainsi vient la fin. Cela dit, rassurez-vous, ou lamentez-vous, au choix, car j'ai l'intention de vous voir grand-mère.

— J'aime mieux cela!

— Alors, la voulez-vous cette confession oui ou non?

— Vous ne m'avez pas dit, pourquoi me choisir moi?

— Mais si, je viens de vous le dire; à qui d'autre, Susan? Jemina, la domestique? Elle me regarderait avec ses grands yeux ronds et dirait: c'est pas ben des his'oires cômme ça. Alfred? Il est mon fils et je voudrais quand même qu'il garde de moi une image qui ne soit pas trop négative, mes petits enfants tout autant. Vous voyez, il ne reste que vous.

— Si je comprends bien, je ne suis qu'un pis-aller.

— Non, Susan! tout simplement, je suis persuadé que sous des dehors différents, vous et moi sommes pétris de la même pâte.

— Et vous tenez absolument à me dévoiler vos...

— Mes i-ni-qui-tés. Non, j'aimerais mieux m'en passer, mais, comme je viens de vous le dire, il faut que ça se fasse.

— Eh bien faites comme il vous semble, Père. Sachez cependant que je ne vous demande rien.»

Sans répondre, comme s'il n'avait pas entendu les dernières paroles de sa belle-fille, il se lève, va de l'autre côté du lit allumer la lampe de chevet posée sur une table de nuit de même facture que le lit et l'armoire, et, dans la nouvelle lumière orangée, se dirige vers la grande armoire dont il ouvre une porte. Se baissant, il soulève une pile de chemises à carreaux et attrape sous celles-ci un petit coffre de métal qu'il amène sur le lit à côté de Susan, très surprise. *«Quelle mise en scène est-il en train de monter?»* se demande-t-elle alors qu'après avoir extirpé une petite clef de la poche à gousset de son gilet, il ouvre le coffre, soulève quelques papiers et sort une photo monochrome qu'il examine un long moment avant de la tendre avec un léger tremblement à Susan qui, à son tour, se penche sur la photo. Celle-ci représente son beau-père, nettement plus jeune, vêtu dans la plus pure tradition de l'Ouest et monté sur un cheval. À ses côtés, également en selle et dans une tenue identique, pose un adolescent à l'air timide qu'elle ne parvient pas du tout à identifier. Du regard elle interroge Cornelius Fairfield, mais celui-ci n'a plus l'air d'avoir envie de parler.

«Qui est-ce?», demande-t-elle en désignant l'adolescent du bout du doigt et s'avisant que le «Secret» du Rancher n'est peut-être pas celui qu'elle pense.

Sans répondre directement à cette question, il s'assoit à côté d'elle, coudes appuyés sur les genoux, doigts croisés entre les jambes, tête inclinée, regard perdu dans les motifs du tapis. Finalement, sur un ton presque monocorde, il commence son histoire:

«Cela s'est passé il y a plus de vingt ans. À l'époque, j'avais l'habitude, chaque printemps, tout de suite avant la mise aux pacages, d'emmener un gars avec moi pour faire le grand tour des clôtures du Ranch. Comme cela prenait plusieurs jours, nous emmenions de quoi se nourrir et se couvrir la nuit. C'était un peu des vacances: la vie au grand air dans la plus belle tradition, les chevaux, le thé qui chauffe sur trois pierres, les nuits à la belle étoile, bref vous voyez le genre. Remarquez, je dis cela sur un ton léger, mais je croyais, et crois toujours, que c'est la plus belle façon de vivre: aller devant soi les jambes bien calées sur une monture, sentir le vent, sentir l'herbe, la pluie quand il y en a, se perdre dans l'infini du ciel, faire danser les étoiles avant de s'endormir, pas de compte à rendre à qui que ce soit, non, je ne connais rien de mieux. Mais revenons à ce qui nous occupe, vous m'écoutez, Susan?

— Oui, oui, Père. Vous préférez peut-être arrêter?»

Il ne répond pas immédiatement, plus il avance dans son récit, plus il craint de continuer. Doit-il saisir la perche qu'elle lui tend?

«Pas du tout, se résout-il. Donc cette année-là, comme d'habitude, j'emmenais un petit gars qui m'aidait à retendre la broche ou à redresser les piquets. Cette fois-là, ce fut celui qui est sur cette photo. (Il marque une pose.) Ça s'est passé la seconde nuit, pourquoi? il y a longtemps que j'essaie d'analyser, je n'ai pas trouvé. Avais-je abusé du whisky que j'emportais toujours dans mon attirail? Je n'en sais rien, ça m'a pris comme une envie de pisser. On se déshabillait au clair de lune, il faut dire que je couche toujours à poil, mais d'habitude, dans ce genre de randonnée, je garde mes caleçons. Ce soir-là donc, encore une fois peut-être à cause du whisky, voilà que je me rends compte que j'ai tout ôté, que je suis complètement à poil et que le jeunot me regarde avec des yeux ronds. Sur le coup, je prends ça à la blague et lui dis: C'est la première fois que t'en vois une comme ça, hein p'tit gars? Et lui qui me répond: J'ai rien vu, M'sieur Fairfield. C'est comme ça qu'il m'appelait. Qu'est-ce qui s'est passé dans ma caboche à ce moment-là? Je me le demande encore maintenant. Je lui ai dit: montre voir la tienne. Et voilà que ce jeune abruti sort de son sac de couchage où il était pourtant déjà installé, baisse son caleçon et reste là, bras ballants, comme une nouille. C'est là où rien ne va plus, car je m'aperçois, excusez mon langage, que je bande comme un jeune premier et me fâche intérieurement de ce que lui n'en fasse pas autant. Et alors, que je lui ai dit, tu ne bandes pas? Tu fais ta mijaurée? Tiens, touche à celle-là. (Il s'interrompt à nouveau.) Voilà... Oh il n'y a pas eu de sodomie ni de ces choses que font les tapettes, disons que je l'ai masturbé et qu'il m'a rendu la pareille. Le problème, le gros problème c'est que je l'ai un peu obligé à me toucher. Lui, il disait: non, non, non, s'il vous plaît, non. Je ne l'ai pas obligé par la force, mais par la seule autorité du patron que j'étais, la même qui l'avait fait sortir de son sac de couchage. Je me souviens du lendemain soir, juste avant de se coucher il me regardait avec un mélange de crainte et de défiance, et juste parce qu'il me regardait ainsi je lui ai envoyé mon poing entre les deux yeux, puis je l'ai secoué un peu en lui criant que ce soir-là je n'étais pas soûl et qu'il fallait qu'il aille en trouver un autre s'il voulait se faire branler. Ce que je ne comprends toujours pas aujourd'hui c'est pourquoi ça m'est arrivé. Jusqu'à ce jour, je dois dire que j'étais plutôt fier de mon existence, j'étais persuadé que ça continuerait, en d'autres mots, je ne me sentais pas sale. Et vous savez, j'ai beau sonder en moi, je ne ressens aucune attirance pour les hommes ou les jeunes hommes. Que s'est-il passé? La seule réponse que je puisse me donner est que c'était du vice et rien d'autre. Que je le veuille ou non, il y a quelque part en moi un côté pervers, et ce côté-là ne me plaît pas du tout. Je me sens vraiment sali par ce que j'ai fait, et ce qui vient d'arriver ne me rassure pas du tout sur mon sort.

— Qu'est-il arrivé?

— Cette affaire avec le Pasteur.

— C'est loin d'être pareil, cela n'a rien à voir, voyons!

— Le petit gars sur la photo, Susan, c'était Joshua Barker.

— Hein!»

Elle reste bouche bée durant une interminable minute pendant laquelle elle essaie de réprimer un frisson glacial. À présent elle se sent moite. Alors qu'il lui livrait son «histoire» elle a d'abord été surprise de ne pas recevoir «l'aveu» qu'elle attendait, puis, alors que c'est lui qui aurait dû être le plus embarrassé au fur et à mesure qu'il évoquait sa «faute», elle, la recevait avec le sentiment malsain d'être une voyeuse, et s'en trouvait terriblement gênée. C'est lui qui s'est raconté, mais c'est elle qui a l'impression de s'être mise à nu. Cornelius Fairfield lui-même est surpris de constater qu'au lieu de se sentir «livré» comme il a d'abord supposé qu'il le serait, il a l'impression à présent que c'est sa belle-fille qui est en dette vis-à-vis de lui. Elle, de son côté, de la même façon, se sent en quelque sorte débitrice du Rancher. Il lui a dévoilé les tréfonds de lui-même et qu'elle ait accepté qu'il le fasse lui procure un peu le même sentiment que si, dans un moment d'abandon, elle s'était physiquement livrée à lui, là sur ce lit. Et maintenant, la révélation que le jeune homme de la photo n'était autre que le Pasteur Barker ajoute à tout cela une dimension qui tient du sordide.

«Vous... Vous croyez, demande-t-elle finalement, que ce qui s'est produit ce soir-là entre vous et lui a pu jouer un rôle dans ce qu'il a fait?

— Pour moi il n'y a aucun doute.

— Mais alors vous vous sentez un peu responsable?

— Non! Sur ce point-là, absolument pas. Je ne me sens responsable que de ce que j'ai fait, pas de ce que lui a fait.

— Cependant vous avez le sentiment que... en quelque sorte, c'est vous qui lui avez révélé, appris le... comment dire?

— Le goût du mal, l'attrait de la perversité, toutes ces choses-là, oui.

— Mais vous n'êtes pas pervers, peut-être aviez-vous trop bu, sûrement, mais pas pervers.

— L'alcool est l'excuse que je me suis donnée, nous savons bien au fond que ce n'est qu'une excuse commode.

— Moi je crois que vous avez subi un accès de désir purement physique, mais de là à parler de perversité...

— Un accès incontrôlé de désir physique, voilà bien la définition que j'aurais donnée au mot pervers.

— J'avoue que je suis un peu embarrassée par ce que vous venez de me raconter.

— Dois-je comprendre par là que vous ne me confierez pas ce qui vous ronge?

— Oh je ne suis pas rongée au point où vous le laissez entendre.»

Il ne réplique pas, se contentant de sourire comme quelqu'un voyant se confirmer ce qu'il avait prévu; en l'occurrence qu'elle ne se confierait pas.

«Allez-y, Susan, dit-il, les autres vont vous attendre pour souper.

— Oh! ce n'est pas encore l'heure.

— Allez-y quand même. Je ne veux pas vous importuner.

— Mais..., Père...

— Allez! Allez! Je voudrais bien être seul à présent. Et réfléchissez à ma proposition, ce serait agréable de prendre mes repas en tête à tête avec chacun de vous.»

Elle se lève et s'éloigne vers la porte en s'arrangeant néanmoins pour créer l'illusion que c'est vraiment lui qui la met à la porte.

«Bon, puisque vous insistez, bonsoir, Père.

— Bonsoir, Susan. Ah! au fait, si jamais vous voyez Alfred

s'éloigner dans les vallons à cheval avec un jeune homme, méfiez-vous...

— Père!

— Vous voyez, vous n'avez plus l'air de considérer cela comme un simple accès incontrôlé de désir charnel.»

Elle a un sourire un peu contraint et, ne sachant vraiment plus que faire ou ajouter, sort et s'éloigne rapidement. «*Écervelée!* se tance-t-elle. *Dans quelle situation t'es-tu encore laissée entraîner par lui. Quel jeu a-t-il imaginé? Je ne sais pas quel est l'enjeu, mais j'ai bien l'impression d'avoir perdu la première manche. J'aurais dû lui raconter mon histoire, nous serions match nul.*

Tu ne pourrais pas. Jamais.

C'est vrai que je ne me vois pas raconter cela. Pourquoi? Est-ce vraiment si affreux? J'avais des excuses... Tiens! moi aussi. Lui c'était le whisky. Non! ce n'était pas moi ce jour-là.

En effet, ça ne correspond pas tout à fait à l'image que tu veux donner de toi.

L'histoire de Cornelius ne correspond pas à la sienne et pourtant il a tout dit. Ça paraît aberrant, lui et le Pasteur... J'en ai encore froid dans le dos. Oh et puis oublions tout cela; à force de trop nager dans les immondices, on finit par s'y noyer.»

7

Pour Nathan, le travail réussit tant bien que mal à dévier le cours de pensées qui jusque-là, telles des lianes autour d'un arbre, s'enchevêtraient dans le ressassage spiralé d'instants au goût de sang et de cendre. Transporter les cartons de l'entrepôt au magasin, garnir les tablettes en alignant les boîtes comme des rangées de soldats, l'occupation peut paraître anodine, mais pour lui elle est agrémentée par les images colorées qu'éveillent en lui les diverses provenances des contenants de carton ou de fer blanc. La plupart du temps il s'agit de clichés glanés à la télévision ou dans des revues. Ainsi les sardines du Nouveau-Brunswick évoquent des petits ports brumeux, des petits chalutiers aux coques rouges, vertes ou bleues, des mouettes criardes. Mais s'il a les images et, dans une moindre mesure, les sons, il ne peut absolument pas évoquer les odeurs; il imagine par exemple que tout le Nouveau-Brunswick sent la sardine. Pour une grande majorité, conserves et emballages proviennent d'Ontario, et là c'est le mystère, car pour lui l'Ontario c'est le Parlement d'Ottawa, les chutes du Niagara, la Tour du CN à Toronto, et il ne parvient pas à concevoir un champ de tomates autrement que quelque chose de très tropical; aussi, pour lui, un vignoble est représenté par quelque chose évoquant beaucoup plus la France ou l'Italie que le *Golden Horseshoe*. En revanche, il lui paraît beaucoup plus aisé d'imaginer les campagnes ambres et dorées aux montagnes magiques de la Chine d'où proviennent les champignons en boîte. Il possède aussi une bonne collection de clichés mentaux pour la mélasse des Barbades qui allume aussitôt derrière son front de longues plages bordées de palmiers indolents, sans concevoir cependant aucun champ de canne à sucre, encore moins les lourdes odeurs attachées aux raffineries. Le saumon keta mis en boîte à Vancouver véhicule pour lui beaucoup plus d'images alaskaïennes où abondent des torrents impétueux peuplés d'ours gigantesques, de jardins totémiques, de vallées moussues à l'ombre de thuyas odorants ou même un étrange navire-usine japonais, qu'une simple conserverie de briques sombres, d'acier inoxydable et de néons, située près d'un quai où domine l'odeur du mazout et celle de l'épaisse graisse noire à lubrifier. Les boîtes de garniture à tartes du Québec racontent de vieilles maisons de pierre aux toits abrupts, mais aussi, en opposition, un Saint-Laurent que des reportages lui ont fait apparaître comme un immense caniveau qui, depuis les Grands Lacs, charrie une dangereuse décoction au milieu d'un peuple qui se veut différent. Il y a aussi les belles boîtes blanches et or à l'allure d'autrefois de l'*Irish Oatmeal* du comté de Kildare, là-bas dans la lointaine et mystérieuse Irlande que son imagination conte évidemment verte, mais aussi parcourue par des labyrinthes de pierres où le temps a imprimé de son écriture évanide la Légende des druides et des farfadets de sa petite enfance. Il ne faut pas oublier non plus les ananas d'Hawaï, salut, fantaisies océanes; les pêches d'Argentine, salut, sœur Pampa gaucho; les raisins de Corinthe, salut, antiques homéryssées; les gros pruneaux noirs et dodus de Californie, salut Superman; les noix du Brésil, salut, Rio samba sur Amazone; les biscuits au beurre du Danemark, salut, Erik Hamlet le Rouge. Autant de noms évocateurs qui allument dans sa tête des milliers de décors, eux aussi mis en boîte et distribués quotidiennement par l'intermédiaire des ondes.

De temps en temps, il jette un coup d'œil à Jolene assise sur un tabouret derrière sa caisse et qui, en compagnie de ses habitués assis sur des cartons de l'autre côté du comptoir, écoute un jeu-questionnaire sur la petite télévision suspendue en l'air dans l'angle des murs les plus proches de la caisse. Il ne comprend pas l'intérêt que portent les gens à ce genre d'émissions qui à son sens sont ennuyeuses et surtout stupides. *«Quand ils regardent la télé, on dirait toujours qu'ils s'attendent à ce que d'une minute à l'autre un annonceur vienne leur annoncer Le typhon qui a englouti le Japon, la résurrection d'Elvis Presley ou la coupe Stanley pour les pee-wee de Swift Current.»*

Parfois, lors d'une pause commerciale trop vue, il rencontre le coup d'œil *«compréhensif»* de Jolene ou celui plus *«curieux»* des habitués. *«Qu'ils me regardent comme ça leur chante, je m'en fous.»* Et, moins insouciant qu'il veut bien le prétendre, il retourne à ses *voyages artificiels.*

C'est maintenant au tour des articles divers qui eux viennent si souvent de l'Asie du Pacifique que ça en devient monotone. Si pour lui la Chine des champignons garde encore quelque magie, le Japon, la Corée, Taïwan et les autres *dragons* ne sont plus dans son idée qu'un amalgame d'engrenages fluides, de communications en réseaux complexes, de circuits intégrés rutilants, de lignes aérodynamiques sensuelles, de foules compactes et rationnelles en chemises blanches, de dessins animés aux larmes de cristal, de lampes témoins phosphorescentes sans surveillance, le tout sous la gouverne d'un grand métronome mathématique, statistique, hygiénique, informatique, économique, pratique, plastique, ana-lytique, synthétique, mais très peu asiatique au sens implicitement mystérieux et légendaire que peut susciter ce continent. Encore là, tout ceci est une vision engendrée par la télévision mais dont il est convaincu de la réalité. Occupé à déballer des piles *made in Singapore*, il entend la sonnette de la porte mais ne bouge pas pour voir qui entre. Aussi, quelques secondes plus tard, reconnaissant la voix de Missy qui demande des fusibles de trente ampères, il a la sensation qu'une vague chaude et piquante descend dans son ventre. Passé un moment de quasi-paralysie, il réussit à se redres-ser derrière le rayonnage où il se trouve et aperçoit Missy de profil. *«Comme elle a changé!»* s'exclame-t-il intérieurement. La Missy avec laquelle il était voici seulement quelques jours avait tous les attributs de la jeune fille insouciante, un peu autoritaire, un peu butée, un peu gâtée; la Missy de ce soir n'a subjectivement plus rien de cela; elle paraît plus grande, mais aussi plus grave, plus réfléchie, plus pâle, et, il en est retourné, ô combien plus belle encore que dans sa mémoire pourtant toute fraîche. Littéralement traversé d'un trait de douleur, il se penche à nouveau, essaye de reprendre son souffle, ne sait trop ce qui lui arrive sinon que la simple idée d'être étranger à Missy le torture. Accroupi derrière le rayon, il a soudain la vision d'une route la nuit, un long ruban gris-noir séparé en son centre par le trait discontinu de la ligne jaune, il est au volant d'une voiture, le tableau de bord diffuse une rassurante lueur vert-bleu, Missy est à ses côtés et ne dit rien, mais il est évident qu'ils sont très bien tous les deux. Infiniment bien, alors qu'ils sont protégés du monde par les parois opaques ou translucides du véhicule, protégés de la routine et de la monotonie par son mouvement. Protégés du passé par la nuit qui s'ouvre devant les phares et se referme sur leur passage. Protégés du silence par la radio qui, aux heures de la nuit, se fait confidente et romantique. Et tous les saxos, tous les violons qui pleurent après des amours évanouies ne font que conforter le leur.

«Oh! Nathan, tu es là.»

Plongé dans cette vision, il ne l'a pas vue qui traversait le magasin en direction du présentoir des croustilles.

«Hein! Missy! feint-il de s'apercevoir de sa présence. Je suis content de te voir.

— Moi aussi... Vas-tu reprendre tes études?

— Sans doute... Toi?

— J'y suis retournée ce matin.

— Ah...

— Eh oui... Toi, ça va?

— Je... J'ai de la peine pour toi.

— Tu as aussi ta part de...»

Il voudrait lui dire que sa peine serait plus facile si seulement ils pouvaient être proches l'un de l'autre, comme dans la cabane. Il sent chaque parcelle de lui tendue vers la presque inconnue en face de lui, et ne se rassasie pas de la contempler. Ce soir, sous un manteau de laine grise, elle porte une robe gris perle sans manche par-dessus un léger pull-over rose pastel à col roulé. Jamais ses yeux n'ont été aussi violets, elle n'a plus ses tresses, ses cheveux sont coupés courts et cela lui donne l'air plus vieux. Sans pour autant se sentir poète, il se laisse aller à comparer la peau de son visage aux pétales d'une rose rose. *«Comme elle est belle!»* Baissant les yeux, il contemple furtivement la courbe naissante que les seins impriment à la robe et éprouve un vertige qu'il essaie d'endiguer par des mots:

« Quoi de nouveau en classe?

— Pas grand-chose. Tout le monde a été gentil pour Ken et moi, aujourd'hui.

— J'espère.

— Heu... la prof a parlé de Jonas.

— De Jonas! Qu'a-t-elle dit?

— Elle a dit qu'il était au paradis.

— Pourquoi a-t-elle dit ça?

— Elle parlait de Papa à moi et à Ken en disant qu'où il se trouvait, il pouvait faire encore plus pour nous que sur terre, c'est là qu'elle a précisé qu'il était au ciel et a ajouté que Jonas y était aussi.

— C'est drôle, j'ai justement parlé à Jonas cet après-midi; je lui ai demandé qu'il dise bonjour à ton père.»

Pas certaine de très bien comprendre ce qu'il veut dire, Missy se contente de faire un mouvement affirmatif de la tête. À ce moment, Nathan regarde vers la caisse et rencontre les regards de Jolene et de ses habitués qui, ayant momentanément abandonné le jeu télévisé, sont braqués vers eux, tous avec des mines mi-interrogatives mi-entendues dans lesquelles il croit discerner une certaine raillerie. Il sent la colère monter en lui. Elle lui bloque les voies de la raison, celles de la respiration, tend ses muscles et cherche à s'échapper par la bouche.

«Qu'est-ce que vous avez à nous regarder comme ça?», lance-t-il furieux.

Sans répondre, les adultes se détournent et, en haussant vaguement les épaules, s'adressent des sourires ironiques les uns aux autres.

«Tu ne changes pas, dit Missy sur le simple ton de la constatation.

— Que veux-tu dire?

— Que tu es toujours prêt à te mettre en rogne, c'est tout.

— Non, je ne suis pas toujours prêt à me mettre en rogne, comme tu dis, (il se rend compte qu'il veut dire: *c'est juste depuis que je n'arrête pas de penser à toi*», mais se ravise à temps) seulement quand y en a qui se mêlent de ce qui ne les regarde pas. (Il repense au: «Tu ne changes pas», et de nouveau la frustration culmine.) Et puis j'ai changé beaucoup plus que tu ne le crois. Le ciel! Tout ça, c'est des niaiseries, je ne crois pas à toutes ces foutaises! Nous sommes tous une bande de macaques descendus de notre arbre, un accident de la foutue évolution, une tragique erreur de la nature. Le ciel! Alors pendant que ton père jouerait de la harpe en chantant Alléluia avec les anges, pendant qu'il se promènerait en belle tunique blanche, pieds nus dans les nuages dorés, le mien, de père, aurait une broche plantée dans le derrière et des petits diables à cornes lui feraient le coup du BBQ au-dessus d'un feu éternel. Non! vois-tu...»

Il se rend soudain compte qu'elle a les yeux pleins de larmes. Instantanément sa colère s'évanouit. Il se maudit d'avoir parlé ainsi et pose sa main sur l'épaule de la jeune fille.

«Excuse-moi, Missy. Excuse-moi, j'ai dit des bêtises.

— Mais non, répond-elle cette fois avec des larmes qui roulent sur les joues; mais non ce ne sont pas des bêtises, c'est ce qu'on nous a appris. On nous l'a appris et je ne sais plus si c'est vrai.

— Bien sûr que c'est vrai! s'exclame Arthur O'Dell s'ingérant d'office dans la conversation. Voyez-vous, les enfants, il y a bien longtemps, j'ai participé à ce qu'on appelle le Débarquement, celui de Normandie. On débarquait pour nettoyer les vieux pays d'une gangrène diabolique qui s'étendait partout depuis Berlin. Tout autour de moi, à gauche, à droite, devant, derrière, mes compagnons tombaient et se vidaient de leur sang sur une terre qu'ils ne connaissaient même pas. Croyez-vous qu'ils soient morts pour rien? Si le ciel et l'enfer n'existent pas pourquoi nous serions-nous battus?

— Tout simplement, rétorque le vieux Scott Cloir, parce qu'on nous a dit de le faire. Parce que des grosses poches se sont arrangées pour nous faire croire qu'il en allait de la survie de la civilisation. Crois-tu que c'est mon ange gardien qui m'a dit: Scott il faut aller démolir du jap? tu ne crois pas ça tout de même? J'y suis allé parce qu'on m'a pas laissé le choix. Et après? MacArthur a fait en sorte que l'empereur ne soit même pas jugé, et, il n'y a pas tant d'années, assis devant ma télé, j'ai vu nos gouvernants et nos têtes couronnées aller assister ou se faire représenter aux obsèques du même empereur qui en 1941 a déclaré la guerre aux États-Unis, et pas un seul de mes enfants qui ne roulent aujourd'hui dans des voitures fabriquées par l'ennemi d'hier.»

Sachant au fond que les adultes ont pris leur conversation pour ne plus la leur rendre, Nathan et Missy se regardent comme s'ils avaient été dépossédés d'un bien propre qu'ils s'apprêtaient à s'offrir mutuellement.

«Scott, renchérit Robert Moses, tu ne dis pas vraiment ce que tu penses, t'aimes bien jouer au cynique, mais au fond on sait bien que t'es comme nous autres. Quand, quelque part sur cette planète, une bande de rigolos sont prêts à faire n'importe quoi pour s'assurer le pouvoir, tout le monde sait qu'il faut y aller si on veut pas retourner à la barbarie.

— C'est quoi au fond la barbarie? demande Jolene visiblement pour le seul bénéfice de la conversation.

— C'est quand la recherche de l'amour des autres est remplacée par la recherche de la domination sur les autres, répond doctement Robert O'Dell. Et je crois bien qu'il y a du barbare en chacun de nous.

— Parle pour toi», lance Scott Cloir, facétieux.

Abandonnés, Nathan et Missy se regardent à la dérobée. Elle, ne sachant comment clore cette rencontre, lui comment la poursuivre plus favorablement. Pour Missy, revoir Nathan vient de lui enlever de l'esprit toutes les formes d'accusation sur la responsabilité indirecte qu'il aurait pu avoir dans la disparition de son père du simple fait qu'ils s'étaient rencontrés «en cachette» lorsque celui-ci avait disparu, mais ceci est remplacé par le constat que pour elle il est *«marqué»*. Elle se formule mal cette nouvelle impression, mais depuis qu'il est à côté d'elle, elle ne peut s'empêcher de penser à ce qu'a fait le Pasteur, et, par contrecoup, l'acte retombe sur Nathan. Elle se répète que c'est absurde, se répète également qu'elle *«l'aime bien»*, mais croit savoir que désormais il sera toujours accompagné par *«ça»*. Lui, de son côté, croit que tout peut reprendre comme avant, et même mieux qu'avant. Qu'à nouveau ils iront seuls, tous les deux, sur des chemins connus d'eux seuls; l'un livrant à l'autre tout ce qu'il est pour se fondre dans un être commun indissociable. Il se sent même prêt à faire le chemin tout seul, à livrer tout ce qu'il est à Missy pour l'unique bénéfice de celle-ci, et à n'attendre en retour que le bonheur de se trouver dans son rayonnement.

«Bon, eh bien bonsoir, Nat.

— Bonsoir, Missy. Veux-tu que je te raccompagne un bout?

— Non c'est pas la peine, et puis tu travailles.

— Oh ça ne fait rien à Jolene, je reviendrai après...

— Non, non, je t'assure que c'est inutile.

— Ça me dérange pas.

— Non, je t'assure.

— Bon, c'est comme tu veux.

— C'est ça, salut, Nat.

— Salut, Missy.»

Peut-être parce qu'il ne veut pas l'admettre, il ne comprend pas comment ni pourquoi, mais il a la très nette sensation que quelque chose d'irréversible vient de se produire. «*Je saurai bien reconstruire notre amitié*», décide-t-il.

«*Qui l'a démolie?*» demande son côté critique.

Parce que quelque part il craint la réponse, il est incapable de répondre à cette question.

8

Nathan a toujours aimé la maison de son grand-père, Magellan Lapierre. Dès le premier coup d'œil, ses vastes proportions signalent au passant qu'il s'agit là d'une authentique demeure familiale à la mode ancienne. De forme cubique, surmontée d'un toit à quatre versants, elle comporte un rez-de-chaussée, un étage plein et un autre mansardé. Outre les portes d'entrée à l'avant et à l'arrière, chaque côté de la façade est percé d'une rangée de quatre fenêtres à guillotine pour chacun des deux premiers niveaux, le dernier n'en comportant qu'une seule par pignon. Particularité ajoutant encore aux dimensions de la maison, le rez-de-chaussée est entièrement ceinturé par une véranda ouverte, tandis que le premier étage en possède une vitrée où, l'hiver, on peut pratiquer la marche, sinon à l'abri du froid, du moins à l'abri du vent. Sauf les cadres de portes et fenêtres couleur vert sapin, tout le reste du revêtement extérieur est d'un blanc immaculé. La chose est méritoire si l'on considère que Magellan Lapierre s'est toujours refusé à parer sa demeure de revêtements modernes tels que l'aluminium ou le vinyle. «Uniquement du bois», dit-il toujours avec fierté. «Le bois est vivant, pas comme leurs machins d'usine – qui font propre, c'est vrai – mais pour ce qui est de l'âme...» Le grand-père de Nathan a raison, sa maison a beaucoup d'«âme» et de chaleur. Rien à voir, bien entendu, avec l'opulence du Ranch *C&E* des Fairfield, mais beaucoup affirment néanmoins sincèrement qu'ils préféreraient vivre dans la demeure de Magellan Lapierre plutôt que dans celle du Rancher.

Le salon où ils se trouvent présentement est à lui seul un symbole d'intimité et de chaleur familiale. Assez vaste, à l'image des autres pièces, ses murs sont tapissés d'un papier perle fleuri qui donne une impression gaie et champêtre à l'ensemble. À environ un pied du plafond, tendu lui d'un papier uni ciel-d'orage, une large moulure d'un blanc immaculé fait le tour des murs et en rehausse le relief. Le sol est recouvert d'une confortable moquette bouton-d'or qui sert presque d'écrin au mobilier composé d'une longue table basse en acajou aux pieds galbés autour de laquelle, en demi-lune, sont disposés un long sofa capitonné, une causeuse du même type et deux profonds fauteuils club, tous recouverts d'un épais velours bleu canard. Tout contre le mur extérieur, entre les deux fenêtres, se trouve une imposante bibliothèque aux vitres bombées, en acajou elle aussi, dont les rayons supportent beaucoup plus de bibelots-souvenirs que de livres, ceux-ci étant principalement représentés par une encyclopédie américaine récente, une autre britannique nettement plus âgée, et surtout, pour ce qui en d'autres temps pourrait intéresser Nathan, une ancienne collection d'albums qui vont des aventures de Winnie Winkle à celles de Flash Gordon en passant par Tarzan, Mandrake, Buck Rogers ou Popeye. Pour l'instant, son grand-père, arrivé au lendemain du drame et qui n'est pas encore reparti vers ses chantiers forestiers, est installé dans *son* fauteuil, sa grand-mère dans le sien, Rose-Ange, jambes étendues, sur le sofa, et lui, qui vient de rentrer de chez Jolene, sur la causeuse, un grand verre de lait entre les genoux. Tout le monde, tête tournée vers la fenêtre cathodique, suit plus ou moins une émission où il est question encore une fois de l'effet de serre, de la diminution, schéma à l'appui, de la couche d'ozone, de la remontée du niveau des océans, de la sécheresse, et de la déforestation. Tous regardent, mais les pensées de chacun vagabondent ici et là au gré d'une blessure à l'âme qui ne cesse de saigner.

«Ils nous rabâchent tout le temps la même chose, commente Virginie Lapierre. Si nous fermions cela pour parler un peu?»

Son mari l'approuve du chef.

«T'as raison, Femme.

— De quoi veux-tu que l'on parle, Maman? demande Rose-Ange.

— Eh bien, de toi, de Nathan, de ce que vous allez devenir. Je crois qu'il est temps d'en discuter, il y a deux semaines à présent que Nathan n'est pas retourné aux études, ne serait-il pas mieux qu'il recommence maintenant? Je sais qu'il travaille durant les soirées au magasin, mais il ne va tout de même pas faire une carrière de commis d'épicerie. Hein, Nathan, ce n'est pas ce que tu désires, n'est-ce pas?»

D'un mouvement de l'index sur la télécommande posée sur le bras de son fauteuil, Magellan Lapierre ferme la télévision. Immédiatement un calme souverain s'installe sur le salon éclairé uniquement par la lumière à la fois jaune et bleutée d'un lampadaire à pied de cuivre dont l'abat-jour représente la carte terrestre.

«Ça m'est égal, répond Nathan à sa grand-mère. Tout m'est égal, et puis l'épicerie c'est pas si mal.

— Tu ne veux pas retourner aux études?

— Ça m'est égal, répète-t-il.

— Puisque ça t'est égal, fait Magellan Lapierre de sa voix au timbre caverneux, le mieux est que tu y retournes, tu ne crois pas?

— Ça doit...

— Bien, disons demain?

— Entendu, demain.»

S'il ne le montre pas, Magellan Lapierre a reçu avec toute cette histoire un choc qui l'a ébranlé. Alors que jusqu'ici toute sa vie a été placée sous le signe de la clarté, cette tragédie est une eau trouble dans ce qu'il percevait comme le courant clair de son existence. Adepte de la transparence, des choses nettes, de la vie au grand air, des romances viriles, il a toujours eu horreur des demi-teintes, des longues phraséologies et des introspections trop attentives de soi-même. Jusqu'à tout dernièrement, sa vie ressemblait à l'un de ces bons vieux westerns californiens qu'il affectionne, où les bons, même s'ils sont parfois un peu buveurs, parfois un peu fantasques, parfois un peu violents, parfois un peu trop indépendants, démontrent toujours en dernier ressort que derrière tout cela il y a un cœur. Ces westerns où les méchants ne sont que *normalement* méchants. Mais *ça*! Comment réagir à cette saleté qui s'est introduite au cœur même de sa famille? Lui qui était si content de voir en sa cadette l'épouse de celui qui avait la charge de la petite chapelle blanche, et cela même s'il n'était pas catholique. Il se souvient encore de cette nuit hivernale de pleine lune où, passant près de la chapelle blanche qui se découpait dans l'encre bleue de la nuit, il avait eu l'impression de se mouvoir à l'intérieur d'une de ces cartes que l'on envoie à Noël. Il s'en sent bien loin maintenant. En fait, depuis quelques jours, il passe de longues heures silencieuses, assis dans le fauteuil où il est présentement ou dans la chaise berceuse sur la véranda en haut, à imaginer que Joshua Barker est encore en vie et que lui, Magellan Lapierre, rend la justice qui convient: il le pend, il l'abat d'une balle entre les deux yeux, il lui fait mordre la poussière de ses poings, bref il fait le nettoyage. Mais en réalité il n'y a plus rien à nettoyer et, parce qu'il en est ainsi, il a la pénible impression que tout son univers est irrémédiablement souillé.

«Demain c'est bien, affirme-t-il en reprenant la conversation. Moi aussi je vais remonter dans le bois. Il y a déjà trop longtemps que je me suis absenté.

— Nos garçons sont responsables, affirme Virginie Lapierre en parlant de ses huit fils qui tous travaillent en association avec leur père à l'exploitation d'un important parc de machinerie forestière comportant bûcheuses, garettes et ébrancheuses. Avec eux, la machinerie est entre bonnes mains, tu peux te reposer.

— Mais je ne suis pas fatigué, et puis tu me connais, rester sans rien faire...

— Tu as toujours dit ça, les garçons pareil, vous dites tous la même chose. Est-ce donc que les hommes sont à ce point dénués d'imagination qu'ils ne savent pas s'occuper en dehors de leur sacro-saint travail?

— S'occuper à quoi? Pourquoi j'irais faire autre chose que ce que je connais?

— Pour changer, Magellan, pour élargir tes horizons. Nous arrivons tous les deux à un certain âge, il faudrait peut-être envisager de connaître autre chose avant de partir, tu ne crois pas?

— Connaître quoi, ma femme? L'an dernier nous avons fait le grand tour des vieux pays, j'en ai encore le tournis. Deux ans avant, ç'a été la Terre Sainte avec toutes les vieilles greluches lamenteuses et saintes-nitouches de la région, et puis nous avons aussi fait la Floride, le Mexique et Cuba. Alors? Je trouve qu'on en a déjà vu pas mal.

— Je ne parle pas nécessairement de voyage, il y a plus de quarante ans que nous sommes mari et femme, Magellan, peux-tu me dire si jamais une seule fois nous avons vécu tout un mois ensemble? Il y a maintenant deux ans, tu as fait construire cet atelier derrière la maison, tu as dit que tu y fabriquerais des meubles lorsque tu serais à l'âge de la pension, tu y es à présent, non?

— Alors tu veux que je lâche tout, que je laisse les pleins pouvoirs aux enfants?

— Ne crois-tu pas qu'il est temps? Toutes ces dernières années, je suis restée toute seule dans cette grande maison. Je t'assure que parfois c'est long. Combien de fois je me suis dit: à quoi ça sert de rester seule pour s'occuper d'une maison où la famille ne vient plus que quelques jours à Noël et quelques autres en juillet? Toi, dans le Nord, tu es avec les garçons, tu t'occupes, tu peux parler, mais moi, ici, est-ce que je ne suis là que pour épousseter les meubles en attendant des visites aussi rares que courtes? J'ai même commencé à écrire mes mémoires, tu vois où j'en suis rendue. Non, Magellan, je ne veux plus rester toute seule, je ne veux plus passer de ces longues nuits, seule dans cette grande maison. Tu ne sais pas ce que c'est, je ne t'en ai jamais parlé, je ne t'ai jamais dit que je laisse la radio de la cuisine ouverte toute la nuit pour ne plus entendre le silence ou, pire, le vent. Des fois, surtout l'hiver, c'est tellement silencieux, tellement... vide, qu'on a presque l'impression d'être mort. Non, je suis trop vieille maintenant, je veux la part de toi qui me revient.»

Pendant d'interminables secondes, Magellan Lapierre observe son épouse comme s'il la voyait pour la première fois et, en même temps, comme s'il discernait un point situé bien au-delà d'elle, invisible pour Rose-Ange et Nathan.

«Alors tu veux que j'arrête? demande-t-il non sans une note d'angoisse.

— Oui, Magellan.

— Tout de suite, comme ça?

— Quelle différence entre tout de suite ou dans un an? Les enfants savent ce qu'ils ont à faire, non?

— J'avais envisagé de continuer jusqu'à l'automne. Il y a encore ce contrat sur l'Île de Vancouver qu'il faut que je mène à terme. Je les connais là-bas, ils ne signeront qu'avec moi; c'est moi qu'ils connaissent. Tu sais que pour les enfants ce contrat représente la sécurité pour les dix prochaines années».

Virginie Lapierre regarde son mari sans répondre. Elle sait ne rien pouvoir ajouter à ce qu'elle a dit; du reste elle en a déjà beaucoup dit, le reste doit venir de lui. Elle sait également que si elle ne veut pas se l'entendre reprocher par la suite, c'est lui et lui seulement qui doit prendre la décision d'arrêter.

«Écoute, reprend-il, je termine la négociation de ce contrat, je mets les choses en marche là-bas et ensuite je raccroche définitivement le tablier, ça te va?

— Qu'entends-tu par mettre les choses en marche?

— Bien... peut-être jusqu'au mois d'août, nous sommes presque en décembre, ce sera vite arrivé.

— Fais pour le mieux», répond-elle avec un brin de résignation.

Nathan, se souvenant que son grand-père lui a toujours promis de l'emmener «dans le bois», se rend compte que s'il ne demande rien, sa chance d'y aller risque d'être compromise.

«Tu m'as toujours dit que tu m'emmènerais dans le bois, lui rappelle-t-il.

— C'est vrai, c'est vrai, je n'ai pas oublié, mon garçon. Tiens, faisons un marché, tu retournes à tes cours demain et au mois de juin tu viens nous retrouver là-bas où je te promets qu'on t'apprendra à opérer la machinerie, ça te va?

— Comment j'irai?

— Ça, on verra ça en temps et lieu.

— Je ne sais pas où nous serons, fait remarquer Rose-Ange. Nous ne pouvons pas rester ici. Surtout pour Nathan, je crois qu'il vaut mieux déménager assez loin.

— Pourquoi ne resterais-tu pas ici? demande son père, il y a de la place, non? Tu ne te plais pas ici?

— Mais si, Papa, mais je n'ai pas le droit de vous encombrer l'existence à toi et à Maman.

— Et depuis quand, veux-tu me dire, est-ce que ma petite fille m'encombrerait l'existence, oui, depuis quand? Qu'en penses-tu, toi, Virginie?»

Le visage de sa femme s'éclaire d'un sourire un peu triste.

«Cette maison ne convient pas plus à deux personnes qu'à une seule, dit-elle doucement. Reste ici, Rose-Ange. Après tout, c'est peut-être moi ou ton père ou même les deux qui un jour t'encombreront.

— Maman!

— C'est la vérité, ma chérie.

— Je vous remercie de votre offre, mais pour Nathan, est-ce que c'est bien raisonnable de rester ici?

— N'importe où que vous irez, lui répond son père, vous finirez par retrouver ce qui vous aura fait partir. Que ce soit à Moose Jaw, Regina ou même Saskatoon, il y aura toujours un grand nez-senteux qui finira par en savoir plus qu'il ne faut et qui se fera le plus grand plaisir de faire courir la rumeur, et finalement ce sera encore pire qu'ici. Non, (cette fois, il s'adresse à Nathan) le mieux est de rester ici et de lutter s'il le faut. Oh c'est certain qu'un jour ou l'autre il y aura un sans-génie qui te dira des mots qui te feront mal, il faudra passer par-dessus, c'est tout. Et puis t'en fais pas, les mots mal intentionnés finiront par retomber sur le nez de celui qui les aura prononcés.»

Nathan regarde successivement son grand-père, sa mère puis sa grand-mère, essayant de déterminer si désormais, vraiment, son existence va se poursuivre à partir de cette demeure. Hormis le fait qu'en classe il va falloir composer avec les autres dont certains, comme le prévoit son grand-père, ne se priveront pas de lui rappeler qu'il est le fils du Pasteur Barker, hormis le fait, encore plus douloureux, estime-t-il, qu'il va devoir côtoyer une Missy qui, dirait-on, a pris le parti de l'ignorer, hormis tout cela, l'idée de vivre dans cette maison lui plaît assez. Il l'a toujours aimée et s'y sent bien. N'est-ce pas dans une des chambres en haut, alors qu'il n'était encore qu'un bébé et que Rose-Ange l'avait laissé en garde à sa grand-mère, que, pour la toute première fois dans sa jeune vie, il a pris conscience qu'un monde existait autour de lui. C'est son premier souvenir, il n'en a jamais parlé à personne car il sait qu'on lui répondrait qu'on ne peut garder des souvenirs de cet âge-là.

Néanmoins il se souvient. C'était la nuit. L'été. Le berceau voilé de tulle blanc, telle une caravelle solitaire sur l'océan, était ancré au centre de la chambre habitée par les ombres nocturnes. Il était tard. Les gens et les choses dormaient. Lui, immobile, douillet dans son univers de cotonnades fleurant le pin, avait les yeux grand ouverts et ses prunelles attentives suivaient le ballet monochrome provoqué par la lumière laiteuse de la lune qui jouait avec les nuages. Ses narines frémissaient au parfum de la Prairie porté par une brise qui se faufilait par la fenêtre entrebâillée et venait doucement lui caresser le visage. Malgré toute absence de vocabulaire pour se le formuler, car il n'est pas toujours besoin de mots pour cela, il avait réalisé à cet instant le merveilleux de la vie, la puissance de la matière. Et, dans la clarté lunaire, pour la première fois heureux, il avait ri.

«Moi, dit-il à sa mère, j'aime bien ça, ici.»

C'est au tour de Rose-Ange de regarder vers son père et sa mère, de constater au fond de leurs yeux que, au-delà des circonstances, ils sont réellement heureux de l'accueillir. Et de se savoir encore aimée après tout ce gâchis lui arrache un sanglot qu'elle tente de réprimer en enfouissant sa figure dans le velours du canapé. Rien n'y fait cependant, ses épaules sont secouées violemment, un mélange de peine, de désespoir, mais aussi du bonheur tout simple de se savoir encore aimée, de savoir qu'elle peut encore se confier, tout cela s'échappe d'elle en larmes chaudes et lorsque son père qui, sans bruit, s'est levé, s'avance et lui pose sa grande main sur l'épaule, elle se retourne le visage inondé et, comme la petite fille qu'elle a été, se jette à son cou en criant: «Papa! Oh Papa!» Alors, Magellan Lapierre, sans recours, lui aussi sent surgir d'un passé qui remonte à ses culottes courtes les larmes qui soulagent, les larmes qui lavent. «C'est fini, ma petite fleur, c'est fini». Pendant ce temps, avec un sourire douloureux qui cherche à masquer leur émoi, Nathan et sa grand-mère se regardent, surpris de constater qu'ils se comprennent, qu'ils se connaissent, bien plus qu'ils ne le supposaient.

9

Comme toujours, le ciel est sans nuage. Comme d'habitude, le vent est là, plaquant le froid au visage. Désirant croiser le chemin de Missy afin de se rendre compte une fois pour toutes si réellement elle veut l'éviter ou si c'est lui qui se fait des idées à ce sujet, Nathan est parti un peu plus tôt que nécessaire. À présent, rendu à la croisée du chemin principal par où Missy doit passer, dissimulé par la congère qui borde le chemin, il attend qu'elle passe. Alors il pourra faire celui qui arrive en même temps, il lui fera salut et s'avancera comme s'il s'agissait d'une rencontre inopinée, il verra bien alors comment elle réagira. Les minutes s'écoulent. Le froid traverse ses semelles pourtant isolées, raidit le nylon de ses vêtements, de telle façon que chaque mouvement entraîne un crissement désagréable à l'oreille. *«Je pourrais aller l'attendre chez Jolene,* se dit-il. *Non! elle pourrait arriver, remarquer mon manège et ça aurait l'air voulu... Oh non! Pas lui!»* Il vient d'apercevoir Endicott Fairfield qui avance dans sa direction. Il avait complètement oublié que ce dernier doit évidemment passer par là puisque ce chemin ne conduit que chez les Lapierre sur son côté nord, et au Ranch *C&E* sur son côté sud.

«J'avais pourtant pas besoin de lui ce matin», marmonne Nathan qui, puisqu'il n'a plus le choix, se remet en route vers l'école.

Son désappointement est encore plus grand lorsque, regardant à droite par où doit arriver Missy, il l'aperçoit effectivement qui vient avec son frère, Ken. À une distance trop éloignée cependant pour qu'il paraisse tout naturel de l'attendre. *«Tant pis, je vais quand même arrêter chez Jolene,* anticipe-t-il, *ce sera facile de ressortir quand elle passera. Qu'est-ce que je vais bien pouvoir raconter à Jolene?»*

Il n'en sait encore rien lorsqu'il pénètre dans le magasin. Jolene est assise derrière sa caisse, déjà en train de bavarder avec ses habitués du matin. Nathan se demande comment elle fait pour paraître aussi fraîche à cette heure somme toute matinale où la plupart des adultes ont l'air d'ours émergeant d'un hiver d'hibernation. Elle, a les pommettes bien roses, l'œil pétillant, le rire facile. Ce matin, une grande tasse de chocolat chaud à la main, elle est vêtue d'une de ces salopettes rayées qui furent à la mode chez les cheminots au temps où les locomotives marchaient à la vapeur. Loin de lui donner une allure virile, ce vêtement, allié à une chemise blanche à manches longues, ne fait que mettre en relief une féminité qui le trouble.

«Bonjour, Nathan, lance-t-elle, enjouée. Mais dis donc, est-ce que je me trompe, ou tu retournes en classe?

— J'y vais... Je passais pour dire que ce soir je viendrai un peu plus tard.

— Pas de problème, et si tu ne peux pas, ce ne sera pas plus grave que ça, tu sais.

— Oh je vais venir! À ce soir.»

Ayant remarqué par la vitrine que Missy est sur le point de passer, il sort un peu précipitamment.

«Hein! Salut.»

Ken répond d'un signe de tête. Ne sachant pas encore comment se comporter avec Nathan, il préfère attendre de voir comment feront les autres. Missy, elle, lui répond sans plus d'empressement que s'il était *«n'importe qui d'autre»*.

«Salut, Nat.

— Salut, Missy, tu vas en classe?

— Bah oui, où veux-tu que j'aille?

— Ouais, c'est juste...

— Toi?

— Moi aussi, j'ai décidé de reprendre...

— C'est bien.

— Il faut, c'est la vie, essaie-t-il de lui soutirer plus d'éloquence.

— C'est la vie», répète-t-elle sur un ton uniforme.

Il voudrait lui demander pourquoi elle n'est pas plus causante, pourquoi elle est si distante. «*Je me fais peut-être encore des idées? se dit-il. Comment savoir? Et si je ralentissais? Je vais bien voir; si elle ne reste pas avec moi ce sera signe qu'elle se fout pas mal de moi.*» Faisant ce qu'il vient de concevoir, comme si son attention était attirée par un point particulier du paysage, il ralentit imperceptiblement le pas. En quelques secondes, il est déjà clair que Missy ne cherche pas à s'accorder sur son rythme. Il voudrait la rattraper mais sa raison et son orgueil le lui interdisent. Il suffit de peu de temps pour que la distance qui les sépare soit suffisante pour qu'il soit impossible à un éventuel observateur d'affirmer qu'ils aient fait un bout de chemin ensemble. Il la contemple, devant lui, certain à présent que tout est fini. Cérébralement certain, mais le reste de son être n'arrive pas à admettre qu'il ne pourra plus se confier à Missy, qu'ils ne se souriront plus comme c'est arrivé. C'est pourtant à elle que jusqu'à présent il s'est raccroché, c'est elle qui devait comprendre et soulager toutes ses peines, c'est elle qui devait lui remonter le moral, c'est elle qui maintenant devrait l'accompagner pour ce retour en classe. Oui, c'est elle qui, encore hier soir, avant qu'il ne s'endorme, comme tous les autres soirs, a été invitée au royaume de la complicité. C'est elle qu'il a imaginée tout contre lui, à la place de l'oreiller, alors que ses doigts se refermaient en agrippant le coton de la housse et que son visage s'enfonçait dans le matelas. Il faisait noir et elle était là, vraiment là. Avec reconnaissance il sentait ses poumons se dilater, des larmes envahir ses yeux, tandis que l'image de Missy se précisait, presque jusqu'à devenir tangible. Et sa chaleur n'était que tendresse, ses lèvres réconfort. Ainsi encore allait son imagination qui, hier soir le portant plus loin encore, l'avait fait sombrer dans un gouffre de semi-inconscience où seules les flammes de l'amour inventé l'ont transporté jusqu'au dénouement imposé par la nécessité physique. Puis, un peu ahuri, vaguement honteux, vaguement heureux, il s'était endormi, certain de la retrouver ce matin comme dans son imagination. À lui, pour lui. Il se rend compte que tout ceci n'était qu'imagination de sa part. Déchiré, il l'observe qui s'éloigne toujours davantage, sans même se retourner.

Il a mal.

«De retour?»

La question est davantage une constatation. Il se retourne et rencontre le regard certes un peu ironique, mais non inamical d'Endicott.

«Ouais, de retour», répond-il surpris de constater qu'il n'en veut plus du tout à Endicott et même que, dans toute cette école où il arrive, c'est curieusement avec lui qu'il se sent le plus d'affinité. Et cela semble réciproque.

«T'en fais pas, ça va aller, l'encourage le petit-fils du Rancher.

— Je m'en fais pas.

— À te voir, c'est pas l'impression qu'on a.

— En tout cas, merci pour l'encouragement.

— Pas de quoi, faut bien épauler ceux qui sont dans la merde.»

Nathan se fait la réflexion que le terme d'Endicott définit curieusement sa situation, mais, loin de s'en formaliser, il répond par un vague sourire.

«Ça fait que maintenant t'habites chez ton grand-père, poursuit Endicott, instruit par la rumeur et cherchant à soutenir la conversation.

— Oui, on est voisins pour ainsi dire.»

Endicott s'apprête à proposer à Nathan de venir au Ranch après les cours mais se ravise en réalisant que ce serait prématuré. Au lieu de cela, comme il en a l'habitude, il parle de lui:

«On sera pas voisins longtemps, mes parents et moi on a décidé que j'allais entrer en pension après les vacances de Noël; ici on apprend rien.

— En pension? Où ça?

— Tu vas pas me croire.

— Dis toujours.

— Eh bien d'abord il était question de m'envoyer à Regina et puis, peut-être que ma mère en a discuté avec la sienne au téléphone, j'en sais rien, toujours est-il que je vais aller finir l'année en Angleterre. Je pars tout de suite après Noël chez ma grand-mère et j'irai en pension pas très loin de chez ma tante. Tu sais que ma mère est née là-bas? (Nathan fait signe que oui.) Mes parents disent que ça va me faire voir d'autre chose, c'est pas dommage, parce qu'ici...

— T'es plutôt chanceux. T'y vas en avion?

— Évidemment.

— Chanceux, répète Nathan, étonné de constater qu'il n'éprouve aucun contentement à voir partir celui qui aux dernières nouvelles était encore son rival. Tu vas à Londres?

— Non, à Manchester, il paraît que c'est pas loin.

— Connais pas.

— Ça a l'air que c'est un centre industriel important. (Entrant dans les limites de l'établissement scolaire, il s'éloigne de Nathan.) Je te laisse, faut que je voie Harper, il doit m'apporter une nouvelle disquette de jeu.»

Pendant qu'Endicott se dirige vers un garçon pâle au visage tavelé de taches de son, Nathan prend conscience, même si c'est de manière indirecte, qu'il est le point de mire des autres élèves. Seule Missy, dans un coin de la cour, lui tourne le dos. Mais les deux filles avec lesquelles elle est en conversation n'arrêtent pas, comme les autres, de lancer des regards inquisiteurs dans sa direction. «*Qu'ils me regardent tant qu'ils voudront, j'en ai rien à foutre! Mais le premier qui me dit un mot de travers, je le démolis.*» Il voudrait presque rencontrer un regard moqueur ou entendre un *mot de travers* qui, selon lui, l'autoriserait à faire usage de la force et ainsi, toujours selon lui, démontrerait à tous qu'il n'est pas une bête curieuse, qu'il est le même Nathan qu'ils ont connu. Cela ferait également réaliser à Missy qu'elle se trompe à son sujet. «*Je voudrais bien savoir pourquoi elle joue l'indifférente avec moi?*

Tu serais mieux de ne plus penser à elle. Pense à... Tiens, pense à Jolene, elle est gentille avec toi, Jolene.

Je sais bien qu'elle est gentille, mais c'est pas pareil, et puis Jolene est une femme, mariée en plus. Non ça n'a rien de commun, il n'y en a aucune qui pourra jamais remplacer Missy, c'est impossible. Il y a juste à elle que j'aurais pu tout confier. C'est pas normal, c'est pas juste!»

Sortant de la petite bâtisse de bois, Mademoiselle Tuck ordonne la rentrée.

«Nathan! s'exclame-t-elle en le découvrant au milieu des autres, c'est agréable de te revoir parmi nous.

— Bonjour, Mademoiselle», lui retourne-t-il avec un laconisme pouvant facilement laisser entendre que le «plaisir» n'est peut-être pas réciproque.

Assez fine psychologue pour ne pas se laisser berner par la première impression, elle devine que cette attitude n'est en fait qu'un bouclier préventif de feinte indifférence. Aussi décide-t-elle qu'il faut qu'ils aient une conversation avant que cette attitude défensive ne devienne offensive, voire agressive. Ce qu'elle n'exclut pas, ayant appris à connaître la violence naturelle qui couve en beaucoup de garçons, et particulièrement en Nathan.

«Il faut que je te parle», lui dit-elle le retenant dans le couloir d'une main posée sur son épaule tandis que les autres, intrigués, entrent dans la classe.

«Installez-vous», demande-t-elle aux autres avant de refermer la porte et ainsi de s'isoler dans le couloir avec Nathan.

«Qu'est-ce qu'il y a? demande ce dernier toujours sur la défensive.

— Nathan, je désire simplement que tous les deux nous regardions les choses en face avant que tu ne retournes avec les autres.

— Regarder les choses en face? Qu'est-ce que je vois de travers?

— J'ai l'impression qu'il pourrait arriver que tu te méprennes sur l'attitude que certains pourraient avoir à ton égard.

— Y a pas de danger! Je sais très bien ce qu'ils peuvent penser; ils doivent se dire que si mon père était un monstre, il n'y a pas de raison pour que je n'en sois pas un.

— Nathan! tu n'as pas le droit de présumer ainsi de ce que les autres peuvent penser.

— Je ne présume pas, Mademoiselle, je constate.

— Tu constates? Bien, admettons que ton père ait été ce que tu dis, admettons que les autres pensent comme tu le dis, admettons tout cela pour l'hypothèse, comment comptes-tu y réagir?

— S'ils ne font que penser, ça les regarde.

— Sinon?

— Je me laisserai pas marcher sur les pieds.

— Ce qui en clair signifie que tu pourrais te battre?

— J'en sais rien.

— Eh bien moi je sais que je ne tolérerai aucune bagarre ici, c'est bien compris?

— Sinon?»

Elle le regarde, incapable de s'indigner face à ce qui, en d'autres circonstances, serait une indéniable marque d'insolence. Presque interdite, elle découvre à quel point l'expression de Nathan a changé depuis la dernière fois qu'elle l'a vu, avant ce drame qui a secoué toute la communauté. Et finalement comment pourrait-il en être autrement? Si physiquement il est le même, elle peut, sans l'ombre d'un doute, lire dans la densité grave et douloureuse de son regard que le jeune adolescent a cédé la place à un être qui n'a plus peur. Elle sait que là réside la principale différence entre l'enfant et l'adulte. Elle sait également que désormais Nathan n'avancera que parce qu'il en sera moralement convaincu. La panoplie de menaces dont dispose un professeur et qu'elle pouvait encore employer avec lui voici quelques semaines ne le feront plus bouger. Il a déjà connu le pire. De son côté, Nathan est lui aussi surpris de constater qu'il ne voit plus mademoiselle Tuck de la même façon. Du socle d'autorité où il avait l'habitude de la percevoir, elle est descendue au niveau de ses semblables. Une femme comme les autres, avec ses peurs, ses humeurs, ses qualités et ses défauts. Bref quelqu'un qu'il se sent capable d'aimer, d'ignorer ou de détester pour ce qu'elle est, non de craindre pour ce qu'elle représente. Pour l'instant, parce qu'il sait qu'elle sait qu'il n'est plus tout à fait le même, il la voit dans ce qu'elle a de fragile, dans ce que chacun a de fragile: le besoin d'être compris, celui d'être aimé.

«Faisons un marché, propose-t-elle en optant pour une approche *compréhensive*. Si jamais quelqu'un t'adresse des paroles que tu ne te sens pas capable d'accepter, ignore-le, et moi, en contrepartie, si bien entendu c'est justifié, je m'arrangerai pour que le coupable prenne conscience de ce qu'il a dit ou fait. Cela te convient-il?»

«*Tout le monde veut faire des marchés de ce temps-ci*», se dit-il.

«Est-ce que vous ne le feriez pas de toute façon? demande-t-il avec un peu d'ironie.

— Oui, bien sûr, mais justement, pourquoi employer la violence qui de toute manière ne peut jamais rien régler?»

Violence? Sans raison évidente, le mot projette derrière le front de Nathan l'image crue, jamais encore totalement imaginée, du Pasteur en train de tripoter Jonas, puis en train de l'étouffer avec l'oreiller. La projection intérieure lui fait violemment serrer les poings et dessine la surprise sur son visage en donnant à sa bouche la forme d'un O. Rapidement mais avec difficulté, sous le regard attentif de mademoiselle Tuck qui ne comprend pas les brusques et apparemment pénibles changements dans ses traits, il se dépêche de noyer l'image dans les marécages stagnants de la mémoire la plus inaccessible, celle que l'on ne visite qu'en de très rares occasions durant une vie, parfois jamais. Aussitôt, toujours sans plus de raison apparente, viennent se juxtaposer les images d'un rêve ancien, un rêve violent dans lequel, accompagné d'étranges compagnons d'armes moitié enfants, moitié chevaliers féodaux, il participait à de sanglantes croisades et couvrait les plaines ocres et arides de son imaginaire du sang épais de ses valeureux ennemis que, de son épée scintillante, il pourfendait, décapitait, démembrait avant d'enfoncer les murailles de la Cité Glorieuse et de s'approprier, vainqueur, la chaleur et le refuge d'une épaule maternelle et féminine, sous les regards éteints d'un Aladin et d'un Soliman dont les têtes juchées sur la pointe de piques n'étaient autres que la sienne, l'une marquée par la haine et la colère, l'autre grimaçante de sarcasme et de cynisme.

«La violence n'est-elle jamais justifiée?», demande-t-il pour le plus grand étonnement de mademoiselle Tuck.

Originaire de Val-Marie, Ann Tuck a obtenu son diplôme d'enseignante à Regina durant la grande époque où, là-bas, en Californie, il semblait bien que l'on était en train de refaire le monde. Équipée de son diplôme, de ses vingt-trois ans, de ses grands cheveux dorés, de ses jeans à fleurs, de ses bijoux assiniboins et de ses chemises pakistanaises fripées, elle est partie pour la «Source», pour San Francisco. De là, avec de nouveaux «vrais amis», de l'amour plein les yeux, des fleurs plein la tête, des idées plein le cœur, du Moody Blues, du Simon et du Garfunkel plein les oreilles et du Lanza Del Vasto plein la conversation, elle est partie participer à la fondation d'une communauté au Nouveau-Mexique. Une commune où l'on fabriquait tout, absolument tout, en se passant de l'aide de ce qui avait pu être inventé depuis les débuts de l'ère industrielle. On y faisait des galettes de maïs, des enfants, de la musique, des petits pois, l'amour, des tomates, et des chansons qui célébraient le soleil, la lune et les oiseaux. Évidemment il y avait ceux qui n'étaient là que pour «les rapports profonds entre individus», d'autres pour le chanvre ou les cactus, d'autres parce qu'ils ne pouvaient pas aller plus loin, d'autres encore pour tout cela à la fois, si bien que finalement ceux qui étaient là pour vraiment «changer quelque chose» étaient aussi rares que la pénicilline qui fit tellement défaut qu'Emily, fille d'Ann et, probablement, de Peter le joueur de flûte traversière adepte de zen, de macrobiotique, d'ergot de seigle et d'«échanges harmonieux», Emily dont aucun état civil au monde n'a jamais possédé la fiche, Emily s'est éteinte. Et Ann est revenue au pays pour redevenir Ann Tuck. Elle a mis les bijoux d'argent et les cotonnades fripées dans une boîte au fond du grenier du ranch paternel et a posé sa candidature au ministère de l'Instruction Publique. Depuis, Mademoiselle Tuck enseigne à Bluestone, avec pour seule empreinte de ce passé le livre usé des *Techniques de la non-violence* de Del Vasto posé sur sa table de nuit. Quelquefois, lorsque le sommeil ne veut pas venir, elle se redresse, allume, et ouvre le livre, toujours vers ces deux pages au centre où, aplatie, se trouve une boucle d'Emily.

Souvent elle pleure.

La violence est-elle justifiée?

«Jamais, répond-elle à Nathan

— Que faut-il faire contre le mal alors?

— Jésus n'a-t-il pas dit de tendre l'autre joue?

— Oui, Mademoiselle, mais je ne parle pas du mal que l'on reçoit mais de celui dont on est témoin?

— Nous nous éloignons du sujet, Nathan, les autres attendent. Pour l'instant nous parlons des manquements dont toi tu pourrais être victime.

— Entendu, Mademoiselle, ces manquements-là, je vous laisserai vous en arranger.

— Bon, c'est ce que je voulais t'entendre dire. Allons en classe à présent. Il va aussi falloir s'occuper du travail que tu as à rattraper.

— Oui, Mademoiselle.»

«Pourquoi elle n'a pas répondu à ma question? Pourquoi j'ai repensé à ce rêve? Qu'est-ce que ça veut dire? Est-ce que c'est le signe qu'il faut se battre? Pour quoi? Pour Missy? Qu'est-ce que je pourrais faire pour être à nouveau avec Missy?

Tu sais très bien qu'il n'y a rien à faire.

C'est faux! Il ne faut jamais cesser de lutter, et pour commencer, fini de courir derrière elle comme un petit chien, toujours faire preuve de la plus belle indifférence. Dans le fond, je crois qu'il ne faut pas trop montrer qu'on aime si l'on veut être aimé, il faut se montrer détaché, même si c'est plus facile à dire qu'à faire.»

Entrant dans la classe à la suite de la professeure, il se dirige vers sa place, impassible, aveugle à tout regard, comme si absolument personne d'autre ne se trouvait dans la pièce.

«C'est curieux, remarque Missy pour elle-même, *on dirait qu'il a grandi.»*

10

Veille de Noël. Depuis deux jours, la famille ne cesse d'affluer dans la maison de Magellan Lapierre. Enfants, gendres, brus, petits-enfants, tous ont l'habitude de s'y réunir pour célébrer cette époque qui, dans l'esprit de Nathan, s'inscrit en vert, rouge et blanc. Pour la plupart, ils arrivent de la région de North Battleford où, pour être en même temps à proximité de leur travail et de leur famille, ils ont formé ce qu'ils appellent *Lapierreville*, un véritable quartier de maisons mobiles en pleine forêt. Une situation qui devait être «provisoire» mais qui pourtant prend de l'âge. Et cela risque de se poursuivre car il est question de déménager *Lapierreville* en Colombie Britannique où le bois est, paraît-il, plus «payant».

Assis sur une marche au milieu de l'escalier avec son cousin Elbert, Nathan domine la porte d'entrée principale par où tout le monde arrive. Les oncles et les gendres, dans des costumes visiblement choisis en fonction de ce qu'ils doivent leur donner l'apparence de ces barons de la finance, ces héros des temps modernes tant illustrés par les séries télévisées. L'allure y est presque, il y a cependant des variantes comme des cravates pastel ou des souliers vernis. Les cheveux sont impeccablement placés, les moustaches, qui veulent affirmer une virilité toute latine, scintillent au milieu des joues glabres. Pas de doute, chacun est ici pour afficher sa «réussite», non pas tant la financière que celle qui consiste à refléter une image conforme au moule dans lequel on veut être reconnu; pour le cas présent celui de *bons* gars *dynami-*

ques qui rapportent le *steak* à la maison et *à qui on ne la fait pas*. Pour Nathan, ils ressemblent tous au cousin Paul Lapierre, le mari de Jolene, qui lui aussi est arrivé du Nord, fier comme un paon dans un costume Prince-de-Galles assorti d'une cravate rose bonbon. Nathan était présent lorsqu'il est arrivé, il a vu comment, en quelques secondes, il s'est imposé comme le propriétaire et du magasin et de Jolene. Une étreinte et un baiser qui pour Nathan ressemblaient bien davantage à une *«reprise en main»* qu'à un véritable élan de tendresse qui, toujours selon lui, aurait été *«plus normal»* après trois mois d'absence. Sans chercher à en comprendre la raison, il a été choqué de voir Jolene répondre avec tant de soumission à cette prise en charge. Choqué, mais également il s'est senti un peu délaissé. Depuis quelque temps, il avait pris l'habitude de parler à Jolene, d'abord de tout et de rien puis, petit à petit, de ses interrogations, de ses sentiments, et Jolene, par une écoute attentive, l'a encouragé inconsciemment dans cette voie. D'autant plus qu'elle aussi avait commencé à s'ouvrir, laissant entrevoir ici et là la pointe acérée d'un mal dont il n'a pas encore percé le secret. Mais avec l'arrivée de Paul Lapierre, tout ceci a été mis de côté; d'abord parce que Nathan a craint que ses confidences puissent retomber dans l'oreille du mari, ensuite parce que dès que l'occasion s'en présentait, ce dernier exigeait sans cesse des explications sur les comptes que lui-même, affirmait-il, aurait calculés différemment, sur l'inventaire qui aurait dû tenir compte de telle ou telle augmentation, sur les crédits qu'il estimait trop importants; enfin, tout simplement, parce que Jolene ne ressemblait plus à Jolene. Du reste, les habitués avaient dû le sentir eux aussi car ils ne venaient plus qu'en coup de vent (sûrement dans l'espoir que Paul Lapierre se soit absenté), de toute évidence ils doivent préférer les propos de Jolene à ceux de son mari, qui concernent invariablement et par ordre d'importance: le hockey (il prend pour Edmonton), la mécanique (diesel si possible), et enfin les affaires d'argent avec des propos dans le style: «c'est un type formidable, il est millionnaire», «c'est un pauvre type, il ne sait pas faire fructifier ses avoirs», «en immobilier, j'ai le flair pour les placements qui rapportent gros», «j'ai suivi les cours de la Bourse par correspondance, maintenant je sais ce qu'il faut faire». À l'occasion, et pour la plus grande irritation de Nathan, il croit utile auprès de ses camarades d'enfance d'ironiser en semi-aparté sur certaines dispositions anatomiques de Jolene: «elle t'a une reprise...», «équipée comme elle est, heureusement qu'elle m'a trouvé». Nathan a accueilli avec soulagement le fait qu'après lui avoir dit: «Je serai là durant les fêtes, repose-toi, je m'occuperai de tout ça», il lui donne congé. Il a accepté de bonne grâce, certain qu'une fois *le mari reparti*, il retrouvera la Jolene qu'il a connue. *«Rien à voir avec ces m'as-tu-vu»*, se dit-il en observant ses tantes froufroutant dans leurs dernières toilettes. Les belles-filles donnent dans les exclamations admiratives sur les tenues de leurs belles-sœurs, le «c'est chic» est l'expression qui revient le plus souvent. Il y a aussi les exclamations de joie à se revoir, sous entendu: *«Ici, si loin du monde»*, celles sur l'immuabilité des choses: «Mon doux! cette maison! rien n'a changé!», et toujours le coup d'œil évaluateur qui semble dire: *«Ce guéridon serait bien dans notre entrée»*. Seules Rose-Ange et ses sœurs aident en ce moment leur mère dans la préparation du réveillon. Vêtues, elles, en tenue résolument western, pantalons de toile beige ou brune, larges ceinturons de cuir, chemises d'homme en étoffe solide, Nathan trouve curieux de constater qu'elles ne paraissent pas, comme les belles-sœurs, avoir renié la Prairie en laissant presque supposer, à certaines intonations, qu'il s'agirait d'une tare héréditaire dont il importe de se défaire. Les belles-sœurs se comportent comme des citadines de naissance. À les entendre, elles n'arrivent pas de North Battleford mais de New York ou de Los Angeles. Elles n'ont pas tout à fait tort si l'on doit considérer que la télévision, principale fenêtre de chacune de leurs maisons, s'ouvre sur ces villes. Malgré cela, ou à cause de cela, il l'ignore, Nathan est désolé de l'insipidité des conversations. Lui qui anticipait le plaisir d'apprendre du nouveau, il constate qu'ici, comme au *General Store,* ce sont les mêmes sujets: hockey, moteurs, politique économique et grivoiseries pour les hommes. Les femmes, elles, sont plus portées sur les derniers rebondissements de tel ou tel téléroman, sur la chronique des séparations et divorces, celle des maladies et décès, et surtout la liste exhaustive de tous leurs derniers achats. *«À quoi ça sert,* se dit-il, *de se réunir pour autant parler de rien qui n'en vaille la peine? Ils ont fait quatre ou cinq cent milles pour parler de matchs que tout le monde a vus, de l'achat d'un micro-ondes dernier cri, d'un ensemble de salon provincial français ou d'un aller-retour Pompano Beach, je vois pas l'intérêt...*

De quoi veux-tu qu'ils parlent?

Je sais pas, moi, ils pourraient s'intéresser les uns aux autres, on dirait qu'ils ne sont là que pour se montrer.»

À part Elbert, un garçon pas très grand au visage pâlot mangé par un trop grand regard songeur et triste et qui, comme lui, semble préférer le silence, Nathan ne se mêle pas à ses cousins et cousines qui, pour d'autres raisons, le lui rendent bien. Avec ce qui est arrivé, lui et la tante Rose-Ange les intimident. Aux yeux des cousins, comme des gendres et des brus, c'est un peu comme si lui et sa mère venaient de s'évader d'une zone épidémique. On leur dit bonjour, mais on ne s'approche pas trop, des fois que... Nathan croit s'en moquer. Ses cousins, eux, n'arrêtent pas de s'étonner que l'on puisse vivre dans un tel «trou» où il n'y a ni centre commercial, ni cinéma, ni club, ni «arcades», autrement dit, rien de ce qui fait qu'à leurs yeux «la vie vaille la peine d'être vécue»; ces cousins qui se lamentent sur le fait *intolérable* qu'il n'y a même pas de jeux vidéo dans la maison de la «mémé», ces cousins-là l'ennuient. Il a presque hâte que les hommes commencent à piger dans les caisses de bière, et les femmes dans les bouteilles de spiritueux; *«au moins, ils sont plus drôles quand ils sont chaudasses».* Se tournant vers Elbert qui n'a pas l'air plus enthousiaste que lui sur ce début des festivités, il se demande si cette attitude est coutumière au garçon.

«T'as pas l'air de t'amuser? lui demande Nathan.

— Toi non plus.

— Moi...

— Oui, je sais.

— Qu'est-ce que tu sais? Qu'est-ce qu'on t'a dit?

— Eh bien... ce que tout le monde sait, que ton père et Jonas sont morts.

— Et t'as su comment c'est arrivé?

— Oui...

— Tous les autres le savent aussi, non?

— Sûrement, ils ne parlent que de ça.

— Qu'est-ce qu'ils disent?

— Tu vas te fâcher...

— Non, non, vas-y.

— Bon..., ben ils disent par exemple que ces histoires-là, ça fait du mal à toute la famille, que ça donne mauvaise réputation.

— Tu penses ça aussi, toi?

— Moi, la réputation...

— Tu t'en fous?

— Complètement, acquiesce Elbert.

— Je m'en foutrais aussi s'il n'y avait pas... enfin rien.

— S'il n'y avait pas quoi?

— Bon, j'avais une amie et je crois qu'avec toute cette histoire, je l'ai perdue.»

Les deux garçons se regardent et leurs yeux s'allument d'une lueur de connivence.

«Alors toi aussi t'en es là, découvre Elbert. Pas drôle, hein?

— T'as aussi une blonde?

— J'avais, elle a déménagé.

— Toi en tout cas, tu sais exactement pourquoi tu ne la vois plus, personne n'est responsable et puis, vous pourrez toujours vous revoir.

— Pas vraiment, non. Pour tout te dire, quand je t'ai dit qu'elle a déménagé, j'aurais dû préciser qu'elle a seulement changé de quartier, et de gars par la même occasion. D'après ce que je sais, le nouveau a dix-sept ans et déjà sa voiture, alors...

— Alors, tu peux pas lutter.

— Pas contre une voiture, non.

— Si tu veux mon avis, une fille qui te quitte pour une voiture, tu devrais t'estimer heureux qu'elle l'ait fait.

— C'est ce que j'arrête pas de me dire, mais on dirait que je m'écoute pas, ça n'arrange rien.

— Est-ce que... Est-ce que t'avais l'impression que c'était... comment dire? Qu'elle était l'autre partie de toi?

— Ouais, c'est un peu comme tu dis. Ça te fait la même chose aussi?»

Nathan se contente de répondre en inclinant plusieurs fois la tête. Ce n'est qu'au terme d'une longue et silencieuse minute de compréhension mutuelle qu'il prononce la conclusion à laquelle il en vient:

«Pas encourageant de penser que l'autre moitié de soi puisse nous quitter pour un tas de ferraille sur quatre roues ou à cause d'un malheur. Je me demande si on ne se fait pas des illusions? (Il s'approuve:) Oui! on se raconte des histoires, on y croit et ça doit être ça qu'on appelle l'amour.

— C'est pas gai tout ça... C'est peut-être pas parce qu'on s'est trompé une fois que c'est toujours comme ça...?

— Fais-moi-le savoir le jour où tu auras la preuve du contraire.

— Entendu.

— Tu sais quoi? fait Nathan qui donne l'impression d'avoir trouvé une solution à leur problème.

— Non?

— On devrait prendre un coup pour oublier tout ça.»

Ils se regardent avec une sympathie née de se savoir des problèmes communs et aussi du plaisir anticipé d'outrepasser ensemble des lois d'autant plus rigides qu'elles sont informelles. Personne n'a jamais pensé à leur interdire de «prendre un coup».

«D'accord, accepte Elbert. Comment on fait?

— D'abord on va s'habiller pour aller faire un tour de *skidoo*.

— Pour aller où?

— J'ai mon idée là-dessus...»

Sans que personne ne les remarque, les deux cousins s'habillent, sortent et se rendent au garage de tôle rouge où se trouve la motoneige de Nathan.

«Tu veux piloter? demande celui-ci cherchant à faire plaisir.

— Je peux?»

Pour toute réponse, Nathan lui désigne la place devant le guidon et, après avoir démarré le moteur, s'installe d'office à l'arrière. Bientôt, coupant à travers le petit lac glacé qui s'étend sur les terres des Lapierre, Nathan indique à son cousin la voie à suivre pour se rendre au village. Elbert se retourne et parle fort pour couvrir le bruit du moteur:

«C'est vraiment grand ici!»

N'ayant qu'une connaissance très réduite du reste du monde, Nathan se contente de répondre: «oui» en se demandant pourquoi un lieu serait plus grand qu'un autre. *«Ici ou ailleurs, se dit-il, le ciel ne doit pas rejoindre la terre avant l'horizon.»* Mais il ne s'étonne pas trop de la question elle-même, tous les visiteurs s'accordent à s'extasier, ou même souvent à s'effrayer de la «grandeur», de la «vastitude» du panorama; et sans très bien savoir pourquoi, comme s'il y était pour quelque chose, Nathan est fier d'en faire partie.

Rendu derrière ce qu'il appelle à présent «la maison du Pasteur», Nathan demande à Elbert de s'arrêter.

«Mais... c'est chez toi..., remarque son cousin.

— Ça t'ennuie?

— Bah... Je sais pas... T'as le droit de venir?

— On m'a rien dit contre.»

L'air résigné, Elbert suit son cousin sur le côté de la maison où se trouve le cabanon abritant l'entrée de la cave. Nathan en soulève le panneau, descend trois marches, prend une clef dissimulée derrière un parpaing, ouvre la porte et invite Elbert à passer. Ayant allumé la lumière, il referme la porte et tous deux restent sur place quelques instants, immobiles, aux aguets, comme s'ils s'attendaient à percevoir des bruits de pas sur le plancher du dessus ou quelque événement de cet ordre. Les éléments de chauffage électrique sont en fonction et la maison n'est pas froide, pourtant Nathan remarque qu'Elbert se tient comme s'il était transi.

«Le remontant est là, fait-il en indiquant un placard d'aggloméré à l'autre extrémité de la cave où s'accumule un ensemble d'objets aussi hétéroclites que deux antiques bicyclettes, un vieux poste de radio à lampes au cabinet imitation acajou, des patins à glace accrochés à l'une des poutres transversales, et, surtout, des piles de cartons au contenu mystère.

«T'es déjà revenu depuis..., demande Elbert qui ne sait comment tourner sa phrase.

— Non, jamais.

— C'est inquiétant.

— Quoi? T'as peur des revenants?

— Non!

— Moi non plus, et si le fantôme du Pasteur (désormais c'est ainsi qu'il nomme son père) apparaît, tu vas voir ce que j'y dirai, moi, au fantôme...»

Nathan ouvre le placard où, couchées sur le côté, des bouteilles au goulot encapuchonné de plomb doré occupent toute la longueur d'une tablette, les autres étant chargées par des conserves maison faites par Rose-Ange.

«Vin de messe, annonce Nathan attrapant une bouteille dont l'étiquette indique la provenance chilienne. Viens, on va l'ouvrir.»

Nathan en avant, les deux garçons montent au rez-de-chaussée. Immédiatement, en ouvrant la porte de l'escalier qui donne sur la cuisine, Nathan est assailli par l'odeur familière et déjà presque oubliée de cette maison. Celle d'une famille qui n'est plus. Il ne saurait dire de quoi elle est composée, ce qu'il sait, c'est qu'une fois qu'elle se sera dissoute, rien, absolument rien ne pourra la reconstituer et, alors qu'il met le pied dans la cuisine, il réalise plus que jamais l'étendue du gâchis, l'étendue de ce qui est perdu non seulement en terme de présence mais surtout en terme d'affection. Il comprend aussi que désormais ce n'est pas tant un père aimant qui lui manquera, mais un père qu'il pourrait invoquer par-delà les limbes. L'image d'un père à qui il pourrait vouer un culte.

«Tu sais, confie-t-il à Elbert en ouvrant un tiroir à la recherche d'un tire-bouchon, ce qui est le pire dans tout ça c'est que je ne peux même pas me dire: le monde est pourri soit, mais, au moins, j'ai mes parents pour me raccrocher. Ça ne se dit pas, mais ça me dérange de savoir qu'une part de moi a été un spermatozoïde nageant dans le bouillon du Pasteur.»

Elbert ne sait que répondre à cela et se contente de hocher la tête en signe de compréhension. Enfin Nathan débouche la bouteille et prend deux verres à pied dans l'un des éléments qui surplombent le comptoir.

«Allons nous installer dans le salon, invite-t-il, on sera mieux.»

En passant au pied de l'escalier, Elbert jette un coup d'œil inquiet vers l'étage. Le geste n'est pas étranger à Nathan.

«Tu veux monter?

— Non! Pourquoi tu me demandes ça?

— J'en sais rien... Peut-être parce que je n'ai pas envie de monter tout seul.

— Tu veux vraiment monter! Mais pourquoi?

— Je crois que là-haut je me sentirai plus près de Jonas. Peut-être aussi que je pourrai comprendre ce qui s'est passé?

— Comment ça? On sait tous ce qui s'est passé.

— Personne ne sait pourquoi, en tout cas, personne ne me l'a dit.»

Elbert secoue vivement la tête.

«C'est pas sain de rester ici, on devrait s'en aller.

— Je croyais que t'étais d'accord pour prendre un coup?

— Ici, ça me tente pas tellement.

— Tu veux vraiment t'en aller?

— Je viens de te le dire.

— Excuse. Je pensais que ça t'intéresserait, je me disais que tu pourrais peut-être sentir des choses qui m'ont échappé. Mais si tu veux partir, vas-y, prends le *skidoo*, va te balader avec si tu veux, moi je crois que je reste un peu.

— Tu restes! Seul? demande Elbert avec un effarement qui n'a rien de feint.

— Quelle différence seul, à deux ou à mille? Tu m'as dit toi-même que celle avec qui tu ne faisais qu'un t'a laissé pour un type en voiture, la mienne parce que je lui rappelle de mauvais souvenirs. Tu vois, finalement on est toujours seul. (Il montre l'étage du doigt.) À moins que Jonas soit là-haut.»

Maintenant Elbert paraît vraiment mal à l'aise.

«Alors tu ne viens pas»? demande-t-il presque implorant.

Nathan fait non de la tête.

«Mais toi, vas-y, te gêne pas pour moi.

— T'es sûr?

— Vas-y, je te dis.»

Elbert n'en demande pas davantage. Il est déjà dans la cave lorsque Nathan l'interpelle:

«Hé! ne dis à personne que je suis ici, O.K.?

— Je ne dirai rien.

— Si on te demande, t'auras qu'à dire que je suis au magasin en face.

— O.K., je dirai ça. Salut.»

Lorsqu'il entend démarrer le moteur de sa motoneige, Nathan retourne au salon, s'assoit sur le divan qui fait face à la fenêtre par laquelle il observe le *General Store*, et tranquillement se remplit un verre. *«Il paraît qu'avec ça on oublie*, se dit-il. *Bienvenue, oubli en bouteille.»* Ingurgitant lentement, il boit d'une traite tout le contenu du verre. Grimaçant, il s'apprête à s'en servir un second lorsqu'il aperçoit Jolene qui, les bras croisés, se tient debout devant sa vitrine, le regard perdu dans ce qui, même vu d'aussi loin, semble être un amas de sombres nuages. *«Les habitués ne sont pas là*, pense-t-il, *elle s'ennuie. C'est curieux quand même, je ne l'ai jamais vue s'ennuyer quand son mari n'était pas là. Il se prend pour qui celui-là? Moi, si j'étais le mari de Jolene, je...*

T'aurais l'air d'un con si t'étais le mari de Jolene.

Ouais...

Et puis t'aimerais pas la manière qu'elle a de faire des façons à tous les bonshommes.

C'est son genre, il faut la connaître. Elle est directe, pas hypocrite comme tant d'autres...

On dirait que tu penses à Missy?

Non! Missy n'est pas hypocrite!

Elle est quoi, Missy?

Mais qu'est-ce que ça m'emmerde toutes ces questions. Toujours des questions, des questions, encore des questions, c'est tannant!

C'est toi, tu te mets à la place du mari de Jolene, tu divagues complètement.

Peut-être, mais il faut quand même reconnaître qu'on s'entend bien tous les deux. Je suis sûr que si j'étais plus vieux, elle quitterait son innocent de bonhomme pour venir avec moi.

Tu parles! Tous les mâles de Bluestone et d'ailleurs doivent se dire la même chose. Et Missy? Qu'est-ce qu'elle deviendrait Missy?

Missy? Peut-être qu'en réalisant que Jolene partirait avec moi, peut-être qu'elle reviendrait vers moi.

Et du coup tu laisserais tomber Jolene?

L'idéal ce serait les deux, quoique? Non! si j'avais Missy, ce serait assez. Mais à quoi je pense? Qu'est-ce que je peux être con des fois! De toute façon, j'ai personne, alors autant reprendre un verre de vin. Ouais, c'est la bonne marche à suivre, ensuite j'irai voir Jonas en haut. Même si j'ai pu faire croire à Elbert que j'avais pas peur, faut admettre que je ne suis pas tellement rassuré. Il s'est vite sauvé, celui-là.»

Il se verse un second verre et l'avale de la même façon que le premier. «*Allons-y*» s'ordonne-t-il.

Lentement, le crâne assailli par un véritable siège d'images et d'idées, il monte les marches avec l'impression à la fois de remonter dans le temps, mais aussi de pénétrer dans un domaine qui n'est pas le sien. C'est un kaléidoscope de souvenirs qui s'allument et s'éteignent les uns derrière les autres. Odeurs, bruits familiers, voix disparues, surtout les voix, tout cela est à la fois présent et absent. Parvenu sur le palier, ce n'est plus la chambre de Jonas qui l'attire, mais est-ce vraiment vers elle qu'il est monté? N'est-ce pas plutôt la salle de bains? Là où a coulé le sang du Pasteur? Résolu, il s'y dirige, convaincu qu'il va apprendre quelque chose de fondamental. Au premier coup d'œil, il se demande qui a pu nettoyer les murs, puis cette question disparaît vite au profit d'une vision si forte qu'elle annihile pour lui la vue même de la pièce. «Papa! Papa, tu es là? C'est quoi?» D'abord, il se dit que la vision qui s'impose à lui représente l'endroit où se trouve à présent le Pasteur, puis il se ravise pour considérer que ce doit plutôt être «*ce*» qui est entré dans la tête de son père. Quoi qu'il en soit, que ce soit l'un ou l'autre, il sait la présence de l'Ennemi. Les pieds de son trône d'airain sont baignés par un fleuve de sang tiédasse, un fleuve qui serpente, visqueux, dans une vallée nauséabonde où errent, punies et sans espoir de rachat, d'innombrables hordes d'ossements habillés de lambeaux de chairs putrides. Une innombrable multitude de bouches, déformées par le Cri, poussent une plainte cumulée aux antipodes de la girie. Et sous le laminoir de granit noir, la lamentation des âmes forme un vent qui balaie des vapeurs acides sous un ciel rubis traversé par les traits de feu que sont les ignobles chérubins dorés, porteurs attitrés du Désir. Oui! c'est bien là le domaine de l'Ennemi.

Atterré, Nathan recule et ferme violemment la porte. Aussitôt la vision se dissout. Il ignore s'il a vu quelque chose de réel ou s'il s'agit d'une vue de l'esprit, d'une composition cérébrale. Tremblant, réprimant un furieux besoin de se sauver, il s'assoit sur la dernière marche. «*Ce que je viens de voir,* s'explique-t-il, *c'est ce qui est responsable de tout ce qui est arrivé. Oui, c'est ça! L'Ennemi avait peur du Pasteur et il lui a envoyé les chérubins dorés; ce sont eux qui l'ont rendu fou. Mais oui! c'est ça et pas autre chose, c'est parce que le Pasteur était trop dangereux pour l'Ennemi que celui-ci a tout fait pour le faire plonger dans le gouffre.*

C'est pas une découverte, c'est comme ça chaque fois qu'on fait du mal; on obéit à l'Ennemi. T'as rien inventé.

J'ai rien inventé, mais j'ai découvert que le désir est l'arme de l'Ennemi. J'ai tout vu, là, derrière la porte.

Tu racontes des niaiseries, à t'entendre, lorsque tu as envie de serrer Missy contre toi, ce serait l'œuvre du Diable. C'est pas possible ou alors, chaque fois qu'on désirerait une femme, chaque fois qu'on ferait des enfants, on ferait sa volonté. Non! je ne marche pas. Ça reviendrait à dire que toute la vie résulterait de la volonté du Démon.

C'est pas complètement idiot, donner la vie, c'est donner la souffrance. On attache un esprit à un corps obligatoirement condamné à avoir des besoins, et donc à souffrir.»

Il se secoue et soudain parle tout haut:

«Faut que j'arrête de penser à tout ça, je vais devenir fou. Ça suffit!»

Pressé d'en finir avec ces abstractions, il dévale l'escalier, retourne dans le salon et se précipite sur le poste de radio qu'il allume afin de faire entrer l'écho rassurant du monde extérieur dans cette maison.

«Non! affirme-t-il toujours de vive voix. Recevoir la vie, c'est être arraché du néant et la seule route pour ne pas y retourner c'est d'aider les autres à porter leur fardeau. Le Diable le sait bien, c'est pour ça qu'il nous fait croire que l'amour est l'amour. Ouah! ça c'est pas mal tourné. Allez! encore un petit verre de vin et pensons à autre chose!»

À la radio, Barbra Streisand chante Noël. Commençant à ressentir les premiers relâchements dus à l'alcool, il se laisse tomber sur le divan puis se sert un autre verre. «*Normalement, réalise-t-il, il devrait y avoir un sapin, là dans le coin, avec des cadeaux dessous pour moi et Jonas. Ce soir, après la messe, on réveillonnerait puis, demain matin, Jonas et moi on descendrait à l'aube pour déballer les cadeaux en mangeant des tas de mandarines.*» La musique qui sort du haut-parleur évoque tous les clichés de Noël: chute de neige silencieuse, clochettes tintinnabulantes, village enneigé sur fond de ciel ultra-marine, et, surtout, surtout! le rayonnement doré de la chaleur familiale; chaque famille réunie autour de la joie d'être ensemble, en paix. Tout ceci contribue pour Nathan à effacer la vision qu'il a eue dans la salle de bains, mais, également, le force à prendre conscience de ce qui ne sera plus pour lui en tant qu'enfant. Peut-être à cause de cela, peut-être à cause des verres de vin qui contribuent à lui faire oublier le côté rationnel des choses, peut-être aussi parce que pour lui le subjectif a tendance à dicter l'action, il est en train d'évaluer le pour et le contre de l'installation d'un sapin, maintenant, dans ce salon. «*Ça te ferait plaisir, hein Jonas? Quand il sera fini j'appellerai Maman et on sera tous ensemble autour. Oui, ce sera bien. Il n'y a pas de raison après tout pour qu'il n'y ait pas de sapin chez nous.*» La décision prise, il va dans la cuisine, ouvre le grand placard où sont rangés le sapin artificiel, les boules et les guirlandes, et, chantonnant *Silent Night*, transporte le tout au salon où il assemble le sapin. Il déplace un fauteuil pour placer l'arbre dans son coin habituel, reprend un autre verre de vin, dispose les guirlandes d'or et d'argent, fait serpenter celle électrique, s'extasie devant les couleurs métalliques de chaque boule sphérique ou fuselée avant de les suspendre, couvre les branches de glaçons, tout cela en parlant tout haut à Jonas: «Tu te rappelles, ça, c'est la boule qu'on avait achetée tous les deux. Moi je voulais toujours mettre l'étoile en haut de l'arbre et, toi, tu disais que c'était mieux avec l'ange. Bon, aujourd'hui on mettra l'ange, mais quand même... je t'assure que l'étoile est mieux.»

Déjà à l'extérieur le ciel s'assombrit, prêt à plonger la terre dans la plus belle nuit de l'année. Même si Nathan ne remarque rien de spécial par la fenêtre, la fête est dans l'air, portée par les préparatifs fébriles dans toutes les demeures de la Chrétienté, portée par *White Christmas* à la radio, et maintenant illuminée par la guirlande clignotante rouge, verte, bleue, jaune que Nathan vient de brancher, touche finale à la préparation du sapin vers lequel il lève un autre verre de vin chilien. «Voilà, Jonas, c'est notre arbre. Est-ce qu'il te plaît? Moi je crois qu'il n'a jamais été aussi beau.»

L'arbre terminé et l'effet du vin se faisant à présent nettement ressentir, il s'affale sur le divan en se disant qu'il faudrait bien qu'il appelle sa mère pour qu'elle vienne le rejoindre. *«Il ne manque plus que Maman. La pauvre doit être prise là-bas avec tous les rigolos qui doivent encore être en train de rabâcher les qualités de leur micro-ondes ou les derniers ragots de la TV. J'en ai pas entendu un seul qui ait demandé à Maman comment elle allait; à les voir, on a l'impression que tout est normal. Personne ne veut faire face et puis ils sont tous contents d'eux, je ne sais pas pourquoi? J'ai pourtant pas entendu dire que l'un d'eux ait inventé le bouton à quatre trous. Non! aujourd'hui j'aimerais mieux être avec Maman, loin de tous ces gens. Je vais l'appeler tantôt. Ce serait bien si Missy pouvait venir.*

Pourquoi tu ne l'appelles pas?

Elle ne viendrait pas de toute façon. Et puis comment je pourrais lui demander ça? Allô, Missy, j'ai fait un sapin dans le salon de mon père, viens-tu avec moi? J'aurais l'air d'un bel innocent. Cela dit, c'est vrai que si elle était là, si on était là tous les deux, avec chacun un cadeau pour l'autre, ce serait vraiment, mais alors vraiment bien. Qu'est-ce qu'elle peut bien faire en ce moment?»

Dehors la lumière a cessé de lutter. Victorieuse, l'obscurité étend rapidement son emprise sur la Prairie et le salon est baigné d'ombres seulement trouées des éclats diaprés de la guirlande électrique. Guidé par l'ébriété, Nathan assimile ces jaillissements lumineux aux étoiles qui, jusqu'à il y a peu de temps, suffisaient à occuper le plus gros de ses pensées – en dehors de Missy. Complètement étendu sur le divan, son esprit divague dans un voyage sidéral constellé de boules de Noël. À la radio, un chanteur donne sa version gospel de *Gounod's Ave Maria*. «*Eh bien voilà! se dit-il, je suis tout seul dans le salon de la maison où le Pasteur a tué mon frère, ma mère doit, charitablement, être en train d'écouter les discours de ses belles-sœurs, Missy, elle, doit aider sa mère à préparer le réveillon et le sapin, ils vont essayer d'avoir l'air heureux ce soir, mais ils finiront bien tous par pleurer parce que William Bagriany est étendu quelque part sous la neige. Que reste-t-il? Jolene? Jolene doit déjà être en train de se pomponner pour accompagner son mari au réveillon chez le frère de Grand-papa. Moi j'ai pas envie d'aller au réveillon, je suis très bien ici, c'est plein de couleurs. Hein, Jonas! On est mieux, là, ensemble, tu ne crois pas? Mais, bon sang! ce que j'aimerais avoir quelqu'un pour tout dire, quelqu'un pour être... ensemble.*»

Étendu sur le ventre, il laisse tomber une main sur le plancher où, du bout du doigt, il trace les lettres d'un invisible message: MON AMOUR. Puis, sous le coup d'une impulsion, il se redresse, attrape la bouteille de vin et boit ce qui reste directement au goulot. «*J'ai pas l'impression que ça fasse oublier,* trouve-t-il, *mais on dirait qu'on s'entend mieux.*»

En face, de l'autre côté de la route, exceptionnellement parce que c'est le soir de Noël, Jolene s'apprête à fermer le magasin de bonne heure. Elle est seule, son mari lui ayant laissé le soin de fermer tandis qu'il est déjà allé retrouver ses frères et sœurs rassemblés dans la maison de Francis Lapierre. «Appelle-moi lorsque tu seras prête, lui a-t-il dit, ajoutant, peut-être pour se justifier:

«Je ne vois pas souvent les parents». «*Moi non plus*», a-t-elle répondu en pensée. Pour l'instant, debout devant sa caisse enregistreuse, elle attend que cesse le crépitement de celle-ci en train d'imprimer le chiffre d'affaires de la journée sur l'étroit ruban de papier. L'esprit ailleurs, peut-être parce que c'est Noël, son regard est attiré par un léger clignotement lumineux en face. Elle se rend compte que cela provient du salon de «chez le Pasteur» et, stupéfaite, se pose la question qui s'impose: «*Qu'est-ce que c'est?*» Elle sait très bien que Rose-Ange et Nathan vivent désormais chez Magellan Lapierre et la supposition qu'ils soient revenus justement aujourd'hui dans cette maison est tout a fait improbable. D'autre part si de nouveaux occupants s'étaient installés, elle aurait été aux premières loges pour le savoir. Alors? Pendant quelques secondes il lui vient l'idée folle que le Pasteur a peut-être pactisé avec le Démon et obtenu de revenir chez lui; mais aussi vite qu'elle est venue, cette supposition est balayée par la logique dont elle veut toujours faire preuve, elle qui se targue d'avoir «les pieds sur terre, les fesses en l'air et la tête derrière les yeux». «*Que se passe-t-il en face? Je devrais peut-être appeler chez Magellan pour me renseigner?*

Oui et puis ils te laisseront entendre que tu te mêles de ce qui ne te regarde pas. Tu sais comment ils sont par ici, quand il ne s'agit pas d'épate ou de fesses, ils seraient prêts à tuer plutôt que de dévoiler leur vie privée.

C'est tout de même bizarre? On dirait les lumières d'une guirlande, d'un sapin, c'est pas possible! Qui aurait l'idée saugrenue d'aller faire un sapin dans cette maison? Tout le monde dit qu'il n'y a rien d'autre à en faire qu'à la raser, que personne ne voudra l'habiter et encore moins l'acheter, alors?»

Tout en comptant sa recette, elle ne cesse de jeter des coups d'œil en face. «*Le mieux,* se convainc-t-elle à bout d'arguments explicatifs, *c'est d'y aller voir.*» Une fois l'argent déposé dans le coffre qui n'a de sécuritaire que le nom, le coffre dissimulé sous une pile de serviettes de toilette dans l'armoire de la salle de bains, le montant de la journée inscrit dans le livre des recettes, celui des crédits dans le livre des comptes à recevoir, Jolene enfile la veste de motoneigiste dont elle se sert habituellement pour pelleter la neige sur les marches d'entrée, prend son courage à deux mains (car elle n'est pas tellement rassurée, mais cela ne lui déplaît pas, au contraire), traverse la route et va coller son front à la vitre du salon. Dans les lueurs colorées, elle distingue une forme étendue sur le divan. Elle l'identifie aussitôt comme étant Nathan. Le fait de le voir balancer un peu le bras la rassure sans qu'elle s'en explique très bien le pourquoi; cependant elle ne comprend absolument pas ce qu'il peut faire là, apparemment seul puisque aucune autre lumière n'est allumée. D'abord doucement puis plus fort, elle cogne du doigt à la vitre. Bien qu'il ne dorme pas au vrai sens du terme, Nathan est plongé dans un état vaseux qui oscille entre une nausée bien physique et une autre plus morale. L'espèce de semi-euphorie de tout à l'heure a cédé la place à un abîme ouateux, gris, étouffant, écœurant qui ne semble pas avoir d'issue. Perdu dans cet univers, il ne se sent même pas la volonté d'essayer de rassembler les morceaux de son moral en miettes, pas plus qu'il n'entend Jolene frapper à la vitre en prononçant son nom. Certaine que quelque chose ne va pas pour le garçon, elle veut entrer mais constate que la porte principale est verrouillée. N'hésitant pas davantage, elle contourne la maison et passe par la cave comme les deux garçons l'ont fait plus tôt. Sitôt à l'intérieur, est-ce à cause de ce qu'elle a entendu dire à propos de la mort du Pasteur? elle hume une odeur de sang. Pénétrée d'une vive sensation de froid, elle traverse la cuisine enténébrée, à peine rassurée par la voix de Gordon Lightfoot interprétant *O Little Town Of Bethlehem*.

«Que se passe-t-il ici? fait-elle tout haut. Nathan?»

Entendant son nom dans cette maison qui devrait être vide, Nathan émerge de sa torpeur, se redresse et, saisi d'étonnement, aperçoit Jolene qui se tient comme une ombre dans l'embrasure de la porte du salon.

«Jolene!

— C'est moi, oui, mais toi, qu'est-ce que tu fais ici? Et cet arbre!»

D'abord il ne sait que répondre puis, immensément reconnaissant de la voir ici, pour lui, il n'en doute pas un instant, il ne peut que répondre:

«Oh, Jolene!»

Plus rassurée sur le sort du garçon, elle s'approche, s'assoit sur le bord du divan et remarque la bouteille vide par terre.

«C'est toi qui as bu tout ça?

— J'attendais quelqu'un, répond-il comme si cela expliquait tout.

— Quelqu'un? Qui?

— Je ne sais pas, quelqu'un pour moi.»

Jolene entrevoit ce qu'il cherche à exprimer.

«Tu te sens seul, hein?

— Ouais...

— Je connais ça, murmure-t-elle sur le ton de la confidence intime.

— Toi! Y a toujours plein de monde autour de toi, des tas de gens qui ne sont là rien que pour toi.

— Pas pour moi, Nathan! pas pour moi, non...

— Pour qui alors?

— Je crois que tu es un peu jeune pour comprendre.

— C'est ce que tu crois, mais ta réponse m'a renseigné.

— Vraiment?

— Oui, vraiment.

— Ah bon... Elle se tait un instant. C'est toi qui as installé le sapin?

— C'est ridicule, non?»

Comprenant soudain ce que Nathan a tenté de recréer, elle se mord les lèvres.

«Tu sais, je t'aime bien, Nathan.

— Moi aussi, Jolene! Moi aussi, je t'aime bien.»

Dans un geste empreint autant d'affection que de compassion, Jolene prend doucement la main du garçon dans les siennes.

«La vie est dure, hein?», souffle-t-elle

Avec une émotion teintée d'incertitude, Nathan réalise autant par les mots que par le ton douloureux qu'elle a employé que Jolene ne s'adresse pas uniquement à lui. «À *qui d'autre?*» Il le devine dans l'ombre diffuse de la connaissance ensevelie, celle sans pudeur qui effraie, celle brutale qui dérobe le sol sous les pas, celle insondable, glaciale qui s'ouvre sur les abîmes bleu crépusculaire du presque-néant où, dans de longs bruissements d'ailes, glissent de grands oiseaux noirs, celle refoulée qui bouscule et remet toujours tout en question, jusqu'au sens de l'existence, jusqu'à celui de la mort. Ne sachant que dire, il pose son autre main sur celle de Jolene. Elle se rend compte qu'il vient d'entrevoir ce petit mal qui lentement, très lentement, tue la lumière. Elle cherche des mots puis, arrivant à la conclusion qu'ils sont inutiles, capitule. Seuls leurs doigts se parlent, s'épousent. Chaleur, pressions, relâchements, étreintes, toute leur complicité immanente passe par l'intermédiaire de leurs sens tactiles. Pourquoi ne pas rester toujours ainsi, la main dans la main? À peine formulée, cette question devient l'arme qui fracasse les moments magiques qu'ils veulent faire durer. Leurs doigts restent accrochés dans l'espoir que ça continue, mais plus rien ne passe, juste le regret de ce qui est déjà passé. Synonyme de bonheur, la communion doit s'ignorer pour être.

«Ta mère ne sait pas que tu es ici, n'est-ce pas?

— Non et finalement je ne crois pas qu'elle aurait voulu. Pourtant je voulais l'appeler quand j'ai fini le sapin, je voulais qu'on soit tous réunis, et puis... je ne l'ai pas fait. Je crois que j'ai eu peur qu'elle ne comprenne pas. Tu vois ce que je veux dire?»

Elle fait oui avec la tête. Brusquement Nathan semble agité d'un rire violent, mais ce n'est pas un rire. Elle s'aperçoit au contraire que c'est la réaction de quelqu'un qui ne sait plus à quoi se raccrocher, un abandon qui porte en lui-même un appel au secours. N'obéissant plus qu'à une impulsion, elle entoure les épaules du garçon de ses bras et le serre contre elle. Ce faisant elle reconnaît un sentiment qu'elle avait oublié depuis une éternité, depuis le temps où elle croyait encore aux autres. «*Je suis folle!* s'apostrophe-t-elle, *même de cette façon, je ne peux pas m'attacher à un garçon de seize ans.*»

De son côté, Nathan, perdu dans ses émotions, ne comprenant pas très bien ce qu'il éprouve, se sent infiniment bien dans l'étreinte de Jolene. Yeux clos, il se presse davantage contre elle et, même à travers le vêtement de nylon, sent, ou croit sentir le cœur qui bat contre son oreille. Se concentrant davantage, il croit entendre le mouvement du sang dans les artères de Jolene qui, pour l'instant, symbolise pour lui la chaleur complice qu'il croyait avoir perdue à tout jamais. Et il prend conscience avec effroi que ce cœur qui bat contre son oreille peut s'arrêter, comme celui de Jonas ou du Pasteur, et le sang cesser de circuler dans cette forteresse de tendresse, et la laisser aussi froide que les pierres de la nuit.

Ni l'un ni l'autre ne seraient capables de dire combien de temps ils sont restés ainsi. Tout ce qu'ils savent, lorsqu'ils se regardent l'un et l'autre, c'est qu'ils se sentent dépositaires d'un cadeau qui n'est commun qu'à eux deux.

«Qu'est-ce que tu comptes faire maintenant? demande-t-elle. Moi, il va falloir que j'y aille.»

À peine a-t-elle fini de prononcer ces mots qu'elle se fait la réflexion que «*quelque chose ne tourne pas rond, c'est absurde, j'ai l'impression d'être une maîtresse quittant son amant.*»

«Moi aussi, décide-t-il. Je vais tout ranger et y aller. Il n'y a plus rien ici, que des souvenirs.

— Tu es sûr que ça va aller?

— Oui, merci. Maintenant ça va aller.

— Tu sais, tient-elle à lui signifier, si tu as le moral à terre, gêne-toi pas, tu viens m'en parler. Je crois qu'on se comprend bien tous les deux.

— Je sais, Jolene. C'est drôle, on est complètement différents et pourtant j'ai l'impression qu'on est pareils.»

Elle lui adresse un sourire particulier où les yeux jouent un grand rôle, un sourire qui n'a rien à voir avec ceux, même s'ils sont charmants, qu'elle peut adresser à ses habitués.

«Tu comprends tout, fait-elle. Bon, je me sauve.

— Joyeux Noël, Jolene.

— Toi aussi, Nathan. Fais attention à toi et ne te laisse pas démolir par le monde.»

En l'entendant descendre l'escalier de la cave, il est partagé entre le chagrin de cette séparation et le sentiment confus d'une double trahison: d'une part il s'efforce de ne pas penser à Missy, d'autre part il a l'impression d'avoir laissé tomber Jonas en ayant en quelque sorte accepté de compenser la chaleur familiale par le réconfort de Jolene.

11

L'hiver est à son apogée, les basses températures également, quarante-trois degrés sous zéro aujourd'hui. En voyant le thermomètre ce matin à la fenêtre de sa chambre, Cornelius Fairfield a décidé que c'était la bonne journée pour aller rencontrer la veuve de William Bagriany et lui faire part de sa proposition. Garé devant le perron, il y a dix minutes que tourne le moteur de son *pick-up*. Le Rancher apprécie ce temps extrême, non pas le froid lui-même, mais le sentiment de vigueur et de puissance que lui procure le simple fait de s'en accommoder comme si de rien n'était. Sortant pour rejoindre son véhicule, il fait une pause sur le perron afin d'inhaler une bonne goulée d'air «*revigorant*». Un sourire étire ses lèvres et il claque un grand coup l'une contre l'autre ses mains gantées de cuir. «Je sens que ça va être une bonne journée!», lance-t-il pour l'unique bénéfice de lui-même. En réalité, cette marque de certitude est davantage une forme d'assurance prise contre tous les avatars qui pourraient se présenter. Surtout en cette journée qu'il a choisie pour proposer à Lesja Bagriany de «*généreusement*» prendre possession de sa ferme et, ainsi, en finir avec cet «*empiétement ridicule*» sur sa propriété.

Sur la route, un peu malmené par l'inconfort de «rouler carré» à cause du froid, il révise encore une fois mentalement les grandes lignes de la proposition qu'il va faire. Proposition longuement mûrie, calculée et dessinée schématiquement avec trois stylos, un noir, un rouge et un bleu. La plupart de ses transactions sont effectuées en suivant ce principe «*stratégique*» légué par sa grand-mère Mildred, à côté de laquelle, encore aujourd'hui, il aurait l'air d'un agneau. En noir, la route à suivre et de laquelle ne pas dévier, en rouge, l'inscription de toutes les objections envisageables de «*l'adversaire*», en bleu les réponses les plus «*psychologiquement*» susceptibles de le «*ramener à la raison*».

Il n'y a pas d'école aujourd'hui, c'est comme cela lorsque la température descend plus bas que quarante sous zéro. Aussi, Ken Bagriany, qui tourne en rond dans la maison, se précipite à la fenêtre en entendant un bruit de moteur dans la cour.

«Ken, on ne va pas voir comme ça à la fenêtre quand il arrive quelqu'un, le réprimande Lesja; c'est impoli.

— C'est Cornelius Fairfield, répond Ken avec la certitude que cette information coupera court à ce qui a précédé.

— Qu'est-ce que tu racontes?

— Viens voir si tu me crois pas.»

Venant tout juste de rentrer de l'étable pour se préparer un «bon café chaud», Lesja soupire intérieurement. Il y a déjà quelque temps qu'elle a réalisé que cette visite finirait par se produire. La première fois qu'elle y a songé, elle s'est dit: «*Non, je ne vendrai jamais!*», la suivante: «*Il n'est pas question de vendre mais il faudrait faire quelque chose, quoi donc?*», et dernièrement: «*Il faudrait que ce soit vraiment une très bonne offre*».

«Ken, je t'ai dit de ne pas rester devant la fenêtre, fait-elle avec une pointe d'agacement. Oh et puis allez donc tous dans vos chambres, vite!»

Installée derrière ce qui fut le bureau de son père dans un angle de la cuisine, Missy est en train de mettre au propre les données de la traite du matin rapportées par sa mère; elle lève la tête.

«Moi aussi, Maman?

— Heu... oui, enfin... non. Oh et puis fais comme tu veux!»

Ils entendent le Rancher qui secoue ses souliers l'un contre l'autre sous l'auvent de l'entrée.

«Tu ne vas pas vendre la ferme de Papa, hein Maman? demande Missy qui comprend ce que le Rancher vient faire.

— Tais-toi, le voici.»

D'un geste machinal Lesja replace ses cheveux, s'essuie les

mains sur les hanches, puis répond aux deux coups frappés à la vitre de la porte d'entrée.

«Entrez. Puis, comme il apparaît dans le cadre: Monsieur Fairfield! C'est toute une surprise!

— Bonjour, Lesja. Je peux vous appeler Lesja? À mon âge, vous savez...

— Bien sûr. Vous... Prendriez-vous un café, je suis justement en train d'en préparer.

— Un café? eh bien pourquoi pas.»

Il pose les yeux sur Missy toujours installée au bureau.

«Oh, mais j'ignorais que tu étais aussi grande, fait-il avec l'air étonné. Quel âge as-tu à présent?

— Quinze ans, répond Missy en se disant qu'il l'a pourtant vue lorsque son père a disparu.

— *Quinze ans*! incroyable comme le temps passe. Je revois encore le jeune Bill lorsqu'il livrait l'*Advocate* au Ranch. Incroyable!

— Vous connaissiez bien Papa? demande-t-elle, subitement intéressée.

— Certainement! Et je l'aimais bien; et c'est aussi la raison pour laquelle je passe vous rendre visite; voir si ta gentille maman a besoin de quoi que ce soit, n'importe quoi. Il se tourne vers Lesja. J'imagine que ça doit être dur de s'occuper et de l'étable et de la maison?

— Je m'en sors, répond-elle en y mettant le plus de légèreté possible.

— Vous savez, reprend le Rancher, j'ai beaucoup d'employés inoccupés à cette époque de l'année, que diriez-vous si je vous en envoyais un pour faire les plus gros travaux? À titre généreux, bien entendu, j'aimerais mieux cela que de les payer à rien faire.

— Non! non, vous êtes trop gentil. Vous savez, finalement, une fois la traite terminée et les bêtes nourries, j'ai encore du temps pour la maison. Ce n'est pas comme si nous étions en...

— En été, oui, il y a beaucoup plus à faire l'été. Je me demande même comment vous allez y arriver... Cet été je ne pourrai malheureusement pas me départir d'un seul employé. Je m'en soucie, vraiment.

— Oh, il ne faut pas! Pas plus qu'il n'est question pour vous de vous priver d'un engagé.»

Il affiche la physionomie de celui qui vient d'avoir une idée et est en train de l'évaluer. De son côté, Lesja, qui a fait celle qui n'a pas grand-chose à faire, alors que presque chaque nuit elle doit se relever, car c'est l'époque des vêlages, Lesja sait que les prochaines paroles du Rancher comporteront une offre. Aussi, pour le déstabiliser, elle use d'un «*petit mensonge*»:

«De toute façon, dès le mois prochain, mon frère qui est agronome à Lethbridge en Alberta doit venir ici pour prendre l'exploitation en main. Comme il est célibataire, les revenus de la ferme devraient suffire à tous nous faire vivre. Si, évidemment, la sécheresse ne se poursuit pas.»

Sur son schéma, au crayon rouge, Cornelius Fairfield a inscrit: INTERVENTION SAMARITAINE D'UN TIERS, au crayon bleu, en face: FAIRE COMPRENDRE QUE ÇA NE PEUT MARCHER, QU'ON NE PEUT VIVRE DES BIENFAITS D'AUTRUI TROP LONGTEMPS. Il secoue très lentement la tête de gauche à droite.

«Lesja, Lesja! fait-il non sans y mettre un peu trop de paternalisme, j'ai peur que vous ne fassiez une grande erreur. Notez que ça ne me regarde absolument pas, mais je sais par expérience qu'au bout du compte il n'y a rien de plus désastreux que les coups de main de la famille. Tout le temps, vous vous sentirez en dette envers votre frère, lui le sentira et, même sans que cela soit conscient, exigera sans cesse davantage. Pensez y... Vous dites qu'il est agronome, donc je suppose qu'il travaille pour le Gouvernement; allez-vous accepter qu'il quitte un emploi au salaire assuré pour une aventure en sol semi-aride? Pourquoi croyez-vous que j'ai introduit des reproducteurs brahmans dans mon troupeau? Je sais ce qui attend la Prairie. Ce n'est pas une place pour un fonctionnaire, aussi résolu soit-il. Non, ne laissez pas votre frère quitter une place tranquille. Et si ça ne marchait pas, à qui en voudrait-il? Tout retomberait sur vous, Lesja.

— Mais que faire, alors?», dit-elle en réalisant, trop tard, que ces mots redonnent l'avantage au Rancher.

Celui-ci s'empresse de saisir l'occasion étourdiment octroyée:

«*Que faire*? Eh bien, Lesja, je viens de penser à quelque chose qui pourrait certainement vous agréer, du moins je le crois.

— Vous songez à la vente de la ferme? l'interrompt-elle avant qu'il ne poursuive.

— NON!», s'insurge Missy.

Lesja et le Rancher la regardent puis celui-ci secoue négativement la tête.

— Non, jeune fille, je ne veux pas dire que vous quittiez cette maison, absolument pas! En fait je songeais à tout autre chose...»

Il n'en ajoute pas davantage pour laisser le temps à sa déclaration de faire son effet. Intriguée, Lesja plisse le front, Missy reste la bouche légèrement entrouverte, en haut de l'escalier Ken et la petite Katria se regardent avec interrogation; seul Ted, trop jeune pour comprendre ce qui se passe, ne se sent pas concerné et continue à assembler dans sa chambre un nouveau jeu de blocs multicolores en plastique.

«À quoi songez-vous? demande Lesja avec une impatience qu'elle ne parvient pas complètement à dissimuler.

— Vous savez, je me doute fort bien que vous et les enfants n'ayez pas du tout envie de quitter cette sympathique maison, pas plus que Bluestone. Qui aurait envie de quitter cet endroit? Mais d'autre part, il faut se rendre à l'évidence que vous ne pouvez pas faire produire cette ferme toute seule, et si la ferme n'est pas productive, vous ne pouvez compter sur des revenus. Est-ce que je me trompe?

— Continuez.

— Bon, j'en viens à ce que j'ai pensé pour vous. Il marque une pose. Que diriez-vous si j'achetais votre ferme avec un contrat stipulant que vous pourriez habiter cette maison autant qu'il vous plairait.

— Il faudrait ensuite que je vous loue une maison qui m'appartenait, le coupe-t-elle, je ne vois pas l'avantage que je pourrais en retirer.

— Il n'est pas question de location, absolument pas, Lesja! Non, vous me vendez la ferme, et moi, en échange, je vous fournis la maison votre vie durant ainsi qu'une rente annuelle équivalente au bénéfice net de cette ferme calculé sur les trois dernières années et indexée au taux officiel de l'inflation. De plus, tout à fait entre nous, je pourrais vous déclarer comme employée du Ranch ce qui vous donnerait ainsi la possibilité de toucher, en plus, des prestations de chômage une partie de l'année, ainsi que des rentes plus consistantes pour vos vieux jours. Cela...

— Monsieur Fairfield, l'interrompt Lesja, je me trompe peut-être, mais il me semble que, pour moi, ce serait plus avantageux de vendre normalement et de vivre des intérêts du produit de la vente?

— Hum... Vous devez savoir comme moi que les intérêts offerts par les banques ne correspondent à peu de chose près qu'au taux d'inflation, autrement dit, que si vous vous servez des intérêts, vous grugez votre capital en terme de pouvoir d'achat, rapidement vous devrez prendre sur ce capital et, croyez-moi, en dix ans il ne restera plus rien. C'est ce que je voudrais vous éviter avec ma proposition. Pensez-y, une rente assurée, la maison que vous aimez, des prestations de chômage, personne ne pourra vous offrir mieux.

— Autrement dit, j'échangerais cette ferme contre la sécurité?

— C'est à peu près cela. C'est un gros point, vous ne trouvez pas?

— Excusez-moi de vous demander cela, mais vous, quel serait votre avantage?

— Je vais vous le dire franchement, Lesja, je suis un vieil égocentrique qui aime posséder. Depuis toujours cette concession fait tache au milieu de mes terres. Sur le plan, elle empêche ma propriété d'avoir une belle forme rectangulaire bien définie. En fait, la proposition que je vous fais me coûtera certainement plus cher que si je devais acheter *normalement*, comme vous dites, mais, tout en satisfaisant mon besoin de posséder, je ne veux pas non plus rendre une famille malheureuse, au contraire! Et dans ce cas je crois que le contraire se peut.»

Lesja observe le Rancher qui, à travers l'aspect redoutable produit en grande partie par ses énormes favoris, réussit à offrir toutes les apparences de la sincérité. L'homme peut tout inspirer sauf la défiance. Sa personnalité même est garante de sa parole. En fait, sans savoir pourquoi ni comment cela s'impose à elle, Lesja ne peut s'empêcher de voir en lui un protecteur viril.

«Admettons que je fasse comme vous dites, reprend-elle, il ne resterait plus rien aux enfants. Et puis si je venais à disparaître avant qu'ils ne soient tous majeurs?

— Nous pourrions, bien entendu, établir les termes de sécurité sur le contrat. Je pourrais par exemple assortir mon offre d'une souscription d'assurance-vie qui couvrirait largement leurs besoins matériels. Évidemment, quand à ce qu'ils recevront plus tard... c'est une question qui n'appartient qu'à la destinée. N'est-ce pas leur jeunesse et leur éducation qui importent à présent?»

Sans répondre autrement que par un signe de tête qui n'affirme ni n'infirme, Lesja va sortir deux tasses et autant de soucoupes en porcelaine du «service anglais» qui faisait l'orgueil d'une vieille tante, en dispose une devant le Rancher et une devant sa chaise, retourne chercher la cafetière de verre du percolateur électrique, revient remplir les tasses du noir liquide fumant riche en arôme, puis se rassied sans avoir trouvé quoi dire. Lui pendant ce temps a tout observé de la cuisine, réprimant une moue devant la foule d'objets usuels que l'on retrouve dans chaque centre commercial, dans chaque ville, dans chaque pays. Il a toujours eu horreur de ce qui était fabriqué en série, même s'il admet que l'on ne puisse s'en passer. Pour lui le «bon goût» veut que l'on dissimule aux regards tous ces objets plastiques, électriques, électroniques. Les étaler partout comme des trophées symbolisant une certaine réussite, relève pour lui de la plus basse vulgarité. *«Pourquoi les gens ne comprennent-ils pas que c'est ce qu'ils possèdent ou ne possèdent pas qui les définit? Comment définir quelqu'un qui trouve une fierté à exposer une galerie d'objets sans âme? Ces gens-là ne vivent-ils donc que pour vivre?*

As-tu pensé qu'ils n'ont peut-être pas les moyens de faire autrement?

Bah! ils ne les auront jamais s'ils n'ont pas plus de sens profond. Quelle tristesse!»

Ces pensées le plongent dans une réminiscence qui le ramène à l'époque de ses dix ans. C'était la prohibition aux États-Unis; il était en vacances à Moose Jaw où son père possédait alors un hôtel particulier, dans cette ville devenue la plaque tournante de toutes les débauches, celle où tous les truands, depuis aussi loin que Chicago, venaient se mettre au vert quand ça sentait mauvais pour eux de l'autre côté de la frontière, celle où, comme cela se chuchote encore, sa famille a assis sa situation financière. Ce jour-là, où le ramène sa réminiscence, il accompagnait sa mère chez une femme de ménage qui demeurait dans une petite maison de briques noircies. Tandis que, dans le vestibule, sa mère donnait ses instructions à la petite femme sèche aux longs cheveux raides et gras encadrant un visage aux traits anguleux, presque masculins, lui occupait son regard sur des bibelots qui, n'ayant certainement aucune autre valeur que sentimentale, étaient disposés dans une rustique vitrine sur pieds à la vitre bombée, située juste sous un cadre de plâtre doré mettant en relief un canevas illustrant une Reine Victoria vue de profil. Augmentant une morosité sans cesse grandissante qu'il ne savait à quoi attribuer, une odeur âcre d'oignon et d'ammoniaque flottait dans la pièce. «Pas gai comme vie, avait-il dit à sa mère sur le chemin du retour.

— Que veux-tu dire, Cornelius?

— Je ne sais pas, c'est triste, c'est tout.

— Tu veux parler de la pauvreté?

— Non, je ne crois pas que ce soit ça, c'est plutôt... (Surtout pour lui-même, il avait essayé de définir ce qu'il ressentait.) C'est petit, étroit, sans horizon. Tiens, cela me rappelle l'autre soir quand je suis passé près de l'orphelinat, il pleuvait, le trottoir était luisant et l'odeur était la même que chez la femme de ménage. Je crois que c'est le parfum de la tristesse, celui de la monotonie et des jours qui n'en finissent jamais.»

Sa mère avait éclaté de rire.

«Là! Cornelius, je trouve que tu verses un peu dans les violons.

— Oui, excusez-moi, Maman.»

Pourquoi ce souvenir lui revient-il maintenant? Est-ce que cette maison «*respire*» le parfum des jours qui n'en finissent jamais? Il ne le trouve pas. Alors quoi? «*Oui, je sais, c'est comme presque partout ailleurs, elle respire le souci quotidien de ce qui va arriver si l'argent vient à manquer; l'insécurité du lendemain. Jamais je ne me ferai à cette sensation.*»

«Vous comprendrez que je doive réfléchir, fait Lesja en reposant sa tasse. Je ne dis pas que je rejette votre aimable proposition, mais il faut que je réfléchisse. Il me semble tellement que William aurait voulu que cette ferme revienne aux enfants.

— C'est très compréhensible. Prenez tout le temps qu'il faut pour y penser, et si jamais mon offre vous agrée, appelez-moi sans hésiter. Pour ma part, hormis ce petit détail dans le plan d'ensemble dont je vous ai parlé, cela ne change rien.»

Lesja remarque le «appelez-moi». Elle sait qu'il n'aurait jamais dit passez me voir. On ne pénètre pas comme ça dans le Royaume du Rancher. Et puis ce qu'il appelle le «petit détail» doit, selon elle, correspondre aux affres du joueur de *Monopoly* à qui il ne manque qu'une propriété pour compléter la série.

Dans son coin, à l'ombre du grand classeur gris, Missy, qui n'a rien dit depuis son exclamation à l'idée de voir vendre la ferme de son père, n'en pense pas moins et va beaucoup plus loin que sa mère dans son analyse de Cornelius Fairfield. «*Vieux bonhomme, tu vas tout faire pour avoir la ferme de Papa. T'en as besoin pour vraiment te sentir le seigneur et maître de Bluestone, mais ici, Monsieur, c'est la concession des Bagriany, elle l'a toujours été. Il se peut que tu réussisses à convaincre Maman de vendre, mais, si c'est le cas, je te jure, aussi vrai que je m'appelle Missy, qu'un jour je la reprendrai, je ferai n'importe quoi pour ça. Y a personne qui gardera la terre de Papa!*» Forte de cette décision, elle tient à laisser comprendre quel est son état d'esprit, et cela aussi bien pour sa mère que pour le visiteur:

«Quoi qu'il arrive, monsieur Fairfield, cette terre reviendra toujours à la famille. Je le jure!

— Missy! s'indigne Lesja.»

Alors que jusqu'à présent, il ne l'a pas regardée autrement que comme la fille de la propriétaire de qui il veut acquérir cette terre, Cornelius Fairfield tourne vers Missy un regard qui, sous des dehors courtois, se fait des plus inquisiteurs. Ce qu'il rencontre dans le violet insondable du regard est loin de le laisser indifférent, au contraire. «*Bon sang!* réagit-il. *Je crois bien que je n'ai encore jamais rencontré autant de détermination dans un regard depuis ma grand-mère Mildred. Quelle force!*» Il sourit; soudain il se sent plus confiant dans l'avenir, quoi qu'il arrive.

«Comment t'appelles-tu? demande-t-il.

— Missy, Monsieur.

— Eh bien, Missy, ce que tu viens de dire te fait honneur. Il sourit encore davantage. Je suis content de te connaître.»

«*Maintenant,* pense-t-il, *il faut que la mère vende, la suite risque d'être intéressante pour la postérité.*»

12

Avril. En une nuit, grâce au vent du sud, tout a changé. Hier encore c'était l'hiver et sa froide morsure, ce matin le printemps, le vrai, est arrivé. En se levant, attiré par une luminosité pleine de promesse, Nathan ouvre la fenêtre et il est aussitôt investi par une brise ni chaude ni froide, qui porte un parfum de chlorophylle, une odeur de renouveau. Toute cette lumière, toute cette douceur lui apportent la sensation de s'extirper d'une torpeur cauchemardesque. En quelques secondes, il échafaude mille projets pour la journée qui commence. *«Et pour débuter, parle-t-il pour lui-même sur un ton alerte, commençons par une bonne douche!»* Il passe dans le cabinet de toilette attenant à sa chambre où, dans un espace relativement restreint entièrement couvert de céramique lavande, sont rassemblées les commodités usuelles, dont la cabine de douche vitrée où il s'engouffre.

Le jet cinglant de l'eau presque trop chaude ajoute à la détente et, si ce n'était de cette journée pleine de promesses informulées (et de l'épuisement de d'eau chaude), il y resterait des heures. Pour le moment son esprit se contente de rôder du côté des rêves éveillés pendant que son épiderme lutte, non sans plaisir, contre la chaleur liquide. Levant son visage vers le jet d'eau, analogie aquatique aidant, il s'imagine dauphin, n'ayant d'autre souci que de jouer et chanter dans le vaste terrain de jeu des océans qu'il ne connaît pas. *«Ils sont plus intelligents que nous, ils sont retournés à la mer et l'utilisent pour tous leurs besoins. Pas d'hypothèque sur la maison, pas de vêtements, pas besoin de gagner de l'argent, juste ouvrir la gueule quand passe le poisson, pas de travail imposé par la nécessité, pas de gouvernement, pas d'école, rien d'autre à faire que se connaître et s'aimer. Et l'on se dit évolué...»*

Plus tard, le petit déjeuner avalé avec appétit entre une grand-mère et une mère plus loquaces qu'à l'ordinaire, il part vers le village d'un pas léger. Comme d'habitude, au croisement des chemins, c'est toujours le coup au cœur en s'imaginant qu'il va tomber sur Missy. Jamais depuis son premier retour à l'école il n'a refait le chemin avec elle. Il passe ses journées à essayer de l'oublier, à se montrer totalement indifférent. Les seuls moments où il y réussit sont certainement ceux qu'il passe au *General Store* lorsque, par hasard, il n'y a pas de client et qu'il peut parler seul à seul avec Jolene. Il arrive parfois qu'il reste une heure ou deux après son travail, juste pour parler avec elle, ou même tout simplement écouter une émission à ses côtés, toujours plus captivé par elle que par l'émission. L'autre jour, après la fermeture, elle l'a invité à l'appartement au-dessus pour finir d'écouter un film d'horreur où il était question d'une ville peuplée de morts-vivant. Ils ont fini de le visionner côte à côte sur le divan, jambes étendues sur le même pouf, avalant tout le contenu d'un grand sac de croustilles et se serrant gaiement l'un contre l'autre lors des scènes les plus horribles. La seule chose qui le dérange dans tout ça, ce sont les érections. Il a beau se répéter que c'est ridicule, aberrant, sans objet, hors de propos, elles finissent toujours par se manifester, et le soir il doit faire des tours de passe-passe mentale pour reporter tout ça sur Missy, la seule avec laquelle cela lui paraît moralement «*bien*», même si parfois, insidieusement, l'autre lui-même essaie de le persuader qu'avec Jolene ce serait «*extraordinaire*». Mais ce matin tout semble parfait, à croire que toute la création a reçu le mot d'ordre de laisser entrevoir aux pauvres mortels ce que doit être le jardin d'Éden. Et c'est certainement dans le cadre de ce projet que Missy arrive juste à sa hauteur lorsqu'il débouche sur le chemin principal. Même s'il s'est fixé de suivre une ligne de conduite marquée par une apparente indifférence, il se rend compte qu'il serait goujat de ne pas dire bonjour, d'autant plus qu'il remarque aussitôt que, malgré cette magnifique journée, Missy ne semble pas particulièrement heureuse.

«Bonjour», lui lance-t-il, ainsi qu'à Ken, d'une façon tout à la fois désinvolte et enjouée.

«Salut, renvoie Ken.

— Bonjour, Nat, fait Missy.

— Vous n'avez pas l'air gais ce matin? C'est pourtant une belle journée aujourd'hui, non?

— Non, pas quand la ferme familiale va changer de propriétaire, répond Missy, expliquant ainsi son manque d'enthousiasme.

— Vous partez! s'écrie Nathan pour qui les paroles de Missy impliquent cette affreuse perspective.

— Non, on va rester dans la maison, dit Ken.

— Ah! fait Nathan avec un soulagement qui n'échappe pas à Missy.

— Toi, tu t'en fous que la ferme ne soit plus à nous, dit-elle; c'est vrai que dans le fond je ne vois pas pourquoi ce serait autrement.

— Mais non, pas du tout! Qu'est-ce que tu vas chercher? Je suis juste content que vous ne partiez pas, c'est tout.

— Tu n'as pas d'attachement pour la terre? s'étonne Missy qui ne se rappelle pas que le sien est tout à fait récent et se confond surtout avec le souvenir de son père. Que dirais-tu si Cornelius Fairfield rachetait les terres de ton grand-père?»

Nathan ne s'est jamais posé la question et à première vue, sinon qu'il aime bien la maison de ses grands-parents ainsi que le lieu où elle est bâtie, il ne voit pas pourquoi Missy a l'air d'en faire tout un drame.

«Si, répond-il néanmoins sans grande conviction, si, c'est bien d'avoir de la terre...

— Surtout quand c'est celle de son père et avant lui des ancêtres. On ne devrait pas avoir le droit de la vendre.

— Maman est obligée, lui rétorque Ken. Tu sais bien qu'elle ne peut pas s'occuper toute seule de la ferme.

— C'est pour ça qu'elle vend?», demande Nathan.

Jugeant inutile de répondre à cette question, Missy expose plutôt ses vues:

«Maintenant ce sera Cornelius Fairfield le propriétaire, on ne sera plus chez nous dans notre propre maison, et en plus, je suis sûre qu'il trouvera bien le moyen de nous faire croire qu'il a fait une bonne action en achetant.

— C'est quand, la vente? demande Nathan.

— Maman l'a appelé hier soir, ils doivent aller voir un avocat demain à Swift Current.

— Et tu dis que ta mère vend parce qu'elle ne peut plus s'occuper de la ferme?

— Évidemment!

— Alors j'ai une idée...»

Ken et Missy le regardent comme s'ils avaient affaire à un mauvais farceur. Lui a le cœur qui s'emballe sous l'impulsion du cours qu'ont pris ses pensées. «*Moi je peux m'en occuper de la ferme. L'école j'en ai rien à foutre, de toute façon, comme c'est parti, je ne serai jamais astronome. Chez elle, je verrai Missy tout le temps et elle sera bien obligée de s'apercevoir que je suis là. Elle oubliera le reste.*»

«Inutile, il n'y a plus rien à faire, dit Ken.

— Mais si! Si c'est juste une question de travail, moi je peux m'en occuper de la ferme.

— Il ne s'agit pas seulement d'un petit travail après les cours, rétorque Missy; c'est un travail à plein temps, un travail qui demande de l'expérience; et puis s'il fallait payer un employé on ne serait pas plus avancé.

— Mais je laisserai tomber l'école, affirme Nathan, je m'occuperai juste de la ferme, j'apprendrai et je n'ai pas besoin d'être payé.»

Missy secoue la tête d'un air accablé par les propos de Nathan.

«Pourquoi ferais-tu ça? Voyons, c'est ridicule; abandonner l'école, tu gâcherais ta vie. De toute façon, en admettant que ce soit possible, Maman n'accepterait pas. Je ne vois pas pourquoi tu travaillerais pour que nous on garde la ferme, ça n'a aucun sens.

— Je le ferais parce que je t'aime bien! s'exclame Nathan emporté par son besoin de tout faire pour Missy.

Loin de l'encourager dans cette voie, elle l'observe comme s'il venait de prononcer une énorme stupidité.

«Moi aussi il y a des gens que j'aime bien, je t'assure que c'est pas pour ça que j'abandonnerais l'école. Sûrement pas!»

Nathan ne répond pas immédiatement, cherchant dans les paroles de Missy un double sens, il a vite fait de traduire ce qu'a dit Missy par: «Moi aussi je t'aime bien, en voilà une histoire, c'est pas pour ça que je changerais le cours de mon existence.» Soudain la luminosité lui paraît moins éclatante, l'odeur de la Prairie moins euphorisante, la douceur du vent moins agréable.

«Tu ne comprends rien, dit-il avec humeur sans la regarder.

— Et qu'est-ce que je ne comprends pas, s'il te plaît?»

Avant qu'il ne réponde, Ken, accélère le pas et laisse ainsi comprendre que la suite ne l'intéresse pas:

«Je vous laisse, moi, les histoires...»

Sans s'occuper de lui, Missy s'arrête face à Nathan.

«Alors? qu'est-ce que je ne comprends pas?»

Tout ce qu'il voudrait dire est: «*Tu ne comprends pas que je t'aime, voilà ce que tu ne comprends pas.*» Mais quelque chose, il ne sait quoi, le retient. Missy continue pour lui:

«Je vais te dire ce que tu crois que je ne comprends pas, tu crois que j'ignore que t'es amoureux de moi, eh bien non! Je le sais parfaitement mais sache que ça ne m'intéresse pas. T'as compris maintenant?

— Mais pour qui te prends-tu, Missy Bagriany? Qu'est-ce que tu vas t'imaginer? Et puisque t'en es au sache que, eh bien sache, toi, que j'ai des amies autrement plus intéressantes et autrement moins pimbêches que toi. Quand je pense que je voulais te rendre service, je suis complètement idiot.

— Ça, je ne te le fais pas dire.»

Trop secoués tous les deux pour trouver d'autres arguments, ils se font face dans une attitude d'abord agressive, mais qui évolue rapidement vers une position à laquelle ils ne s'attendaient pas. Missy regrette les paroles qu'elle vient de prononcer, et non seulement elle les regrette, mais elles ont pour conséquence inattendue de lui refaire voir le Nathan qu'elle a voulu se cacher, celui qu'elle apprécie, celui avec lequel elle se sent bien. De son côté, lui se battrait d'avoir parlé comme il l'a fait. Il a beau chercher à se convaincre qu'elle l'a mérité, rien ne le disculpe à ses yeux d'être la cause d'un tourment pour Missy. Alors qu'il y a quelques secondes ils ont commencé par se mesurer du regard, ils en sont rendus à chercher le signe d'un pardon sur le visage de l'autre. Chacun voudrait s'excuser mais craint que cela soit mal accueilli, tourné en dérision. Sans y prendre garde, Nathan approche sa main de celle de Missy, mais avant même de la toucher, recule vivement son bras. Plus que jamais il voudrait se noyer dans l'azur violet des yeux de Missy, plus que jamais il est ému par l'apparente fragilité que confère à la jeune fille son teint lilial, plus que jamais il voudrait s'appuyer contre la robe de fin lainage gris clair, là où, le troublant, la jeune poitrine tend l'étoffe. Missy également entrevoit ce que serait le geste d'appuyer son front contre l'épaule de Nathan, de sentir les mains du garçon se poser sur ses épaules. Elle veut laisser ce masque de sérieux qu'elle a pris depuis la disparition de son père, redevenir comme avant... de nouveau elle se souvient qu'«*avant*» c'était juste avant qu'elle n'aille dans la cabane, avant que son père ne parte à sa recherche, avant que, comme prévu, on ne le retrouve aux premières fontes trois mois plus tard, couché au creux d'un vallon. Brusquement, elle sait ce qu'il faut qu'elle fasse pour un jour reprendre la terre de son père, cela lui vient comme une gifle. Nathan, à travers les souvenirs qu'il lui inspire, vient de lui en apporter l'idée. Cette idée la révolte. À tel point que, par opposition, ce qu'elle éprouve envers Nathan se trouve brusquement amplifié.

«Nat, demande-t-elle avec une douceur toute nouvelle, pourquoi jouais-tu à l'indifférent, ces derniers temps?

— L'indifférent? fait-il semblant de ne pas comprendre.

— Oui, tu faisais comme si tu ne me connaissais pas.

— Toi aussi.

— Donc tu l'admets?

— Si tu l'admets, je l'admets aussi.

— Ça n'explique rien.

— Pourquoi est-ce que j'aurais été autrement puisque tu ne voulais rien savoir de moi?

— Alors comme ça, tu as d'autres amies?

— Qui t'a dit ça?

— Toi, tout à l'heure, tu disais que t'avais des amies plus intéressantes que moi.

— J'étais en colère.

— Il me semblait bien que t'avais pas d'autres amies.

— J'ai pas dit ça. J'ai une bonne amie.

— Ah oui? Qui c'est?

— Jolene, lance-t-il presque comme un défi.

— Jolene Lapierre?

— Je n'en connais pas d'autre.

— Oh! des amies comme ça... moi je parlais d'une amie... intime. Alors?»

Ceci pose à Nathan la question qu'il ne s'est encore jamais vraiment posée: *«C'est une amie comment, Jolene?»* Mais il n'a pas le temps d'y réfléchir, Missy attend une réponse. Celle qu'il doit donner lui fait mal car il doit parler au passé.

«Des amies comme tu parles, il n'y avait que toi, juste toi, Missy. T'es contente maintenant, tu sais ce que tu voulais savoir? Allant beaucoup plus loin que tout ce qu'il veut lui dire, ses lèvres prononcent des mots qu'il ne peut retenir: Il n'y a qu'avec toi que je veux dormir.»

Il est surpris de constater qu'elle ne se fâche pas. Au lieu de cela, elle se contente de plisser le front et de regarder vers le ciel comme si elle évaluait ce que «dormir» ensemble pourrait être.

«Qu'est-ce qu'il fait beau aujourd'hui, semble-t-elle soudain se rendre compte. On dirait que quelqu'un a allumé de nouvelles lumières, et puis ça sent bon, tu ne trouves pas?»

Il approuve.

«Je t'aime», dit-il un peu abruptement avec l'impression que ses jambes vont se dérober sous lui tandis que son crâne est le centre d'une explosion.

«Ça y est! Je lui ai dit!»

Missy aimerait répondre: moi aussi, mais ne s'en estime pas le droit; d'abord parce qu'elle n'en est pas certaine, d'autre part parce qu'elle sait qu'à l'avenir elle devrait peut-être revenir sur sa parole si elle le faisait. Et cela elle veut le lui dire.

«Moi il ne faut pas que je t'aime, répond-elle doucement. Je ne dois pas parce qu'à l'avenir je vais devoir tout faire pour reprendre les terres de Papa au vieux Fairfield.

— Mais... Je ne vois pas le rapport? Comment veux-tu faire?

— J'en sais rien, mais je sais que si on s'aime je ne pourrai rien faire.

— Au contraire!

— Comment ça, au contraire?

— Si on est tous les deux, je crois que je pourrais faire tout ce qu'il faut pour t'aider à reprendre la ferme, je pourrais devenir très riche et tout racheter. Je te jure que j'en suis capable.

— Tout le monde veut devenir riche, Nat.

— Pas pour la bonne raison. J'en suis capable, je te le dis, crois-moi, Missy.»

Bien qu'elle lise toute la détermination de Nathan sur le visage de celui-ci, elle anticipe que ce ne peut être une garantie suffisante; cependant elle ne veut pas le blesser.

«Tu es trop gentil, dit-elle. Tu seras toujours malheureux si tu restes comme ça.

— Je ne suis pas trop gentil, juste avec toi. Oh, s'il te plaît, entendons-nous. Nous avons quinze et seize ans, avant dix ans je te rapporte toutes les terres des Bagriany.

— Et moi, qu'est-ce que je devrai te donner en échange?

— Rien. J'ai confiance en toi.

— Tu vois que tu es trop gentil.

— Alors? Qu'en dis-tu?»

Toujours parce qu'elle ne veut pas lui faire de peine et aussi, quelque part, parce qu'elle n'est pas vraiment certaine qu'il ne réussira pas, elle répond par l'affirmative sans penser aux conséquences qu'implique une telle réponse.

«Je dis que c'est bien.»

Pour Nathan c'est comme si elle venait de lui promettre que désormais ils passeraient toute leur vie ensemble. Ses yeux s'embuent et, démesurée, la Prairie danse jusqu'à l'horizon. Le ciel est si vaste, si haut, si profond, si pur, si beau qu'il semble se voûter sur leurs têtes uniquement pour donner un cadre éthéré à la mesure de sa joie. Sur le vallonnement sans limite, la lumière scintille plus que jamais, accrochant aux herbes ondulantes des éclats de soleil et la poussière dorée des palais d'Orient. Les fleurs en devenir confient déjà au vent la promesse d'un parfum. Ce parfum qui s'insinue par les narines de Nathan, lui monte au cerveau, le rend léger, lui fait entendre des mots qui n'existent pas, lui fait réaliser que sa poitrine n'est pas assez grande pour contenir toute son exaltation. Le parfum, le ciel, les yeux violets, le vent du sud, tout cela se ligue contre les dernières défenses qu'une certaine crainte aurait pu y mettre et, sans trop savoir comment, il se retrouve serrant Missy contre lui. Pendant une fraction de temps impossible à définir, il se sent pleinement, complètement heureux. Oubliant totalement son propre corps, il n'éprouve plus que celui de Missy. Elle, d'abord surprise, répond à son étreinte et se laisse absorber tandis qu'éclate en elle une vérité qu'elle n'a pas su découvrir jusque-là. «*Mais je l'aime!*» Tout ce qu'ils ont appris leur faisant imaginer qu'il est encore trop tôt pour *cela*, ils ne s'embrassent pas, ne se caressent pas, ils ne font rien sinon s'étreindre dans un geste unique qui donne autant qu'il prend.

«Un jour, quand nous serons plus vieux, promet-elle sous le coup d'une impulsion qui cherche à rassurer, nous dormirons ensemble. Promis.»

Craignant les mots superflus, il ne répond pas. Il a remis à demain les soucis reliés à la conquête de la fortune.

«Hé! fait-elle, feignant de s'apercevoir qu'ils sont au milieu du chemin, on va être en retard.

— C'est pas une journée pour étudier.

— Plus que deux mois et ce sera les vacances.

— Oh, c'est vrai, les vacances...

— Quoi, les vacances?

— Je dois aller rejoindre mon grand-père sur l'Île de Vancouver. Quasiment tous les Lapierre sont partis là-bas depuis mars. Mon grand-père m'a promis de m'apprendre à manœuvrer toutes les machines dont ils se servent pour couper le bois.

— Tu dois être content, et puis tu vas voir le Pacifique, chanceux!»

Il est prêt à affirmer qu'il préférerait rester près d'elle, mais se ravise en se faisant la réflexion que ça manquerait peut-être de «*virilité*».

«Ouais... dit-il.

— Tu y vas comment?

— Je sais pas», dissimule-t-il, car en réalité il est déjà prévu qu'il y aille avec Jolene qui doit rejoindre son mari là-bas au début de l'été pour prendre quelques jours de vacances. Il est même entendu que Rose-Ange veillera sur le magasin durant cette «échappée».

S'interrogeant sur le pourquoi de ce mensonge envoyé par pur réflexe, il s'aperçoit qu'il n'a pas voulu mêler Jolene à la conversation de peur que cela déplaise à Missy. *«Mais pourquoi ça lui déplairait?* se demande-t-il, puis se rappelant qu'il doit faire fortune: *De toute façon il va falloir que je songe à autre chose qu'à ces vacances, il faut que je devienne riche. Comment? Dans le fond ce ne serait quand même pas une mauvaise idée d'aller là-bas; Grand-papa dit qu'il y a de l'argent à faire avec la forêt. On verra bien.»*

«Moi, dit Missy, quand j'irai voir le Pacifique, ce sera en voiture. Je veux voir toutes les Rocheuses en traversant.»

Nathan approuve du menton mais ne poursuit pas, il se souvient avoir imaginé qu'il roulait la nuit avec elle. Était-ce dans les Rocheuses? Il voudrait bien que sa mémoire le confirme et du même coup signifie qu'il s'agissait d'un songe prémonitoire. *«Ça n'existe pas les songes prémonitoires, ce sont des racontars de superstitieux.*

Qui t'a dit ça?

Personne, je le crois c'est tout; enfin... j'imagine, peut-être?»

Il arrête de marcher pour observer Missy qui, courbée en deux, s'approche avec précaution d'un chien de prairie qui se tient debout, sur ses gardes, à côté de son terrier.

«Mignon, mignon...» chuchote-t-elle.

Nathan se surprend à regarder l'animal d'un œil noir, juste parce que celui-ci, par sa simple présence, a détourné l'attention de Missy. *«Je deviens complètement innocent! Pauvre bête, elle n'y est pour rien.»* Puis il oublie ces *«mauvaises pensées»* et tous deux, penchés en s'appuyant les mains posées sur les genoux, s'amusent des airs tout à la fois offusqués, effrayés et curieux de l'animal.

«Je n'ai plus du tout envie d'aller en cours, dit-il.

— Moi non plus, mais quand il faut, il faut.»

Il répond par un «oui» laconique, mais n'en pense pas moins qu'il suffirait d'un mot d'elle pour que cette journée d'étude se transforme en une *«fabuleuse journée de découvertes printaniè-*

res. Mais elle ne dira rien, les filles c'est comme ça, quand il faut, il faut, et ça leur suffit comme raisonnement».

«Tu crois qu'on retrouvera vraiment notre terre? demande-t-elle soudain comme si elle s'interrogeait sur son laisser-aller à la bonne humeur et qu'il lui faille cette certitude pour ne pas se le reprocher.

— Je te l'ai juré.»

Il reste coi face au violet sourire des yeux qu'elle renvoie à ses paroles. Pour l'instant, cela suffit à éloigner de lui l'ombre des images noires. Il ne reste que la lumière, le ciel, le vent, et elle sans qui tout cela ne serait que des mots; du vent, du ciel et de la lumière.

13

MANCHESTER, ANGLETERRE

Comme un voleur, Endicott Fairfield parcourt la longue rangée de petits lits émaillés blanc, puis se faufile par la grande porte vitrée du dortoir qui résonne à cette heure du sommeil et des rêves d'une vingtaine d'adolescents comme lui. Avec souplesse, il dévale furtivement deux étages du large et vénérable escalier de bois ciré qui occupe le centre de la bâtisse principale du pensionnat, franchit quelques mètres le long d'un couloir obscur qui sent l'encaustique, la craie, et le tableau noir, puis, parvenu devant la porte des toilettes réservées aux enseignants, reprend son souffle. Un instant immobile, il reste aux aguets, soucieux d'être surpris si près du but. Rien. Il referme la porte derrière lui, fait glisser le verrou et déroule une longue bande de papier hygiénique qu'il utilise pour colmater l'interstice sous la porte avant d'allumer la lumière. Deux mètres sur deux, des murs peints brun caca jusqu'à hauteur des épaules puis jaune pisseux jusqu'au plafond (il se demande encore si la couleur brune est utilisée par discrétion envers d'éventuelles traces outrancières comme il y en a depuis toujours dans les tinettes du préau). Heureusement, il n'y a pas ici de ces marques barbares; si c'était le cas, il lui faudrait trouver une autre retraite.

Une fois de plus, comme presque chaque nuit, il retrouve son refuge secret. Seul endroit du pensionnat où il se sent maître de lui-même. Seul endroit où, pendant les longues heures autour de minuit, par la simple magie des livres, il peut s'enfuir par-delà les hauts murs gris qui le cernent. Mais avant de lire, il observe toujours le même rituel qui consiste, comme maintenant, à ouvrir le petit châssis vitré et, à travers les barreaux noirs, puisque évidemment il y a des barreaux, à plonger son regard vers les toits d'ardoises luisantes de la ville légèrement en contrebas. Il s'attarde toujours sur la flèche étroite d'une église dont il ignore tout mais qui semble vouloir lui indiquer la direction à suivre pour échapper au quotidien qui l'étouffe. Planant au-dessus de l'agglomération qui ignore depuis longtemps ce que peut être un véritable ciel nocturne, s'étend et se pavane, telle une diva flétrie, le désormais sempiternel halo orangé, mélange de pollution et d'humidité, miroir des lumières d'en bas et parfaite représentation de l'enfer, pour Endicott, qui compare souvent le voile de nuit de la cité avec les cieux ravagés de l'Enfer peints par Jérôme Bosch dans le Triptyque du *Chariot de foin* dont, peut-être avec préméditation, une reproduction orne la petite pièce d'étude où monsieur Skelton, son responsable, l'envoie en réclusion punitive plus souvent qu'à son tour. Endicott déteste cette ville dont la principale constituante, à son avis, est une véritable erreur, le triste constat de l'échec humain. Dans le langage de ses seize ans, il l'exprime par des mots fort simples: «Ça pue, c'est vieux, c'est moche, pourri, et ils ont tous des têtes de cons». Il s'estime différent. Depuis son arrivée en Angleterre, il a cherché en lui ses origines. Une nuit comme celle-ci, dans cette même pièce où règne une constante odeur de naphtaline, il a écouté son cœur qui, avec la lancinante régularité d'un tambour de galère antique, envoie chaque seconde, vers les milliards de cellules qui le composent, un sang lourd et vermeil. Un sang qui porte en lui la mémoire de ses maritimes origines. Un sang alambiqué par une succession généalogique de troubadours à l'épiderme sensible, de pirates sans peur au rire infernal, de seigneurs puis de ranchers qui, comme leitmotiv, devise ou étendard, ont vécu pour le pouvoir, rejetant avec dégoût et véhémence toute recherche du bonheur pour lui-même. À seize ans, il sait que le calcium de ses os vient des Badlands, que le sel de ses larmes vient d'une mer oubliée. Il a compris sans se le formuler que ses lointains ancêtres sont apparus un jour depuis les solitudes brumeuses d'un fjord nordique, d'une île calédonienne. Et, au plus profond de lui, il sent bouillonner la fougue aujourd'hui disparue de ces conquérants de la seule véritable liberté à son sens: celle qui, comme une joute hilarante, consiste par n'importe quel moyen à briser les mailles des imposteurs de la Vérité, les imposteurs qui, comme l'araignée, tissent leur toile autour de ceux que l'amour ou la peur de le perdre a rendus dociles. Endicott sait qu'il n'a rien à voir avec cette ville représentant tout ce qu'il hait.

Véritable mise en garde, il tend son doigt à travers les barreaux et s'adresse à la ville:

«Je te chie dessus, salope!»

Sur ces paroles salvatrices pour son moral, il sort le livre qu'il a glissé dans la ceinture de son pyjama. Un autre roman noir où il est question de femmes fatales, d'argent et, surtout, de son étrange continent par-delà l'océan où, pour un oui pour un non, le héros se débarrasse sans remords de tous ceux qui ont une sale tête et se promène ensuite sur de longs rubans d'asphalte sans fin. Libre.

Assis sur le couvercle rabattu, yeux écarquillés, il lit une heure avant de sortir de la poche de son pyjama un petit carnet où sont détaillés ses comptes. Depuis trois mois, depuis qu'il a compris qu'il lui fallait de l'argent pour régner, il a monté à l'intérieur des murs de l'établissement un service de prêts d'un genre assez spécial.

Sourire aux lèvres, il calcule être en mesure de financer un nouveau dépucelage qui devrait rapporter de bons intérêts.

«Dès demain, j'organise le coup pour Bradley, songe-t-il. C'est lui le prochain sur la liste d'attente. (Il se ravise.) Non, pas demain, c'est mon tour de cuisine. Merde! après-demain.»

Il aperçoit soudain avec désarroi la poignée de la porte qui tourne sur son axe.

«Qui est là?» demande une voix qu'il reconnaît immédiatement pour être celle de monsieur Farthing, le principal.

Avant de répondre, il lance son livre à travers les barreaux. Inutile, en plus d'être surpris en lieu interdit, de se faire prendre avec une littérature proscrite. Le carnet, lui, ne contient que des noms et des chiffres disposés comme les résultats d'un tournoi de tennis.

«Moi, répond-il avec un peu de crainte.

— Qui vous?

— Endicott Fairfield

— Matricule?

— 329.

— Ouvrez cette porte, monsieur Fairfield.

— Je... J'ai pas fini, Monsieur.

— Je vous ai dit d'ouvrir, et l'on ne dit pas: j'ai pas, mais bien plutôt: je n'ai pas.»

Le cœur battant, Endicott fait glisser le verrou tout en poussant du pied le papier hygiénique. Pour la première fois en quatre mois, révélé par la lumière jaune des WC, il découvre un monsieur Farthing autrement vêtu que de son sévère complet gris. De taille moyenne, légèrement rondouillard, crâne lisse orné uniquement d'une mince couronne de cheveux argent, l'éducateur porte un peignoir d'un velours bleu turquoise qui ne manque pas de surprendre Endicott. L'éducateur semble vouloir comprendre que le garçon ne doit pas être là pour utiliser les services censés être fournis par les lieux, et, au lieu de cela, suppose immédiatement autre chose. Son visage prend le masque d'une gravité solennelle.

«Que faisiez-vous? demande-t-il d'une voix profonde empreinte de suspicion et de pieuse remontrance, qu'Endicott verrait bien dans la bouche d'un saint Paul, qu'il a d'ailleurs toujours considéré comme un espion, une taupe romaine, ayant infiltré les chrétiens afin de détourner le sens de la Parole.

— Bien... J'étais là, aux toilettes, Monsieur.

— C'est faux, jeune homme.

— C'est vrai! Monsieur.

— Alors pourquoi ces WC-ci, et non pas ceux de votre étage?»

Conséquence de quatre mois d'internat, Endicott est entraîné à trouver des explications éclairs. La réponse ne se fait pas attendre:

«Elles étaient occupées, Monsieur.»

Le principal croise les bras haut sur sa poitrine et l'observe avec l'attitude de celui à qui on ne la fait pas.

«Soyons sérieux, dit-il, j'ai eu quinze ans avant vous.

— Seize ans, Monsieur.

— Bon, quinze ans, seize ans, c'est pareil.»

«Merde! songe Endicott, ce con-là est en train de s'imaginer que j'étais en train de me branler.»

Il joue l'innocent étonné:

«J'étais aux toilettes», répète-t-il.

Le principal s'empourpre.

«Arrêtez de mentir! Je vais vous dire ce que vous faisiez ici. Je vais vous le dire, vous-vous-mas-tur-biez-Mon-sieur-Fair-field.»

Il dit cela en détachant les syllabes, comme pour mieux faire comprendre à Endicott toute l'horreur d'un tel geste.

«Non!

— Monsieur, on dit: Non, Monsieur.

— Non, Mon-sieur.

— Je vois, une mise au point entre hommes s'impose; accompagnez-moi à mon bureau.»

Cela ne dit rien à Endicott qui ne trouve pourtant rien à opposer. Presque comme un geste amical maintenant, le principal lui pose la main sur l'épaule et l'entraîne le long du couloir sombre, bordé de chaque côté par les classes terminales peuplées à cette heure, pour le garçon, de fantômes cabalistiques ayant pour noms: Calcul différentiel, Géométrie Non-Euclidienne, Mécanique analytique, Axiomes de Zermelo, et tous les autres. Dans ces lieux se dispense un savoir qui lui fait peur: celui qui construit la «*société technocratique*», celui qui détruit l'homme véritable tel qu'il se le représente, l'homme tel que Cornelius Fairfield lui a appris qu'il devait être. Endicott se demande ce que le principal fait dans les parages à cette heure de la nuit, en peignoir, et dans l'obscurité? Pourquoi n'allume-t-il pas les lumières? Mais depuis son arrivée en Angleterre, il n'arrête pas de se demander ce que font les Anglais. Enfin, après une longue traversée de toute une moitié du bâtiment, toujours dans la pénombre, le principal ouvre la porte de son bureau où Endicott pénètre pour la seconde fois en quelques mois; la première étant celle ou sa tante est venue le présenter pour l'inscription. Il s'en souvient encore trop bien. Il a déjà presque oublié les détails de ce bureau, mais il revoit clairement sa tante lui expliquer avec assurance que ce serait formidable. Il revoit le faciès ravi du principal qui se tortillait. Il ressent toujours avec douleur l'acquiescement de sa tante qui était, pour l'occasion, l'acquiescement de toute sa famille; acquiescement qui ne demeure à ses yeux qu'un abandon. Telle une blessure qui ne guérira jamais tout à fait, il se remémore souvent cette première soirée au pensionnat, son errance au milieu d'un océan de visages inconnus dont beaucoup, les anciens, l'ont couvert de tous les quolibets que l'on sert aux nouveaux, surtout lorsqu'ils arrivent d'un autre continent. Ce jour-là, le premier de ce qu'il appelle sa détention, il a cherché un être familier, un camarade, un point de repère, une sortie qui n'existe pas au milieu de l'enceinte hostile. La nuit venue, après le premier souper pris dans le mutisme, les bruits d'ustensiles, les odeurs mélangées de poireaux, de sciure, de cidre et de vaisselle sale, il s'est réfugié sous les frondaisons agonisantes du seul arbre de la cour goudronnée, uniquement éclairée, à cette heure, par deux réverbères blafards. Et là, il a pleuré. Pleuré comme un petit garçon. Un peu plus tard, dans la solitude de son nouveau lit, il s'est promis de ne plus pleurer face à l'inconnu et de lutter contre un ennemi qu'il n'arrivait pas encore à identifier. «*À partir de maintenant,* ont été les mots de sa pensée, *entre moi et toutes ces conneries, c'est la guerre!*»

Le bureau du principal est une pièce assez vaste dont le plancher est presque intégralement recouvert d'un tapis d'Orient ou, tout au moins, d'une bonne imitation. Presque au centre, sans autre style que celui d'être fonctionnel, trône une grande table de travail fermée, recouverte d'un invraisemblable fatras de livres, de brochures et de dossiers. Dans un angle, un classeur métallique vert à tiroirs, dans un autre, un guéridon de bois sombre entouré de deux profonds fauteuils de facture Art-Déco en cuir marron usé. L'éclairage de la pièce provient d'un chandelier électrique à quatre branches sans abat-jour posé sur le guéridon. Mais ce qui éveille immédiatement la curiosité d'Endicott, ce sont les murs couverts de rayonnages vitrés sur lesquels s'alignent des milliers de livres disparates. Attiré, son premier geste, presque imperceptible, est de s'en approcher pour y discerner des titres et des auteurs. Le principal remarque cet intérêt.

«Vous aimez les livres?

— Oui, Monsieur, les livres et aussi la musique.»

Les lèvres de monsieur Farthing s'étirent dans ce qui se veut un sourire bienveillant.

«Nous avons des pôles d'intérêts communs, déclare-t-il; mais en attendant je me dois de vous infliger la correction qui vous est nécessaire. Appuyez-vous sur ce bureau.

— Mais?

— J'espère que vous n'allez pas, en plus, faire d'histoire.

(Endicott s'aperçoit que le principal s'est muni de ce qu'ils appellent un «tape-cul».) Allez, je veux voir vos doigts bien écartés sur le bureau.»

Par cinq fois la planche de bois s'élève vers le plafond et vient s'abattre sur le postérieur d'Endicott qui serre les lèvres pour ne pas gémir ou crier. Par contre, contre les larmes, il ne peut rien. Et puis c'est fini, le principal repose l'instrument «éducatif» qui pour Endicott, avant qu'il n'arrive dans ce pays, n'existait que dans les films relatant un passé révolu.

«Vous ne vous êtes pas trop mal comporté, commente le principal. Bien, maintenant que ceci est réglé, nous pourrions parler de cette musique que vous me dites aimer. Aimeriez-vous entendre un air de violon?

— Je...»

Totalement dérouté, Endicott ne sait que répondre. Imperméable à son état d'esprit, le principal disparaît quelques instants par une porte qui s'ouvre au milieu des rayons de livres et en ressort presque aussitôt, portant un violon et son archet.

«Puisque j'ai avec moi un amateur de musique, dit-il pour le bénéfice d'un Endicott abasourdi, je vais en profiter pour interpréter un petit morceau. Allons, Qu'aimeriez-vous entendre?

— Bah...

— Je vous sens crispé, ça ne va pas?»

Endicott hausse les épaules.

«Je ne sais pas.»

Le principal pose son violon sur la table de travail, en ouvre un tiroir, sort une petite boîte de carton noir et vient l'ouvrir sous le nez d'Endicott qui aperçoit des cigarettes de toutes les couleurs au filtre doré.

«Cigarettes russes, fait le principal. Des *Sobranies*.»

Interdit, Endicott observe l'homme qui hoche la tête.

«Prenez-en une, je veux que vous vous sentiez à votre aise.

— Je peux, vraiment?

— Bien sûr! vous n'avez jamais fumé?

— Si, mais...»

Tremblant, il prend une cigarette noire et hésite une seconde avant de la porter à ses lèvres. Aussitôt, le principal, qui a sorti un briquet de la poche de son peignoir, lui tend du feu. Endicott aspire une bouffée, la garde quelques instants dans sa bouche puis l'exhale dans un souffle bruyant. Comme si ce n'était pas suffisant pour le mettre à l'aise, le principal repasse dans la pièce adjacente et revient quelques secondes plus tard avec deux verres sur pied et une carafe de ce qui semble être un vin blanc d'apparence sirupeuse et d'une couleur plutôt jaune.

«Sherry, dit-il en remplissant un plein verre qu'il offre au garçon. Buvez, c'est fameux.»

Endicott s'exécute, surpris d'apprécier le breuvage légèrement sucré.

«Vous vous sentez mieux maintenant?»

Endicott, qui n'en pense rien, fait signe que oui. Monsieur Farthing reprend son violon, écarte légèrement les jambes, appuie l'instrument contre son menton dans la pose classique, fait décrire une courbe théâtrale à son archet et se lance dans une série de gammes désordonnées. Le garçon ne sait que faire et, en désespoir de cause, tire de violentes bouffées de sa cigarette.

«Mais qu'est-ce que je fais au milieu de la nuit à fumer une cigarette russe dans le bureau de Farthing qui joue du crincrin, vêtu d'un impayable peignoir?»

«Bon! Je suis réchauffé, annonce le principal alors qu'Endicott écrase son mégot dans un cendrier brun publicisant une bière populaire. Installez-vous dans un fauteuil, je vais interpréter une version personnelle du *Canon* de Pachelbel. À vous, bien sûr, d'imaginer le clavecin.»

Et, pour le plus grand étonnement d'Endicott, des notes pures montent, envahissent la pièce, investissent ses tympans et, lentement, il en oublie l'étrangeté de sa situation pour se laisser emporter dans des sentiers lumineux jusqu'alors inconnus. Sans s'en rendre compte, enfoncé dans le fauteuil qui sent le vieux tabac et l'eau de Cologne, il baisse les paupières pour mieux poursuivre une vision qui, petit à petit, s'impose à lui. C'est un printemps mythique, un paysage grandiose qui baigne dans une lumière d'or aussi radieuse qu'irréelle, des oiseaux qui pépient dans les hautes herbes sous un ciel d'un bleu insoutenable, et l'air est léger, si léger qu'il enivre. C'est la Prairie. Comme elle est loin!

14

BLUESTONE, SASKATCHEWAN

Depuis deux jours, une vague de chaleur s'est installée sur la majeure partie du sous-continent. Le mois de juillet vient à peine de commencer, mais déjà les herbes folles ont abandonné leur verte robe printanière pour un pagne jaune et craquant. Lorsqu'un coup de vent les agite, on les entend bruire tel un frottis de pailles d'acier. Voilà plus de quarante-cinq jours qu'il n'est pas tombé une goutte de pluie sur les Badlands, on craint que la sécheresse soit encore pire que l'an passé, et on a peur. Les adultes portent ce souci constant sur leur visage et leurs rires ne sont pas aussi légers qu'ils le voudraient. Davantage à cause d'une certaine angoisse que par crainte du ridicule, personne ne l'avoue mais tout le monde s'accorde à penser que quelque chose est en train de changer. Devant la maison de Magellan, laissant de côté pour l'instant ces sombres préoccupations, Virginie Lapierre et Rose-Ange entourent Nathan et lui prodiguent leurs dernières recommandations avant qu'il ne s'installe dans la voiture de Jolene où celle-ci vient de reprendre sa place derrière le volant après avoir accepté de «prendre un café» avec les femmes de la maison en attendant Nathan qui n'était pas prêt.

«Et surtout n'embête pas ton grand-père, fait Rose-Ange pour l'énième fois. Et n'oublie pas que tu dois lui obéir.

— Je sais, M'man, je sais.

— Tu peux aussi rappeler discrètement à ton grand-père qu'il a promis de lâcher à la fin de l'été», glisse sa grand-mère.

Sans trop savoir comment, il réussit le tour de force de s'installer dans la voiture à son tour. Poursuivant toujours la longue litanie des avertissements et conseils, Rose-Ange et Virginie Lapierre sont maintenant penchées à la hauteur de la vitre ouverte.

«Faites attention, recommande sa grand-mère s'adressant cette fois plus implicitement à Jolene. Il paraît qu'il y a de curieuses routes en montagne.

— Ne vous inquiétez pas, madame Lapierre, répond la jeune femme.

— Et s'il vous ennuie, lui conseille Rose-Ange, n'hésitez pas, mettez-le dans un train ou un autobus.»

Jolene secoue la tête en riant.

«Il n'y aura pas de problème, on s'entend bien tous les deux, (elle a un clin d'œil ironique) et puis si d'aventure j'avais une crevaison, j'aurais besoin de l'aide d'un homme.»

Encore une fois, se penchant par la portière, il donne un baiser à sa mère. C'est la première fois qu'il la quitte ainsi et il a le cœur un peu gros; non pas tellement parce qu'il ne la verra pas durant deux mois, mais parce qu'il a un peu l'impression de l'abandonner.

«Fais attention à toi, Maman, lui recommande-t-il à son tour. Et puis si tu t'ennuies, viens me rejoindre, ça te changerait.

— Bien sûr», répond-elle avant de serrer les lèvres et de fermer à demi les paupières en souriant pour masquer son émotion.

Jolene démarre, fait un signe de la main et avance doucement. Nathan agite la main à son tour, emportant comme dernière image le visage un peu douloureux de sa mère essayant de se donner la tranquille apparence de tous les jours. Il demeure tourné vers elle jusqu'à ce que la poussière du chemin la lui cache complètement.

«Cette fois on dirait que nous sommes partis, constate Jolene tout en ajustant son rétroviseur.

— Oui, on est partis», renvoie Nathan qui ne sait plus très bien s'il doit en être heureux ou malheureux.

En tournant à la croisée des chemins, il a un regard en direction de la maison de Missy. Il se demande ce qu'elle fait en ce moment. Même s'il fait déjà très chaud, il est à peine huit heures du matin, peut-être n'a-t-elle pas encore déjeuné? Ils n'ont plus besoin de se lever à l'aube depuis que Cornelius Fairfield a acheté la ferme et les animaux; peut-être est-elle encore couchée et l'imagine en train de partir? Il l'a vue une dernière fois avant-hier, ils se sont longuement serré les mains, et sont même allés jusqu'à se donner un baiser. Il en est encore malade. «*Je n'aime pas partir*» décide-t-il.

Mais, à peine dépassé Val-Marie, il a déjà oublié cette assertion et constate qu'il est agréable de voyager par ce temps, de laisser le vent s'infiltrer dans ses cheveux, de voir la Prairie défiler, toujours elle-même, jamais identique, chaque vallon semblant receler son atmosphère propre. Se demandant pourquoi il ne l'a pas fait plus tôt, Nathan prend conscience du parfum de Jolene, une senteur florale qui dans son esprit semble renforcer l'odeur naturelle de la Prairie. Il l'observe du coin de l'œil. Elle est vêtue d'un fin chemisier blanc classique à manches courtes et d'un bermuda bleu ciel qui semble autoriser Nathan à contempler ses longues jambes nues. Il prend conscience qu'il est avec elle, seulement lui et elle pour les trois prochains jours. Il a l'impression que c'est l'éternité et s'en trouve tout heureux.

«On est bien», dit-il.

Elle fait signe qu'elle partage ce point de vue.

«Te rends-tu compte que ce sont mes premières vacances depuis que je suis mariée. Ça fait drôle.

— Moi aussi ça me fait drôle. As-tu hâte de voir le Pacifique?

— Pour l'instant je veux profiter de chaque minute de ces vacances. Si je commence à me dire que le plus beau est au bout du voyage, je risque de le gâcher.

— Ça semble sage.

— J'ai un expert en sagesse à côté de moi, dit-elle en lui donnant un léger coup de coude dans le bras.

— Oh, moi, tu sais, la sagesse... j'y connais pas grand-chose. Y a juste que ça paraît raisonnable de ne pas vivre seulement pour un but sans profiter du chemin qui y conduit. Ça doit pas être rigolo pour quelqu'un, même s'il a atteint son but, de s'apercevoir qu'il est passé à côté de tout ce qui se trouvait sur le chemin de l'objectif.

— C'est bien ce que je disais, tu es un expert.

— C'est gratuit pour aujourd'hui, fait-il en mimant un sérieux qui n'est pas de mise.

— Merci. (Elle tend son bras a l'extérieur pour recueillir un peu de fraîcheur.) Toi, c'est quoi ton objectif?

— Je serai l'homme le plus riche du monde.

— Eh bien! C'est pas banal. J'espère que tu me réserves une place dans ton entourage?

— Tu y es déjà, Jolene».

Quittant la route des yeux, touchée, elle le regarde avec un mélange d'affection, de tendresse et de compréhension. Sous l'effet de ce regard, il ressent comme un vide.

«Je crois que tu fais un excellent compagnon de voyage», affirme-t-elle.

Ayant rejoint la *Trans-Canada* à Swift Current, ils traversent ce qui géographiquement est toujours considéré comme étant la Prairie – et, en fait, c'est celle-ci que la plupart des gens connaissent –, mais Nathan, lui, ne la reconnaît plus; par ici, il la trouve beaucoup plus «*plate*», plus «*monotone*».

«Pas terrible par ici, commente-t-il.

— Patience, cet après-midi nous serons dans les Rocheuses.»

Pour patienter, il contemple le flot presque ininterrompu des automobiles et se demande où vont tous ces gens. Il les observe effrontément dans leur voiture, étonné par tant de nouveaux visages. Durant quelque temps, il tente de les classer en catégories, mais s'aperçoit rapidement que chacun est particulier. La réalité lui refuse ce que lui demande le côté rationnel de son cerveau.

«Qu'est-ce qu'il y a comme monde!», dit-il.

Jolene s'esclaffe.

«Tu n'as rien vu, attends un peu d'être à Calgary... Et encore, il paraît que c'est une bourgade de province comparée aux grandes villes du monde».

Plus tard, en Alberta, s'étant gavés de frites grasses à souhait et de hot dogs dégoulinants de moutarde et de relish, dans une cabane rouge et blanche assiégée par la poussière ocre du bas-côté de la route, ils arrivent à Calgary. Tandis qu'ils glissent au milieu de mille autres véhicules sur l'une des nombreuses voies allant d'est en ouest, Nathan observe tout avec des yeux arrondis, grisé par l'énergie qui se dégage de la ville. Le hurlement strident d'une ambulance ou, comme il préfère l'imaginer, d'une voiture de patrouille, le fait frissonner. Il a le sentiment d'être précipité au beau milieu de l'une de ces séries qui passent à la télévision et qu'il a toujours regardées sans vraiment y croire. Copient-elles la réalité ou bien la réalité s'en inspire-t-elle? Ajoutant au bruit dynamisant des voitures, certaines rutilantes et bardées de gadgets inutiles, d'autres franchement hors d'usage, d'autres, des moins luxueuses, avec les vitres ouvertes pour mieux déverser des torrents de musique électrifiée.

Le parfum féminin de Jolene semble maintenant faire un mariage inconvenant mais non désagréable avec les senteurs presque dynamisantes des gaz d'échappement maintenus sur la cité par la chaleur torride. Bordant brutalement l'horizon, des tours d'obsidienne, étincelantes, aux arrêtes vives, semblent les guerrières gardiennes d'une civilisation vouée au bruit et au mouvement. Ici tout remue, bouge, s'agite, veut prouver qu'il est, qu'il existe.

«Terrible! lance-t-il comme pour s'associer à tout cela.

— Tu aimerais vivre ici? demande Jolene.

— Je sais pas. Faudrait voir ailleurs. Mais ça remue plus que chez nous. Ici on a l'impression qu'il se passe quelque chose.

— Il s'agit de savoir quoi.»

Comme ils ont une longue route à faire, ils ne s'aventurent pas en ville, restent sur les voies express, et bientôt laissent derrière eux la gerbe de béton et de bruit en conservant dans la tête quelques images qui déjà se modifient pour former un cliché à classer en mémoire à la rubrique: CALGARY. Cliché davantage composé de pressenti que de vu.

Brûlée, la prairie s'étend immensément plate. Elle court sous le ciel dangereusement bleu et, soudain, stoppe, net, au pied de la muraille démesurée qui s'étire du nord au sud, à perte de vue et d'imagination. Saisis d'une admiration respectueuse, ils ne peuvent faire autre chose que des «Ouah!», des «Incroyable!» ou pousser de longs sifflements. Rapidement, au fur et à mesure de leur progression dans la plaine, chaque montagne se détache des autres, chacune se voulant plus imposante, plus gigantesque que ses voisines, chacune écorchant les nues à des hauteurs qu'ils ne

149

pouvaient imaginer à Bluestone. Et, sans trop savoir à quel moment cela s'est produit, ils se rendent compte qu'ils ont quitté la prairie et roulent à présent sur le ruban gris-noir qui viole l'intimité des montagnes sans pourtant réussir à leur faire perdre leur majesté. Nathan est subjugué. *«Comment j'ai pu faire pour accorder autant d'importance à la ville tout à l'heure? C'est minable à côté de ça! Pas besoin de remuer ici, ça ne sert à rien.»*

À présent, chacun veut faire partager à l'autre ce qui l'extasie. «Regarde, là-haut, le torrent!», «Qu'est-ce que c'est haut!», «Qu'est-ce que c'est grand!», «Arrête-toi là, regarde en bas!» Et ils s'arrêtent souvent pour admirer tout à loisir. Plus ils s'extasient ensemble, plus Nathan se sent proche de Jolene. Déjà, par deux fois, il s'est retenu à temps de lui prendre le bras. *«Il faut que je me reprenne,* s'ordonne-t-il, *on est pas un couple d'amoureux en vacances, elle va rejoindre son mari et moi mon grand-père.*

Tu parles d'un mari...

Si elle l'aime, tant mieux pour elle et pour lui, moi j'ai Missy.

Non, tu n'as pas Missy, tu ne l'auras que si tu deviens riche.

C'est vrai, mais ça n'empêche pas que j'aimerais bien me rapprocher de Jolene. Ça y est! je débloque encore. Mince! qu'est-ce qu'elle a de jolies jambes! Ce serait plaisant de...

Mais vas-tu fermer ta gueule!»

L'après-midi est bien avancé lorsqu'ils font halte au Col du Pigeon. Jolene déplie la carte sur le volant et, du doigt, suit le chemin qu'il leur reste à couvrir jusqu'à la côte; une autre bonne journée de route.

«Si demain on veut voir le lac Louise et le parc des Glaciers, estime-t-elle, je crois que nous ferions mieux de nous arrêter ici pour ce soir, ce serait dommage de rouler dans la pénombre et de rater tous ces paysages.

— On ne pourrait pas coucher au lac Louise?

— Eille! il paraît que c'est un hôtel de grand luxe, tu veux nous ruiner?

— Combien ça peut coûter?

— Au moins deux-trois fois le prix d'un motel ordinaire.»

Hier soir, Rose-Ange a remis à Nathan une enveloppe contenant une somme respectable pour un garçon de son âge.

«Tiens, lui a-t-elle dit, je veux que tu profites bien de tout ce qui va s'offrir à toi. On est pas riches, mais ce serait dommage de se priver quand une occasion se présente. Évidemment ce n'est pas une raison pour gaspiller. Sache aussi que ta grand-mère a mis la moitié.»

Plus tard, en comptant cet argent dans sa chambre, il s'est promis qu'il le garderait et que cela constituerait «l'*amorce*» de sa fortune. Aujourd'hui, alors que s'offre à lui de *profiter* de choses qu'il n'a jamais connues, sa volonté faiblit. Il se construit des raisonnements plus ou moins objectifs: «*On dit que savoir c'est pouvoir, comment pourrais-je pouvoir si je ne sais pas? Il faut que je mette ces vacances à profit pour savoir. Et puis Maman m'a donné cet argent pour que j'en profite, ce serait pas gentil envers elle de ne pas le faire.*»

«Toi, ça ne t'intéresse pas de payer plus cher pour ta chambre?» demande-t-il.

Elle l'observe un long moment sans que son visage laisse transparaître le fond de ses pensées; seule une lueur au coin de l'œil laisse deviner la tentation romantique que peut représenter pour elle une nuit dans un château célèbre. «*Ce serait un bon sujet de conversation au magasin, pense-t-elle, je les vois déjà, tous en train de rêver qu'ils sont avec moi en smoking et tout le tralala, sur un balcon dominant le lac, buvant du champagne; de quoi nourrir leurs fantasmes pendant des mois. Oh et puis non! ce sera juste pour mon plaisir personnel. J'ai bien le droit de m'offrir ça, après tout. Tiens, je suis bien contente d'être avec Nathan, avec Paul je serais moins tentée. Mais pourquoi est-ce que je dis ça? Sûrement parce que je me sens bien avec Nathan, avec Paul c'est... différent. Ça n'a rien à voir, bien entendu, mais c'est différent.*»

«Allez! dit-elle soudain, ne soyons pas mesquins; on peut bien s'offrir ça une fois dans la vie.

— Plus d'une fois, j'espère.

— Oui, c'était une façon de parler. Au fait, tu n'es pas timide? Ça ne te dérange pas si je ronfle?

— Comment ça?

— Au prix où ça doit être, autant prendre une seule chambre, ça ne te fait rien?

— Une seule chambre!»

La réaction échappe à Nathan qui vient de s'imaginer dans le même lit que Jolene.

— Je te rassure, fait-elle en riant, il y a des chambres à deux lits dans les hôtels.

— Ah... Je... Bon.

— Ta réponse est assez difficile à interpréter, je t'assure. Veux-tu y aller?

— Oui, bien sûr, c'est toi qui décides.

— Nathan, je te demande ce que tu préfères.

— Le lac Louise, allons au lac Louise.

— C'est parti!», lance-t-elle, joyeuse.

À l'intérieur des limites du parc national de Banff, ils longent une rivière turquoise qui leur paraît tellement belle qu'elle leur semble tout droit sortie d'un décor irréel. Nathan, qui, il y a quelques heures, se voyait plongé avec délices dans les trépidations des grandes cités, se plaît maintenant à imaginer qu'il est trappeur, habitant une cabane de bois rond érigée dans un détour sauvage de cette rivière. Une belle cabane avec une grande cheminée de pierres où il ferait de bons feux qui, chaque soir, se refléteraient chaudement sur le visage de... Sidéré, il se rend compte qu'il a hésité entre les visages de Jolene et de Missy. «*Missy!* s'indigne-t-il de ses propres pensées. *Il n'y a que Missy, pourquoi est-ce que je mets Jolene là-dedans?*

Parce que tu te sens bien avec elle, t'as pas remarqué? Avec Jolene tu es toujours confiant, avec Missy, sauf de rares et belles exceptions, il y a toujours quelque chose. Tu es toujours en train de te demander ce qu'elle pense de toi.

Pourquoi, mais pourquoi j'ai toujours des choses qui ne sont pas de moi dans la tête? Jolene est une femme mariée, qu'est-ce qui me prend à penser à elle comme ça? C'est ridicule! C'est Missy que j'aime, Missy, seulement Missy!»

«Penses-tu que l'on puisse aimer plusieurs personnes à la fois?» demande-t-il sur un ton impliquant que la question est sans objet dans son cas personnel.

«*À qui pense-t-il?* s'interroge Jolene. *Voyons, je sais qu'il est souvent avec la petite Bagriany, qui serait l'autre?*

Cesse de tourner autour du pot, Jolene Lapierre, tu sais très bien que c'est toi

152

Mais enfin c'est ridicule! Quoique... c'est connu que les adolescents... Est-ce qu'on peut aimer deux personnes à la fois? Bien sûr! sinon...»

«Évidemment, lui répond-elle, quelle drôle de question?

— C'est juste une question qui me passait par la tête.

— Comme ça? Pour rien, en regardant cette rivière magnifique? Tu ne me dis pas tout...

— Mais non! Mais oui! Il la regarde qui semble s'amuser de tout cela. Ça t'est déjà arrivé à toi

— Quoi donc?

— D'aimer deux personnes à la fois?

— C'est bien indiscret comme question.

— Excuse-moi.

— Aurais-tu des problèmes de... de cœur?

— Non!

— Voilà un non trop vif à mon idée pour ne pas vouloir dire autre chose. Tu sais que tu peux tout me raconter, tu le sais?

— Alors moi quand je demande quelque chose, c'est indiscret, mais toi tu as le droit de tout savoir?

— Là, je reconnais que tu marques un point.»

S'attendant à ce qu'elle donne une réponse à sa question, il ne dit rien, mais elle reste muette et lui envoie de fréquents coups d'œil amusés. Bientôt, contaminé, il se met à rire.

Abordant un détour, ils aperçoivent la rivière turquoise qui, en écumant, descend une inclinaison semée de rochers affleurants. Jolene ralentit puis gare la voiture sur le bas-côté.

«On va faire des photos avant qu'il fasse trop sombre, explique-t-elle.

— Tu veux que je te photographie?

— Oui, après ce sera à ton tour.»

Ils sortent de la voiture. Faisant attention où elle pose les pieds, Jolene se dirige vers la rivière suivie de Nathan.

«Debout sur ces grosses roches, là, ce sera bien, affirme-t-elle en indiquant des rochers qui forment autant d'îlots à un saut de la berge.

— Tombe pas à l'eau», fait Nathan avec un brin de préoccupation.

Elle lui donne l'appareil, indique comment le faire fonctionner et saute sur le premier gros rocher où elle prend la pose face à lui, les mains sur les hanches, une jambe verticale, l'autre déportée en avant et formant un angle aigu, la tête légèrement inclinée, ses cheveux attrapant, comme une aura, les rayons obliques du soleil. Nathan porte le viseur à son œil et la contemple à travers celui-ci.

«Tu es belle! ne peut-il s'empêcher de dire.

— Comment?»

Il prend la photo au moment même où elle dit ce «comment» qu'elle n'a prononcé que pour masquer sa surprise.

«Je t'ai prise quand tu as dit comment, l'informe-t-il, comme ça tu verras la tête que tu fais quand on te dit que tu es belle.

— Ah, c'est pour ça que tu l'as dit.

— Je le pense, fait-il plus bas.

— C'est gentil.

— Pas du tout, c'est pas un compliment, juste une constatation. Attends, je vais encore en prendre une autre.»

Cette fois, elle croise ses mains dans son dos, ce qui a pour effet de faire ressortir son buste, se tient bien campée sur ses jambes, incline la tête dans le sens contraire de tout à l'heure et paraît l'observer à travers ses cils. De nouveau il la contemple à travers le viseur, croit pouvoir s'affirmer qu'elle le regarde comme jamais auparavant, en est troublé, et appuie sur le déclencheur comme si c'était la poignée d'alarme capable de stopper un train l'emmenant trop loin de la réalité. Elle n'a rien dit, elle n'a rien fait, et pourtant il s'est passé quelque chose entre eux. Quoi?

«À toi maintenant», dit-elle en effectuant le saut qui la ramène sur la berge.

À son tour, il prend place sur le rocher. Gêné, il reste debout, droit comme un bâton, les bras ballants, fixant le boîtier noir.

«Tu es beau», lance-t-elle vivement.

Elle aussi appuie sur le déclencheur au moment de sa réaction, lorsqu'il ouvre tout grands les yeux et la bouche. Ne s'attendant pas à un réflexe aussi prononcé, Jolene est prise d'un fou rire qui bientôt l'oblige à se plier sur elle-même.

«Qu'est-ce que j'ai fait? demande Nathan feignant de ne pas comprendre.

— Oh! tu n'as pas vu la tête que tu as faite...

— Je suppose que je la verrai sur la photo.

— J'espère bien!»

Il la rejoint sur la rive et tous les deux se tournent vers la rivière qui reflète des halos dorés, clapote et fait naître des ambitions de sérénité.

«Je n'aurais jamais cru qu'une rivière pouvait avoir une aussi belle couleur, affirme Jolene.

— Moi non plus, qu'est-ce que c'est beau. Tu n'aimerais pas vivre là, dans un gentil chalet?»

Elle y pense quelques instants puis secoue négativement la tête.

«Non, répond-elle.

— Non? Pourquoi?

— Je crois que je m'ennuierais vite.»

Il la regarde, regarde la rivière sans comprendre.

«Je ne te suis pas, de quoi tu t'ennuierais?

— Du monde.

— Du monde? Quel monde?

— Eh bien le monde, les gens, ceux qu'on aime, ceux qu'on aime moins et ceux qu'on aime pas.

— Moi je m'en passerais...

— C'est ce que tu dis. T'es-tu imaginé tout seul ici?

— Pas tout seul, avec une femme, dévoile-t-il involontairement sa pensée.

— Oh! avec une femme..., lui fait-elle écho sur un ton chargé d'humour. Ça change tout! Tu as pensé à ça, toi?

— Bah... oui, je sais bien que tout seul ici, ce serait pas terrible.

— Même avec une femme, comme tu dis, tu finirais par te lasser.

— De quoi?»

Elle a un air un peu désabusé.

«Peut-être de la femme en question, répond-elle. Tu finirais par te demander comment sont les autres, puis tu les imaginerais, puis tu voudrais les rencontrer.

— Je ne crois pas.

— Ah la la! c'est beau les illusions», soupire-t-elle.

Il ne réplique pas, convaincu à cet instant que si le ciel leur ordonnait de rester ici, seuls tous les deux pour le restant de leurs jours, il serait ravi. «*Et Missy* se demande-t-il, *qu'est-ce que j'en fais de Missy?*

Avec Missy ce serait encore mieux. En fait, ce ne serait bien qu'avec Missy. Excuse-moi, mon amour, de penser à ces choses-là, on dirait que ça ne vient pas de moi. Moi je t'aime, Missy.

Et avec les deux? T'aimerais pas avec les deux? Les deux auprès du feu?

Oui... Non! Ça y est, voilà que ça me reprend, il ne faut pas! (Il change de sujet de réflexion:) *C'est curieux, on dirait que chaque fois qu'on aborde le sujet des sentiments, Jolene semble ne pas y croire, pourquoi? Il faudra que je lui demande. Peut-être qu'elle n'aime pas son mari dans le fond?*

Et alors?

Et alors, et alors ce serait triste, c'est tout. Qu'est-ce qu'on peut se raconter comme sornettes!

Ne dis pas que tu trouverais ça triste, tu peux même avouer que ça te plairait.

Bon! Oui! ça me plairait, bon, et puis après?»

Il fait presque nuit lorsqu'ils quittent la transcontinentale pour prendre la petite route qui grimpe vers le lac Louise. Bordant la chaussée, de grands résineux, dont les phares dévoilent la nature, montent la garde autour d'un royaume duquel la nuit accentue le côté merveilleux et fantastique. Impressionnés, ils ne disent mot jusqu'à ce qu'ils débouchent soudainement devant le lac, reconnaissable à cette heure grâce aux reflets lunaires qui miroitent dans ce qui semble une encre noire et luisante faisant contraste avec l'impressionnante masse opaque des montagnes qui le contiennent, et aussi, dans sa partie la plus avancée, par le reflet des lampions multicolores de la terrasse du Château. D'emblée, l'impression est de celle que procurent les êtres, les endroits ou les choses qui, de par leur nature, s'élèvent à de tels niveaux que, même si inconsciemment l'on craint de les souiller du seul fait de les côtoyer, on en retire néanmoins une part d'élévation. Ce n'est que la nuit et pourtant ils peuvent déjà goûter la splendeur de l'endroit. Presque timidement, ils sortent de la voiture qu'elle a garée face au lac, vont s'appuyer sur le capot avant, côte à côte, bras croisés sur la poitrine, appréciant la fraîcheur des lieux.

«Je crois qu'on ne s'est pas trompés, s'émerveille Jolene, et puis regarde cet hôtel!

— Tu crois qu'on peut y aller?

— Pourquoi pas? C'est fait pour le monde, non?

— C'est vrai.

— Il faut que tu t'habitues à ce genre d'endroit si tu comptes devenir aussi riche que tu le dis.

— Tu ne crois pas que je puisse devenir riche?

— On ne peut pas savoir, et ce n'est pas très important en fin de compte, et puis cela me paraît vulgaire de parler argent dans un endroit comme celui-ci.»

Nathan est un peu surpris par ces mots. Se demandant pourquoi, il se rend compte que dans un sens il a toujours considéré Jolene comme une personne proche de ses sous. Peut-être est-ce le commerce qui veut cela? Il l'a vue, le soir, s'installer au téléphone avec la liste de ceux dont le crédit s'éternise, il se souvient de la voix sèche et impersonnelle qu'elle prend alors: «Le chômage est rentré, quand comptez-vous passer?... Vous n'avez pas eu votre chèque? C'est étonnant, tout le monde l'a reçu... Non, je ne suis pas inquiète, nous sommes bons amis n'est-ce pas, et j'ai confiance. Ceux en qui je n'ai plus confiance le savent rapidement...» C'est la menace ultime qu'elle emploie avant de faire passer ses fameuses petites annonces dans l'*Advocate*: Madame Jolene Lapierre se demande ce qu'est devenu Untel qui n'a pas donné signe de vie depuis qu'il lui doit tant. Depuis qu'elle a trouvé cette parade, les crédits délictueux sont rares. Mais tout ceci lui a collé une étiquette de femme âpre au gain, d'où l'étonnement de Nathan qui vient de l'entendre associer les affaires d'argent à une certaine vulgarité. «*Dans le fond*, se dit-il, *on doit pouvoir faire en sorte de gagner sa vie sans pour cela mettre l'argent en avant de tout. Ceux qui me diront maintenant qu'elle ne pense qu'à sa caisse sauront ce que j'en pense.*»

«En tout cas, reprend-elle dans la même veine, avant de clore ce chapitre sur la richesse, je crois pouvoir te donner un conseil: si tu veux te donner une chance d'être riche, fais toujours en sorte de laisser entendre aux gens qu'ils sont beaux, bons, forts, intelligents et tout et tout. En appliquant ce principe tu as déjà le passe-partout de la chambre forte.

— Tu fais ça, toi?

— Bien sûr que non!»

La façon qu'elle a de détacher les syllabes avec exagération pour dire cela le fait sourire dans l'obscurité. Ajoutant à leur sentiment de complicité, cette semi-confession les rend heureux tous les deux.

«Remontons en voiture, propose-t-elle, et allons voir de quoi a l'air cet hôtel.»

Deux minutes plus tard, comme elle l'a vu faire dans les films, elle laisse au portier en livrée la responsabilité de la voiture et des bagages, puis, comme si elle n'avait fait que cela toute sa vie, elle entre, tête haute, et se dirige d'un pas décidé vers la réception, accompagnée de Nathan qui, lui, regarde de tous côtés, ébloui par ce que, dans sa table de référence, il considère comme un luxe inouï.

«Je n'ai pas réservé, annonce Jolene tout de go au réceptionniste qui est aimable et anonyme à souhait. J'aimerais une chambre avec deux grands lits.»

L'homme penche sa tête à la chevelure lustrée et impeccablement peignée, s'active sur un clavier dissimulé et interroge du regard un moniteur tout aussi discret.

«Je n'ai malheureusement plus ce que vous désirez, annonce-t-il, cependant, je disposerais de deux chambres contiguës à lit simple. Il hésite une seconde avant d'ajouter: que je pourrais vous offrir sensiblement aux mêmes conditions qu'une chambre à deux lits?

— Parfait! vous êtes très aimable», accepte Jolene tout en extirpant une carte de crédit de son sac à main.

Après avoir jeté un coup d'œil un peu partout, étourdis par les murs de marbre, les lustres affolants et, en un mot, le faste de l'endroit, fiers d'en être locataires pour la nuit, clefs en main, ils arpentent le vaste couloir qui mène à leurs chambres. Celles-ci sont spacieuses, claires, la moquette est épaisse avec des motifs compliqués. Le mobilier de style provincial français est à la fois gai et somptueux.

Malgré tout cela, le premier geste de Nathan est d'ouvrir la fenêtre et de se pencher vers le lac. *«C'est bien, ici»* se dit-il en prenant conscience de l'arôme qu'exhalent les résineux et qui s'engouffre dans la pièce, juste comme Jolene frappe à la porte qui sépare les deux pièces.

«Comment tu trouves ça? demande-t-elle en jetant un regard circulaire dès qu'il ouvre.

— Pas mal...»

Elle l'observe avec un sourire qui exprime le contentement tout simple d'être ici et ensemble.

«Veux-tu qu'on aille dîner tout de suite?

— Bah, à vrai dire, j'ai assez faim, les hot-dogs de ce midi sont loins.

— Bon, dès que les bagages arrivent, on se change et on y va. Oh! attends une minute... Elle passe dans sa chambre et revient presque aussitôt avec une brosse qu'elle a prise dans son sac à main. Tu as les cheveux en bataille», explique-t-elle.

Nathan est surpris, sa mémoire n'a pas le souvenir d'une main autre que la sienne dans ses cheveux. Il reste figé, retenant presque sa respiration, le visage à quelques centimètres de l'aisselle, invisible sous le chemisier de coton immaculé. Il ne comprend pas pourquoi le passage de la brosse dans ses cheveux, chose ordinairement fastidieuse, se révèle aussi agréable. Il perçoit l'odeur légèrement âcre de l'aisselle, mais cette odeur est tellement chargée de mystère, tellement chargée de l'intimité secrète de Jolene, qu'elle atteint pour lui un summum au jardin des parfums.

«Voilà! dit-elle, juste comme, transporté de bien-être, il s'apprête à baisser les paupières, tu es plus présentable.»

Une proposition vient aux lèvres de Nathan sans même qu'il la formule en pensée:

«Je peux te coiffer?»

Elle le regarde avec des prunelles reflétant autant la surprise que l'amusement.

«Ne me dis pas que tu songes aussi à te lancer dans la coiffure pour dames. Je ne pense pas que l'on puisse y faire de grosses fortunes, tu sais.»

Il se reprend, gêné, comme surpris en flagrant délit d'un acte coupable.

«Je voulais juste t'aider.

— C'est gentil, mais, tu sais, nous autres femmes, nous sommes un peu maniaques lorsqu'il s'agit de nos cheveux.

— J'ai déjà remarqué», approuve-t-il, l'esprit préoccupé.

«Comment j'ai pu faire une pareille offre?»

Le chasseur, frappe à la porte de Jolene. Celle-ci lui indique comment répartir les bagages, puis, ceci fait, l'homme présente les lieux en indiquant les diverses commodités et leur fonctionnement. Comme il s'incline avant de repartir, Jolene se souvient que dans les films on donne un pourboire à ce moment-là et s'empresse de fouiller dans son sac à main. Plus rapide, Nathan tend un billet à l'homme qui s'incline de nouveau. «Madame, Monsieur, passez une excellente soirée».

«Tu connais ça, toi, la grande vie, dit-elle à Nathan sitôt le chasseur parti.

— Un peu, oui, feint-il sur un ton blasé.

— Voyons un peu ce que je pourrais mettre pour ce soir, fait-elle en ouvrant sa valise. Qu'en penses-tu, toi? Tenue de soirée?

— Qu'est-ce que tu appelles tenue de soirée?

— Ça, dit-elle en extirpant de la valise une robe princesse d'un blanc ivoirin aux lignes sobres.

— Heu... Très bien», affirme-t-il en se retirant dans sa chambre.

Il se change rapidement, optant pour ce qu'il a de plus «habillé», c'est-à-dire un pantalon de toile beige et une chemise blanche. Pour la première fois de sa vie, il regrette de ne posséder ni cravate ni rien de ce qui fait la marque d'un «homme du monde». *«Tant pis,* se dit-il, *ce sera pour une autre fois. On doit bien avoir le droit d'adopter une tenue dégagée, après tout.»*

Il y a déjà un bon moment qu'il est prêt et attend à la fenêtre en se demandant ce que Jolene peut bien fabriquer, lorsque celle-ci apparaît, transformée, entre les deux portes de séparation.

«Alors, fait-elle en tournant coquettement sur elle-même, sans toutefois se prendre au sérieux, que penses-tu de ta cavalière?»

De longues secondes, il ne sait quoi dire tellement il la trouve *«merveilleuse».* La robe semble la grandir et ses souliers blancs à talons hauts le font réellement.

«Tu fais très... très grande dame, affirme-t-il.

— Alors c'est parfait, dit-elle, allons-y.»

La salle à manger est à la fois chaude et somptueuse. À leur entrée, discrètement, des visages se tournent vers eux, cherchant à appréhender la signification du couple qu'ils forment. *«Qui est ce garçon avec elle?»* interrogent certains regards mâles, peut-être plus habitués à une échelle d'âge variant de trente-cinq à cinquante-cinq pour les hommes et, sauf exceptions, plus jeune de dix ans pour les femmes. Vaguement conscient des questions que l'on se pose à leur sujet, Nathan n'a pas besoin d'explication pour comprendre que les personnes attablées ne sont pas des voyageurs de commerce, ni nécessairement des couples légitimes.

«Rien que des amoureux, ici», glisse-t-il à l'oreille de Jolene tandis que le maître d'hôtel, en smoking luisant d'amidon, se dirige vers eux arborant un sourire étiré vers le bas. Sourire humilié, sourire courtois, sourire douloureux, sourire qui ne s'est jamais adressé à lui-même; il est tout cela à la fois. Par habitude, il évalue quelle table est la plus éloignée des autres, s'empare de deux menus à reliure de cuir fauve sur une imposante console de bois sombre qui garde l'entrée, et, d'une démarche révélant hémorroïdes et maux de pieds, les guide vers la table qu'il leur assigne où, avec une courbette un peu raide, il présente une chaise à Jolene.

La table est située juste à côté d'une des larges fenêtres qui donnent sur la terrasse et le lac, là, à proximité, dissimulé par le voile endeuillé de la nuit. Nathan le sent, tout près, dans une magnificence qui ne doit rien aux hommes. *«Pourquoi le monde est-il plus... vivant ici qu'à la maison? Peut-être parce que je ne suis pas d'ici? C'est curieux, je le sens, là, presque comme s'il faisait partie de moi. C'est sûrement ce qui attire ces couples. Est-ce que ce sont des amants? Moi, j'aimerais bien venir dans cet hôtel avec...* (Il cherche une appellation: fille fait trop jeune, fiancée trop conventionnel, femme trop vieux, épouse trop rangé, maîtresse trop adultère) *...avec une complice. Oui! avec une complice ce serait bien.»*

Essayant d'imaginer la *complice* en question, il fait intervenir l'image de Missy pour aussitôt, avec surprise, la transformer mentalement. Il n'arrive pas à l'associer au décor ni à la notion de *complice*. Par ordre d'importance, celle-ci devrait être «*pure, mystérieuse*», l'idéal serait qu'elle vienne d'une autre planète ou, au même titre que la solution d'un secret disparu à jamais avec son unique gardien, qu'il ne puisse jamais la déchiffrer totalement; elle devrait aussi être «*médiévale*» (il entend par là une jeune fille au teint de lait, aux lèvres douces, aux yeux profonds, étranges et troublants, une nymphe enveloppée de soie et de pudeur, cette dernière qualité ne devant être mise à l'épreuve que par lui).

«Que vas-tu prendre?» l'interrompt Jolene, alors qu'il en est au crépitement et à la lueur orangée d'un feu de bois dans la grande cheminée de brique bleue de la plus haute tour d'un château «*médiéval*».

«Heu... un T-bone et des frites.

— Tu ne veux pas quelque chose de plus... gastronomique?

— Non, j'ai envie de viande.

— Cela n'empêche rien, tu sais.

— Je sais, mais j'aime mieux de la viande rouge.

— Bon...» Elle a un signe d'assentiment à l'intention du maître d'hôtel qui regarde justement dans leur direction en se demandant par où passe le chemin du lit de cette cliente.

Pendant qu'il s'avance, carnet de commande à la main, liteau blanc se balançant sur son avant-bras, il s'imagine (avec trente ans de moins comme toujours lorsqu'il s'imagine) se vautrant avec cette cliente, nus tous les deux, indifférents au regard courroucé des bien-pensants, riants, lui, d'être aimé d'elle et de la posséder, elle, d'avoir découvert dans cet homme celui qu'elle a toujours attendu depuis ses rêves de petite fille, le Prototype même de l'Homme. Tout s'écroule au moment de prendre la commande, elle lève vers lui un regard aimable, comme on le fait pour un préposé d'autobus ou... un maître d'hôtel. Alors qu'il l'expulse mentalement du piédestal où il vient tout juste de la placer, Jolene s'intéresse au poisson:

«Elle est comment votre truite aux fruits de mer?

— Excellente, nous la recevons directement d'Idaho. «*Tu veux la voir ma queue? Tu veux la voir?*» Je ne saurais que vous la conseiller.

— Les fruits de mer de la sauce ne sont pas surgelés au moins?

— Certainement pas, Madame. «*Toute vive et frétillante, pou-pée, suce! Suce!*» Uniquement des produits frais.

— Bien, je vous fais confiance, je saute l'entrée et choisis la truite. (Elle regarde Nathan.) Toi?

— T-bone et patates frites. J'aimerais bien aussi du champagne.

— Hein! s'étonne Jolene, mais pour fêter quoi?

— Rien, juste que je suis content d'être là, avec toi.

— Tu es certain?», demande-t-elle néanmoins pour cacher son émotion pendant que le maître d'hôtel, sourire pincé toujours étiré vers le bas, tapote avec son crayon sur le carnet de commande.

«*Du champagne pour le morveux! Et puis quoi encore! À la plonge, oui! À coups de pied au cul que je te dresserais ça, moi.*»

«T'inquiète pas, c'est moi qui paye.»

Elle hausse les épaules.

«Bon, alors mettez-nous une demi-bouteille, demande-t-elle.

— Oh je regrette, Madame, je n'ai plus de champagne en demi-bouteille. «*Juste le grand format, salope, pour te faire jouir.*»

— Tant pis, apportez-nous ce que vous avez, s'il vous plaît.

— Bien, Madame.» «*Si ça me plaît? C'est ton cul qui me plaît.*»

Toujours avec le même sourire, il ramasse les menus, forçant au passage un contact très furtif avec les doigts de Jolene.

Arrivée du champagne californien dans un seau d'argent, pof du bouchon, contemplation des bulles de lumières qui remontent le long du cristal des coupes. «*Comme des âmes qui montent vers le paradis*», compare Nathan. Le silence est à peine profané par les conciliabules murmurés des couples attablés, le choc lointain de la vaisselle et, venant en sourdine du plafond, le *Schéhérazade* de Rimsky-Korsakov.

Un incertain sourire de circonstance sur les lèvres, Nathan et Jolene regardent autour d'eux, ne sachant par où commencer une conversation où il y a tant à dire qu'ils ne disent rien. À croire que le cadre et le moment pourraient mieux se prêter que d'autres aux grandes confidences, chacun voudrait dire à l'autre des mots qu'il ne lui a jamais dits, des mots que l'on ne dit pas tous les jours, les seuls vrais mots dont l'on ne voudrait pas qu'ils se perdent dans les fissures de l'oubli. Les seuls mots que l'on ne prononce finalement jamais, ceux qui pourraient transfigurer l'image que l'on donne de soi, ceux trop faciles à remplacer par le détail des bobos quotidiens.

«Ça sent bon, hume Jolene. Tu as faim?»

Il la regarde avec un soupçon de reproche mêlé de compréhension.

«Oui. Il observe autour de lui comme pour planter le décor de sa prochaine remarque. On doit avoir l'air idiot au milieu de tous ces... amoureux.

— C'est beau l'amour», murmure-t-elle comme pour elle-même, avec, presque imperceptible dans le timbre de sa voix, cet accent qui fait frémir les confesseurs, celui qui parfois préfigure les tragédies, celui de l'amertume fatiguée du bonheur des autres.

— Tu n'as pas l'air d'y croire?

— Si, mais je parle d'un autre genre d'amour.

— Ah! tu veux parler du... désir?»

Elle cache un sourire, presque un rire dans le creux de sa main, ne laissant qu'aux yeux le soin de révéler son état.

«Je n'avais jamais imaginé me trouver un jour dans un restaurant, avec toi en train de me parler du désir.»

Nathan rit à son tour, surtout heureux de la voir rire, elle.

«Je n'ai fait que prononcer le mot, c'est toi qui en as parlé.

— Pas du tout, je parlais de l'amour entre un homme et une femme.

— N'est-ce pas comme nous avec en plus le désir?»

À peine a-t-il prononcé ces mots qu'il les regrette. Pour toutes sortes de raisons, plus ou moins limpides pour lui, il a l'impression de s'être engagé sur une voie périlleuse où un simple faux pas, un mot mal placé pour l'occasion, briserait irrémédiablement tout ce qu'il y a entre eux. De son côté, Jolene reçoit la phrase comme un choc. Un bref instant, son crâne est le siège d'un véritable orage électrique, une crampe lui tord le ventre et sa bouche s'emplit d'un goût de vert-de-gris, comme lorsque, petite, elle avait mis dans sa bouche une pièce d'un sou trouvée sur la pelouse. «Devine où est la Reine?», avait-elle demandé à son père.

«Pourquoi Nathan a-t-il parlé du désir? Il n'y en a pas entre nous? Évidemment qu'il n'y en a pas, pourquoi se le demander? Il n'y a que de l'amitié, une camaraderie qui n'a pas besoin de toucher.

Tricheuse! tu ne peux pas nier, encore tout à l'heure, sur le parking, est-ce que tu n'as pas eu envie de le serrer contre toi?

Mais ça n'a rien à voir avec le désir!

Pourtant, te rappelles-tu à Noël, tu voulais tuer sa solitude, comment voulais-tu t'y prendre?

C'est ridicule! Totalement ridicule! Pourquoi est-ce que je ne pourrais pas l'aimer sans qu'il soit question de désir?

Parce que tu es seule, Jolene, parce qu'il est la seule personne dont tu te sentes vraiment proche et que tu veux l'avoir tout contre toi pour le protéger, le consoler.

D'accord, mais, et puisque c'est de cela qu'il s'agit, il n'est pas question de sexe là-dedans. Et puis qu'est-ce que j'ai dans la tête pour penser à toutes ces choses? Comment peut-on penser à des choses pareilles?

Tu y penses parce qu'il en a parlé, tu y penses parce que sa phrase, trop crue, t'a blessée.

Blessée? C'est insensé!

Mais non, tu voulais continuer à ignorer qu'il puisse ou non être question de désir.

Arrête de penser à ça! C'est RI-DI-CULE!

C'est toi qui es ridicule, tu n'oses pas aller au fond des choses. Tu n'oses pas regarder qui tu es, ce que tu veux. Tu le veux tout contre toi, et après? Cherche, cherche ce qu'il pourrait y avoir après.

Assez! Non! Après ce serait l'enfer, ma vie serait brisée. Arrête, Jolene, il n'est pas bon de tout décortiquer, c'est le chemin de la perversité, de la dégénérescence, celui qu'empruntent les pédérastes, les coprophiles et maniaques de toutes sortes comme... comme le Pasteur. C'est facile de se persuader que l'on aime quelque chose, un souvenir d'enfance, une association d'idées, et voilà nos sens prêts à réclamer n'importe quoi pour le bénéfice de quelques terminaisons nerveuses, au détriment de ce que nous sommes réellement. C'est comme la moutarde au curcuma que je détestais quand j'étais petite et que j'adore maintenant parce qu'elle me rappelle ma jeunesse. Mes papilles gustatives sont restées les mêmes, seule ma perception a changé. Tout est dans la tête. Je pourrais tout aussi bien me persuader..., je ne sais pas moi, que seul un homme aux yeux bleus pourrait me conduire à l'orgasme, uniquement parce que petite j'aurais lu une belle histoire avec un homme aux yeux bleus. Je pourrais aussi me persuader de la même chose avec une femme parce que, jeune, j'aurais subi les assauts d'un mauvais père ou d'un mauvais frère, ou tout simplement assisté à l'acte alors que je n'y aurais pas été préparée. Toutes les solutions sont envisageables. Je pourrais même, parce que je me sens seule, parce que Nathan est la seule personne qui semble m'aimer, parce que son innocence me touche, que seul lui pourrait... Oh non! C'est le Démon qui parle dans ma tête. Ça suffit!»

Un peu effrayé par l'air égaré de Jolene, conscient que ce sont ses mots qui l'ont mise dans cet état, Nathan pose sa main sur la sienne, essayant de la ramener à la réalité.

«Jolene?»

Elle retire brusquement sa main comme si celle de Nathan était un fer rouge. Il se redresse, misérable, contemplant sa main restée solitaire au centre de la table, comme anéantie d'avoir été rejetée dans un élan secourable. Jolene prend aussitôt conscience de son geste et constate avec douleur la détresse qu'il a provoquée. Elle voit trembler les joues de Nathan, tressauter sa pomme d'Adam.

«Seigneur! Mais que suis-je donc pour lui? (Cette question, loin de la flatter dans la réponse qui lui vient à l'esprit, la plonge dans le doute.) *Où est-ce que j'ai manqué? Est-ce que je l'ai trop laissé s'attacher à moi?»*

Elle se souvient des mots du prêtre célébrant l'oraison funèbre d'une tante impossible, détestée de toute la famille: «La charité et l'amour peuvent parfois conduire certains à se faire détester des autres afin que ceux-ci ne les pleurent pas, ne souffrent pas de leur absence inéluctable». Faut-il, pour d'autres raisons, qu'elle en arrive à cela avec Nathan?

«Qu'est-ce que j'ai fait? demande Nathan, les lèvres secouées d'un tremblement. Jolene, dis-moi ce que j'ai dit de mal?

— Rien! rien, s'exclame-t-elle, pressant maintenant presque trop fort la main de Nathan sous la sienne. Tu vois, moi aussi il y a des choses que je ne peux pas te dire.

— Pourquoi, même entre nous, est-ce qu'on ne peut pas tout se dire?

— Justement, parce que l'on s'aime bien et que l'on ne veut pas blesser l'autre. Même à soi, il y a des choses que l'on cache, alors comment les autres pourraient-ils les comprendre?

— Alors on reste éternellement seul, si ce que tu dis est vrai, hein? on reste vraiment tout seul?»

Jolene fixe longuement la nappe blanche. Elle voudrait bien pouvoir affirmer le contraire, mais ce serait mensonge. «*Nous y sommes condamnés*», se dit-elle avant de répondre tristement:

«Un peu, oui.»

Nathan pousse un soupir dégoûté.

«C'est pas drôle. Tiens! Reprenons un peu de champagne pour oublier tout ça.»

Lui donnant raison, elle le devance et les sert tous les deux. Ils avalent aussitôt leur coupe.

«Que fait donc le maître d'hôtel?», demande-t-elle, voulant échapper à l'émotion qui monte en elle.

Le repas terminé, rendus un peu «joyeux» par le champagne, Jolene et Nathan ont rejoint leurs chambres en échangeant des banalités surtout destinées à masquer la sensation de gêne qui s'est installée entre eux. Ils n'ont pas non plus profité des portes communicantes laissées entrebâillées pour se livrer leurs impressions. Chacun s'est déshabillé, s'est couché et a éteint la lumière dans un silence ponctué en tout dernier lieu d'un bonsoir poli. Dans l'attente que l'autre se décide peut-être à briser le mur qui s'est dressé entre eux, les minutes ont passé, puis une heure et ils sont toujours, l'un comme l'autre, allongés sur le dos, paupières grandes ouvertes. Comme hypnotisé, Nathan fixe les mouvances bleues au plafond qui résultent des reflets de la lune sur l'onde d'obsidienne du lac renvoyés sur le plafond clair. Ces ondoiements d'ombres et de lumières ne sont cependant pas les images visionnées par ses prunelles intérieures. Le temps passant, ce qui doit arriver arrive. Il imagine les doigts de Jolene, héritiers de toute la tendresse et de tous les mystères que recèle la féminité. Ils viennent se poser sur lui, le frôlent, lentement, doucement. Effrayé par les projections de son propre mental, il veut, plus que jamais, effacer ces images prohibées dont le seul fait qu'il puisse les imaginer le condamnera, selon lui, selon ce qu'on lui a enseigné, à se retrouver nu et sans armes dans la Vallée où coule le Fleuve de Sang. Face à l'Ennemi. Pourtant, malgré ces promesses de malédictions, les images continuent d'affluer, comme si ce qu'il imagine, au lieu de l'y condamner, pouvait briser sa solitude. Car, sans en avoir conscience, c'est ce qu'il recherche à travers les pulsions de sa chair engendrées par la débauche d'images qu'il ne. peut s'empêcher de construire; fracasser ce carcan de solitude qui est le lot de chacun depuis le cri primal jusqu'au dernier soupir. Vaine et punissable tentative, il le sait, mais il laisse néanmoins son corps l'ignorer et, machinalement, sa main s'active sous les draps pendant que dans sa tête tourne un kaléidoscope lascif. Représentation d'une nudité dont la seule vision, telle celle du Graal, devrait le foudroyer. Perceptions tactiles affolantes. Parfums intimes, parfums de lait, parfums défendus, douceur, abandon, rencontre, interdit.

Bien que ce soit à peine audible, Jolene entend distinctement le froissement des draps dans la chambre voisine. Contre son gré, elle l'amplifie et ne pas y réagir la torture. Ce serait si facile de dire un simple *Viens* et, dans les bras l'un de l'autre, sans rien faire de plus que se sentir, se réchauffer, se remplir et détruire une fois pour toutes cette barrière infranchissable qui les empêche de communier. Mais tout ceci n'est qu'une illusion qui deviendrait cauchemar si elle devait prendre réalité. Ne pas réagir, jamais. Donner la chance à Nathan de s'épanouir en dehors d'elle, pour qu'il fasse comme les autres, qu'il apprenne à en aimer d'autres, à en désirer d'autres. Normalement.

Au dernier moment, parce que tout ceci est trop, parce que tout ceci, selon lui, est mal, Nathan parvient à définir une nouvelle image ou apparaît une Missy complice. La complice pure, mystérieuse et «*médiévale*». C'est cette Missy que symbolise encore l'oreiller qu'il étreint lorsqu'il explose dans un cri étouffé.

Jolene perçoit le cri, et des larmes froides roulent vers son oreiller. C'est, avec un ton au-dessous, le même cri étouffé que celui de Paul, son mari, lorsque ses affaires ne l'ont pas trop fatigué. «*Tout est bien,* se convainc-t-elle; *la vie suit son cours.*»

Quelques minutes plus tard, entendant le souffle régulier de Nathan signifiant qu'il a enfin trouvé le sommeil, elle murmure tout bas:

«Dors bien, Nathan.»

Elle aussi doit lutter contre des images.

Au réveil, tout est à refaire. Dehors le temps est merveilleux et, sitôt réveillé, chacun se précipite à sa fenêtre pour aussitôt avoir le souffle coupé par l'œil d'émeraude enfoncé au fond de son orbite de granit. «*Un œil par lequel la terre regarde le ciel*», songe Nathan, surpris de se trouver des dispositions poétiques. C'est Jolene, la première, qui se décide à renouer un dialogue interrompu la veille par des mots qui leur ont fait peur.

«Bien réveillé? demande-t-elle avec un enjouement un peu forcé.

— Très bien, toi?

— Si nous n'avions pas toute cette route qui nous attend, Je me sentirais des dispositions pour une grasse matinée. Elle marque un silence. Nathan?

— Oui?

— On a été stupides hier soir, tu ne crois pas? Il ne faudrait pas que ce soit justement des paroles qui nous empêchent de communiquer.

— C'est vrai, je voudrais tellement...

— Dis ce que tu penses?

— Je pense à Noël, j'étais bien, contre toi, voilà. Sans lui laisser le temps de répondre, peut-être parce qu'il a peur d'une réponse, il ajoute: Je vais prendre une douche.

— Eh bien moi aussi», répond-elle au bout d'un moment.

Chacun, de son côté, laisse le jet lui marteler l'épiderme et se demande ce qu'il va pouvoir dire à l'autre pour rétablir l'harmonie.

Jolene sait ce qu'elle ne dira pas. Nathan n'arrive pas à formuler ses questions ou, lorsqu'il le fait, les rejette parce qu'elles pourraient révéler les idées qui lui passent par la tête. Comme maintenant: «*En quelques enjambées je pourrais être avec elle, sous sa douche à elle, près d'elle.*» Pendant qu'une partie de lui essaye de faire taire l'autre, cette dernière ne rêve que de toucher. Toucher, parce qu'il lui semble que cela les rapprocherait bien plus que ne pourrait le faire n'importe quel mot. Encore une fois, il est impuissant contre une érection presque douloureuse, provoquée sans l'ombre d'un doute par les images. «*Tu es fou!* s'injurie-t-il, *complètement fou! Penser à des choses pareilles? La toucher, t'es malade! Pourquoi pas faire l'amour pendant que tu y es!*» Insidieuse, la question déclenche automatiquement une représentation des mots. Il se voit, allongé sur Jolene, la pénétrant. C'est une image salutaire, car ce qu'il imagine est une parodie d'accouplement où il ne sait que faire, perdu au-dessus de ce corps que la différence d'âge lui fait imaginer trop grand pour lui, son pénis ne répondant pas aux attentes, son mouvement ne suscitant qu'exaspération chez celle qu'en représentation mentale il veut faire jouir. «*Tu vois,* se convainc-t-il, *en plus de commettre l'irréparable, t'aurais l'air d'un imbécile. Tu perdrais tout. Ressaisis-toi! Tout ce que t'as, c'est que t'as envie de faire l'amour, et comme elle est juste là, comme elle est réelle, comme tu n'es qu'un animal, c'est elle que tu choisis, c'est tout.*

Oui, je suis un animal, rien qu'un animal qui irait avec n'importe quelle fille qui passe juste pour mon plaisir. Non! plutôt me la couper que de nous faire du mal. Hé! ne l'inclus pas dans tes délires, rien ne t'autorise à croire qu'elle se prêterait à ce qui te passe par la tête...»

Dans l'autre salle de bains, visage offert au jet vivifiant, Jolene, persuadée que c'est le désir du garçon qui doit provoquer le sien, se demande comment elle va pouvoir amener Nathan à la rejeter de ses désirs une fois pour toutes? Comment va-t-elle pouvoir ramener leurs rapports à ce qu'ils étaient? «*Je ne peux quand même pas lui dire: Nathan, nous ne pouvons pas avoir de rapports physiques parce que je suis trop vieille pour toi. Non, et de toute façon ça ne lui ôterait pas cette obsession de la tête. L'interdit ne fait qu'accroître la tentation.*

Oh! tu as l'air de connaître quelque chose à ce sujet, hein? (Elle veut oublier cette remarque.) *Et si je m'arrangeais pour substituer l'idée d'impuissance à celle de l'interdit? L'homme est ainsi fait qu'il se détourne vite de tout ce qui est susceptible de l'amoindrir. Comment faire? C'est dangereux, il faut y aller en douceur, qu'il comprenne que ce n'est qu'avec moi qu'il ne serait pas dans ses pantoufles. Comment?* (Elle élabore toute une série de discours qu'elle écarte les uns après les autres.) *Reprenons,* se dit-elle pour l'énième fois, *qu'est-ce qui pourrait lui faire réaliser que je lui suis inaccessible? Je pourrais lui dire sur un ton badin que... qu'il est bien monté et que dans quelques années, lorsqu'il aura atteint la taille voulue, il pourra sans difficulté approcher les jeunes filles de son âge. Ouais... ça a l'air un peu bête, mais je crois que les gars attachent beaucoup d'importance aux dimensions de leur machin. Oui! ça pourrait peut-être marcher, seulement, pour lui parler de sa virilité, il faudrait que j'aie l'occasion de le voir nu et que ça ait l'air malencontreux. Comment?»* Imaginant toutes sortes de possibilités où il apparaîtrait nu, elle en vient à visionner des situations qui irritent sournoisement ses sens. «*Il doit prendre sa douche actuellement, c'est l'occasion.*

Tu ne peux pas y aller comme ça, sans raison...

Pourquoi pas? Je pourrais dire que je viens lui laver la tête, il penserait que je suis libérée et c'est tout. Quoique je sais pas si c'est une bonne idée?

Quoi d'autre?

Oui, quoi d'autre?

Bon, alors prends ton courage à deux mains et vas-y, autrement la situation sera des plus embêtantes. Il faut crever l'abcès!»

Mettant à exécution cette dernière décision, elle sort de sa douche, s'enroule dans la serviette de bain et se dirige résolument dans l'autre chambre où le bruit de l'eau l'avertit que Nathan n'est pas encore sorti de sa douche. Elle pose sa main sur la poignée de la porte, hésite encore un court instant puis l'ouvre. Comme elle l'a présumé, la porte n'est pas fermée, elle croit que c'est délibéré. «*Il attendait ma visite...*

Hé là! Pourquoi tu penses ça? Tu ne l'avais pas fermée non plus.

Voyons, je ne la ferme jamais. Mais! Que fait-il!»

Derrière le rideau imperméable blanc immaculé, il ne peut voir Jolene, ce qui n'est pas le cas pour elle qui le distingue en ombre floue dans une position qui ne laisse aucun doute sur son activité. Elle ne s'attendait pas du tout à cela et reste sur place, indécise. Doit-elle le surprendre ainsi?

«*Non!* se dit-elle. *Non, je ne peux pas!*»

En même temps qu'elle évalue le problème, un autre se manifeste avec une violence qui n'a d'égal que sa spontanéité. Ce qu'elle voit derrière ce rideau ouvre tout grand en elle les vannes d'un désir qu'elle ne croyait pas devoir revivre depuis... En imagination elle le voit éjaculer pour rien sur le mur de céramique et se surprend immédiatement à souhaiter qu'il le fasse en elle. Hébétée sous le choc de ce besoin aussi inattendu que forcené, elle recule d'un pas dans la chambre, le souffle court. Elle s'apprête à refermer la porte, croyant du même coup la refermer sur son désir, mais une volonté qu'elle ne se reconnaît pas la fait agir tout autrement. Dans un mouvement irraisonné, elle va écarter le rideau d'un geste sec. Nathan, yeux exorbités, bouche en cercle, suspend son mouvement et reste paralysé, jambes écartées, reins cambrés, main droite sur son pénis. Encore plus surprise que lui par le geste qu'elle vient de faire, Jolene reste tout aussi immobile, regard braqué sur l'organe viril du garçon. Elle veut dire la phrase qu'elle a préparée, mais aucun son ne sort de sa bouche et ses yeux n'arrivent toujours pas à se détourner de ce morceau de chair et de sang qui, pour elle à cet instant, semble représenter à lui seul tout ce qu'est Nathan: une certaine innocence, une volonté candide d'absolu dans une vigueur tout à fait juvénile. Du moins, c'est ce qu'elle croit ou veut y voir. Comme Nathan commence à ébaucher le geste de se cacher, elle ne peut rien contre son propre bras droit qui va ceinturer les reins du garçon, ni contre sa main gauche qui va se poser sur celle de Nathan, toujours stupidement cramponnée à son sexe.

«Que fais-tu?», réussit-elle à articuler avec des inflexions que Nathan ne lui connaît pas.

Mais il est subjugué par ce bras posé sur ses reins, ce bras qui l'attire imperceptiblement, et par cette main posée sur la sienne, presque sur... À cette pensée à peine formulée, il réagit mentalement: *«Il ne faut pas!»*

Ces mots produisent tout le contraire de l'effet désiré: un irrésistible besoin de se jeter sur elle l'assaille et le mieux qu'il puisse faire pour le tempérer est de poser sa main libre sur la poitrine de Jolene, là où la peau fait place à la serviette de bain. Le jet d'eau continue à gicler, les aspergeant sans qu'ils y prennent garde. Juste comme son bras droit achève d'attirer Nathan contre elle, toute sa raison liguée contre ses sens parvient à lui faire relâcher le garçon et à la faire reculer d'un pas. Déchiré par cet abandon, Nathan veut la retenir et dans ce mouvement arrache la serviette éponge qui tombe sur le sol, entre eux. La serviette est là, inerte, comme la chute du dernier rempart entre la civilisation et les hordes d'un Gengis-Khan, comme l'arrachement aux derniè-res bribes d'attraction qui empêchent l'oiseau de s'élever, comme le renversement de la dernière barrière entre l'homme et le néant, comme le dernier vestige d'une certaine morale qui, jusqu'à maintenant, se dressait entre eux et l'Interdit, et les retenait encore dans la réalité des autres. Ils sont face à face, aussi tremblants tous deux que, dans les coulisses d'un théâtre, la feuille de tôle simu-lant le tonnerre. Aucun n'est capable d'ébaucher un geste d'approche ou de recul. Nathan ne sait où poser ses yeux et Jolene sent sur sa peau ce regard qui ausculte, analyse, convoite, caresse, dévore, plus qu'aucune main ou lèvre ne pourrait jamais le faire; elle est parfaitement consciente d'enfreindre la Loi, mais cela n'entame en rien le feu qui la brûle. L'effet de son corps sur Nathan, elle croit le deviner dans l'érection du garçon. Cette verge frémissante est la preuve irréfutable qu'elle est. Elle la veut en elle. Jouir en femme. Jouir à travers lui de son propre corps. Mais elle se trompe sur les véritables perceptions de Nathan, celui-ci balance entre le désir déferlant de combler ce *«trou»* de lui-même, et celui de fuir très loin de cette portion de vide sans étoile qui occulte le regard de celle qu'à cet instant il aime au-delà de tout. Le temps d'un éclair, comme dans une brisure temporelle, il entrevoit véritablement la nature profonde de ce qu'est et sera toujours son existence. Déguisé sous le masque du quotidien, tout ce qu'il pourra désirer, maisons, châteaux, voitures, bateaux,

173

soleil, air pur, oiseaux, science, musique, gloire, puissance, humilité, fortune, sainteté, amour, tout cela ne sera que parure. Parure pour conquérir cette portion de néant où tout s'annihile pour renaître à nouveau. Pour survivre à travers les temps. Aussi précise soit cette illumination, il l'oublie aussi rapidement qu'elle est apparue pour de nouveau revenir à l'angoisse que provoque en lui cette portion de rien qui préfigure l'éternité sans les soleils.

Peu à peu, le tremblement de Jolene se transmue en oscillations du bassin. Paupières mi-closes, elle se laisse emporter dans un *no man's land* crépusculaire où leurs corps sont les seules entités physiques d'un monde privé de lumière, dépourvu de tout autre matière inerte ou vivante. Un monde où leurs corps sont à la fois autels et divinités, célébrants et célébrés, jusqu'à ce que, réunis, ils ne soient plus que le sien. Que le leur. Jamais elle n'a pénétré aussi loin les arcanes de son être et la panique qu'elle éprouve face à ce reflet d'elle qui dans un sens la terrifie, lui ferait vite rebrousser chemin si le désir ne lui tenait la main.

Halluciné, Nathan constate les humeurs qui s'écoulent du bas-ventre de Jolene. Perdu, il pose un doigt hésitant sur le bout rose-brun du sein. Ce geste déclenche chez elle un râle languide, chez lui un réflexe de succion et, presque brutalement, il avance sa bouche à la rencontre du sein offert où il cesse enfin d'avoir peur. Il tète, tète, presque étonné de ne sentir aucun jet lacté contre son palais. Il reste de nouveau interdit lorsque des doigts, qui ne sont pas les siens, s'emparent doucement de son pénis et cherchent à l'introduire. De retour à l'angoisse, fâché de son ignorance, il se demande comment il faut réagir, puis il réalise que ce corps qui est sang, chair, salive, organes, épiderme, ce corps a besoin d'être reconnu dans ce qu'il a de plus intime. Pour jouir, ce corps a besoin de se révéler, de se livrer. Peut-être cela va-t-il entraîner la véritable révélation de l'être qu'il incarne? Avec à tout instant l'impression de dépasser des limites ultimes, il se laisse glisser à genoux et, avec l'énergie du désespoir, enfouit ses lèvres dans la toison humide et odorante.

«Non! Non! Nathan, il ne faut pas! Pas ça!»

Il s'écarte, certain d'avoir deux fois commis l'irréparable, mais elle demeure toujours haletante, ruisselante, oscillant sur elle-même, cambrée vers l'arrière. Encore cette peur qui revient, encore cet étonnement devant tout ce corps dont il ne sait que faire. Il ne sait plus si le «pas ça!» n'est pas, contrairement à ce qu'il dit, un appel à la poursuite. Alors, pour vérifier, il recommence et constate aussitôt par tous ses sens que le soupçon se confirme.

«*Et moi?*» réclame-t-il intérieurement comme un cri de protestation. Jamais il n'a imaginé les choses comme elles se déroulent maintenant. Là où il n'imaginait que tendresse et communion, il ne découvre à présent qu'excitation nerveuse et stupre. Bien qu'il sache déjà ne pouvoir échapper à cette chair qu'il pétrit de ses doigts et de sa bouche, ce n'est pas ce qu'il recherchait. Pas du tout. Et cela allume en lui une forme de rage qui lui fait redoubler le mouvement de sa langue.

«*Jouis! Jouis, puisque c'est ce que tu veux.*»

Il veut la punir, l'humilier pour avoir répondu à sa manière à elle aux attentes qu'il essayait de refouler.

«*Je vais te regarder jouir et je n'y prendrai pas part. Tu seras seule et tu le liras dans mes yeux, et tu me verras rire, et tu voudras mourir.*»

C'est à croire qu'elle entend ces pensées, car elle s'écarte de lui avec le visage de quelqu'un se réveillant en lieu inconnu.

«Mais? Nathan, que faisons-nous!

— On fait l'amour, non?», répond-il au bord des larmes.

Toujours à genoux il baisse la tête en proie à la colère, mais, aussi à la peur de ne pas avoir été à la hauteur. Sa réponse, son attitude qu'elle trouve émouvante, la pousse, s'il en reste encore, hors des derniers retranchements de la morale qu'elle s'était donnée. Avec un sourire plaqué sur fond de tragédie, elle lui tend la main.

«Allez, viens», fait-elle d'une voix pleine de promesse qui tente de dédramatiser ce qui vient de se passer.

Il l'observe, partagé entre la haine et l'amour. Elle le sent et croit pouvoir faire pencher la balance en sa faveur.

«Viens», propose-t-elle une nouvelle fois.

Le ton évoque pour Nathan celui de sirènes appelant les marins dans leurs mortelles étreintes. Belles à mourir, elles n'aspirent qu'à perdre les héros. «*Je ne veux pas!*» se dit-il.

Consciente de ce qui se passe en lui, elle ne veut surtout pas en rester là. Que cette chute n'entraîne pas aussi cette précieuse amitié qui les lie l'un à l'autre. Est-ce possible? Plutôt que de l'appeler en vain, elle choisit de s'humilier devant lui une fois pour toutes, de s'offrir totalement dans ce qu'elle suppose être le sacrifice de sa personnalité. Elle croit à présent pouvoir tout accepter sauf la perte des sentiments que lui porte Nathan.

«Regarde, Nathan, tout ce que tu désirais est là. Je t'aime, tu sais. Je te donne tout, fais ce que tu veux.

— T'as qu'à sucer», fait-il dans ce qui est presque un ordre froid et sans complaisance.

Elle ne se rebiffe pas, s'installe sans un mot et se penche. Une onde sauvage, presque métallique la parcourt, cherche à sortir de son ventre. Frappée de stupeur à son propre égard, paupières serrées, elle referme ses lèvres sur la chair prohibée. Nathan ne voit d'elle que l'arrondi de ses fesses, la courbe de sa colonne vertébrale et sa chevelure épanouie comme une grande fleur au-dessus de son entre-jambe. Il comprend que la faiblesse de Jolene est la même que la sienne, et qu'ils sont tous deux pareils.

«Non, arrête!», supplie-t-il sur un tout autre ton, et malgré un désir physique presque incontournable.

Elle se redresse, en larmes.

«Ce n'est pas ce que tu voulais?

— Je voulais juste qu'on s'aime, qu'on...»

Elle comprend très bien ce qu'il essaye de dire.

— Ce n'est pas comme tu imaginais, hein?

— Non, fait-il avec une lenteur qui donne tout son sens à la négation.

— Excuse-moi, dit-elle, je ne suis que cela. Tu vois, ici un vagin, un trou, des plis et du poil autour, là les seins, deux masses de chair et de tout ce qu'on voudra, partout de la peau, et tout cela soumis à des terminaisons nerveuses que l'on ne contrôle pas comme on voudrait.»

Ces quelques mots énoncés sur le mode de la confidence, de l'amertume et du constat, lui font définitivement retrouver la Jolene qu'il aime. Il se jette à son cou.

«Je veux t'aimer!», lance-t-il comme un appel au secours.

Sans savoir comment, ils se retrouvent étendus sur le carrelage de la salle de bains, elle sur le dos, lui en elle. Abasourdis.

Ils ne bougent pas, ne font aucun autre geste que de se souder sans cesse davantage, de plonger les yeux dans ceux de l'autre, à la recherche de cette fameuse complicité.

«Tu es en moi, dit-elle afin qu'ensemble ils prennent davantage conscience de cet état.

— C'est chaud.

— C'est bon.

— C'est mal.»

Elle cligne des paupières avec assentiment.

«Oui, c'est mal.

— Pourquoi?

— Tu ne le comprends pas?

— Si.»

Ils le savent, ils le comprennent sans le formuler vraiment. Oui, ils savent. Leurs prunelles se sourient et s'attirent dans leur gouffre respectif. Lentement d'abord, puis de plus en plus vite, ils se sentent emportés dans un tourbillon vertical sans fond. Plus ils tombent, plus la lumière s'intensifie, jusqu'à ce que la vitesse de chute atteigne un stade où ils ne leur est plus possible de dire s'ils tombent encore ou s'ils sont figés dans une autre dimension.

Ils se persuadent d'avoir atteint le Continent Interdit, d'avoir absorbé le Fruit Défendu. Ils présupposent qu'à tout jamais ils seront enchaînés l'un à l'autre par ce secret. Ils s'imaginent s'être fermé les portes du monde qui était le leur, que jamais plus ils ne pourront totalement composer comme avant avec lui, en être solidaires, que jamais ils ne pourront aimer ailleurs; pour cela il leur faudrait dévoiler cet abandon qui tient en lui le germe destructeur de tout autre amour. Ils seront seuls comme jamais ils ne l'ont été car bientôt, dans quelques minutes, il leur faudra aussi se séparer et faire ensuite comme si rien n'avait jamais eu lieu. Et ils se disent qu'ils ne pourront jamais recommencer. Ce qui aujourd'hui peut être vécu comme un accident ou chacun aura fait le don de soi à l'autre, ne serait plus que fornication, un autre jour, dans un autre contexte.

«Je voudrais mourir maintenant, affirme Nathan

177

— Moi aussi.

— Qu'est-ce qui nous retient?

— L'enfer, je suppose. Je suis prête pour le Grand Oubli, pas pour le feu.

— Tu es peut-être le Diable, après tout?

— Peut-être, qui sait?»

Ils rient. Elle referme ses jambes autour des reins de Nathan.

— Jolene?

— Oui?

— Tu me sens, je veux dire à l'intérieur?

— Tu veux tout savoir. Aurais-tu peur de ne pas être l'amant idéal?

— Bah... un peu, je n'y connais rien, moi.

— Rassure-toi, lui murmure-t-elle à l'oreille, tu es et seras le seul amant qui comptera pour moi.

— Toi aussi.

— Je sais et je m'en veux pour ça.

— Vraiment?

— Non.»

De nouveau ils se laissent emporter dans le regard de l'autre. Ils ne sont pas pressés, ils font un voyage en pays défendu avec un billet acheté à crédit. Un pays où leurs visages sont des paysages qu'éclaire le soleil noir de l'Interdit. Un soleil sans chaleur. Ils croient avoir brisé la solitude, ils en ignorent encore le prix à payer et ne s'en soucient pas pour l'instant, certains, quoi qu'il arrive, d'avoir fait une bonne affaire; dussent les étoiles tomber du ciel. Pour l'instant ils sont bien, toute chair retrouvée.

Ils ont fermé les yeux et se laissent envahir par la flaque rouge de leurs paupières pendant que leurs ventres irradient la moindre parcelle de leurs corps d'un fluide souverain rapporté de l'Abîme. Pour lui, elle est fille, femme, terre que la charrue vivante retourne, rouge, fertile, fumante sous le soleil noir; un océan de mercure qui s'ouvre et se referme sur l'étrave qui ne pointe plus les orients mauves et or du subconscient, seulement à présent le magma en fusion des Krakatoas jaillissants. Ils ne parlent plus d'amour, ils l'ont tué, ils ne parlent plus des jours, ils les ont volés. Buissons ardents? D'où vient cette énergie qui allume chacune de leurs cellules? Comment font leurs doigts pour ne pas se brûler? Comment font leurs ventres pour ne pas s'embraser? Ils attendent. Ils savent que l'irrémédiable est encore à venir. Ce moment où les anneaux de leurs lèvres s'entremêleront pour former la chaîne qui les attachera à jamais au poteau de la culpabilité. Qu'importe, la culpabilité, ils la traînent depuis la nuit des temps. Elle est gravée dans leur peau. Qu'auraient-ils pu faire d'autre? Le Livre a été écrit avant que l'Histoire ne commence. Leur rôle leur a été assigné le jour de la création; peuvent-ils aller contre l'inéluctable? Telles sont les questions et les réponses qu'en d'autres termes ils se donnent. Et puis, qu'importent les questions et leurs réponses, alors qu'il s'enfonce en elle, dans sa chaleur, dans ses organes, dans son sang, sa pisse, ses tripes, sa salive, son cœur, ses reins, ses intestins, sa cervelle, ses os, sa moelle; en Elle. Comme l'océan qu'il imagine, lui il est flot, étale et jusant, elle est grève où vient mourir la vague qui la polit, qui la modèle, qui fait qu'elle est la grève. Pénétrée et pénétrant, pénétrant et pénétrée, toujours plus loin, toujours plus fort. Il est en elle, elle est autour de lui, il est elle, elle est lui, interchangeables. De nouveau les paupières s'ouvrent, les pupilles se reconnaissent, s'épousent, se fondent, explosent dans un dégorgement de sang noir. Et leurs dents s'entrechoquent, et, enfin, après tous ces millénaires d'attente, leurs lèvres se scellent, se soudent, fusionnent, créent derrière leur front une apothéose lumineuse supra-atomique. Maintenant il est trop tard. Jolene ne pense plus avec des mots, mais ce qu'elle ressent pourrait donner cela: qu'il continue ce feu qui nous brûle, qu'il n'ait pas de fin. Passent les temps, passent les hommes et leur cortège de somnambules, passent les univers trop froids, passe Dieu, mais que la Faute demeure. Éternelle. Que sont les jaillissements volcaniques, que sont les novas, que sont les raz-de-marée et tremblements de terre alors que nos langues jouent, se cherchent, se trouvent, s'entortillent comme nos bras, comme nos jambes, comme nos doigts. Oh! Nathan! prends l'anneau de mes lèvres comme symbole de notre union devant l'éternité, soit-elle l'enfer. Aucune flamme ne pourra jamais me brûler comme maintenant tu me brûles. Oh! Nathan, mon chéri...

Pour un observateur anonyme, il n'y aurait là qu'un couple

dépareillé qui copule sur le carrelage inconfortable d'une salle de bains. Pour eux c'est le début et la fin d'un monde.

C'est fini. Telle une cariatide dont la robe, cette fois, serait sa nudité, Jolene, debout devant la fenêtre, se demande comment il peut se passer autant en si peu de temps? Comment un ciel si bleu peut encore couvrir leur décor? Nathan, assis en tailleur au bout du lit, regarde la moquette et donne l'impression d'être captivé par ses motifs compliqués. Tout est fini maintenant, seule leur nudité peut encore tendre à prouver quelque chose. Ils ne savent pas quoi se dire et ne le cherchent pas vraiment non plus. Pourtant, tout à l'heure, lorsqu'ils s'aimaient, était-ce là le mot? ils avaient des millions de choses à se murmurer. Peut-être ont-ils tout dit? Ils ont l'impression que tout retombe autour d'eux, telle la poussière silencieuse après une explosion. Les éléments reprennent la place qui leur est dévolue par l'ordre des choses. C'est la douche qui les a tirés de la léthargie qui a suivi l'acte. Pour en faire taire le bruit régulier devenu agaçant, Nathan s'est redressé et, de ce fait, a mis un terme à l'union. Ils ne sont pas gais, tristes non plus, coupables pas davantage. Indifférents, ils sont indifférents. Et il n'y aurait pas plus d'expression sur le visage de Jolene si le lac se changeait en sang. Nathan, de son côté, pourrait rivaliser d'impassibilité avec le plus indien des Indiens du continent. Comme reviennent aveugles ceux qui se joutent au soleil, comme reviennent sourds ceux qui ont côtoyé le fracas des bombes, leurs sens, eux, reviennent inertes de s'être confrontés aux tempêtes et aux ouragans de la chair.

«Il faudrait s'habiller», dit banalement Jolene.

Elle regarde toujours dehors, nullement pressée de faire ce qu'elle dit, persuadée que cela sonnera véritablement la fin de tout ce qui vient de se passer et que cette fin signifiera aussi le début d'une grisaille quotidienne prescrite à dose soigneusement équilibrée afin de ne pas créer l'accoutumance qui en réduirait l'effet.

«Ça ne presse pas, lui renvoie Nathan dans le même état d'esprit. Laisse-moi encore te regarder un peu.

— Tu regardes le tapis, dit-elle sans se retourner et avec un certain dépit.

— Toi, tu regardes dehors.

— Que veux-tu que je regarde? Toi?

— Pourquoi pas?»

Sans qu'ils en sachent la raison, et contre leur volonté, leur dialogue se fait de plus en plus agressif. Eux qui croyaient que de se «*donner*» l'un à l'autre les souderait dans une perception commune du monde!

«J'ai vu tout ce qu'il y avait à voir, rétorque-t-elle, distante.

— Moi aussi.»

Chacun médite silencieusement sur ces dernières paroles. Nathan, indécis, tente d'adoucir la relation verbale.

«Pourquoi as-tu dit: j'ai tout vu, sur ce ton-là?

— Quel ton?

— D'un air de dire c'est sans intérêt.

— Parce que c'est sans intérêt, je suppose.

— Pourquoi tu me parles comme ça?»

Elle le sait pertinemment, elle l'accuse, sait que c'est déraisonnable mais ne peut s'empêcher de l'aiguillonner.

«Je te parle normalement, comment veux-tu que je te parle?

— Gentiment.

— Je suis parfaitement gentille.

— Je ne vois pas ce qu'il y a de parfaitement gentil à dire que je suis sans intérêt. Là, non! Je vois pas. Et puis d'abord, pourquoi tu as fait l'amour avec moi si je suis sans intérêt? Hein? Pourquoi?

— Tu n'arrêtes pas de poser des questions agaçantes.

— Toi, tu ne réponds pas à ma question, pourquoi? Dis-le!»

Un long moment peuplé de silence, puis elle se tourne vers lui, toute trace d'irritation envolée.

«Arrête, Nathan. Arrête!

— Je veux bien, moi, mais c'est toi qui as commencé.

— Bon, d'accord, c'est moi. Elle revient au début de la conversation. Il faut s'habiller maintenant, rends-toi compte, on n'a pas encore pris notre petit déjeuner.

— C'est ça! fait-il avec un arrière-fond de rancœur, remplaçons l'amour par du café et des toasts.»

Elle abandonne la fenêtre et vient s'asseoir à côté de lui, bras enserrant ses jambes, menton posé sur ses genoux.

«Voyons, Nathan, il n'est pas question de remplacer l'amour par du café, il est simplement question de continuer à vivre. On peut quand même s'aimer sans ça, non?»

Il hausse les épaules.

«Je ne sais pas.

— Là, c'est toi qui n'es pas gentil.

— Comment ça?

— À t'entendre parler, j'ai l'impression que tu es juste intéressé par la chose.

— Oh, je ne parlais pas de ça, je parlais de l'intérêt de continuer à vivre.

— Cette question ne nous appartient pas, et la réponse revient au ciel.

— Je crois qu'à cette heure, le ciel a dû nous tourner le dos.

— Ça ne nous oblige pas à nous détourner de lui.

— Tu crois qu'on sera pardonnés?

— Si on se repent, oui.

— Je ne regrette rien, moi.»

Ils s'observent, puis elle lui donne une poussée de l'épaule.

«Moi non plus», dit-elle.

Nathan médite sur ces dernières paroles, se demande pourquoi *avant* il croyait que s'il le faisait, il serait ensuite poursuivi par l'Œil, comme Caïn. Ils se regardent encore puis retrouvent le sourire envers l'autre.

«Un peu de toilette et allons déjeuner, propose-t-elle.

— Allons-y.»

Dehors, du bleu royal qu'il affichait, le ciel prend peu à peu la teinte uniforme de l'acier poli et le lac, celle de l'argent. Sur la Prairie, la chaleur doit être accablante.

15

La traversée des Rocheuses s'est déroulée sous le signe des éclats de voix admiratifs vis-à-vis des glaciers fantastiques, des chasmes effrayants, des panoramas à couper le souffle. Mais ces mêmes éclats ont aussi eu pour fonction de masquer ce qui leur manque. Bien sûr ils ont joué le jeu de la complicité, se souriant à chaque propos, toutefois ils sentent bien qu'il leur manque quelque chose. Quoi?

À présent, ils ont laissé derrière eux la haute montagne et ils roulent dans la vallée du Fraser. Dans une station-service, Jolene a acheté une de ces cassettes country qu'affectionnent les routiers et elle essaie de fredonner sur des chansons qui parlent de maisons heureuses, de tartes aux pommes, de nappes à carreaux, de soleil couchant, de voyageurs solitaires arrivés au bout de leur voyage, de serveuses de comptoirs-lunchs enlevées par de gentils *truckers*. Bien entendu, une éventuelle liaison entre un adolescent et une femme mariée ne fait pas partie du même folklore, et Nathan sent bien qu'elle cherche à oublier, qu'elle essaie d'enfouir ce qu'il y a eu entre eux derrière la façade franche, forte et gaie d'une *saine* épouse de la Prairie.

«Penses-tu que l'on verra le Pacifique avant la nuit? demande-t-il, plus pour chasser un sentiment croissant d'isolement que pour l'information elle-même.

— J'en sais rien, répond-elle avec un bref haussement d'épaules.

— Tu ne tiens pas à parler, hein?

— Non, pas tellement.

— Je comprends rien, poursuit-il néanmoins, alors que ses lèvres pâlissent. Je ne comprends plus rien!

— Qu'est-ce que tu ne comprends pas?

— Tout, toi. Je voulais qu'on soit proche, qu'on se comprenne, au lieu de cela, c'est pire qu'avant.

— Avant?

— Oh, rien, laisse faire.»

Il ferme les paupières et serre les dents, essayant de refouler l'eau qui lui envahit les yeux.

«*Pourquoi je suis comme ça?* se demande-t-elle. *C'est moi qui suis allée le trouver sous sa douche. Moi...*» Elle voudrait s'arrêter, aller à lui, l'attirer contre elle, le serrer très fort, très très fort, mais ce serait encore en revenir au même point. «*Ça ne se fait pas.*» Alors que d'une part elle aspire à revenir à l'image d'elle que tout le monde connaît, d'autre part elle est déchirée de ne pouvoir circonvenir cette solitude qui le détruit, qui la détruit, qui sûrement détruit le monde. *Mais ça ne se fait pas.* «*C'est pour ça que tout va mal,* se dit-elle. *Passé l'âge des premiers mots ou du premier alphabet, pour les plus chanceux, nous sommes sevrés de la chaleur des étreintes, sevrés de baisers, juste bonjour bonsoir, et puis la ronde des: sois poli, sois sage, touche pas à ça, touche pas à ton zizi c'est pas beau, touche pas à ton pipi c'est pas bien. Mais pourquoi? POURQUOI? Qu'est-ce qu'on en a à foutre de ce qui se fait ou non? Pourquoi toutes ces règles qui nous empêchent de... Oh! J'en ai assez!*»

Après avoir dépassé une région agricole qui pour eux, arrivant de la prairie sèche, les surprend par ce qu'ils considèrent comme une orgie de verdure, ils pénètrent dans les ramifications suburbaines de Vancouver: fabriques, ateliers, entrepôts, bureaux miteux; la verdure fait place à l'asphalte, à la brique, au ciment, aux vitres teintées, à la tôle, aux clôtures grillagées et aux enseignes de tout acabit. Les voies rapides s'élargissent. Les voici dans le flot métallique qui s'écoule vers une ville qu'ils ne voient pas encore mais qu'ils pressentent avec une certaine appréhension informulée.

«Je ne sais pas si tu es comme moi, fait Jolene, mais je n'ai pas tellement envie d'aller en ville, pas ce soir. On devrait se trouver une place tranquille en attendant le traversier demain matin, tu ne crois pas?

— On ne va pas voir le Pacifique?

— Moi je veux bien, regarde sur la carte s'il n'y aurait pas une sortie qui pourrait nous y conduire sans rentrer en ville. Quand on ne les connaît pas, on a vite fait de s'y perdre et de tourner en rond pendant des heures.»

Soudain, comme le ciel vieil argent le laissait prévoir, il pleut. Une pluie qui n'a rien à voir avec ce qui, à Bluestone, est souvent accueilli comme une joyeuse bénédiction. Ici ce n'est que grisaille humide et monotone.

«Si tu prends la prochaine à droite, prévient Nathan, on devrait arriver sur une petite route qui semble suivre la côte.»

Jolene suit cette indication qui les fait passer par une zone industrielle désolante, qui en réalité est le plus souvent une vaste étendue de terrains vagues ou encore de cultures maraîchères sous plastique. Cependant, après ce qui leur semble un lamentable égarement, ils finissent par se retrouver sur une petite route qui serpente entre les arbres. Jolene s'apprête à s'arrêter pour se rendre compte par elle-même sur la carte où ils peuvent se trouver, lorsque sur la gauche une trouée dans le mur vert sombre des arbres leur offre leur première vue du Pacifique.

«Regarde! fait Nathan à Jolene qui a vu elle aussi.»

Le ciel est gris, l'océan aluminium avec des moutonnements blancs autour de noirs récifs acérés. Malgré la tristesse évidente du panorama dans ces conditions de lumière, tous deux éprouvent la même soudaine exaltation. L'Océan. Plus qu'ils ne voient, c'est tout un monde qui s'éveille en eux face au Pacifique, un monde acquis par l'imagination, les rêves, les photographies et la télévision.

Plus loin, les arbres font définitivement place à la vue sur l'océan qui, avec la venue de la nuit, s'assombrit rapidement.

«C'est dommage qu'il pleuve, dit Nathan qui n'avait jamais imaginé prononcer cela un jour. Oh! regarde là-bas, on dirait un motel. Il y a une plage de l'autre côté.»

Une enseigne-néon rouge cerise et vert pistache annonce sans gaieté le *Lost Horizons Motel*. De chaque côté d'une bâtisse centrale recouverte d'un crépi grisâtre où se trouvent le bureau et le restaurant s'étendent deux longueurs recouvertes du même crépi, percées à égales distances et alternativement de portes orange vif ou vert chou. Se garant dans le parking presque désert, Jolene a un signe de passivité.

«On ne peut pas avoir un château tous les soirs.

— Pas grave, du moment qu'on est ensemble.

— Oh Nathan! excuse-moi! excuse-moi! fait-elle avec émotion, comme si ces mots venaient de la tirer d'un engourdissement affectif.

— De quoi?

— Je suis stupide, depuis ce matin j'ai voulu faire comme s'il n'y avait rien eu.

— Je sais. C'est peut-être une réaction normale, non?»

Pour la première fois depuis qu'ils sont sortis de la salle de bains ce matin, ils se regardent en profondeur, surpris de toute cette «*indifférence*» qu'ils se sont marquée durant la journée. Tout comme une faim assouvie par un plantureux repas dont les malaises digestifs qui s'ensuivent font regretter les excès jusqu'à complète digestion, ainsi est la chair qui, une fois assouvie, laisse le champ libre à la conscience jusqu'à ce que l'appétit revienne. Est-ce le besoin de tendresse qui crée le désir ou le désir qui crée le besoin de tendresse? Ils ne se posent pas la question, ils ne font qu'en subir les termes.

«Oh Nathan, qu'est-ce qu'on est stupides! Je suis stupide! (Elle pose son front sur ses mains appuyées sur le volant.) Mais qu'est-ce qu'on va devenir? Ce n'est pas possible!

— Jolene! Jolene!»

Dans un geste empreint autant de timidité que de compassion, il lui pose la main sur l'épaule. Il vient de s'apercevoir qu'il voudrait lui dire je t'aime, mais il en est incapable; par honnêteté envers Missy, mais aussi envers le sentiment lui-même dont il n'arrive pas à imaginer qu'il soit divisible. Et par expérience il sait qu'il vaut mieux ne rien dire qu'un trouble je t'aime bien. «*J'y comprends rien, se dit-il. Pourtant j'aime Jolene.*

Mais tu ne l'aimes pas comme Missy.

Missy n'est pas pareille, non plus. Elle ne serait jamais venue me trouver sous la douche.

Peut-être qu'elle ne t'aime pas comme Jolene?»

«Ça va s'arranger, veut-il réconforter Jolene. Demain tu vas retrouver ton mari et t'oublieras toute cette histoire.

— Tu vas l'oublier, toi?»

Il fait non de la tête.

«Pour ça, il faudrait que je prenne un sacré coup sur le crâne; mais toi, tu as ton mari, ta vie.

— Parce que toi tu n'as pas ta vie? Et puis crois-tu que je n'ai jamais remarqué la figure épanouie que tu as lorsque Missy Bagriany est dans les parages?

— T'as vu ça?

— Je ne suis pas la seule...»

Il voudrait lui expliquer ce que lui ne discerne pas très bien, lui faire comprendre que pour lui Missy se place au rang des divinités et que, s'il en rêve, il ne croit pas vraiment que jamais ils se «*comprennent*» comme eux deux le font. Il voudrait lui dire que si Missy est pour lui un sujet de vénération, Jolene, elle, demeure celle qui le réconforte, celle avec laquelle il se sent bien, celle avec laquelle il croit pouvoir oublier le froid de la nuit. Mais comment le lui dire?

«J'aimerais dormir avec toi.

— Dormir?

— Oui, Jo (il vient d'avoir l'idée de l'appeler par ce diminutif). Dormir tout contre toi, tu comprends?»

Elle comprend. Elle aussi éprouve ce besoin de *dormir* contre lui. À travers lui, sentir qu'elle compte, qu'elle n'est pas seule. «*Et demain?*» se demande-t-elle, car au-delà de ses désirs il y a les inhibitions engendrées par la réalité toute bête, leur réalité de tous les jours, celle de la famille, de la société, des conventions tacites, celles officielles, qui régissent le droit d'aimer qui et dans quelles circonstances. Est-ce en brusque insurrection contre ces lois toutes puissantes? Jolene décide, «*pour une dernière fois, jusqu'à demain*», de laisser libre cours à cette passion défendue. «*Pourquoi? s'accorde-t-elle en pensée, pourquoi au moins une fois dans ma vie je ne pourrais pas vivre jusqu'au bout? Pourquoi devrais-*

je toujours subir la tyrannie des tabous? Je n'ai rien demandé à personne en venant au monde, de quel droit le monde s'arroge-t-il le pouvoir de me prescrire ce qui est bien ou mal? Pourquoi je n'aurais pas le droit d'être heureuse au moins une nuit?

Heureuse? Nathan n'est qu'un adolescent...

Et alors?

Ne viens pas me raconter toutes ces histoires sur ce qui se fait ou ne se fait pas, de toute façon il est déjà trop tard; le mieux est de guérir le mal par le mal, si mal il y a.»

«Je vais louer une chambre», annonce-t-elle d'une voix étouffée.

Sans remarquer le patron de l'établissement qui les observe depuis la large fenêtre du bureau, elle offre à Nathan un furtif baiser sur les lèvres, s'apprête à sortir puis se ravise un instant.

«J'y vais, dit-elle, mais il faut se promettre que dès demain chacun de nous devra ensuite continuer comme si tout cela n'était jamais arrivé. Aujourd'hui nous vivons pour nous, demain il faudra laisser la vie reprendre ses droits. Tu promets?

— Je suppose que je n'ai pas le choix?

— Ce n'est pas moi qui limite ce choix, Nathan, ce sont les choses de la vie. Tu comprends bien que continuer ne serait pas possible.

— Bien sûr que je comprends, Jo. J'aime pas ça, mais je comprends.

— Je le sais. Et elle scelle ce pacte d'un sourire complice. Je te l'ai dit, on est pareils.»

Cette fois elle quitte la voiture pour de bon et Nathan la regarde gravir les quelques marches du bureau, terriblement féminine, terriblement «femme» dans le tailleur vert bronze qu'elle a choisi ce matin. L'image de sa nudité lui revient et il en a le souffle coupé. *«C'est pas possible qu'elle soit pour moi»*, se dit-il en se jugeant tout à coup indigne, non pas tellement d'elle, mais, étrangement, de son corps, comme si celui-ci était une entité propre.

Le bureau où pénètre Jolene est éclairé par deux fluorescents qui distillent une lumière blafarde et crue. Le patron s'est réinstallé dans son fauteuil de bois inclinable derrière un comptoir de bois jaune. Gros, gras, la taille de son pantalon couleur lie de vin bien au-dessus du nombril, quelques cheveux huileux traçant des lignes noires sur un crâne luisant, il la regarde sans aménité de ses yeux globuleux. À l'extrémité du comptoir, un petit poste de télévision allumé lui permet de réfugier son regard lorsque celui de Jolene rencontre le sien.

«Vous reste-t-il des chambres? demande-t-elle pour la forme.

— Combien de personnes?

— Deux. Avec deux grands lits, s'il vous plaît.»

Il hoche la tête et lui tend une fiche d'inscription.

«Oubliez pas d'inscrire votre immatriculation.»

Au fond du bureau, une porte entrouverte laisse échapper les reflets d'un éclairage plus intime et les effluves refroidis d'un plat aux choux.

«Juste pour une nuit? demande-t-il en reprenant la fiche.

— Oui. (Elle tend sa carte de crédit).

— C'est un parent, avec vous? demande-t-il en passant la carte dans la fente du téléphone.

— En quoi cela vous regarde-t-il?

— Y me paraît bien jeune le type dans votre auto; vous savez, y en a qui ramènent des jeunes qui font le trottoir en ville et qui font des affaires pas correctes. Je veux pas de ça ici.

— Si vous aviez regardé ma fiche plus attentivement vous auriez remarqué que moi et mon neveu venons de Saskatchewan, feint-elle de s'indigner sans vraiment que ce soit le cas comme elle le voudrait, à tel point qu'elle cherche à se justifier: On est juste de passage, il faut bien qu'on se loge quelque part.

— Je veux bien vous croire, c'est juste que...

— Que?

— Rien, rien... Il lui redonne sa carte de crédit, se retourne, prend une clef reliée à un losange de plastique orange et la lui tend.

— Vous avez le douze, c'est marqué sur la porte. Le restaurant ferme à dix heures et ouvre à sept le matin. Vous devez avoir quitté la chambre à midi.»

Ses traits exprimant toujours l'insulte, Jolene prend la clef assez brusquement et sort sans un mot.

«Elles sont toutes pareilles, marmonne le patron tout en se secouant l'auriculaire dans l'oreille puis en l'essuyant sur la manche de sa chemise rayée rouge et blanche; toujours prêtes à jouer aux fesses jusqu'à plus soif, mais elles montent sur leurs grands chevaux dès qu'on y fait allusion.

— Qui c'était? demande une voix de femme au ton pâteux dans l'autre pièce.

— Une pute et son jouvenceau.

— Ah!»

Un vague remugle d'humidité, de renfermé et de mégot mouillé leur saute aux narines lorsque Jolene ouvre la porte de leur chambre. Une moquette élimée couleur rouille, deux lits surmontés d'une tête en tôle imitation bois avec des matelas faisant un creux en leur milieu, des murs jaunes, des rideaux rouges et raides assortis aux couvre-lits, un meuble brun sans style sur lequel trône une télévision à laquelle manquent les boutons de réglage. La seule particularité intéressante de cette chambre semble être sa partie donnant sur la plage et qui, outre une porte, comprend une baie vitrée. Mais la chambre n'a que peu d'importance, ce qui compte, c'est qu'ils soient tous les deux. Ensemble ils s'approchent de la baie et contemplent gravement le ciel presque noir et l'océan comme du plomb. Dans quelques minutes il fera complètement nuit, enfin pas tout à fait, car, pour une raison inconnue, deux réverbères éclairent la grève, révélant ce solitaire morceau de tristesse. Ouvrant la porte arrière, Nathan est pénétré pour la première fois de sa vie par l'odeur de l'iode qu'il n'avait pas encore remarquée.

«Tu sens? demande-t-il

— Ça doit être l'odeur de l'océan.

— J'aime ça.

— Moi aussi. Laisse ouvert, ça va changer l'odeur de cette pièce pendant qu'on ira manger, de toute façon les bagages sont dans l'auto.»

Le restaurant n'est pas tellement plus gai que le bureau d'accueil ou les chambres; aussi se dépêchent-ils d'avaler chacun un club sandwich apporté par une serveuse qui serait peut-être avenante si ce n'était d'une moue nonchalante et désabusée sur des lèvres qui ne veulent pas sourire, peut-être aussi parce qu'à l'autre bout de la salle à manger, qui serait déserte s'il n'y avait ce couple banal et illégitime, à en juger par leurs goûts vestimentaires opposés, son regard est attiré par une dramatique à la télévision dont le volume paraît servir de musique d'ambiance: «...oui c'est toi, oui, toi, Jackie qui, pour l'avoir trop couvé, trop protégé des vicissitudes de l'existence, a provoqué la perte de cet enfant.

— Comment peux-tu me reprocher cela, toi qui n'as pensé qu'à ton argent, à ton sale argent?», et ainsi de suite de phrases qui n'en finissent jamais, à croire que tous les protagonistes de toutes ces dramatiques sont doués d'une facilité d'élocution que ne possède pas le commun des mortels. Et toutes ces grandes phrases résonnent dans la salle à manger qu'un mobilier aux pieds chromés, aux sièges oranges et aux plateaux de table en simili-marbre blanc synthétique n'arrive pas à réchauffer. Ils sont contents de retourner à la chambre sitôt terminées deux pointes de tarte aux pacanes surmontées d'un épais nuage de crème à base d'huile de palme.

Mais une fois dans la chambre, ils ne savent vraiment plus que faire. Par la porte ouverte à l'arrière il n'y a plus grand-chose à voir, sinon, révélée par les deux réverbères, la crête blanche de vaguelettes qui viennent s'assoupir sur le sable.

Tous les deux sont assis sur le bord du lit, mains jointes entre les genoux, regard perdu dans la moquette qui n'en vaut pas la peine. Chacun à son tour lève la tête, regarde l'autre brièvement puis retourne à la moquette. Ce n'est qu'à la cinq ou sixième tentative de ce genre qu'ils finissent par se rencontrer et reconnaître dans le regard de l'autre l'interrogation sur ce qu'il convient de faire, et, aussi, le tourment à propos de minutes qui déjà s'écoulent trop vite vers demain. Brusquement, ayant, au fond, attendu cet instant depuis ce matin, d'un même élan, ils se jettent éperdument au cou l'un de l'autre. Beaucoup plus proches des sanglots que de l'allégresse.

«Attends, attends», dit-elle en se dégageant pour aller éteindre une lampe anémique sur le meuble à côté de la télévision.

Plutôt la nuit que cette mélancolique flaque de lumière glauque. Curieusement, comme si le fait de tourner l'interrupteur de la

191

lampe avait commandé l'ouverture du son, ils remarquent en même temps la lente palpitation de l'océan sur la plage.

«C'est vraiment la mer comme on l'imagine, remarque-t-elle.

— C'est beau, hein?

— Oui, lui murmure-t-elle à l'oreille. Elle se redresse. Attends-moi un peu, je vais aller faire un brin de toilette. Couche-toi si tu veux, je ne crois pas qu'il y ait autre chose à faire.»

Il l'entend se brosser les dents dans la petite pièce attenante et se répète que le mieux serait de se mettre tout de suite sous les draps, mais il n'ose pas. Selon lui, «*ça aurait l'air de celui qui attend que sa maîtresse vienne se mettre au lit.*» Il estime qu'entre eux ce n'est pas cela, qu'il s'agit d'autre chose.

Petit à petit, ses yeux se sont habitués à l'obscurité ionisée par les réverbères dehors, et son cœur ne fait qu'un bond lorsque, telle une silhouette d'albâtre, il la voit sortir de la salle de bains. Nue. «*Oh! qu'elle est belle!*» s'extasie-t-il en lui-même avant de le dire de vive voix:

«Que tu es belle, Jo! C'est pas possible d'être aussi belle, pourquoi moi?

— Tu es fou, chuchote-t-elle, flattée. Tu ne te couches pas?

— Je... je ne savais pas que tu sortirais comme ça.

— Tu veux dire, toute nue?

— Oui.»

Elle est prise d'un soupçon:

«Tu ne voulais pas?

— Si! Si! ce n'est pas ça, c'est... c'est que j'avais peur que tu croie que j'attendais que tu couches avec moi.

— Tu ne veux pas qu'on couche tous les deux?

— Mais oui! Oh, Jo, tu me comprends pas?»

Oui elle comprend ce qu'il tente de lui expliquer. Elle non plus ne trouve pas les mots qui conviendraient pour exprimer le ressenti, mais elle comprend. Et du reste, si elle ne comprenait pas, elle ne serait pas là, ou du moins pas comme ça devant lui.

«Oui, Nathan, je comprends, je sais bien que ce n'est pas juste le plaisir que tu recherches avec moi, je sais mon chéri, mais je sais aussi que l'un comme l'autre, on ne connaît pas d'autre moyen que de se serrer fort, très fort pour trouver ce qu'on veut.»

À cet instant, il l'attire contre lui et tous deux tombent à la renverse sur le lit.

«Jolene, je voudrais tant qu'on le trouve.

— On va le trouver, Nathan, on va le trouver, je te le promets.»

Convaincu, il se déshabille sans même y songer et vient s'allonger tout contre elle, face à face. Ainsi ils se sentent bien, ne bougent pas, refoulant tout geste emporté qui mettrait fin à cet état, tout étonnés de sentir la chair à la fois fraîche et brûlante de l'autre contre eux, de se dire que rien ne peut aller plus loin entre deux personnes. Alors que ce matin le soufre semblait présider à leur union, ce soir, tout sentiment d'interdit vaincu, douceur et tendresse sont reines. Sans se voir vraiment, mais sachant qu'ils s'observent, les yeux grands ouverts, ils se murmurent des mots simples qui coulent sur eux comme des caresses et les pénètrent comme des vaccins contre les atteintes du monde. Le seul sujet proscrit est l'avenir. L'avenir si proche qui les séparera définitivement. Et, malgré tout le bien-être, toutes les caresses et tous les *vaccins*, Nathan ne peut s'empêcher parfois de songer que demain c'est dans les bras de Paul Lapierre que Jolene sera blottie, et de savoir qu'elle ne le désire pas plus que lui n'y change pas grand-chose. Par la porte laissée entrebâillée, le Pacifique murmure lui aussi des plaintes et des soupirs. Comme la Prairie, l'océan parle de vastes cieux, d'horizons circulaires. Plus qu'elle, il invite à de lointains voyages. Chaque molécule d'eau est en contact avec une autre et ainsi de suite jusqu'au bout du monde, là où les dragons existent, là où les fleurs sont plus envoûtantes, les nuits plus étoilées, les sourires plus chargés de mystère, les mystères plus chargés de sang, le sang plus lourd, beaucoup plus lourd, plus lourd... que l'amour. Et revoici l'heure du Pasteur, le voici qu'il revient et Nathan a peur, il se blottit, plus il se blottit, plus il aime, plus il aime plus il a peur, mais plus du Pasteur.

«J'ai trouvé», dit-elle.

Il ne répond pas, il attend.

«Je sais de quoi nous avons peur, reprend-elle, c'est de demain, mais je sais que tu peux, oui maintenant tu peux...

— Quoi Jo? Quoi? Dis-le?»

Elle secoue la tête lentement de droite à gauche tandis que des larmes glissent sur ses joues.

«Donne-le-moi! supplie-t-elle. Je suis prête à présent, j'en suis sûre, donne-le-moi!»

Brusquement il devine de quoi elle parle, il comprend pourquoi elle ne peut le lui dire, et à son tour il pleure; il pleure car demain n'est plus tout à fait perdu.

«Oui! je te le donne, Jo.»

Jamais, jamais ils ne se sont agrippés l'un à l'autre comme ils le font en ce moment, comme si la tornade qui les emporte menaçait de les éjecter, de les séparer. Une chose est désormais certaine; si eux se font mal un jour, alors personne n'est à l'abri.

Peut-être ne font-ils vraiment plus *qu'un* lorsqu'il passe en elle? Mais la seconde d'après ils sont de nouveau deux. Deux toujours lorsque plus tard ils s'endorment, sourire aux lèvres, elle rêvant d'un univers rayonnant de tulles roses, lui d'abysses marines où l'attendent les dauphins, la nuit d'encre et le renoncement.

Il se réveille durant la nuit, il l'écoute respirer, a l'impression d'être responsable d'elle et en éprouve une sorte de fierté mêlée d'angoisse. «*Que tout est compliqué!*»

Tournant son regard vers la baie et le ciel, il n'aperçoit que l'éclat glacé des étoiles. Toujours prompt à laisser vagabonder ses pensées, il décolle aussitôt vers les petits points de lumière, imagine d'hypothétiques planètes gravitant autour de ces soleils inconnus. Il conçoit des mondes verts et moites où la pensée est véhiculée par la sève dans l'enchevêtrement inextricable des végétaux qui peuplent ces planètes. D'autres rouges et infernaux où ce sont des cristaux cette fois qui, détenteurs des secrets maudits de l'univers, attirent les voyageurs du cosmos avec une musique belle et triste comme les larmes de Blanche-Neige. Un autre encore qui, lui, possède toutes les teintes de l'arc-en-ciel et les promène comme des nuages au-dessus d'un océan peuplé de dauphins – encore les dauphins – à la peau luisante, sensible et diaphane reflétant toutes ces couleurs. Ces dauphins lui rappellent ce qu'il se disait à leur propos sous sa douche l'autre jour et il réalise cette fois qu'eux ne pourront jamais connaître les étoiles et que l'homme lui le pourra peut-être. Alors? «*C'est à nous tout ça*, se dit-il, émerveillé. *C'est beau!*» Maintenant, certainement parce qu'à ses côtés il y a quelqu'un qu'il aime et dont il se sait aimé, il est soumis à l'implacable splendeur de la création et, tout comme son premier souvenir lorsqu'il était bébé dans la chambre de la maison de son grand-père, ces secondes s'impriment de manière indélébile dans son esprit. Des années plus tard, il ressent de nouveau l'unité du monde, sait qu'il en est partie intégrante. Comme pour l'approuver, le cri lointain d'une mouette et l'éternel recommencement de la vague jamais assouvie qui s'allonge sur la grève. Puis c'est terminé; aussi vite qu'il est venu, l'instant unique disparaît. Sans crainte, il se presse contre Jolene, tout étonné de cette présence, et se rendort.

Autant hier soir le spleen régnait en seigneur et maître, autant, en ouvrant les yeux, Nathan se sent d'humeur allègre. Est-ce un effet de l'exubérance de lumière? La baie s'ouvre à l'ouest et il ne peut voir le soleil, mais la luminosité extérieure laisse facilement deviner qu'il est radieux. L'air qui se faufile dans la chambre lui semble plus iodé qu'hier. Le chant de la mer lui aussi est plein de promesse et de gaieté. Se redressant sur son séant, il cligne des yeux sous l'effet du scintillement doré de la mer.

«*C'est formidable aujourd'hui!*» se dit-il sans raison particulière. Il sourit de nouveau en contemplant Jolene couchée sur le ventre tout contre lui. «*Réveille-toi, belle endormie.*»

«Nathan?»

La voix de Jolene est encore pleine de son sommeil. Il n'en revient pas, il lui a parlé en pensée et voici qu'elle lui répond.

«Bien dormi? demande-t-il sur un ton laissant comprendre que tous les nuages sombres se sont dissipés durant la nuit.

— Très bien, et toi? Qu'est-ce qui nous vaut un ton aussi léger ce matin?

— Rien de spécial. Je peux t'embrasser?

— Je veux!»

Yeux dans les yeux, ils s'embrassent puis elle s'étend, ramène le drap sous son menton et s'étire en étouffant un bâillement.

«On est bien, souffle-t-elle dans un soupir de satisfaction prolongé. Je n'ai pas du tout envie de me lever ce matin.

— Moi, c'est la pleine forme. Pour un peu, j'irais me baigner.

— Qu'est-ce qui t'en empêche?

— D'accord, j'y vais, claironne-t-il. Suis-moi, si tu en as le courage.

— Ce n'est pas moi qui ai parlé d'un bain», lui lance-t-elle juste avant qu'il ne la laisse un peu brusquement.

Durant leur sommeil, l'océan a reflué vers l'horizon. L'air léger et lumineux est encore assez frais. À gauche et à droite, dansant dans des vapeurs dorées, la côte escarpée est habitée par la masse dense et sombre des cèdres et des sapins de Douglas. Il lui faut quelques minutes pour arriver à proximité de la ligne d'eau où une vague vient lui couvrir les pieds d'une eau écumante et fraîche. Il se retourne pour voir si Jolene le regarde depuis la chambre mais ne distingue rien à cette distance. S'ébrouant énergiquement, il avance dans l'eau jusqu'aux cuisses, en ramasse au creux de ses mains pour s'en asperger, puis, hurlant tel un passager de montagnes russes, se jette dans l'eau pour aussitôt se relever, bras contractés et repliés le long du corps. Toujours hurlant, il recommence ainsi plusieurs fois, jusqu'à ce que son organisme s'accoutume à la température. Ne sachant pas davantage si Jolene l'observe, il adresse néanmoins des signes de la main en direction de la chambre. Une nouvelle minute passe, qui lui apporte l'entente physique avec l'élément qui l'entoure. Il se laisse aller sur le dos, le regard dans le ciel, ne pense à rien de particulier, savoure le moment présent, rêveur. Il imagine qu'un dauphin vient le chercher pour le conduire au Domaine des Abysses, là où vivent les sirènes dont les chants élégiaques et mélodieux rendent les marins fous de désir. Ces sirènes qui voulaient attirer Ulysse dans quelque mortelle étreinte. L'Ulysse de l'*Iliade* dont mademoiselle Tuck affectionne de leur faire copier des pages entières en manière de punition. Nathan la soupçonne même de posséder l'œuvre d'Homère entièrement calligraphiée. Laissant toujours son esprit livré aux élucubrations marines, il s'accroche à la sombre et palpitante histoire du *Hollandais Volant*. Il essaye d'évoquer pour lui-même le vaisseau du capitaine Vanderdecker errant dans les brumes glaciales du Cap de Bonne-Espérance, poussé par des vents hurlants sous le rire satanique d'Adamastor. Mais, malgré toute l'application qu'il porte à cette reconstitution, il ne parvient pas à ressentir le frisson d'horreur qui devait saisir les équipages qui croisaient dans le sillage du vaisseau hanté.

Jolene, vêtue d'un drap, n'est qu'à moitié rassurée. Elle a bien remarqué les premiers signes de Nathan, mais depuis elle ne l'a pas revu. Il est vrai qu'à cette distance il est difficile de distinguer un nageur dans l'eau, surtout avec cette luminosité aveuglante.

«Mais est-ce qu'il va se décider à se redresser?»

«C'est merveilleux, songe Nathan, *C'est plus que grand, c'est... vertigineux. Je suis vraiment bien. Ce serait chouette quand même d'être un dauphin, de passer sa vie dans les océans.* Il se rappelle s'être fait la réflexion que les dauphins, en retournant à la mer, s'étaient condamné la porte des étoiles. Il ne sait plus si c'est important. *Et puis après? Quand on aura visité toutes les étoiles, toutes les galaxies, sera-t-on plus avancé? Dans le fond, ce qui est important, c'est d'aimer. Est-ce que les dauphins aiment? Oui, je crois, il faudra que je me renseigne.»*

Jolene se mordille les ongles. *«Il le fait exprès, j'en suis sûre. Pourtant... il devrait quand même se redresser de temps en temps. J'aurais pas dû le laisser aller se baigner seul. Oh et puis je suis stupide! je me fais du souci pour rien... C'est vrai qu'on entend souvent parler d'accident. Oh! Nathan! redresse-toi!»*

Immobile, Nathan a les oreilles immergées et écoute, émerveillé, le fracas que font les vagues s'écrasant sur la grève, puis le sifflement de l'eau glissant en arrière sur le sable afin de reprendre son élan pour aller s'écraser encore un peu plus loin dans une progression continue. Il sait que tout ceci est dû à la lune, que celle-ci est le jouet d'autres forces qui à leur tour sont le jouet d'autres encore. Ainsi le mouvement qui le porte est celui de l'univers. C'est grisant de se le dire. À l'image de son corps, il laisse ses pensées flotter librement. Parfois elles s'accrochent à quelque récif de l'imaginaire, puis une nouvelle vague les emporte de nouveau, ballottées par la houle.

Jolene est totalement inquiète: doit-elle vite s'habiller et courir sur la plage ou crier, crier très fort pour qu'il l'entende? L'entendra-t-il? *«S'il ne répond pas, je vais mourir d'inquiétude. Oh! et puis zut! il faut que je sache.*» Et, dans l'encadrement de la porte, les mains en porte-voix, elle appelle de tous ses poumons:

«Nathan? Nathan? M'ENTENDS-TU?»

Bras en croix, paumes tournées vers le ciel, oreilles toujours immergées, il ne peut l'entendre, trop occupé à ne rien penser en particulier, à profiter du ciel immense qui l'envahit, à exploiter, presque jusqu'à l'hallucination, les murmures internes de l'océan.

N'y tenant plus, Jolene, ne prend le temps que de passer ses sous-vêtements et s'élance vers le rivage. N'apercevant toujours pas Nathan qui a dérivé, elle apparaît ainsi vêtue de coton blanc liséré de dentelle aux yeux de quelques promeneurs dont un grand vieillard à la longue chevelure argentée, en train de promener son danois.

«Vois-tu ce que je vois, Hamlet? Ah! la! la! seulement vingt ans de moins...»

Jolene, qui n'a pas encore pensé à regarder ailleurs et n'apercevant toujours pas Nathan, se met à l'appeler encore plus fort.

«C'est de ma faute, s'accuse-t-elle. Je n'aurais jamais dû le laisser se baigner. Imaginant le pire: NON! NON! CE N'EST PAS POSSIBLE...»

L'homme au danois, qui, lui, a aperçu Nathan et se doute que cette femme le recherche, tend sa canne dans la direction où flotte le garçon.

«Est-ce ce garçon là-bas que vous cherchez?»

L'entendant, Jolene porte son regard dans la direction indiquée par la canne et découvre enfin Nathan au creux de la houle.

«Nathan!»

Comme il ne réagit pas, le cœur au bord des lèvres, elle s'élance dans sa direction, court sur la grève, puis, sans même réagir à la température de l'eau, trop préoccupée, s'immerge sans transition. Ce n'est qu'en percevant le bruit des remous provoqués par les mouvements de Jolene que l'attention de Nathan est ramenée à la réalité. Il reste interloqué quelques secondes en la voyant s'approcher de lui dans un crawl fougueux, puis il se redresse, le niveau d'eau presque jusqu'aux épaules.

«Jolene?»

Le voyant en parfaite condition et en pleine possession de ses moyens, toute les craintes de Jolene disparaissent pour aussitôt céder la place à une colère tout aussi virulente.

«Mais enfin! pourquoi tu ne t'es pas montré? (Elle arrive à sa hauteur et avant qu'il ne puisse répondre lui donne une série de tapes rapides sur la tête et les épaules.)

— Réponds? Réponds?

— Arrête! s'insurge-t-il.»

Le ton indigné de Nathan la calme sur le champ et, suivant la peur, suivant la colère, vient le remord de s'être emportée.

«Pourquoi ne répondais-tu pas? redemande-t-elle, tremblante.

— Parce que je n'ai rien entendu, si ç'avait été le cas, j'aurais répondu. Pourquoi tu me tombes comme ça sur le dos?

— Tu m'as fait peur, tu ne comprends pas ça?»

Il la regarde fixement. L'angoisse, l'énervement et le regret sont encore présents dans les yeux de Jolene. C'est la première fois qu'il la voit ainsi, les cheveux plaqués en arrière, ruisselante de perles d'eau reflétant le soleil, la mâchoire agitée d'un rapide tremblement et, surtout, si désemparée. Jamais elle ne lui a paru aussi jeune.

«Excuse-moi», dit-il avec sincérité.

Il s'en veut réellement d'avoir, par son insouciance, mis Jolene dans cet état. Il s'en veut, mais d'un autre côté se félicite presque d'avoir ainsi, sans le vouloir, provoqué l'occasion de mesurer combien il compte pour elle.

«Excuse-moi aussi, lui fait-elle en écho, je me suis emportée.»

Il se rapproche plus près d'elle et lui passe les bras autour du cou.

«Je voulais pas te faire peur, explique-t-il; j'étais étendu sur l'eau, j'étais bien et j'ai pas vu le temps passer.»

Elle a un mouvement de résignation.

«Enfin, je suis quitte pour une bonne peur, dit-elle, retrouvant un soupçon de sourire et passant à son tour les bras autour du cou de Nathan.

— Finalement, tu l'auras pris ton bain, ironise ce dernier.

— Je t'assure que ce n'était pas du tout mon intention.»

Ils réalisent de concert qu'ils se sont étreints l'un et l'autre sans aucune préméditation et, à peine Nathan prend-il connaissance de la douceur de cette étreinte, qu'il se plaque contre elle comme pour ne rien perdre de ce contact. Presque en même temps, il se rappelle comme un coup de poignard le pacte qu'ils ont fait hier soir et il s'écarte d'elle avec la même vivacité mise à se rapprocher. Il se laisse glisser sur le dos. Jolene l'imite, réagissant exactement comme lui.

«Regarde si le ciel est beau, dit-il après quelques secondes, voulant dissiper un flot de non-dit avant qu'il ne s'installe entre eux.

— Magnifique! approuve-t-elle, pour les mêmes raisons que lui. C'est presque un ciel de par chez nous.»

Ils sont sur le dos, côte à côte, et se déplacent lentement en donnant à leurs membres des impulsions prolongées.

Ils restent silencieux quelques secondes pendant lesquelles Jolene, comme Nathan le faisait tantôt, se grise du ciel et de la lumière. C'est elle cependant qui, tenant à évacuer une ombre grise, reprend la conversation:

«Je ne t'ai pas fait mal au moins?

— J'y pense même plus», affirme-t-il.

En réalité il ne pense qu'à ça. Il se demande comment, même sous le coup de la colère, elle a pu le frapper. Lui ne croit pas qu'il pourrait lui faire du mal. Un soupçon, très furtif, l'effleure qu'elle n'est peut-être pas tout à fait comme il la voit. Peut-être a-t-elle aussi des défauts comme le reste du monde, comme les autres femmes? *«Au fait! elles sont comment, les autres femmes?»*

Il lance un coup d'œil de côté et se rend compte qu'elle n'est vêtue que d'une petite culotte blanche laquelle, mouillée, laisse plus que deviner le triangle en relief de sa toison, et d'un soutien-gorge du même tissu qui dévoile on ne peut plus clairement l'auréole cinabarine du mamelon. *«Je ne dois plus la regarder comme ça»*, s'ordonne-t-il. Il se retourne brusquement, plonge puis, revenu à la surface, se lance dans une brasse vigoureuse.

«Où vas-tu? lui lance Jolene.

— Je me réchauffe.

— Oui, tu as raison, elle n'est pas très chaude. On va rentrer.

— Ouais.»

Songeant qu'il lui faut retraverser la plage, Jolene se demande comment rejoindre «*dignement*» sa chambre, car maintenant que toute crainte est envolée, elle prend conscience qu'ayant accepté l'invitation du soleil à la fête qu'il donne aujourd'hui, plusieurs personnes arpentent la grève.

Nathan sort de l'eau et, n'ayant pas très chaud, se précipite vers le motel. Il en est à mi-chemin lorsque Jolene émerge à son tour mais, elle, sans précipitation. «*Je me ferais davantage remarquer en courant, se dit-elle, embarrassée. De la dignité en toutes circonstances. Toujours de la dignité!*»

Se retournant, Nathan la voit remonter tranquillement la plage sans précipitation aucune, posant une jambe devant l'autre, les bras le long du corps, menton redressé, offerte, selon lui, aux regards de tous les mâles, sûrement ravis de l'aubaine. «*Dépêche-toi!* s'exclame-t-il dans sa tête. *Tu ne vois pas que tout le monde te regarde! Mais elle le fait exprès, ma parole!*» Des idées contradictoires se bousculent derrière son front, ses poings se contractent; il n'en peut plus.

«Mais dépêche-toi! crie-t-il maintenant très fort. Tout le monde te regarde, tu le fais exprès!»

Tout d'abord sidérée au point d'en rester quelques instants sur place, elle le regarde avec un mélange confus de tristesse, d'étonnement, de honte et de reproche. Ce regard, autant que les mots qu'il a employés, frappent Nathan d'affolement. Il a la certitude que plus jamais Jolene ne voudra lui reparler, plus jamais elle ne lui sourira, plus jamais elle ne pourra l'aimer. Glacé jusqu'au milieu des os, terrifié par son comportement, il est incapable de bouger. Jolene, elle, se ressaisit et passe non loin de lui, lèvres blanches, regard froid, sans une parole, comme s'il n'avait jamais existé, lui laissant la certitude que tout est fini pour lui. Un poids énorme broie la poitrine de Nathan, salissant l'azur, un voile ténébreux s'installe devant ses yeux. Enfin, comme pour illustrer tout le désarroi qu'il éprouve, remontant depuis ses tripes, se frayant un passage quelque part dans le sternum, puis dilatant son gosier, un cri se forme qui grossit, grossit et éclate, terrible, ravageur:

«Jolene! Jolene! JE T'AIME! NE ME LAISSE PAS, JE T'AIME!»

Ce cri, cet appel le laisse sans force, au point qu'il en tombe sur lui-même, secoué de sanglots dévastateurs.

Le ton d'abord puis, dans toute leur force et toute leur simplicité, les mots stoppent Jolene qui s'apprête à entrer dans la chambre. «*Non, Nathan, tu as été trop loin.*

Imbécile! tu ne comprends pas qu'il est malheureux. Tu es stupide, ma vieille, il est jaloux, c'est normal, personne ne t'aime comme lui, et toi tu n'aimes personne comme lui.

Oui, mais il faut quand même qu'il comprenne qu'il m'a fait mal.

Voyons! il le sait déjà. Il l'a compris. Fais quelque chose, enfin, tu te rends bien compte qu'il souffre, ce n'est pas toi qui as enduré ce qu'il a vécu ces derniers temps.»

Subitement, elle cesse de tergiverser moralement et, abandonnant toute l'attitude de froideur et de dureté qu'elle s'est composée, se précipite vers Nathan, s'agenouille dans le sable à côté de lui et l'enlace.

16

NORMANDIE, FRANCE

Conduite par sa tante, la voiture traverse la campagne française tandis que son oncle, faisant presque de cela un jeu, rit très librement de ses voisins d'Outre-Manche à qui il prête toutes les bizarreries de la terre. Endicott, lui, est content: dans une semaine il sera à Bluestone. Il y retrouvera tout son monde, tous ceux qu'il aime. Missy est-elle de ceux-là? Pour la troisième fois il relit la lettre posée sur ses genoux. Il ne s'y attendait pas du tout, une lettre de Missy Bagriany.

BONJOUR, ENDI!

COMMENT VAS-TU? MOI JE VAIS TRÈS BIEN CÔTÉ SANTÉ. TOI, COMMENT ÇA VA LÀ-BAS? L'ANGLETERRE EST À L'AUTRE BOUT DU MONDE, EST-CE QUE C'EST COMME DANS LES LIVRES? J'AI DU MAL À M'EN FAIRE UNE IDÉE. À PART ÇA, J'AI FINI LE PREMIER CYCLE, ENFIN!!! ET À L'AUTOMNE ÇA Y EST! JE VAIS ME RETROUVER À MANKOTA COMME LES AUTRES. TOI? VAS-TU REVENIR? J'IMAGINE QUE ÇA VA TE FAIRE DRÔLE SI TU REVIENS. MAIS PEUT-ÊTRE QUE TU VAS RESTER LÀ-BAS UNE AUTRE ANNÉE? EST-CE QUE TU NE TE SENS PAS UN PEU SEUL? EN TOUT CAS, JE SERAI TRÈS CONTENTE DE TE REVOIR QUAND TU REVIENDRAS, NOUS AURONS CERTAINEMENT PLEIN DE CHOSES À NOUS RACONTER.

À BIENTÔT.

P.S. SI TU T'ENNUIES OU SI TU VEUX DES NOUVELLES, TU PEUX TOUJOURS M'ÉCRIRE, JE TE RÉPONDRAI.

Endicott pousse un léger soupir. Il ne s'attendait pas à recevoir une lettre de Missy, mais à présent qu'elle est entre ses mains, il trouve que cela est dans l'ordre des choses, et il va jusqu'à se faire le reproche de ne rien lui avoir envoyé depuis qu'il se trouve de ce côté de l'Atlantique.

«Tu ne regardes pas le paysage? demande son oncle avec une nuance de reproche dans la question.

— Si..., c'est très... intéressant.»

Ce voyage est une idée de sa tante qui a tenu à lui faire visiter l'Angleterre et même la Normandie avant qu'il ne reparte pour ses «vastes étendues», expression qui est habituellement suivie d'un silence sous-entendant nettement la notion de *sauvages*. Comme il vient de l'affirmer à son oncle, il trouve le paysage «intéressant», mais, depuis longtemps, toutes ses aspirations sont tournées vers le retour. En fait il a décidé qu'il n'aimait pas l'Europe. La question ne tient pas à ce qu'il ne la trouve pas belle, pas plus que laide, non, tout simplement il ne l'aime pas. Pour lui ce sont des villes et des villes, de la peinture qui s'écaille sur de la maçonnerie qui ne supporte le poids des ans qu'à force de grisaille; des artères commerçantes d'un chic qu'il qualifie de «*constipé*», des faubourgs gris, bruns et cubiques aux allures de ghettos, l'odeur de millions d'automobiles mêlée à celle des millions de soupes qui se concoctent dans chaque nid géométrique, et au milieu de tout ça, la foule pressée et anonyme, la foule qui ne rit pas, la foule qui se prend au sérieux. C'est l'Europe telle qu'il l'a découverte. Où est-ce ce routier où ils ont mangé ce midi avec sa salle bruyante et bondée principalement d'hommes en bleus de travail et en casquettes (celles-ci sont à l'honneur; penchées sur l'œil façon desperado, rejetées en arrière façon rigolo, vissées profondément sur le crâne façon idiot, ou encore, lorsqu'elles vont de pair avec un nez cirrhosé, à l'image de leur propriétaire, tanguant d'un bord ou de l'autre). Est-ce cela? Ou est-ce ce café mal éclairé aperçu l'autre soir avec son client solitaire traçant du pied des chemins sur la sciure du carrelage, cigarette papier maïs au coin des lèvres et «ballon d'Alsace» au long pied vert translucide à portée des doigts; et le grand téléphone noir et triste accroché au bout du comptoir? Ou est-ce le *salon turc* de sa tante: tentures de soies

fleuries où dominent les rouges, poufs en véritable cuir de droma-
daire maroquiné, coussins en damas disposés autour d'un étourdissant tapis de chasse perse, deux narguilés d'argent ciselé, la
petite fontaine dont le jet bruissant retombe dans le calice d'une
coquille de marbre nacré, sans oublier les magazines de tous pays
qui parlent de mode, d'architecture et de toutes ces choses auxquelles il est agréable de s'intéresser dans un salon turc, est-ce
cela? Ou la chambre de son oncle: volutes perpétuelles de *Romeo
y Julietta*, éclairage tamisé par un abat-jour de peau tendue autour
d'une lampe fichée sur une ancienne vis en bois de presse à raisin,
et, indispensables à l'atmosphère, les boiseries exotiques couvrant les murs, le plafond tendu d'un vélum de velours vermeil
apparenté aux lourdes tentures qui masquent les deux hautes
fenêtres; il y a aussi ce lit important surmonté à ses extrémités de
deux lourds panneaux d'un bois patiné presque noir, ce meuble à
lui tout seul conjugue la robustesse paysanne et la puissance
temporelle d'une certaine bourgeoisie dont le côté lâche est bien
involontairement illustré par un édredon d'une épaisseur peu
commune, juste de l'autre bord du lit, en guise de table de chevet,
un coffre style pirate supporte une rangée d'albums de Tarzan
solidement maintenus debout par deux imposants serre-livres en
marbre rose représentant des éléphants assis, est-ce cela? Ou cette
campagne qu'il a vue au mois de mai, le long de quel fleuve? Alors
que des lointaines falaises ont été taillées en des temps
immémoriaux par un fleuve géant dont, celui-là, avec ses allures
de grand ruisseau, n'est plus que le souvenir honteux. Des traces
d'un passé lointain et violent qui ne semblaient plus être là que
pour le plaisir de donner du relief à un paysage dont la dominante
principale, ce jour-là, était un vert tendre, printanier, ce vert
tendre, presque fragile, qui ne dure que quelques heures radieuses,
des heures qui portent en elles assez d'énergie recréatrice pour que
les individus qui les goûtent puissent de nouveau supporter les
aléas d'un nouveau cycle des saisons. Ou est-ce cette abbaye qui
l'a fasciné en le rattachant directement à une époque qu'il magni-
fie, celle des conquérants venus des brumes du nord, ces barbares
qui ne laissaient derrière eux que les graines d'une nouvelle
civilisation à apprendre. C'est dans cette abbaye qu'il a entendu

les grandes orgues lancer une musique glorieuse qui faisait exploser les arcs et guidait le grand vaisseau de pierre dans le plus beau des voyages; celui où se mêlent le passé et le présent, la puissance et la gloire dans une apothéose de notes fracassantes qui l'ont fait frissonner et l'ont laissé dans un état confus d'abattement et de sérénité; et si on lui avait demandé à ce moment-là ce qu'il aimerait le plus, il aurait répondu: faire voguer le grand vaisseau de pierre avec mes doigts. Est-ce cela? Ou encore cette ville de la côte dans laquelle il s'est promené sans autre préoccupation que de tuer les heures, s'imprégnant, sans y prendre garde, des couleurs qui, ce jour-là, se situaient dans la gamme des gris et des verts. Il y avait peu de monde sur les galets de la plage: un homme dans la quarantaine, velu comme un singe, essayant de braver les froides morsures de l'eau, un couple sans visage tournant le dos à la ville et regardant le large, assis, une couverture brune jetée en travers de leurs épaules; une colonne de trois mulets tristes, les flancs enserrés entre des paniers d'osier qu'un individu sans âge, vêtu d'un très long manteau marron remplissait de galets qui, il l'a appris, servent à faire des assiettes. Qui étaient-ils ces quelques individus rassemblés sous un ciel qui ressemblait à un champ de neige suspendu? Que faisaient-ils là alors que tout semblait si triste? «*La couleur du ciel, ça ne peut être que la couleur du ciel*, s'était-il expliqué. *Moi j'ai toujours connu des ciels bleus, c'est pour ça que j'ai du mal à m'y faire. Non! je ne voudrais pas ramasser des galets comme cet homme, ni essayer de me prouver quelque chose en allant me jeter dans l'eau glaciale comme le poilu là-bas.*» Puis ses pas l'ont mené au port où des ouvriers, dans toutes les tenues d'ouvriers, s'engouffraient dans les nombreux cafés qui bordent le quai, ou en ressortaient des femmes à la grâce fanée, fichu sur la tête, en tablier à fleurs, promenaient des visages sans illusion en même temps que le pain sous le bras et le panier de provisions au bout de doigts jaunes presque translucides, des doigts fatigués d'aimer et de torcher. «*Je les aime, ces hommes et ces femmes,* avait songé Endicott; *j'aimerais bien aller prendre un petit verre avec eux, ou porter le panier avec elles. Eux aussi ils sont tristes, non, pire: indifférents. Pourquoi est-ce qu'ils vivent comme ça? La plupart de ces femmes sont mariées, est-ce si triste? L'amour n'est-il qu'un rêve passager? Ces visages sont-ils le reflet des illusions perdues? Non, c'est la pauvreté; peut-être qu'à vingt ans, la jeunesse dissimule la vérité et illusionne les cœurs, mais les privations doivent vite ramener les pieds sur terre; comment s'aimer sans finir par en vouloir à l'autre lorsqu'on est pauvre, que les privations et les travaux nous enlaidissent, que le décor est moche et que tout semble si bien aller pour d'autres? Oui, j'ai bien l'impression que l'argent a beaucoup plus d'importance que l'on veut bien nous le dire; avec lui on peut être beau, ou du moins pas trop laid, on peut se choisir un style à soi, une ambiance de vie, on peut partir ailleurs quand ça ne va pas. Bref, je ne vois pas grand-chose d'autre qui puisse attirer une fille, et surtout la maintenir dans un état potable quand les années s'accumuleront; ça doit en prendre de la tartinade pour cacher les rides et les plis amers de ces femmes. Pour un peu, j'irais toutes les embrasser, elles n'ont pas mérité ça. À dix-huit ans, elles devaient toutes être gentilles. C'est peut-être ça qui fait la diffé-rence entre l'Europe et l'Amérique, la première est comme ces femmes mûres, pleine de plis amers et l'autre est encore une jeune fille avec ses illusions. Pour combien de temps encore?»* Alors ce serait cela l'Europe? Ou peut-être le hall de la demeure de son oncle qui, à lui seul, a les dimensions d'une salle de bal commu-nale, et ça fait clac clac lorsqu'on marche sur le carrelage de losanges noirs et blancs, et la large tapisserie d'Aubusson, due à François Boucher qui représente une sensuelle Pompadour à la mine à la fois ingénue et gourmande, entourée d'angelots potelés sur fond de ciel orageux, tandis que juste en face, l'autre mur n'est occupé que par le fantôme d'un chevalier habitant une lourde armure dont un bras tendu brandit une menaçante francisque; est-ce une bonne définition? Ou encore ce plateau qui domine la mer, le pays vert, blanc gris et bleu, il est sévère et prospère, ceux qui l'habitent ont le teint vif que donne le vent du large et la démarche pesante d'une terre riche et humide, un pays où habitent ceux qui aiment à mordre leur propre existence et qui en chérissent ensuite la blessure à l'abri de leurs contemporains, derrière le rempart d'un individualisme pétri d'orgueil et de mépris? Ou bien cette petite ville dans laquelle ils arrivent maintenant en longeant une rue assez étroite, bordée de villas côté plage et de maisons mitoyennes côté continental. Constructions de maçonnerie pour la plupart, certaines sont peintes en blanc et même parfois en bleu, en rose ou en vert, mais la grande majorité reste dans le plus simple appareil: couleur ciment. La saison n'est pas encore vraiment commencée et seuls quelques commerces sont ouverts pour le bénéfice de ceux que le destin a fixés ici à longueur d'année, alors que les autres, les estivants, sont, selon ceux qui demeurent ici, en train d'arpenter les grands boulevards de la capitale. Les premiers attendent l'arrivée tonitruante des seconds comme un mal nécessaire au bien-être du porte-monnaie, ou encore, comme une occasion de caser la fille avec l'un des «arpenteurs de grands boulevards». Dans le temps permis par le passage de la voiture, Endicott observe un homme voûté coiffé d'un béret et sortant d'une boulangerie, un petit paquet à la main, tandis qu'un autre tient la sangle d'une laisse rouge pompier au bout de laquelle se rebelle un chat roux. Aussi, sortant du *café-bar-tabac*, une femme encore plus voûtée, toute petite, toute menue, toute vieille, vêtue d'un sobre imperméable beige, la tête en partie dissimulée sous un foulard fleuri. Il y a aussi un berger allemand qui fait son tour, allant d'une voiture à l'autre en reniflant les pneus et, pour des raisons qu'Endicott ignore, lève quelquefois la patte sur l'un d'eux. Est-ce cela l'Europe? Ces visions fugitives le remplissent d'une tristesse qu'il analyse mal. «*Quelle existence...,* se dit-il. *Tout plutôt que cette mort lente.*»

Sa tante gare la voiture au bout de la rue sur un parking faisant face à la plage. Sitôt les portières ouvertes, ils sont assaillis par les senteurs iodées de la mer et plus précisément par celles du varech que les marées successives abandonnent sur la plage comme un fardeau visqueux. La marée est basse et la plage de sable jaune s'élance à l'assaut du ciel, seulement stoppée dans le lointain par le moutonnement écumeux des rouleaux qui, comme ils le font deux fois par jour depuis la nuit des temps, se lancent à l'assaut de la côte, recouvrant les rochers verts d'algues où s'agrippent des moules qui ne sont plus cueillies car réputées empoisonnées. Mais Endicott se précipite vers un blockhaus, monument vestige presque nostalgique de la Seconde Guerre mondiale, dont le canon toujours en place, tend étrangement son érection de bronze vers l'intérieur des terres.

«Fantastique!», s'écrie-t-il, retrouvant une juvénilité qui l'a presque totalement déserté ces derniers temps.

Rassemblant tout ce qu'il sait de la Seconde Guerre mondiale, il se met dans la peau d'un canonnier de la *Wehrmacht*, s'installe sur le siège métallique et imagine l'arrivée d'un convoi de chars ennemis. Bien entendu, il est seul pour défendre ce point stratégique et tout l'avenir du conflit repose sur ses épaules. «BANG!», fait-il, visant un modeste véhicule de livraison qui symbolise à ses yeux un tank adverse aux chenilles grinçantes. Puis, prenant conscience que ce canon est tourné vers le continent, il lance un autre «BANG!» destiné celui-ci à ce que représente pour lui ce continent. *«Tiens! celui-là est pour toi! J'ai hâte de m'en retourner, de revoir le Ranch et les autres, j'en ai marre de ces vieux pays, c'est comme... une vieille putain. Oui, c'est ça, une vieille putain! Trop de clients lui sont passés sur le dos au son des fanfares et des symphonies PATATATAM. Les autres au pensionnat avaient l'air de penser que je venais d'un pays à peine civilisé, c'est quoi leur maudite civilisation? Il y a eu trop de sang versé ici au nom des cultures, trop de cultures qui ne sont que le déguisement de l'intolérance mesquine et bornée. Il y a trop de fantômes, ils sont tous là, dans les vieilles pierres rongées par le ciel, tous les anciens, les druides squelettiques qui mystifient, les chevaliers ferraillants qui étincellent, les rois maudits qui empoisonnent, les courtisanes de la fesse et du pouvoir qui racolent, les troubadours tristes qui font pleurer les mandolines, les pèlerins repentants qui s'écorchent les pieds sur les chemins de Compostelle, les mendiants déformés qui ricanent, les tsars divins qui tyrannisent, les inquisiteurs éclairés qui font rôtir, les rois tarés qui se font appeler Soleil, les empereurs mégalomanes dont ont fait des héros à l'usage des écoliers, les serfs serviles qui nourrissent les porcs ayant droit de cuissage sur leurs filles, la populace vulgaire se délectant du caca de ses maîtres, les républicains réformateurs qui décapitent au non de la Grande République, les pestiférés qui contaminent. Oh! pour faire bien on a construit des cathédrales qui aujourd'hui encore dressent leurs flèches glorieuses et tentent* de faire oublier les rides de la vieille putain. On leur donne tous les noms à ces rides: monuments historiques, témoignages du passé, chefs-d'œuvre en péril. De la merde! La merde des colonisateurs, des seigneurs belliqueux, des eugénistes aryens, des barbares francs, des sauvages germains, des monstrueux serbes, du Grand Mal caucasien, qui tel un phénix renaît encore de ses cendres sur l'autel des nationalismes primaires. Pauvre vieille putain! Ton rimmel a coulé, on appelle ça le progrès, il a noirci tous les horizons, ton rouge trop vif ne cache pas tes vieux chicots, pas plus qu'il nous préserve de ton haleine pourrissante; tu pues de la gueule, vieille pute. Où sont tes proxénètes? Et ceux qui inventent les machines à tuer, les machines à produire, les machines à profit, où sont tes virtuoses qui composent le chant des guerriers, où sont tes magiciens qui savent si bien reproduire l'ambition des grands et le cul des femmes impudiques, où sont tes adorateurs, ceux qui chient dans les chiottes d'or, bouffent dans la porcelaine et copulent dans les bordels? Sacrée vieille pute! tu te donnes encore des airs sur ta montagne de macchabées, brandissant l'étendard de la foi versus la science, et tu brames ta devise: Baisez-moi, baisez-moi! je ferai de vous la lumière du monde. Oh, je sais bien que ta vérole a traversé l'Atlantique, mais là-bas, peut-être, reste-t-il encore quelques arpents de neige vierge. Maintenant, je l'ai assez vu ce vieux cul fripé que tu exhibes comme un trophée, j'ai hâte de m'en aller, même si ceux qui se sont vautrés avec toi ont porté la maladie aux quatre coins de la terre et en ont signé l'arrêt de mort. Immonde salope! Et tu oses encore parler d'avenir alors que tu sais si bien que d'ici plus ou moins un siècle toute chlorophylle verte, toute sève blanche et tout sang vermeil ne seront même plus des souvenirs, car les souvenirs auront disparu avec le reste.»

17

ÎLE DE VANCOUVER

Les Lapierre bûcherons ont réussi le tour de force de faire traverser les Rocheuses et le Détroit de Géorgie à *Lapierreville*. Ils ont amené le village artificiel à la toute dernière extrémité d'un abrupt chemin de gravier au nord de l'Île de Vancouver. Maisons mobiles, machinerie, ateliers, épouses et enfants, tout, absolument tout a franchi ces quelques deux mille kilomètres de montagne, d'eau et de chemins de fortune. Et la vie a repris au point où elle a été laissée en Saskatchewan; chacun retrouvant ses habitudes, les hommes s'asseyant douze heures d'affilées sur des machines qui abattent, ébranchent, chargent ou transportent, les bichonnant comme des femmes et les manœuvrant du bout des doigts à l'aide de commandes qui ne dépareraient pas une arcade de jeux vidéo. Les femmes, elles, ont repris en charge l'entretien de la «roulotte», voisinent leurs belles-sœurs, discutent entre elles des enfants, des maris, des téléromans, de soins de beauté, lingerie, recettes culinaires, projets d'avenir, ou veillent à ce que les enfants ne réveillent pas le père lorsque celui-ci a travaillé durant l'horaire de nuit. Car, du lundi matin cinq heures au samedi midi, les machines fonctionnent vingt-quatre heures par jour. Derrière le passage des frères et des cousins Lapierre ne subsistent que des étendues de souches dépouillées de toute vie. Les arbres sont transformés en dollars qui servent d'abord à régler les termes des machines à récolter les arbres, ensuite à payer l'épicerie que l'on fait tous ensemble le vendredi soir, la bière que l'on boit tous ensemble le samedi soir, la Floride où l'on va tous ensemble en janvier, à régler les mensualités de la «roulotte» (celle-là, on l'habite juste en famille), celles du magnétoscope pour enregistrer des films qu'on n'a jamais le temps de regarder (à moins que ce ne soit des films cochons), l'acquisition de dessous affriolants que la femme sort le samedi soir après la bière (à moins qu'ils ne rentrent que le dimanche matin auquel cas on s'endort tout de suite, surtout parce que l'alcool fait son effet, mais aussi parce qu'il faut être à peu près en forme pour l'office de dix heures), bref on abat des arbres pour payer tout ce qui «vaut la peine d'être vécu». Comme ce congé que vient de prendre Paul Lapierre pour emmener sa femme «faire la Grande Vie» à Victoria. «Après ça, a-t-il affirmé aux autres Lapierre mâles, je pourrai la laisser seule à la boutique pour un autre six mois sans crainte qu'elle fiche le camp avec la caisse et un godelureau. Vous savez comment c'est, les femmes, c'est comme les machines, faut les graisser en profondeur de temps en temps».

Alors que Nathan s'attendait au pire, alors qu'il était certain de ne pas être capable de faire face à la réalité, il y a maintenant deux jours que Jolene est partie à Victoria avec son mari et il ne ressent qu'un dérangement d'arrière-plan, agaçant évidemment, mais rien de tellement plus que lorsqu'on sait qu'on a oublié quelque chose sans pouvoir se rappeler quoi. Peut-être que tout le nouveau qu'il découvre y est pour quelque chose? Pour commencer, il y a l'Île elle-même, qui en gros peut correspondre à l'image qu'il s'est toujours donnée du paradis terrestre. La Prairie, la sienne, est immense, sauvage et elle laisse au ciel toute la place qu'il lui faut pour se faire admirer; c'est cela qui en fait la beauté; les Rocheuses sont grandioses et impressionnantes; c'est ce qui en fait la splendeur, mais comment expliquer cette île qui réunit à la fois l'océan, la montagne, la forêt, les rivières, le soleil et des brouillards magiques, des biches, des phoques et des baleines? Jamais personne ne lui a dit que tout cela pouvait se retrouver au même endroit, enfin, pour l'instant, car déjà, autour de Lapierreville, s'étend une tache privée de ses arbres qui va chaque jour en s'élargissant et qui est d'autant plus inquiétante que le bois coupé aujourd'hui est déjà une forêt replantée voici quelques décennies et qui n'a pas eu le temps, comme la forêt naturelle, de produire de grands arbres comme il en reste dans les parcs de l'Île.

«Que restera-t-il quand on aura coupé tout ça? a-t-il demandé à son grand-père.

— Les Ressources Naturelles replanteront, c'est pas notre problème. Il n'y a pas un seul arbre à Bluestone et on est pas morts pour ça.»

Nathan a vite oublié cette préoccupation pour se consacrer, sous la supervision de son grand-père, à l'apprentissage bien plus excitant de la conduite d'une débusqueuse.

«L'important, c'est de ne pas verser dans les pentes, un, tu serais écrasé sous ta garette, deux, elle serait hors d'usage, d'où frais d'enterrement plus frais de remplacement, c'est pas intéressant ni pour les finances ni pour ta mère qui a eu largement sa part. Secundo, même si les autres sont supposés faire attention à leurs fesses, tu dois veiller à ne pas passer sur les gens, c'est mal vu. Voilà, quand tu auras fait le tour de cet engin, on passera à l'ébrancheuse, et si ça va bien, ce sera au tour de l'abatteuse, tu vois que tu as de quoi faire cet été.»

Il est fier, au bout de quelques heures de démonstration de la part de son grand-père, de manœuvrer la débusqueuse dont chaque roue est aussi haute que lui. Il aime faire gronder le diesel, en sentir la puissance brute soumise à ses directives, ajouter son vacarme à celui des autres machines sur la zone de coupe, et, ainsi, *prouver* sa participation à ce que pour l'heure il prend pour un jeu viril. Parfois, au moment où il s'y attend le moins, il pense à Jolene, à ce qu'elle peut faire en ce moment, et, parce que les réponses qu'il peut se donner risquent de faire mal, il s'empresse de reporter toute son attention sur la bonne conduite de sa machine. En réalité, ce qu'il craint le plus, c'est surtout le moment où elle va revenir, car il est entendu qu'elle doit encore passer quelques jours dans la petite roulotte de Paul où, par un hasard malencontreux, on lui a donné la seconde chambre qui était inoccupée.

Une autre facette importante de ses préoccupations consiste à rechercher, ou plutôt à évaluer, si dans tout ce qu'il voit ici il n'y aurait pas une faille oubliée offrant la possibilité de s'enrichir. Déjà, par ses questions apparemment désinvoltes, il a appris combien les compagnies donnent pour chaque arbre livré au chemin, combien, avec et sans les intérêts, coûtent les machines, l'amortissement, la main-d'œuvre, les réparations, l'entretien, posant des questions à chacun, ici et là, regroupant le tout, travaillant le soir sur une petite calculatrice qu'il traîne partout depuis qu'il a décidé d'être riche. Il ne lui a pas fallu grand temps pour découvrir que ce n'est pas dans l'abattage des arbres qu'il doit se lancer s'il veut s'enrichir rapidement. Pour se retirer à l'âge de la retraite avec un bon petit magot, c'est pas mal, mais rien qui puisse faire de lui un magnat dans les délais qu'il a promis à Missy. *«S'il y avait vraiment de l'argent à faire,* s'est-il convaincu au terme de ses premiers calculs, *les grandes compagnies ne donneraient pas le travail à des entrepreneurs, c'est évident.»* Missy? S'il évite de penser à Jolene, il le fait également pour Missy, non pas, avec elle, de peur d'imaginer ce qu'elle fait, mais parce qu'il se sent coupable; il ne peut penser à elle sans évoquer sa *«trahison»*, pas tant celle d'avoir *dormi* avec Jolene que de lui avoir crié je t'aime sur cette plage. *«Idiot! C'est complètement idiot! On ne peut pas aimer d'amour deux personnes en même temps. Je ne sais même pas si c'est possible au cours de toute une vie, je me demande comment je pourrais faire pour aimer quelqu'un d'autre autant que Jolene alors à plus forte raison Missy... Jolene, Missy, Missy, Jolene, j'ai plus rien que ces deux noms dans la tête, ça ne peut pas durer! J'en ai assez! De toute façon, maintenant Jolene a retrouvé Paul, et puis c'est avec Missy que je veux vivre! Avec elle et personne d'autre!*

Qu'est-ce qu'elle va dire quand tu lui diras que tu as couché avec Jolene?

Comment elle le saurait?

Ce serait malhonnête de le lui cacher, si l'on commence à se cacher des choses, c'est pas la peine de rester ensemble, ça ne servirait à rien de faire semblant qu'on ne fait qu'un si ce n'est pas le cas. Je me demande s'il y a beaucoup de couples qui se disent tout? Le Pasteur disait-il tout, lui?»

Rendu là, il se dépêche d'enfouir ces pensées affligeantes derrière des sujets plus immédiats, moins *«fatigants»,* et il concentre toute son attention à saisir solidement quelques troncs dans l'énorme grappin d'acier suspendu à l'arrière de la débusqueuse, puis, dans un nuage de fumée bleuâtre et un vacarme stimulant, il transporte son chargement à la «jetée» où œuvrent deux ébrancheuses qui, dans un ballet répétitif, saisissent les arbres et les dépouillent de toute leur parure en un seul aller-retour mécanique de leurs impressionnants couteaux. Si l'un de ses oncles l'observe à ce moment et qu'il rencontre son regard, il lui adresse un signe de la main, d'égal à égal, puis repart chercher un autre chargement dans une longue accélération qui n'est couverte que par le bruit saccadé des chaînes de roues arrachant au sol sa fragile couche d'humus et la projetant vers le ciel sous la forme de milliers de particules brunes. *«Faudrait voir s'il n'y aurait pas d'argent à faire avec les plantations de jeunes arbres?»* se demande-t-il.

18

Tout de suite après le lever, Nathan se dirige vers la maison mobile de son grand-père pour prendre son petit déjeuner avec celui-ci. Comme tous les autres jours, il est tôt, à peine cinq heures. Le ciel hésite entre l'ultra-marine à l'ouest et un rose laiteux à l'orient. Une légère brise agite mollement des draps et serviettes étendus à l'extérieur. Dans certaines maisons mobiles, des lumières sont allumées, ce qui signifie en principe que leurs occupants vont travailler sur l'horaire de jour; les autres ne s'allumeront qu'aux alentours de six heures, quand ceux de nuit rentreront avec l'espoir d'un solide repas. Son grand-père vit seul dans une petite roulotte identique à celle de Paul. Si le coin cuisine est entièrement consacré à sa vocation, le salon, par contre, n'est pas seulement un salon, mais aussi un bureau qui aurait à la fois les allures de celui d'un comptable un peu bohème, de celui d'un mécanicien, et également de celui d'un explorateur sorti tout droit d'un roman de Kipling. Des dossiers et des livres comptables un peu partout à la va comme ça vient, des pièces mécaniques hors d'usage dont il veut ou aura voulu comprendre la défaillance, sur tous les murs, des cartes détaillées de la zone d'abattage fournies par les Richesses Naturelles, sur un bureau de bois – comme il y en avait autrefois dans les écoles – qui fait angle droit avec un autre bureau en métal gris-vert sont disposés ses outils de communication: C.B., radio-téléphone, téléphone cellulaire, télécopieur et walkies-talkies. De cet endroit, à n'importe quel moment, il peut être en contact avec le reste du monde ou chacune des machines sur le terrain. Cela dit, il ne faut pas oublier que c'est le salon et c'est pourquoi l'on y retrouve un vieux canapé garni d'un tissu vert foncé aux arabesques dorées et compliquées, une table basse en sapin teinté imitation acajou où sont restés les cartes et la planche de crible avec lesquels Nathan et son grand-père ont joué hier soir en prenant une bière. «T'es un homme maintenant que tu travailles», lui a dit Magellan Lapierre en écoutant vaguement un match de base-ball à la télévision posée directement sur le plancher, sous la fenêtre.

«Comme d'habitude? demande l'homme à son petit-fils en parlant de ce que celui-ci désire pour déjeuner.

— Comme d'habitude, Grand-p'pa.»

Avec une habileté pour ce genre de choses que Nathan ne lui soupçonnait pas, vu que chez lui, à Bluestone, Magellan Lapierre n'a jamais donné l'impression qu'il pouvait faire quoi que ce soit en matière culinaire, il surveille attentivement l'eau du café et les poêles de fonte épaisse où rissolent des cubes de patates, des saucisses enroulées de bacon et une montagne d'œufs brouillés aux oignons. C'est en une généreuse portion de tout cela que consiste le «comme d'habitude» auquel il faut ajouter les tranches de pain que Nathan est justement en train de disposer dans le grille-pain.

«Bien dormi? demande son grand-père.

— Oui, c'est la pleine forme.

— C'est ce que je te disais hier soir, rien de tel qu'une petite bière avant d'aller se coucher. T'ajoutes ça sur une bonne journée de travail honnête et tu t'endors comme un bébé sans que toutes sortes de pensées malicieuses viennent t'agacer le cerveau. (Il secoue la poêle contenant les patates.) Comment t'aimes ça, la vie de bûcheron?

— C'est bien.

— C'est bien! C'est tout ce que tu trouves à dire? C'est formidable, tu veux dire! Ne me dis pas que tu préférerais travailler enfermé dans un bureau, ou derrière ces écrans qui doivent complètement abrutir un cerveau normal, à moins que tu ne préfères courir derrière un troupeau de vaches stupides?

— À vrai dire, j'avais pensé à l'astronomie, mais je reconnais que le bois, c'est pas mal...

— L'astronomie... ça je connais pas et je voudrais pas critiquer sans savoir, sauf que je me demande quand même à quoi ça peut servir? Parce qu'un travail, faut bien que ça serve à quelque chose, non? Un bûcheron, par exemple, il coupe le bois qui sert à faire des madriers qui servent à bâtir des charpentes de maison, mais un astronome?

— Un astronome étudie l'univers, il cherche comment se forment les étoiles, pourquoi elles sont ce qu'elles sont, pourquoi l'univers est comme il est.

— Qu'est-ce qui t'a donné le goût de t'intéresser aux étoiles?

— Un jour, j'ai lu quelque part que tout, même nous, était formé de la cendre des étoiles.

— Comment ça?

— Il paraît, et là c'est pas moi qui le dis, il paraît qu'au départ il n'y avait que de l'hydrogène dans l'univers. L'hydrogène se rassemble en des masses tellement gigantesques que ça chauffe, ça chauffe et ça s'allume, c'est comme ça que se forment les soleils. Les soleils en brûlant transforment l'hydrogène en hélium, puis l'hélium en lithium et ainsi de suite en passant par le cuivre, le fer, le zinc, l'uranium, tous les éléments qui sont à la base de tout ce qui existe. Un jour les étoiles qui ont formé ces atomes explosent et les envoient promener, puis de nouvelles étoiles se forment, comme notre soleil, avec autour des planètes composées de ces atomes, et voilà toute l'histoire.

— Tu veux dire que moi, ces saucisses, la roulotte, nous sommes tous fait de ces *cendres* de soleils disparus?

— C'est pas moi qui le dis.

— Hum... Et toi là-dedans, que veux-tu savoir de plus?

— Chercher à savoir ce que vont devenir tous ces éléments.

— Hum...»

Magellan Lapierre répartit le contenu des poêles dans deux épaisses assiettes comme on en trouve dans les restaurants bon marché, et Nathan se retrouve avec trois saucisses et un continent d'œufs brouillés au milieu d'un océan de patates. Il regarde son grand-père arroser son assiette d'une nappe de sirop doré puis lécher brièvement ses doigts poissés par un filet de sirop à moitié séché sur le contenant de carton. Il se demande s'il ne devrait pas prendre de sirop pour voir, mais il a peur de gâcher son assiette et s'abstient.

«Pourraient pas inventer d'autres contenants, marmonne Magellan Lapierre. Il revient au sujet précédent: À quoi ça va servir de savoir ce que tu veux savoir?

— Y a des gens que ça intéresse, Grand-p'pa. Je suppose que dans la maison qui sera bâtie avec le bois que tu auras coupé, il y aura des revues, des livres ou une encyclopédie qui expliquera par exemple que le ciel nocturne, qui à l'œil paraît presque noir, eh bien en réalité ce ciel-là est tout aussi brillant que le reste des étoiles, car il y en a tellement que n'importe quel point que l'on fixe dans le cosmos, on est certain de rencontrer une étoile, et c'est seulement parce qu'elle s'éloigne de nous et que sa longueur d'ondes est décalée vers le rouge, que pour l'œil humain le ciel est noir, la nuit.

— Et il est noir, bon sang! Est-ce que ce ne serait pas plus utile d'aborder des sujets plus concrets?

— Moi, ça me paraît concret; à l'époque de Copernic, ses observations devaient sembler peu concrètes, peu utiles, pourtant, sans elles, on ne serait sûrement pas allé sur la Lune, il n'y aurait peut-être pas de satellite et hier soir on aurait pas pu suivre le match des Pirates à la télé.

— Ouais... ouais, peut-être... Mais faut faire attention, il me semble qu'on a vite dépassé le cap de l'utilité. Ton histoire de vouloir savoir ce que deviendront les cendres des étoiles, je dois t'avouer que ça me fait le même effet qu'une voyante avec ses cartes ou sa boule de cristal.

— Faut-il vraiment toujours être utile?

— Évidemment, voyons! si t'es pas utile, t'es inutile. Tu sais, je crois qu'on est sur cette bonne vieille terre pour subir un examen de passage qui consiste à réussir à faire du bien autour de soi, rien de plus. Seulement, si tu ne fais pas de bien, il va de soi que tu fais du mal, il n'y a pas de milieu.

— Donc celui qui ne fait pas de bien serait aussi coupable que celui qui fait du mal?

— Ça, mon gars, c'est pas à nous de juger, et pour en revenir à ce que je disais tout à l'heure, sache qu'a priori je n'ai rien contre l'astronomie, seulement je crois qu'il faut se méfier de toutes ces sciences qui n'ont souvent pour unique mobile que la curiosité. À quoi bon toute cette curiosité puisque de toute façon on ne découvrira jamais concrètement la raison de tout ça. Tu sais, je crois que tout, la vie, l'univers, le soleil, toi, moi, les autres, tout ça n'est qu'un vaste rêve organisé justement pour créer les conditions de l'examen de passage; à quoi bon vouloir démonter le rêve pour tenter d'en connaître le mécanisme? Ne serait-ce pas vouloir tricher? Tout ce qu'on risque à ce jeu-là, c'est de ne pas se réveiller.»

Nathan hoche lentement la tête d'un air à la fois entendu et surpris.

«J'étais loin de me douter qu'on pouvait parler de choses comme ça à cinq heures du matin avant d'aller charroyer du bois.

— Et à quoi t'attendais-tu? Pensais-tu qu'un bûcheron ne peut pas parler d'autre chose que de femmes, de bière ou de bois? Je vais te dire, j'ai remarqué que tout le monde parlait des mêmes choses, c'est juste la façon d'en parler qui est différente. Là où l'un dira, et là je te dis ça parce qu'il me semble que t'es assez vieux pour ces mots, donc là où l'un dira qu'une fille a un beau cul, un autre dira qu'elle est sensuelle, et un autre encore qu'elle évoque pour lui une fleur ou autre baliverne du genre; là où l'un prendra une bière, un autre un scotch, un autre un joint et un autre un bouquin de poésie, il n'y aura que le besoin de voir les choses sous un angle plus humain, moins rationnel; et quand je dis que nous sommes gouvernés par une bande de pourris et qu'il faudrait les balancer, un autre dira que la politique c'est quand on essaye de trafiquer les chiffres avec des mots, un autre fera un discours de dix ou vingt pages pour dire la même chose, tandis qu'un philo-machinchose pondra un volume de mille pages qui en arrivera aux mêmes conclusions. Et quand quelqu'un dit: c'est une putain de belle nuit, ça veut dire la même chose qu'un autre parlant de l'insondable profondeur du cosmos. Il reste encore des patates, prends-les.

— Je veux bien, toi?

— Merci, non, je parle trop ce matin et mon déjeuner refroidit.

— C'est intéressant.

— J'imagine que tu dois plutôt te dire que je suis un vieux machin qui croit tout savoir parce qu'il a des rides. T'as raison, en réalité tout ce qu'on sait, et note bien que ça aussi on croit le savoir, tout ce qu'on sait, on peu en vérifier la contrepartie le lendemain, bref, on ne sait jamais rien.

— Non, Grand-p'pa, je crois que t'en sais beaucoup.»

Magellan Lapierre a la mimique de celui à qui on ne raconte pas d'histoires. Nathan l'observe, toujours impressionné par la force qui se dégage de cet homme. Il est vaguement conscient d'être privilégié car son grand-père n'a pas dû parler à ses fils comme il le fait avec lui. Il voudrait lui poser certaines questions qui doivent trouver réponse derrière le grand front plat, cuivré et sillonné par ce qu'il considère comme les marques de l'expérience. Mais, même s'il est «*ouvert*» avec lui, comment demander à son grand-père ce qu'un garçon de quinze ans doit faire pour oublier une femme mariée avec laquelle il a fait l'amour, et aussi comment devenir riche en quelques années afin de se «*mériter*» une autre femme qu'il aime? Ces questions-là ne se posent pas.

«Bon sang! vas-tu sortir de là!»

Nathan s'énerve tandis que, creusant toujours davantage dans la tourbe où il s'est enlisé, les roues tournent sans que la débusqueuse bouge. Tout à l'heure, en apercevant ce terrain plat et dégagé, il s'est dit sans réfléchir que cela irait beaucoup plus vite s'il coupait par là; à présent il se souvient trop bien que son grand-père l'a averti de ne pas essayer de passer par les tourbières. À première vue, il s'agissait d'un beau terrain plat et moussu, mais au bout de quelques mètres il a compris son erreur de jugement. À présent, réalisant que chaque nouveau tour de roue absorbe davantage la machine dans le sol, il estime plus raisonnable de débrayer et d'aller chercher de l'aide avant que tout ne soit englouti. Déjà les roues sont enfoncées jusqu'aux moyeux et le sol atteint presque le plancher de la cabine. Pressé d'en finir avec cette situation, qui lui vaudra certainement des reproches, il débraye, mal, et d'un élan saute entre les deux roues pour aussitôt, stupéfait, s'enfoncer jusqu'à la poitrine dans la tourbe vaseuse. Sur le coup il veut s'agripper à la roue arrière près de laquelle il se trouve, mais il se rend compte in extremis qu'il a mal débrayé et que, bien que le mouvement soit lent, la roue continue de tourner. Le temps d'un éclair, sa situation lui apparaît telle qu'elle est, c'est-à-dire des plus critiques. *«Si j'avance, je risque de m'enfoncer davantage, est-ce que je m'enfonce encore? Je ne peux m'appuyer sur la roue... Oh! mais on dirait qu'elle avance? Merde! Merde! Il faut que je réussisse à me retourner et à me hisser sur le plancher de la cabine... Mais si je bouge est-ce que je ne vais pas être encore plus aspiré? Merde! Je vais mourir là! C'est stupide!»* Il a l'impression qu'une marée à la fois glacée et brûlante déferle dans ses entrailles. La roue la plus proche de lui n'est qu'à un avant-bras et, dans le cliquetis de ses chaînes, lui envoie sans arrêt des gouttes de bouillie brune sur la tête et sur les épaules. Le plancher de la cabine est totalement à bout de bras, et de la position qu'il occupe, il semble vraiment hasardeux d'essayer de l'atteindre. *«Il faut que je me retourne, je n'ai pas d'autre choix... Oh mon Dieu! je regrette! je regrette, j'aurais pas dû, je regrette, je ne recommencerai plus, je te le jure, laisse-moi te le prouver.*

T'es un triste sire, Nathan Barker, tu ne peux regretter ce que tu ne regrettes pas, même pour sauver ta peau. Jésus voit très clair en toi, te fais pas d'illusion.

Bêtises! ce sont des bêtises! Oh Jésus! tu me connais, peut-être que j'arrive pas à regretter vraiment, mais l'intention y est, et de toute façon je ne recommencerai plus. Sors-moi de là, s'il te plaît, je ne veux pas mourir sous cette roue, NON! NON! Elle avance! Il faut que je me retourne!»

Comme il l'a anticipé, le simple fait d'effectuer un demi-tour l'aspire un peu plus dans l'élément spongieux. Tout en sachant que c'est impératif, il ne se décide pas à tendre les bras de crainte que cela ne l'engloutisse définitivement. Pendant un quart de seconde, peut-être même pas, par-delà la peur, il s'imagine incorporé, assimilé à la masse qui hésite entre le végétal et le minéral. Il la pressent d'un état oscillant entre la vie et l'inanimé, un état où la vie ne conduit pas à la mort mais à la matière inerte qui elle reconduit à la vie, sans fin. Est-ce cette intuition qui lui provoque une érection? Il n'a pas le temps d'y songer et retourne à la peur.

«Au secours! hurle-t-il.»

«Je perds mon énergie à crier, le bruit des machines couvre tout et puis de toute façon personne n'est supposé passer par là. Mais pourquoi j'y suis venu? Quelle idée? Et si je passe sous la roue? Est-ce que je vais être mort étouffé avant? Sinon ça va faire terriblement mal! NON! je ne veux pas! Je ne veux pas, je veux vivre! C'est promis, Jésus, je ne toucherai plus jamais à Jolene, je ne chercherai plus non plus les origines de l'univers, je... je rendrai Missy heureuse, je..., oh et puis tu ne peux pas me laisser mourir ici, ce serait trop affreux pour Maman, tu ne peux pas accepter ça. J'ai peur!

Allez, couillon! attrape le plancher de la cabine, il le faut, attrape-le!»

Mû par l'énergie du désespoir autant que par la panique, il plonge en avant et ses doigts parviennent à atteindre la surface de tôle épaisse. Tendu dans l'effort de se hisser en transférant toutes ses forces dans ses phalanges supérieures, il ne comprend pas pourquoi c'est si dur de progresser, pas plus, heureusement, qu'il ne prend conscience qu'il est dans la tourbe jusqu'aux épaules. Petit à petit, avec du mal à penser tellement il a peur, il sent trop bien ses doigts qui imperceptiblement glissent sur la tôle boueuse. *«Alors ça y est, je vais crever ici! j'aurais pourtant voulu vivre encore un peu, il me semble que j'ai manqué quelque chose, quoi? Je vais peut-être le savoir tantôt. Est-ce que mes poumons vont se remplir de cette gadoue? Et pourquoi que je bande comme ça? C'est pas une tenue pour arriver de l'autre bord. Mais je ne veux pas y aller! Pourvu qu'il y ait quelque chose de l'autre bord, ce serait dommage si... NON! NON! NON! JE GLISSE! JE PEUX PLUS RIEN FAIRE! JE VEUX PAS MOURIR!»*

«AIDEZ-MOI!».

Sentant le frôlement de la chaîne de roue sur sa jambe il se rend vaguement compte qu'il doit être en train de se débattre. Au dernier moment, alors que ses doigts effleurent le rebord du plancher de la cabine, dans un geste désespéré, il lance son pied directement contre la roue et trouve ainsi assez d'élan pour cette fois mieux assurer sa prise sur la tôle, encouragé il recommence une autre fois et réussit à poser le bout de sa semelle sur la chaîne, ce qui lui offre suffisamment de prise pour qu'il parvienne à se hisser enfin.

Tremblant de tout son corps, trempé, couvert de tourbe décomposée, sa première réaction est d'éclater d'un rire aussi inextinguible que tonitruant. Presque aussitôt, il régurgite et s'écroule littéralement sur le siège, puis, relâchement nerveux, se met à pleurer.

Progressivement, refaisant corps avec son environnement, il a l'impression d'être un navigateur solitaire ayant réussi à rejoindre son bateau après être tombé à l'eau. Il ne lui reste plus qu'à amener celui-ci à bon port. Il n'est évidemment pas question qu'il retourne dans la tourbe. Se retournant pour évaluer la distance qu'il y a entre la débusqueuse et le sol ferme, il constate, surpris, que le faîte des arbres qu'il transporte est encore appuyé sur le solide et du même coup réalise que tout à l'heure il lui aurait suffi de passer par l'arrière de la cabine et de marcher sur les troncs pour aller chercher de l'aide. *«Je fais un beau couillon!»*

Suivant ce parcours, il n'a aucun mal à aller quérir des renforts. Par contre il en a beaucoup plus à accepter son erreur en constatant le dérangement qu'il occasionne. Deux autres débusqueuses sont mises à contribution pour sortir la sienne; une perte de temps, et donc d'argent, pour tout le monde. Personne ne lui fait de reproche, mais il n'en remarque pas moins les jurons proférés à mi-voix ainsi que les soupirs contenus. Tout cela le fait se sentir minable.

Il se sent encore tout aussi lamentable en fin de journée lorsqu'il grimpe dans la camionnette de son grand-père. Ce dernier n'était pas sur le chantier cet après-midi, mais il a néanmoins été mis au courant des aventures de son petit-fils par radio. Magellan Lapierre n'a pas l'air content du tout.

«Je t'avais dit de ne pas passer dans les tourbières...

— Je m'en suis pas souvenu à temps.»

Ourlant ses lèvres, son grand-père semble évaluer cette réponse.

«Dans le fond, finit-il par conclure, je me demande si tu ne serais pas plus utile comme astronome.»

C'est tout, il n'ajoute rien d'autre et ces quelques mots font plus de mal à Nathan que s'il avait essuyé la bonne engueulade à laquelle il s'attendait. Selon lui, ces mots laissent clairement entendre qu'il n'est qu'un bon à rien. Une boule se forme dans sa gorge, ses yeux le piquent, il serre les dents pour ne pas laisser paraître l'humiliation qu'il éprouve. De son côté, Magellan Lapierre se demande s'il n'y a pas été trop fort: «*J'ai peut-être un peu forcé? Quoique à cet âge-là, il faut leur laisser entendre qu'ils ne sont pas bons à grand-chose si on veut qu'ils apprennent quelque chose sans se prendre pour d'autres. Moi, c'est avec des coups de pied au cul que le Père m'a montré le métier. Merci, l'Père.*»

C'est une tout autre réflexion que se fait Nathan: «*Puisqu'ils ne sont pas contents de moi, tant pis, je vais foutre le camp. J'ai pas plus besoin d'eux qu'ils ont besoin de moi. La seule qui a besoin de quelque chose, c'est Missy; elle veut ravoir la terre de sa famille et elle l'aura! C'est pas en faisant le guignol sur ces foutues machines que je pourrai la lui racheter, alors...*»

Il remue encore ces pensées lorsqu'ils arrivent sans avoir échangé une autre parole au *village*. Nathan s'aperçoit que la voiture de Jolene est garée devant la roulotte. Il éprouve comme un nœud dans le ventre en réalisant qu'elle est revenue et qu'elle doit se trouver là, à proximité. Ne se doutant de rien, son grand-père constate tout haut le retour de son neveu:

«Paul et Jolene sont revenus, si tu veux, tu peux manger avec eux ce soir, ce sera plus gai qu'avec moi.»

S'il n'y avait pas cette humiliation qu'il éprouve toujours, Nathan se dépêcherait de le contredire, mais là, sans vraiment réaliser ce qu'il fait, il approuve son grand-père d'un signe de tête.

«À demain, fait-il presque laconiquement avant de claquer la portière.

— C'est ça, Nathan, à demain.»

«*J'y dirai plus rien*, se dit Nathan en montant les quatre marches de la maison mobile, *ça se retourne contre moi. Bon, à l'autre maintenant, elle doit être en train de roucouler avec son mari.*»

Mais Paul est déjà allé rencontrer ses cousins afin de s'informer de ce qui a pu se passer durant son absence et Jolene est seule dans la roulotte, en train de faire une *patience* sur la table de la cuisine, visiblement désœuvrée et mécontente de l'être. Elle lève les yeux à l'entrée de Nathan et les écarquille en constatant l'état dans lequel il est.

«Hein! Nathan! Mais d'où sors-tu?

— Salut..., d'un bain de tourbe. Un peu plus et tu ne me revoyais pas...

— Ah, que s'est-il passé?»

Ce «ah» est beaucoup trop mou pour le goût de Nathan qui ne pense pas une seconde que Jolene ait pu prendre sa remarque pour une exagération. Il vient de lui dire qu'il a failli mourir et elle fait «ah» sans même lâcher son jeu de cartes, de toute évidence cela n'a pas l'air de lui faire grand-chose. *«Eh bien moi aussi je m'en fous!* s'affirme-t-il. *Quand je pense que...»* Brusquement cette attitude *«indifférente»* additionnée au propos de son grand-père le poussent hors de lui:

«Rien!», crie-t-il violemment juste avant de claquer derrière lui la porte de la salle de bains.

Sous la douche, le sentiment d'être un laissé pour compte le tenaille et l'empêche de penser objectivement. Les seuls mots qui lui reviennent sans arrêt à l'esprit sont: *«Ils me font tous chier!»* et *«Pis je m'en fous, qu'ils aillent tous se faire voir!»*

Sortant de la salle de bains, il évite avec ostentation de regarder dans la direction de Jolene et ferme la porte de sa chambre tout aussi rageusement que l'autre. Il s'habille rapidement, mais une fois vêtu, ne sachant plus que faire, il reste assis au pied de son lit, ruminant des pensées vengeresses. *«On voit bien que j'étais rien pour elle, juste une passade sexuelle, comme ils disent dans les films. Si j'avais vraiment été autre chose, elle m'aurait accueilli autrement. Je devrais...*

Tu sais bien que t'es encore en train de te monter une galère, comment voulais-tu qu'elle réagisse? L'autre jour il a bien été entendu que tout serait fini en quittant le motel; elle ne pouvait pas te sauter dans les bras en te criant mon amour, réfléchis.

M'en fous! ils sont tous pareils. Du reste je vais foutre le camp et pas plus tard que demain. Où est-ce que je vais aller? Victoria? Vancouver? Peut-être qu'il y a de l'argent à faire à Vancouver? De toute façon, rien ne m'empêchera d'aller où je voudrai, et j'irai jusqu'à Bamboulaville s'il le faut. Ils m'emmerdent!»

À travers la porte, la voix de Jolene interrompt le fil de son ressentiment:

«J'ai à te parler quand tu auras fini de t'habiller.»

Il se lève, ouvre la porte et reste debout dans le chambranle.

«Y a longtemps que je suis habillé..., si c'est à moi que tu parles?

— À qui d'autres, nous sommes seuls.

— T'aurais pu parler à ton bonhomme.

— Minute, Nathan! je n'aime pas beaucoup que tu appelles Paul, «mon bonhomme» et sur ce ton.

Il hausse les épaules et adopte un ton monocorde et froid:

«Comme tu voudras, alors disons... ton mâle? ton homme? ou peut-être ton type? ou bien alors ton très cher époux?

— Écoute, Nathan, et comprends bien ça, je n'ai rien à te reprocher, mais toi non plus tu n'as rien à me reprocher, je ne crois pas, ou tout au moins pas dans le sens où tu peux l'entendre. Tous les deux, nous avons été à la limite de ce qui était possible, tu le sais aussi bien que moi. Alors, maintenant, la seule chose qui nous reste à chacun c'est de vivre notre vie, toi en trouvant une fille qui t'aimera et moi en aimant Paul du mieux que je peux. Nous savons très bien au fond ce que nous sommes l'un pour l'autre, est-ce une raison pour plonger dans le malheur tête baissée? Imagine ce qui nous attendrait si nous nous écoutions.»

Malgré ces paroles, Nathan n'a pas encore digéré le «ah» de tout à l'heure; cette simple syllabe suffit à lui faire douter de tout le reste, y compris de ce qu'il y a eu entre eux.

«Que veux-tu que ça me fasse, tes grandes histoires? fait-il avec l'intention évidente d'être blessant. On s'est envoyé en l'air, bon, c'est fini, maintenant c'est ton Paul qui te fait prendre ton pied, je le sais, quoi d'autre? Cet après-midi, je suis passé à deux doigts de rejoindre Jonas et tous les autres macchabées, j'arrive ici en te le disant et, toi, tu fais ah, un ridicule petit ah, comme si je t'avais annoncé... je sais pas... un clou dans l'orteil. Tu vois, c'est bien la preuve que tu te fiches de moi. T'as eu ce que tu voulais et maintenant tu tires le rideau de la respectabilité. Oh, et puis à quoi bon parler, ça me fait chier!»

Une nouvelle fois, il referme la porte avec violence et se jette sur son lit, tête enfouie dans la couverture. Dans la cuisine, Jolene essuie des larmes qui roulent sur ses joues sans qu'elle parvienne à les arrêter. Elle voudrait tellement expliquer à Nathan qu'il se trompe, mais ce serait encore se jeter dans le cercle vicieux. «*Si je vais le consoler,* se dit-elle, *tout recommencera comme avant et puis, dès que je regarderai Paul, comme on doit regarder son mari, Nathan ne voudra plus croire que j'ai été sincère avec lui. Non, ça ne sert à rien, il finira bien par comprendre.*»

Quelques minutes plus tard elle le voit sortir de sa chambre et se diriger vivement vers la porte extérieure.

«Tu soupes avec nous ce soir? demande-t-elle.

— Non, avec Grand-p'pa. Restez en tête à tête, et ne m'attendez pas, je rentrerai peut-être tard...»

Il a l'intention de rejoindre la côte qui ne se trouve qu'à trois kilomètres et, d'un pas pressé, il se dirige vers le chemin. «*Elle ne joue peut-être pas la comédie après tout?* finit-il par se dire. *En tout cas, j'ai fait une promesse cet après-midi. Là, on peut dire que je me suis fait attraper, je ne m'y attendais pas. Pourquoi est-ce qu'on implore Dieu juste dans des moments comme ça? Ça fait un peu lâche. Est-ce que je suis lâche? J'imagine que tout le monde doit avoir peur quand il sait qu'il va mourir. Ouais, c'est bien la première fois que je me rends compte que je peux partir. Quand je pense que l'autre jour, avec Jolene, je voulais mourir... En fait c'est pas ça que je voulais, c'était que le moment s'arrête et dure toujours. Qu'est-ce qui se serait passé si j'étais mort cet après-midi? Je suppose que rien ne serait vraiment différent, il n'y aurait pas de raison pour que le ciel ne soit pas blanc comme maintenant, sûrement que ceux de Lapierreville auraient eu une tête de circonstance, pour quelques heures du moins. Finalement il n'y a que Maman qui aurait été vraiment malheureuse, et peut-être Grand-m'man. Et Jolene? c'est difficile à dire...*

Mais oui, innocent! Tu sais bien qu'elle aurait été malheureuse.

En tout cas, on ne saura jamais vraiment. Et moi, où je serais en ce moment? Ça, c'est la question sans réponse. Et Missy, comment aurait-elle réagi? Il n'y aurait plus eu personne pour lui regagner sa terre... à moins que... Non, je ne vois pas...»

Ses pas rapides l'ont amené à l'orée d'un massif de cèdres qui borde la côte et dont la loi défend la coupe; de sorte que les touristes ont toujours l'impression que la forêt demeure immense et intacte alors qu'en fait il n'en reste plus qu'un décor. L'air est frais, les arbres sentent bon et il se rend compte qu'il est vivant, vraiment vivant. Qu'il peut tout. Puis, par un revirement qui serait incompréhensible si ce n'était de la nature qui l'entoure et de la force régénératrice qu'elle peut dispenser, son humeur bascule, au point qu'il se sent bientôt enclin à courir la prétantaine. Les mains dans les poches, il traverse la courte bande forestière et découvre l'extrémité d'un à-pic rocheux surplombant dramatiquement l'océan qui reflète les premières lueurs du couchant. Comme brusquement amplifiées par la révélation qu'il est vivant, les couleurs et les senteurs ont pour lui quelque chose qui porte à l'exaltation. Les cèdres sentent vraiment le cèdre et l'océan vraiment l'océan. Rapidement poussés par un vent chargé d'embruns salés, des nuages aux nuances mauves courent dans le ciel et dessinent des ombres et des clartés sur l'onde qui renvoie des ors et des carmins. Serein, il s'étend sur une plaque granitique au bord du précipice, braque ses yeux vers le spectacle du ciel et, oubliant tout, laisse son imagination le conduire en des contrées que seuls l'oubli total de ses ennuis et un parfait bien-être des sens permettent d'atteindre. Il se sent bien. Il manque juste... Que manque-t-il au fait? Cette simple question le ramène à un niveau inférieur. *«Il ne me manquait rien jusqu'à ce que je me demande s'il me manquait quelque chose. Pourquoi faut-il toujours penser à quelque chose?»* Il essaie de retourner en arrière, mais le mal est fait. Tout au plus est-il content d'en tirer la leçon qu'il ne faut jamais penser quand on est bien, à croire que le raisonnement peut être la clef des tourments. *«Il ne faut pas non plus désirer»*, réalise-t-il. Au milieu de son bien-être, il se rappelle avoir désiré une présence, une chaleur, des yeux qui regarderaient dans la même direction que lui, un cœur qui vibrerait exactement comme le sien, quelqu'un à qui il pourrait tout donner; comme l'autre jour avec... «Non! s'exclame-t-il tout haut, ça n'est jamais arrivé et si ça doit arriver, ce sera avec Missy et personne d'autre!» Comme pour appuyer cela, le vent du large s'amplifie, apportant avec lui, outre les senteurs de l'iode et du sel, celles des horizons lointains où scintillent les mirages lumineux de l'avenir.

«Oh Missy, je te jure que je vais réussir! Oui, je ferai tout ce qu'il faudra et il n'y aura plus que nous, et on s'aimera comme personne avant nous!»

Ce débordement d'optimisme lui ouvre l'appétit. Il se relève, certain à présent qu'il pourra aussi bien affronter les remarques désobligeantes de son grand-père que le fait que Jolene et Paul puissent être ensemble. *«Qu'est-ce que ça peut faire?»* se dit-il avec légèreté.

19

C'est le repas préféré de Cornelius Fairfield, celui où c'est au tour de sa belle-fille de dîner avec lui. En réalité ce n'est pas vraiment le tour de Susan aujourd'hui, mais comme Alfred avait promis à leurs filles de les emmener à un concert donné par le jeune orchestre de Regina, que de plus il doit accueillir Endicott demain à l'aéroport de cette ville, et que, Susan n'appréciant pas particulièrement ces petits voyages d'une journée et sachant combien son mari aime jouer au papa gâteau le temps d'une soirée avec Élisabeth et Suzie, elle est restée au Ranch. La voici face à face avec le Rancher, se répétant que si elle veut le faire, c'est maintenant qu'elle doit prendre sa revanche sur lui. Toutefois, elle n'a pas la plus petite idée sur la manière d'y parvenir. «*On verra bien*», s'est-elle dit. Pour l'occasion, rompant avec ses nouvelles habitudes, son beau-père a consenti à descendre à la salle à manger pour un autre dîner que celui qu'il accorde hebdomadairement à la famille, et, voulant sans doute marquer davantage cette occasion, il a revêtu un smoking qui, bien que de coupe sobre, n'en met pas moins une note d'apparat sur ce repas en tête à tête. Susan ne détonne pas du tout avec sa robe chemisier de soie encre mauve à laquelle un ruban de velours noir raz-de-cou orné d'un camée ovale en ivoire donne tout le relief. Cornelius Fairfield se fait le plaisir de remarquer son élégance:

«Chez vous, Susan, le bon goût est inné; tout ce que vous portez devient un enchantement. Comment faites-vous?

— Vous venez de le dire, Père, répond-elle avec une bonne dose d'ironie sans malice: c'est inné.

— Dans le fond je suis veinard, Alfred aurait pu choisir une de ces grues légères, vulgaires et sans cervelle comme il y en a tant, ou une lipideuse mal embouchée, une vagissante mégère ou encore une de ces féministes viriles qui vous en veulent parce que vous êtes un homme et qu'elles n'en sont pas.

— N'est-ce pas Alfred qui est chanceux?

— Évidemment, mais vivant sous le même toit...

— Si je vous suis bien, il est préférable d'avoir quelqu'un qui cadre avec le décor déjà en place?

— Je vous vois venir, Susan, si je vous réponds oui vous allez aussitôt m'accuser de vous ranger au niveau de l'ameublement...

— Et n'est-ce pas de cela qu'il s'agit? Je veux dire au-delà de la simple dialectique?»

Songeur, Cornelius Fairfield tourne lentement sa cuillère dans son assiette de potage. Susan sait que parfois il aime prendre son temps avant de donner une réponse; étant semblable, elle ne le presse pas.

«À vrai dire, finit-il par répondre, vous soulevez une question que je me suis déjà posée, le conjoint fait-il oui ou non partie des meubles? D'abord je me suis convaincu que non, et puis, à bien y penser, plusieurs questions me sont apparues qui sont demeurées sans réponse. Celle-ci par exemple: comment se fait-il qu'en règle générale l'on retrouve les femmes raffinées dans les environnements raffinés? Pourquoi retrouve-t-on les souillons dans les galetas? Est-ce que l'on choisit son conjoint selon les mêmes critères que les objets? L'un de mes bons amis, un excentrique qui réside près de Cheyenne, a fait de son ranch, et cela bien avant de rencontrer son épouse, la réplique de ce que pourrait être l'intérieur d'un colonial Africain tel qu'on se le représente, peaux de panthères, boucliers colorés, masques grimaçants, statues primitives, sagaies entrecroisées, enfin vous voyez le genre; eh bien je vous le donne en mille, cet ami a été chercher sa femme en Afrique, une très belle Somalienne j'en conviens, mais une Africaine néanmoins. Des exemples comme celui-ci, je pourrais vous en citer des quantités.

— En ce qui me concerne, si je dois suivre votre logique, il ne me semble pas qu'Alfred voue un culte particulier à la Grande-Bretagne.»

Cornelius Fairfield s'adosse jusqu'à la nuque contre le dossier de sa chaise et regarde Susan avec une fixité tout à la fois indulgente et sans concession. Elle, pendant ce temps, se fait la remarque que malgré son âge l'homme a encore beaucoup d'allure. Elle se demande même si ce n'est qu'une façade ou s'il possède vraiment la force affirmée par sa personnalité. «*Il aurait facilement pu se remarier, pourquoi ne l'a-t-il pas fait?* se demande-t-elle sans chercher vraiment à en analyser les raisons. *Pourquoi me regarde-t-il ainsi?*»

«Êtes-vous déjà allée dans le bureau d'Alfred? demande-t-il.

— Certainement pas! C'est sa pièce, son refuge.

— Mais vous n'avez jamais eu la curiosité d'y pénétrer?

— Ce serait mentir d'en nier la curiosité, mais pour ce qui est de la visiter, jamais.

— Vous sentiriez-vous coupable de la visiter maintenant?

— Évidemment! Pourquoi cette question?

— Simplement pour tenter de répondre à ce que vous croyez qu'Alfred éprouve ou n'éprouve pas vis-à-vis de la Grande-Bretagne.

— Cela implique-t-il que vous ayez visité le bureau d'Alfred?

— Je vous retourne votre réponse: évidemment.»

Sur ces mots, un éclair narquois au fond des yeux, il attrape son verre rempli au tiers d'un cabernet-sauvignon australien et en déguste quelques gorgées comme pour parer à toute répartie de sa belle-fille. Mais celle-ci se contente de reprendre une cuillerée de potage et de poser la question logique:

«Et qu'y a-t-il dans le bureau d'Alfred concernant la Grande-Bretagne?

— Tout, Susan, tout. De Shakespeare à Kipling en passant par Byron. N'avez-vous donc jamais remarqué que sa principale lecture est *The Cambridge History of the British Empire*? N'avez-vous jamais entr'aperçu le portrait d'Anne Stuart dans son bureau?»

Susan ne veut pas le laisser paraître, mais l'argumentation de son beau-père la stupéfie; jamais elle n'avait fait les rapprochements que celui-ci vient d'énoncer. «*Comment peut-on être aussi aveugle de ce qui nous concerne?*»

«À présent que vous le dites..., fait-elle.

— Et n'est-ce pas Alfred qui le premier a soumis l'idée d'envoyer Endicott en Angleterre?

— Oui, effectivement, vu sous cet angle cela pourrait sembler troublant.

— *Troublant*! Voilà ce que j'appelle une façon très anglaise de s'exprimer.

— Mais, Père, tout ceci ne tend nullement à prouver que l'on puisse considérer son conjoint comme faisant partie des meubles. Tout au plus ces coïncidences indiquent-elles une continuité dans les goûts. Il est évident que toute personne présente, qu'elle le veuille ou non, un style pouvant s'apparenter à une architecture, à un mobilier, à une mode vestimentaire, et même à une littérature, une musique ou une philosophie. En fait c'est inévitable, (ici elle voit l'occasion de lancer une *«gentille pique»* à son beau-père et la saisit au vol:) tout comme vous-même avez adopté le style rancher; tout en vous, autour de vous, suinte le type même de l'éleveur de bétail dans la grande lignée de l'Ouest américain.

— Vous trouvez?

— Certainement.

— Même après ce que je vous ai avoué cet hiver?

— Nous parlons de l'image que nous voulons, que nous cherchons à donner de nous et qui est peut-être réellement la nôtre, à moins, au contraire, que nous ne cherchions justement qu'à nous dissimuler ce que nous sommes en réalité. Et puis, Père, ce n'est pas chic de reparler de cela.

— Pourquoi donc?

— Cela sous-entend un reproche, du moins je le prends comme ça.»

Un sourire légèrement ironique ourle les lèvres du Rancher. Une nouvelle fois, il porte son verre de vin à sa bouche et claque plusieurs fois la langue contre son palais avant de déglutir.

«Pas du tout, Susan, je me souviens vous avoir laissé l'entière liberté de vous raconter ou non.

— Oui, tout comme le Créateur a laissé le choix à l'homme de goûter ou non au fruit de l'arbre de la connaissance.

— Rien ne vous interdit de vous confier si vous êtes tourmentée par le fait de ne pas le faire. Pour ma part, je dois vous avouer que depuis que je vous ai dit cela, c'est comme si j'avais exorcisé une partie du mal, je l'avoue, que je ne suis plus tracassé que par l'impression que vous devez avoir de moi?»

L'ouverture est facile pour Susan qui voit comment elle pourrait plonger son beau-père dans le doute sur l'impression qu'il lui a laissée, mais non, ce serait trop facile, inélégant, et de toute façon mensonger; et puis, comment incriminer alors que l'on se sent parfois tout autant coupable? Souvent elle a essayé d'imaginer Cornelius Fairfield et Joshua Barker jeune homme; jamais ce qu'elle a vu ne lui a paru plus condamnable que ce qu'elle n'a pas avoué. Elle ne répond pas, se contente, silencieuse, d'étaler un peu de beurre sur un morceau de pain. Impénétrable, alors que derrière son front resurgit la *fiesta* qu'elle s'efforce en vain d'effacer de sa mémoire, de gommer de la réalité. Cette soirée où, pourtant encore toute jeune mariée, lors d'un congrès réunissant des gens de droit, elle avait accompagné Alfred à Toronto, à l'époque où celui-ci n'avait pas encore abandonné l'idée de se lancer en politique. «*N'y pense pas!* s'ordonne-t-elle, *pas maintenant en tout cas, pas devant lui, on dirait qu'il lit tout ce qui se passe dans notre tête.*» Mais les commandements de l'esprit sont impuissants contre les souvenirs. Les souvenirs? Sous la table elle croise les jambes, luttant contre eux, contre la résurgence du plaisir *malsain* auquel elle a succombé. «*C'était la faute d'Alfred!* se répète-t-elle, peut-être pour la millième fois depuis ce jour-là. *Nous avions trop bu de champagne, d'accord, mais pourquoi a-t-il été attiré par cette grande blonde au regard sans âme et à la bouche gourmande?*»

En effet, rompant avec ses habitudes casanières, il l'avait bel et bien abandonnée ce soir-là. Elle a beau essayer de se persuader que si Alfred n'avait pas agi comme il l'avait fait, si elle n'avait pas tant bu, jamais tout cela ne serait arrivé. Elle a beau se le répéter, elle ne peut se déculpabiliser. Elle ne le peut car, sans pitié, sa mémoire restitue aussi le souvenir d'un plaisir qui, aussi dégradant soit-il à ses yeux, n'en reste pas moins un plaisir dont, et c'est cela le plus grave, sa conscience profonde ne peut affirmer qu'elle s'en détournerait s'il venait à se représenter. Plaisir strictement physique, purement animal, mais plaisir quand même, et peut-être l'était-il à cause de ces raisons? Comment ne pas être coupable du plaisir que l'on a pris? Confrontée à la même situation, repousserait-elle cette main étrangère, presque brutale, cette main anonyme, juste des doigts pourvus de leur propre autonomie qui s'amusaient avec la pointe de ses seins, et cette autre, d'une autre personne, raffinée, experte, perverse, fouillant dans les plis de sa petite culotte, puis dans les plis de sa chair, pendant qu'autour d'elle, autour du divan Louis XV, clignaient les lumières de la fête, pendant que coulait le champagne pétillant, pendant qu'éclataient les rires trop excessifs, pendant que pulsaient les rythmes lascifs d'une samba, pendant que, goguenards, se pourléchaient les regards posés sur elle, la chair avait réclamé son dû, exigé la mortification, demandé le sacrifice. Ils, qui ils? Elle l'ignore toujours, sinon que c'étaient des politiciens en herbe ou confirmés, ils l'avaient entraînée là ou la lumière était triste, sur un tapis qui sentait la chèvre ou le mouton, et là, ils, les verges, l'avaient fouillée par tous les orifices; ils, les phallus anonymes, l'avaient souillée de plaisir et de renoncements, la privant à jamais de l'image d'une jeune Anglaise de bonne éducation venue jouer son rôle de *pionnière* sur un continent qui lui avait soufflé la chanson des grandes nuits ruisselantes de lumières et de sentiments *propres*. Puis ils l'avaient laissée seule sur le tapis qui sentait le sperme et le mouton, avec l'écho de leurs rires satisfaits, repus, gavés de ce qu'elle avait été, tout comme elle s'était gavée d'eux. Revoyant tout cela par bribes, elle a gardé les yeux fixés sur son assiette durant quelques secondes, les secondes ou malgré elle la résonance de ce plaisir a réveillé son ventre. À présent elle les lève de nouveau vers son beau-père qui ne semble pas attendre de réponse à ses dernières paroles.

«J'aimerais me confier, dit-elle en prenant pour dédramatiser son propos le même ton qu'elle pourrait prendre pour commenter son potage; mais comment dire ce que l'on ne peut accepter soi-même? En fait je crois qu'entre votre confession et celle que je pourrais vous faire, il doit y avoir la différence que vous, vous savez que vous ne pourriez resuccomber. Moi, je n'en sais rien. Il y a justement un auteur anglais qui a écrit quelque chose comme: «*Une partie de l'amour est l'innocence, une partie de l'amour est la honte... Une partie de l'amour est le sentiment, une partie de l'amour est le désir, une partie est le pressentiment de notre retour à la poussière»*, et, parlant de poussière, il dit plus loin: «*...un désert dans lequel sa poussière volait avec la poussière de toutes choses qu'il avait aimées et perdues; volerait jusqu'à la fin des temps sans jamais connaître ni sens ni repos[1].»*

— Pauvre Susan, si je dois en croire ce qu'évoque pour moi ces paroles, votre *faute*, comme la mienne, serait de nature... charnelle?»

Susan regarde autour d'elle, s'attendant à rencontrer le regard réprobateur de la servante et cuisinière Jemina, mais celle-ci est à la cuisine.

«Quelle faute ne serait pas charnelle? demande-t-elle, rassurée sur ce point.

— La trahison peut-être, le meurtre?

— Oh, j'imagine que ces actes doivent généralement être perpétrés dans le but d'en retirer un bénéfice, une sécurité. On tue pour préserver un secret, mettre la main sur un héritage, se débarrasser d'un importun...

— Vous ne croyez pas que l'on puisse tuer pour le plaisir? demande-t-il avec surprise. Que certains pratiquent le mal pour le mal?

— Non, pas vraiment. J'ai l'impression que même les plus ignobles bourreaux tels qu'on en imagine à la tête de camps de concentration ou de locaux de torture, même ceux-là, je crois, doivent se donner de *bonnes* raisons pour faire le pire. En tout cas, j'ai beaucoup de mal à imaginer une personne en faisant souffrir une autre sans autre motif que de la faire souffrir. Peut-être en existe-t-il, mais je crois que le seul mal que l'on puisse faire délibérément c'est celui que l'on se fait à soi-même. Le sadique, le violeur, l'assassin ne sont pas motivés par la souffrance qu'ils imposent à autrui, mais par leur propre chute entraînée par ces actes.»

Cornelius Fairfield lève la main comme pour demander poliment la parole.

---

1. *Clive Barker, «Weave World»*

«J'ai bien l'impression que, comme moi, vous avez éprouvé l'appel du fond. Vous voyez ce que je veux dire?

— Je vois, Père.»

Portant deux assiettes garnies chacune d'un épais steak et d'une pomme au four enveloppée d'une pellicule d'aluminium, Jemina, comme à son habitude, fait une irruption «*sans délicatesse*» dans la salle à manger. Cornelius Fairfield et sa belle-fille restent silencieux en sa présence et Jemina a l'impression, réelle et un peu vexante, que ce silence n'est dû qu'à sa seule présence. «*Comme si je connaissais pas tous leurs petits secrets, qu'est-ce qu'ils peuvent ben raconter tous les deux? Sûrement encore des affaires pas chrétiennes...*» Elle a hâte de terminer, de rejoindre sa chambre et sa télévision; il y une émission qu'elle aime ce soir, des cas de sauvetage pas banals, généralement situés dans les grandes villes de l'autre côté de la Prairie, là où il se passe quelque chose; là où il y a de la vie. Pas comme ici à Bluestone où il n'y a rien. «*Mais pourquoi donc que je reste ici?*» se demande-t-elle par habitude. Elle voudrait aller dans ce monde dont le petit écran ne lui renvoie qu'une plate dimension. La vie, les rires, les joies et même les pleurs et les chagrins qui leurs sont inséparables, tout cela est au-delà de l'horizon. Comme elle voudrait humer les odeurs de la ville, les relents qui s'échappent depuis le restaurant du Chinois et stagnent dans les ruelles étroites derrière les avenues, sentir les odeurs métalliques, plastiques et aseptisées des tours à bureaux, respirer une bonne fois les émanations toxiques d'un smog glauque chargé des échappements de millions d'automobiles dans lesquelles on voyage ne serait-ce que sur la longueur d'un boulevard, les automobiles qui traversent les nuits humides et luisantes qui résonnent du ton grave, limpide et triste d'une chanteuse saluant un amour, quel qu'il soit, pourvu qu'il y ressemble; les automobiles qui traversent les nuits chaudes et denses d'un Sud chargé du parfum lourd des magnolias, celui sensuel des femmes, et celui entêtant des corps brillants de transpiration. C'est à tout cela que rêve Jemina, la domestique noire ramenée un jour d'Halifax par Alfred; à une ville qui est toutes les villes, bordant une plage qui est toutes les plages, caressée d'un vent qui est toutes les odeurs, tous les parfums, toutes les visions, tous les amours heureux ou déçus. Les autres... la foule... la vie... Peut-être serait-elle moins seule?

Sitôt la porte de la salle à manger refermée dans son dos, elle entend le Rancher reprendre la conversation.

«Susan, puisque nous nous sommes tant dit l'un à l'autre, il reste encore un petit point dont je voudrais vous entretenir, un point concernant Endicott et sur lequel j'aimerais vous amener à épouser mes vues. Surtout, n'allez pas penser que je veuille me mêler de l'éducation de mon petit-fils, non, il s'agit plutôt... comment dire? de la continuité familiale. Je ne sais pas pourquoi, mais arrivé à mon âge on veut souvent régler les détails de la bonne marche de la postérité. C'est peut-être un besoin de se survivre?

— Je vous écoute, Père?

— Bien voilà, il se pourrait, c'est possible que je fasse erreur et que ce ne soit pas le cas, mais, selon moi, il y a de fortes chances pour que dans un temps pas très éloigné vous constatiez qu'Endicott soit... comment dire... en excellents termes avec la jeune Missy Bagriany; j'aimerais, si c'est le cas, que vous encouragiez cette attitude.»

Marquant son étonnement, Susan Fairfield observe son beau-père en cherchant dans les traits de ce dernier la signification exacte des paroles qu'elle vient d'entendre. Sans qu'elle s'en explique les raisons, jamais la salle à manger ne lui a paru aussi vaste, ni la table, où ils ne sont que deux, aussi longue. En effet, la pièce est toute en longueur et la table, comme si elle avait été dessinée à la même échelle, n'en finit plus de s'allonger vers l'autre extrémité de la pièce, comme un vaste désert blanc aux lignes géométriques. *«Que tout cela est grandiloquent, se dit-elle, un peu à ton image, Cornelius Fairfield. Ainsi tu voudrais régir jusqu'à la destinée d'Endi. Pourquoi ne puis-je m'empêcher d'admirer ton orgueil effronté? Missy Bagriany? Pourquoi elle?»*

«Si je vous suis bien, demande-t-elle, vous verriez d'un œil favorable une... union future entre Endicott et cette Missy?

— Oui, Susan; et cela parce que je crois à l'hérédité. J'ai étudié les lois de Mendel et les ai appliquées à l'élevage. En génétique, ce qui est valable pour les vaches ou les chevaux, l'est également pour les humains. Je m'explique: lorsqu'un parent est pourvu d'un caractère spécifique, pour la circonstance je veux parler d'une volonté inflexible, la moitié de ses enfants en hérite et l'autre moitié, qui ne l'a pas reçu, ne pourra plus transmettre ce caractère spécifique. Élisabeth et moi n'avons eu qu'Alfred qui évidemment représente cent pour cent de notre progéniture, mais seulement un certain pourcentage de celle que nous aurions pu avoir et de plus, dans ce pourcentage hypothétique, je crois qu'il fait partie de celui qui n'a pas reçu le caractère spécifique. À ce moment, vous, Susan, intervenez avec votre propre caractère spécifique et le donnez à Endi. La petite Bagriany, que j'ai rencontrée cet hiver, est également pourvue du caractère spécifique, ça se voit tout de suite; donc, en théorie, une lignée forte. Ce n'est pas pour rien que mon troupeau rafle toujours les premiers prix.

— Père! les sentiments! Que faites-vous des sentiments?

— Allons, Susan! N'allez pas me raconter que vous croyez encore à l'âme sœur ou autres balivernes de ce genre? j'ai trop vu de gars épouser leur *Grand Amour* qui n'était en fait le plus souvent que la fille d'à côté, à croire que le hasard aurait si bien favorisé les chances de rencontrer l'âme sœur. Non, je ne crois qu'à l'amour conjugal qui, si l'union est bien assortie, ira chaque jour en s'accroissant. Tout le reste n'est que désir, besoin de posséder l'objet de ce désir et ainsi le soustraire, du moins en théorie, à l'influence d'autrui, et par influence, il faut entendre sexe. Les hommes, et les femmes ont la fâcheuse manie de croire que celui-ci représente tout ce qu'ils sont, et pour que ce sexe remplisse sa mission qui est d'éblouir, évidemment il a besoin d'être unique. C'est ça l'amour des midinettes et des jeunes premiers, et c'est pour le préserver qu'ils ont fait appel à la religion. Regardez les musulmans, leurs lois concernant la fille, la femme et l'épouse ne sont en fait que le moyen *honorable* destiné à camoufler la jalousie, par ailleurs beaucoup plus exacerbée dans les pays chauds. Non, le mariage, qui par ailleurs est une des institutions les plus extraordinaires de l'homme, est souvent compris comme un moyen d'éviter à l'humain de se battre chaque fois qu'il veut coucher, et comme il veut coucher souvent...

— Vos théories sont très...

— Réalistes?

— Ce n'est pas exactement le mot que je cherchais, je dirais plutôt... rationnelles. Tout à l'heure, vous faisiez preuve d'eugénisme, à présent d'ultra-rationalisme. En fait, ma question demeure en ce qui concerne les sentiments. Que faites-vous du non-dit, du non-vu, des choses de l'esprit?

— Mais je fais comme tout le monde, Susan; je me laisse emporter par la colère, un bon parfum me met de bonne humeur, un beau paysage me remplit de bien-être et n'importe quelle femme un tant soit peu femme réveille ma libido. Mais justement, la raison n'exige-t-elle pas de passer par-dessus tout cela lorsque les circonstances s'imposent? Et, en ce qui nous concerne présentement, les raisons du mariage ne sont-elles pas de fonder une famille, c'est-à-dire d'engendrer la meilleure descendance possible? Quel malheur que tous ces grands personnages, hommes ou femmes, qui se laissent embobiner par un physique plein d'artifice et se réveillent un jour au milieu d'une marmaille dans laquelle ils ne se reconnaissent pas.

— C'est bien ce que je disais, vous êtes un eugéniste.

— Qu'importe toutes ces dénominations?

— Elles servent à classer, j'admets que c'est assez primaire, mais ça peut aider. Et pour en revenir à vous, je crois que vous êtes quelqu'un pour qui la fin justifie les moyens et pourtant, toute cette vie n'est-elle pas faite que de ces moyens? La fin, on la connaît: la poussière. Pour ma part je privilégierai toujours le senti par rapport au compris.

— Vous ne seriez pas une femme autrement... enfin..., je veux dire une vraie femme.»

De nouveau ils s'observent, il doit être tard car à présent il fait complètement nuit dehors. Par les fenêtres entrouvertes se glissent l'air nocturne chargé de l'exhalaison de milliards de brins d'herbe et la stridulation aigre et lancinante de millions de cigales. Parfois on tend l'oreille comme pour percevoir le fracas du monde, mais on n'entend rien, sinon le souffle éternel du silence – celui-là même qui se concentre dans la torsade nacrée des coquillages. Des murs ruisselle, jaune, la lumière des appliques

241

aux abats-jours émeraude   et la grande nappe blanche semble retenir dans sa trame l'essence du temps écoulé. Dans les verres, le vin d'Australie prend des teintes incarnates. La nuit demande à être goûtée, savourée.

«La *poussière*, fait le Rancher, tout est là, même le vent y retournera. Tiens, et si nous allions prendre un digestif sur la terrasse pour nous changer les idées, qu'en dites-vous? À moins que vous n'ayez crainte de passer un quart d'heure romantique avec un eugéniste?»

Elle éclate de rire et réalise que malgré tout ce qu'il est, tout ce qu'il lui a révélé, elle se sent en confiance sous le regard sans fard du Rancher.

«Nullement, Père.

— Père! Heureusement que vous m'appelez ainsi; n'ayant, je crois, pas de tendances incestueuses, cela m'aide à rester à ma place.

— Je sais, Père.

— C'est cela qui me plaît le plus avec vous, Susan, nous pouvons tout nous dire sans nous en offusquer.

— Tout nous dire?...

— Vous ne croyez pas?

— Eh bien... (Elle s'arrête, modifie la réponse initiale qui lui est venue à l'esprit et le Rancher se rend compte que toute voile dehors elle s'éloigne des écueils vers lesquels il la conduisait.) Je sais par expérience que vous n'aimez pas que l'on vous donne tort.

— En présence d'un tiers, certainement pas! Que diriez-vous d'un *BandB*?

— Bonne idée! Père, je dis à Jemina de disposer et je vous rejoins sur la terrasse.»

Lui tournant le dos, elle n'aperçoit pas l'affleurement d'un rictus de résignation douloureuse sur le visage de son beau-père, qui vient de réaliser que l'avenir ne lui appartient plus.

20

Pour Nathan, sur la route du retour à la maison mobile, succédant au débordement d'optimisme, revient la nostalgie d'une étreinte, d'une présence, d'une compréhension. Il s'est arrêté et s'est assis sur une souche pour regarder tomber la nuit. Il ausculte les ténèbres, cherchant à comprendre ce qui l'entoure, cherchant à saisir pourquoi, alors qu'il est seul, quelqu'un ou quelque chose lui parle, non avec des mots, mais avec des impressions. À ses pieds, la terre est lourde et la nuit ne l'a pas encore refroidie. Il en prend entre ses mains, la pétrit, cherchant à établir un contact avec la terre elle-même. La terre? Est-ce qu'il s'est refusé à elle cet après-midi? Petit à petit s'insinue en lui le sentiment qu'elle est vivante, la nuit qui la dérobe au regard ne fait que renforcer sa présence. Oui elle est là! forte et fragile, douce et terrible, une. Elle est féminine. Il est partie d'elle, elle est partie de l'Univers et par elle il se sent partie de ce qui est. Sans lui, sans les autres, elle ne serait rien, les étoiles et les galaxies ne seraient rien, mais c'est réciproque. Et la terre qu'il a dans les mains, il la repose sur la terre, s'agenouille sur elle, y pose l'extrémité de ses doigts, cherche à en saisir l'essence. Il la sent compatissante, sienne, offerte. Alors il s'allonge tout contre elle, enfonce ses doigts en elle. Elle fait corps avec lui, il en est convaincu. Cet après-midi, il a eu peur qu'elle ne l'avale, ce soir, c'est lui qui absorbe sa substance subtile, pressent que chacun de ses atomes a été ou sera matière vivante, puis matière pensante et enfin matière aimante. Il comprend qu'il est elle, se demandant ce qui lui arrive. «*Pourquoi je suis au lieu de n'être rien? Pourquoi on est si seul?»* Puis il se rend compte qu'en aimant la terre c'est lui qu'il aime. Il prend peur de ce qu'il éprouve et se redresse un peu brusquement. «*Rentrons*», se dit-il en se dirigeant au petit bonheur sur le chemin de gravier.

Rentrant dans la maison mobile, il ne voit que Paul Lapierre sortant de la salle de bains, une serviette nouée autour de la taille. Jolene doit être dans la chambre puisqu'elle n'est ni dans la cuisine ni dans le salon.

«Salut, dit Nathan, ça va?

— Salut, Nathan. Un peu que ça va! (Paul lui lance un clin d'œil chargé d'allusions), tu verras quand t'auras une petite amie...

— J'imagine...

— Bah, imagine pas trop, s'esclaffe Paul, c'est mauvais pour la santé.

— Merci du conseil

— Y a pas de quoi. Allez, bonsoir. Ah, au fait! comment t'aimes ça le bois?

— Pas mal.

— Sur quelle machine t'a placé ton grand-père?

— Une *Timber*.

— Ah, une *Timber*... C'est là-dessus que j'ai commencé, moi aussi. Je me souviens qu'à l'époque j'étais aussi fier que si j'avais été dépucelé par une star d'Hollywood.»

Sans que l'esprit y soit, Nathan fait comme s'il appréciait ces échanges blagueurs.

«Moi, je crois que j'aimerais mieux la star...

— Ah! Ah! je vois. Bon, cette fois bonsoir, la mienne, de star, m'attend dans la chambre.

— Bonne nuit.»

Encore une fois Paul Lapierre lui lance un clin d'œil auquel Nathan voudrait répondre par des reproches cinglants, mais il fait comme si tout cela était vraiment très amusant.

Seul, Nathan ouvre la porte du frigidaire, détaille sans conviction une bouteille de ketchup à moitié vide tachée de ketchup oxydé, un bocal de moutarde, un pot de beurre d'arachide presque vide, un carton de lait, un restant de salade de chou rouge dans un plat en plastique recouvert d'une pellicule transparente et une boîte entamée de gâteaux feuilletés aux cerises. Il opte pour les gâteaux, prend la boîte, va s'installer à la table de la cuisine, en mange trois successivement, tout en contemplant d'un regard hermétique le centre de table représenté par une coupe de fruits en plâtre aux couleurs crues, où, en plus des fruits, il détaille une paire de lunettes noires à la Roy Orbisson, un coupe-ongles, des pièces d'un sou et les clefs de la voiture de Jolene.

L'estomac calé, il passe à la salle de bains se brosser les dents, puis rejoint sa chambre où, une fois déshabillé, il vérifie le radio-réveil placé sur la chaise à côté du lit, tire sur la corde qui pend du plafond pour éteindre la lampe dont les soixante watts ne dispensent que morosité, et s'allonge sur le dos, les yeux grands ouverts.

Il y a longtemps qu'il est dans cette position lorsque les bruits commencent. Jusqu'à présent, par moment, il les a entendus parler de leur lit qui, paraît-il, n'est pas terrible, de ce qu'ils comptaient faire le lendemain et du magasin où ils espéraient que tout se passait bien. Maintenant les bruits qu'il entend de l'autre côté de la cloison sont différents, et il les identifie facilement. En fait il n'est pas étonné, il s'y attendait. Sûrement dans l'espoir de les couvrir pour le cas où il ne dormirait pas, Paul ou Jolene, certainement Jolene, a allumé la radio qui distille un chant langoureux sur un arrière-fond de chœurs au ton dramatique, le tout sous l'impulsion d'un tam-tam africain, presque en accord avec le mouvement du lit. Nathan a mal. L'obscurité de sa chambre se peuple de sourires ironiques, grimaçants. «Chuuuut!», entend-il en reconnaissant la voix de Jolene. «T'occupes pas de ça!», fait la voix de Paul en retour. En fait la cloison qui n'est formée que d'une feuille d'aggloméré recouvert d'une tapisserie en vinyle qui sent la colle industrielle laisse passer tous les sons. Nathan est aux premières loges d'une représentation sans lumière. «Ça me gêne», dit Jolene. «Oh! feint de s'insurger Paul, toi, tu vas pas me laisser comme ça, quelque chose me dit...» Nathan ne comprend pas la réponse qui fait rire Paul, mais il comprend fort bien les bruits qui reprennent de plus belle. À la radio il doit s'agir de la retransmission d'un récital car il semble que c'est toujours la même voix, les mêmes chœurs et le même tam-tam qui hante douloureusement la nuit. Malgré tout l'effort qu'il y oppose, il imagine Jolene, consentante, sous les allers-retours de son mari, et il se dit qu'obligatoirement Paul doit être plus *«expert»* que lui, plus *«développé»* et que Jolene *«automatiquement»* doit avoir plus de plaisir. C'est obligé puisque Paul est un *homme*. Il a mal partout, sa colonne vertébrale est prise dans un étau, une douleur sourde longe son sternum, l'impression d'être vide – vide et froid. Dans sa tête, Jolene l'a complètement oublié, dans un halo rouge il la voit, bras refermés autour de Paul, cuisses lui enserrant la taille; lui, Nathan, n'est plus rien. C'est Paul à présent qui fait corps avec elle, et elle est Paul. Pour corser l'affaire, Paul est du genre à réclamer des compliments, Nathan sent son cœur lui monter au gosier lorsqu'il l'entend prononcer des: «Dis que j'te fais sortir le jus? Dis-le!», des: «Hein qu'une plus grosse tu pourrais pas, hein?» Puis vient un: «Attends, ma chatte, j'vais te manger comme t'aimes.» Lorsqu'elle gémit, il faut du temps à Nathan pour réaliser que, outre la nausée qui lui bloque la gorge, outre le vide glacial qui s'étend en lui, la douleur, la vraie, s'est localisée au niveau de ses testicules, et cela parce qu'il est en érection. Désemparé, ne comprenant plus rien, il a honte de sa réaction physique, plus que honte, il se dégoûte. Comme elle gémit une nouvelle fois, il veut lui faire savoir qu'il est réveillé, qu'il entend tout, et il se racle bruyamment la gorge, attrape un mouchoir en papier dans la boîte sur la chaise à côté du lit et se mouche avec force. Lorsque quelques secondes après il entend: «Oui! Oui! Je suis avec toi!», il sait que ces mots lui sont destinés, même si de son côté Paul doit les prendre pour lui. Alors, allongé sur le lit, les poings serrés, il endure les gémissements répétitifs, puis les halètements, se souvient de leur nuit au motel du bord de l'océan, se souvient de ce qu'ils ont réellement fait, et lorsqu'elle crie, l'espace d'une seconde, il croit l'avoir retrouvée, elle est contre lui, il l'étreint, se perd en elle et éjacule. Aussitôt après, il se redresse vivement pour parer à un haut-le-cœur plus violent que les autres qui lui ramène du feuilleté aux cerises acide dans la bouche. *«Je fous le camp!* décide-t-il. *Je veux plus de tout ça!*

C'est trop moche! Mais pourquoi, pourquoi j'ai éjaculé? Ça se peut pas! Pourquoi? Elle m'aime, j'en suis sûr maintenant, mais je crois bien que c'est encore plus dur. Allez! on s'en va! Non, pas tout de suite, faut d'abord que j'écrive un mot à Maman... Oui, et puis après, salut!»

Chargé de grisaille, le temps a passé. Paul et Jolene doivent dormir, il quitte la chambre et prend les clefs de Jolene dans la cuisine; il a décidé d'aller avec la voiture jusqu'à la route principale. Il laisse la maison mobile, puis, seul derrière un volant pour la première fois de son existence, il abandonne *Lapierreville* et tout ce qu'il a connu jusqu'à maintenant. Sur la chaise près de son lit, il a laissé une enveloppe jaunie à l'endos de laquelle il a écrit le petit «mot» très bref:

Maman,
Comme il faut que je fasse fortune, je m'en vais. T'inquiète pas pour moi. Je te donnerai des nouvelles dès que je pourrai. C'est toi que j'aime le plus. Ça donnerait rien d'essayer de me faire rechercher. Je t'embrasse de tout mon cœur.

Et sur le carton déchiré d'une boîte de mouchoir, ce message à double sens:

Jo,
Merci. Je vais laisser la voiture près de Port Hardy. Même si tu n'y es pour rien, je m'en souviendrai toute ma vie. Merci encore.

21

Près de Port Hardy, Nathan avise un *truck-stop* qui demeure ouvert jour et nuit. Ayant entendu dire que les occasions de trouver «un pouce» sont plus faciles et confortables dans ces établissements, c'est intentionnellement qu'il a poussé jusqu'ici. Visible de loin grâce à un bouquet de réverbères haut perchés, c'est un endroit principalement destiné aux routiers. Ils y disposent d'une salle de détente où ils peuvent jouer au billard, aux fléchettes ou regarder la télévision. À toute heure, ils peuvent bénéficier des bienfaits réparateurs d'une douche et, surtout, il y a le restaurant où, dans la mesure du possible, on essaie de leur servir des plats à la fois simples, agréables et consistants, tout en essayant de leur donner un caractère de cuisine familiale.

Nathan gare la voiture de Jolene dans le parking avec un peu de regret. Il aurait bien aimé continuer avec, mais il s'est déjà aventuré bien assez loin, au risque de se faire interpeller par une patrouille. Sa valise à la main, il pénètre dans le restaurant et est aussitôt assailli par des odeurs de bacon, d'œufs frits et, même à cette heure de la nuit, de sauce spaghetti. Depuis les haut-parleurs placés aux quatre coins de la salle à manger, une ballade de Dolly Parton suinte en sourdine. Sous les tables, Nathan remarque les pieds bottés qui machinalement marquent le rythme. Les propriétaires de ces pieds abritent leurs regards à l'ombre du rebord de leurs chapeaux. Regards qui pour l'instant sont tournés vers lui, cherchant à deviner qui il est et pourquoi il se trouve ici. Essayant de n'accrocher aucun regard en particulier, Nathan va s'installer sur une banquette de moleskine rouge et il est aussitôt pris en charge par la serveuse, une femme entre deux âges, bien en chair, à l'épiderme pâle et rose qui a un on ne sait quoi de sensuel, du moins pour bien des hommes de la route. Un peu trop maquillée aussi, seuls ses grands yeux clairs et bleus semblent épargnés par les vicissitudes de l'existence.

«Seul?», lui demande-t-elle d'une voix sonore en lui tendant le menu.

Nathan fait signe qu'il n'en a pas besoin.

«Oui. Je prendrai juste un café et des patates frites.

— Petit, moyen ou gros, le plat de patates?

— Moyen, et avec de la sauce, s'il vous plaît. (Il se rapproche d'elle comme pour lui faire des confidences.) Est-ce que vous connaîtriez quelqu'un qui descendrait vers Nanaïmo?

— Nanaïmo? Tu veux t'rendre à Nanaïmo?», fait-elle en haussant la voix afin que tout le monde comprenne.

Embarrassé, il répond affirmativement d'un signe de tête.

«Y a-t-y quêqu'un qui va à N'naïmo? demande-t-elle à l'assistance. Le p'tit jeune homme voudrait y aller à c'qui semble.»

Visage couleur brique, sillonné par tellement de rides qu'il en est presque pathétique, épaules gigantesques, vêtu d'une épaisse chemise à carreaux noirs et blancs, assis seul devant un cola et une assiette vide ayant contenu une pointe de tarte aux raisins, l'un des clients fait longtemps oui du menton avant de répondre «moi» d'une voix que ne pourrait renier un grand-père grizzli.

«Toi, George, demande la serveuse les mains posées sur ses larges hanches, tu veux bien prendre le jeune homme?

— Si y est correct, y a pas de problème. Es-tu correct, mon gars?

— Bah, je crois, oui...

— Je veux dire si t'as pas de motif de te cacher de personne?

— Je vais juste rejoindre de la parenté sur le continent, fabule Nathan.

— Sur le continent? Y'où, mon gars?

— Whitehorse, répond Nathan en prenant le premier nom qui lui vient à l'esprit.

— Whitehorse, Yukon?

— Oui, c'est ça, au Yukon.

— Ah ça! on peut dire que toi t'es né sous une bonne étoile, mon gars, moi, j'vais jusqu'à Fort Nelson, après ça tu s'ras pratiquement rendu chez vous.»

C'est inattendu et Nathan ignore s'il doit ou non se réjouir de cette nouvelle, en attendant il fait comme si. «Au Yukon? se demande-t-il. *Qu'est-ce que je vais aller faire au Yukon? Qu'est-ce qu'il y a au Yukon? Est-ce que c'est pas là qu'il y a eu une ruée vers l'or? Oui, je crois... Il y a peut-être encore de l'or? Dans le fond, c'est peut-être le destin qui m'a mis sur la route?*»

«C'est super, affirme-t-il au dénommé George.

— Si t'es correct, ça m'fait plaisir, mon gars. Hé, viens donc t'asseoir ici, qu'on fasse connaissance si on doit faire un bout de route tous les deux.»

Nathan s'exécute tandis que les autres clients, considérant l'intermède comme clos, reprennent les conversations là où ils les avaient laissées. Assis face à lui, Nathan ne peut que se répéter que George est une force de la nature. Tout chez lui exprime la force; ses mains surtout frappent par leur taille; il a l'impression que, s'il le désirait, l'homme pourrait plier la table sans sourciller. Entre ses doigts, le verre de cola ressemble au jouet d'une dînette d'enfant.

«Alors? demande George de sa voix ultra-grave, dis-moi c'que tu fais ici à c't'heure d'la nuit?

— Bien, comme je l'ai dit, je cherchais une occasion...

— T'as quel âge, mon gars?»

Raisonnant là-dessus et même si l'hypothèse lui paraît improbable, Nathan se dit que l'homme pourrait lui demander sa carte d'assurance sociale, aussi décide-t-il de ne pas mentir sur ce point.

«Seize ans.

— Ouais... ouais. (Il l'examine comme s'il cherchait dans ses traits l'indice d'une tare dissimulée.) Tu m'as pas dit ton nom?

— Nathan. Nathan Barker.

— Eh bien Nathan, moi c'est George. T'as pas l'air d'un drogué, ni d'un voyou, j'crois qu'on va bien s'entendre. T'aimes les camions?

— Oui, mais j'y suis jamais monté.

— Ça alors! Mais toute ton éducation est à faire, mon gars. T'as vraiment d'la chance d'être tombé sur moi, c'est pas tous les jours qu'on va de Port Hardy à Fort Nelson d'une seule traite. Et en plus je monte à vide, j'vais chercher un groupe électrogène, j'vais pouvoir te montrer ce que mon brave *Peterbilt* a dans le ventre.

— Ça me paraît bien», assure Nathan qui commence à entrevoir une nouvelle destinée pleine d'aventures exaltantes.

Comme la serveuse arrive et dispose devant Nathan ses frites et son café, George, en posant ses doigts sur le poignet rose et dodu de la femme, la retient et s'adresse au garçon:

«T'es-t'y sûr que t'en auras pour t'remplir la panse? Faut qu'tu saches qu'une fois sur le continent, j'suis pas trop le genre à m'arrêter dans tous les restaurants.

— Oui, oui, j'en ai assez, merci.»

Mais comme s'il n'avait pas entendu, George fait signe à la serveuse, et d'un mouvement circulaire de son index gros comme une saucisse, réclame deux pointes de tarte aux raisins.

«C'est pas la peine! fait Nathan, pas pour moi.

— T'occupe pas, mon gars; c'est moi qui mène.

— Alors c'est moi qui paie tout.

— Comme tu voudras, là-dessus j'ai pour principe de jamais insister.»

George n'a pas reparlé depuis le départ. En montant dans la cabine, il a demandé à Nathan s'il préférait le siège ou la couchette, Nathan a choisi le siège. Aussitôt George a ouvert la radio et, comme il s'agissait des nouvelles, il a fait comprendre d'un geste à son passager qu'il aimait les écouter en silence. Devant eux, la nuit n'est transgressée que dans l'angle étroit du faisceau des phares; du poste, une voix féminine au timbre d'airain – tel qu'il doit être enseigné dans les écoles de communications – débite la longue liste des tristes rebondissements de cette tranche quotidienne de l'Histoire humaine. Comme toujours, il est question de la sécheresse continentale qui s'aggrave, de la chaleur, cette nouvelle ennemie, de l'économie qui, malgré toutes les prédictions optimistes des analystes, s'obstine à s'anémier chaque jour davantage, et puis la maintenant sempiternelle et monotone liste des industries condamnées dans le cadre de la Loi sur les rejets toxiques. Ce n'est qu'après cela que George profite de ce qu'il a de la compagnie pour commenter ce qu'il «pense de tout ça»:

«C'est avec ça que les gouvernements se donnent bonne conscience, tu parles! Qu'est-ce que ça peut bien leur foutre aux industriels d'en être de cinq ou dix mille d'amende... Y nous prennent pour des demeurés. Hein, mon gars, c'que t'en penses, toi?

— C'est sûr!»

Pendant un instant George quitte la route des yeux, et, dans le faible éclairage vert polarisé de la cabine, observe Nathan.

«Alors, dis-moi, mon gars, est-ce que c'est ta première fugue?

— Hein! pourquoi vous dites ça?

— Ben voyons! penses-tu qu'j'allais croire une minute qu'les parents d'un gars de seize ans l'enverraient rejoindre d'la *parenté* au Yukon en plein milieu d'la nuit, sans billet d'autobus ou de train? À qui qu'tu veux faire avaler ça?

— Bah...

— Surpris, hein? Tu pensais qu'j'avais pris ton histoire pour du cash?

— Pourquoi vous m'avez pris, si vous ne me croyez pas?

— Tu m'as pas dit qu't'allais au Yukon?

— Si, mais...

— Moi j'ai rien contre, tu sais. À seize ans, à mon idée, on doit savoir c'qu'on fait. P't'être qu'ça allait pas à la maison? P't'être ben qu'ton père prend un coup? P't'être qu'ta mère a sapré son camp avec un commis voyageur? P't'être tout bonnement qu't'en a plein l'dos d'l'école et qu'tu veux voir du pays? L'école! Tu parles! Au point où qu'on en est, la planète est devenue une vaste vente de faillite, le bonheur est à liquider au plus offrant.

— Si je comprends bien, s'étonne Nathan, ça vous est égal que je fasse une fugue?

— Grand bien t'fasse! Moi aussi, à ton âge, j'ai pris la tangente. Tel que tu m'vois, j'viens d'une p'tite crique brumeuse d'l'île du Nouveau Monde, au nord de Terre-Neuve. J'suis même parti à treize ans, moi. Treize années à bouffer du poisson, à sentir le poisson, jusqu'à en chier des arrêtes. Treize putains d'années à voir mon vieux dilapider son existence et celle des autres, dans un défilé sans fin de canettes de bière, et ma mère qui braillait après tous nous autres; avec raison, remarque bien, car veux, veux pas, l'vieux y t'y mettait sa graine à tous les ans, et tous les ans fallait ben qu'on sorte par où qu'y nous avaient fabriqués, à coup sûr, entr' deux canettes. Ouais, j'te jure qui y avait pas toutes les commodités modernes à la maison, le lait maternisé, les couches jetables, et les p'tits pots pour bébé, y avait rien de tout ça; la mère, fallait qu'elle cavale à la journée longue. D'abord pour chauffer le foutu poêle à bois et qu'c'était nous qui devions fendre les bûches, et pis ensuite pour laver, torcher laver, laver, toujours torcher, et à chaque repas plonger l'poisson dans le chaudron pendant qu'le vieux, lui, y s'balancinait sur sa maudite berçante qu'arrêtait pas de faire couic couac couic couac à chaque fois. Alors ça s'comprend que d'temps en temps la mère, elle, nous mettait sa main dans la face pour des broutilles. Tu comprends bien que c'te vie-là, c'était pas diâbe le rêve pour une femme. J'dis pas qu'la vie doit à tout prix être une partie d'plaisir, ça c'est pas possible, mais y a des limites à c'qu'est moche. C'est pour ça que j'suis parti, j'voulais pas qu'ça continue. Ah mautadit! j'entends encore le couic couac d'la berçante du vieux... Mais j'parle, j'parle et toi tu dis rien?

— Bah, moi, j'ai pas grand-chose à dire. Je dis pas que ça a été mieux chez moi, au contraire, disons que c'était différent...

— Tu préfères pas en parler, hein mon gars?

— À vrai dire, pas tellement.

— Ouais, j'comprends... Remarque que j'veux pas t'forcer à dire quoi que ce soit, seulement que j'crois qu'des fois ça soulage de dire c'qu'on a sur l'cœur.

— Des fois, sûrement, mais dans mon cas, c'est pas pareil.

— Allons, allons, la chatte d'la femme du voisin fait toujours plus saliver qu'celle d'la bourgeoise, y a qu'le voisin qui pense l'contraire. Quand c'est pour du boni, on croit toujours qu'c'est plus chez les autres, pour l'pain noir c'est toujours pour soi.»

Brusquement, Nathan éprouve le besoin de tout raconter. Non pas tant dans le souci de se délivrer que d'évaluer l'effet que son histoire peut produire sur les autres, voir comment il sera regardé, accepté. Déjà, dehors, le voile nocturne donne des signes de faiblesse. Le jour est à l'œuvre, transformant chaque atome de la voûte céleste qui, d'encre de Chine, passe au bleu de Prusse sans que l'on sache très bien ce qu'il y a entre les deux.

«Moi, mon père buvait pas, dit rapidement Nathan comme s'il craignait de ne pouvoir poursuivre. Non, le mien, il s'est amusé avec le pénis de mon frère, et comme si ça suffisait pas, eh bien, il a étouffé mon frère. Pour finir, et ça c'est aussi bien pour tout le monde, il s'est coupé les veines, toutes les veines, même celles de la queue. Voilà, sans l'avoir vécu pour en parler, je crois quand même que j'aurais préféré la bière, ça semble plus normal.»

Pendant un long moment, George ne prononce pas une parole, se contente de fixer un point invisible au-delà du ruban d'asphalte, puis, comme s'il avait médité longuement ce qu'il doit dire, il commence par un long mouvement de tête désabusé.

«Sûr qu'ton histoire est pas la plus drôle, j'dirais même qu'ça doit tout te démolir un moral, mais faut qu'tu saches que t'es pas tout seul, sacrement non! Sûr que c'est pas tout un chacun qu'étouffe sa progéniture après y avoir astiqué le nerf à plaisir, sûr que la plupart y vont plutôt choisir la pucelle que le puceau, mais tu crois t'y qu'un bonhomme qui passe sa vie à siroter d'la liqueur de houblon, y reste avec l'esprit sain? Sacrement non! J'peux, et ça j'l'ai encore jamais dit à personne, j'peux t'dire c'qui s'passe quand un beau jour ton vieux plein de bière se rend compte que sa fille aînée a des têtes d'épingles là où hier y avait que du plat, le vieux cochon y y met le doigt et y dit: verrat! ça pousse! et là, d'la façon qui dit ça, eh ben tu sais qu'ton vieux y bande d'la même façon que l'verrat d'la paroisse quand on va y mener les truies en chaleur, et là t'as envie de tout répandre ton dernier repas. Et ça, mon gars, c'est rien qu'l'début d'une longue et triste histoire qu'en finit plus d'faire du mal. Et c'que j'te raconte là, ben mon p'tit doigt m'dit qu'c'est pas ce qu'on appelle un cas isolé, des affaires comme ça qu'ont tourné au tragique, on en voit chaque jour sur les journaux, et ça n'est que l'dessus du panier, parce que tout l'temps qu'ça paraît pas, eh ben les gens y s'taisent, y font comme si qu'ça existerait pas. C'est vrai qu'c'est embêtant, d'un côté dire que l'homme est le chef-d'œuvre de la création, et d'l'autre qu'y s'comporte comme un bouc lubrique. Cela dit, faut pas se laisser abattre, c'est pas tout le monde qui s'laisse aller, et c'qui compte, justement, c'est d'lutter, lutter, lutter... Et c'est pour ça qui faut aller au Yukon quand on a envie d'y aller, même si là-bas, p't'être encore plus qu'ailleurs, le passe-temps favori pour meubler la longue nuit d'hiver consiste à vider des bouteilles de n'importe quoi pourvu qu'y ait d'l'alcool, et ensuite à s'essayer le manche ou la pelote sur tout c'qui bouge.»

Nathan ne sait que dire. Le ciel s'éclaircit, révélant la masse sombre et compacte des arbres de chaque côté de la route. Parfois une maison isolée dont les abords sont généralement éclairés par une grosse ampoule d'extérieur. Images fugitives qui ne persistent, confuses, que dans l'arrière-mémoire. Chaque fois, Nathan se demande qui peut vivre là? Quelle école fréquentent les enfants? Quel hasard a voulu que telle ou telle famille s'installe ici et non ailleurs? Objectivement, il sait fort bien que lui-même est d'un endroit encore plus *perdu* que ceux-ci, mais il ne peut s'empêcher de trouver que les habitants de ces maisons accrochées dans la nuit et la forêt doivent avoir une existence bien «*pitoyable*». Dans les roses et les gris de cette aube naissante, il ne les envie pas; il se considère bien mieux à sa place, sur le siège de ce camion, alors que l'horizon se referme sans arrêt dans son dos. Il veut que ça dure, que le voyage continue et continue, toujours, accompagné par le grondement viril et rassurant du moteur. Qu'est-ce qui pourrait l'atteindre ici? Qui pourrait lui dicter ce qu'il devrait ou ne devrait pas faire?

Déviant le cours d'une conversation tombée sans conclusion, George s'inquiète de problèmes beaucoup plus pratiques:

«As-tu de l'argent? Je veux dire en as-tu assez pour payer ton passage sur l'traversier?

— Oui, oui, faut pas s'en faire pour moi. Comment fait-on pour devenir routier?

— Pourquoi? Tu crois qu'ça t'plairait?

— J'ai l'impression que ça doit être plaisant, comme ça, toujours sur les routes, toujours quelque chose de différent à voir. Ouais, je crois que ça me plairait...

— Ouais, j'vois. T'es attiré par le mythe comme y en a qui sont attirés par celui du pompier, celui du pilote ou du cow-boy.

Routier? J'vais t'dire exactement de quoi y retourne; d'abord c'est douze, quatorze, seize heures par jour derrière ce volant; le paysage? Y finit par être toujours le même. Non, tout c'qui reste c'est l'rêve perpétuel d'un bon grand lit dans une vraie chambre à coucher avec du papier fleuri aux murs et une fenêtre avec des rideaux blancs ajourés qui laissent passer les rayons du soleil. En tout cas, pour moi, le rêve c'est ça. Cela dit, j'imagine qu'c'est pas pire qu'autre chose de conduire un camion; c'qui faut pas c'est s'laisser prendre par le mythe.

— Merci du conseil.

— T'as pas l'air à me croire?»

Nathan ne juge pas utile de confirmer et revient à ce que George a dit à propos du Yukon:

«C'est vrai qu'au Yukon c'est comme vous avez dit?»

Le camionneur regarde son passager et éclate de rire.

«Ah! Ah! Viande à chien! Toi, t'as l'air à tout prendre au sérieux, pas vrai?

— Bah...

— Eh ben j'vais t'dire: au Yukon j'y suis jamais allé. En fait c'est p't'être l'paradis là-bas, qui sait?

— Ah!

— Tu veux plus y aller?

— Si, si...

— Et qu'est-ce que tu comptes faire là-bas?

— De l'argent, beaucoup d'argent. Je vais peut-être y chercher de l'or...

— De l'or! Veux-tu un conseil?

— Ça nuit pas.

— Abandonne l'idée de l'or. Si tu veux faire de l'argent, il n'y a qu'un seul principe: vendre.

— Vendre quoi?

— N'importe quoi, mon gars. Vendre, c'est tout.

— Je ne veux pas paraître impoli, mais pourquoi vous le faites pas, vous, si c'est ça qui rend riche?

— Parce que j'sais pas. Non, sacrement! j'sais pas.

— Ça doit pas être sorcier, si on vend quelque chose dont les gens ont besoin, ils l'achètent, non?

— Mais non! tu y es pas du tout, un vendeur ça vend n'importe quoi. Tout c'qu'il a besoin de savoir, c'est d'faire rêver, d'faire croire aux gens que de posséder ce qu'il a à vendre équivaut au paradis. C'est tout, comprends-tu?

— Je crois. Par exemple si j'avais un camion comme celui-ci à vendre, plutôt que de le faire savoir dans les petites annonces, j'emmènerais du monde se promener dedans à l'aube, comme maintenant.

— Ouais! Bravo! J'crois qu'tu tiens l'bon bout.

— Et je ferais celui qui ne s'en débarrasserait pour rien au monde, ajoute Nathan.

— Excellent!»

Cette assertion emplit Nathan d'une bouffée d'exaltation qui déchire les miasmes de son moral. Elle lui laisse entr'apercevoir un avenir radieux, un avenir où il se voit capable d'accomplir tout ce qu'il voudra, un avenir où rien ne pourra s'opposer à lui, et déjà, entre autres images auréolées de lumière vive qui se présentent à son esprit, celle de lui-même remettant une valise pleine de dollars à Cornelius Fairfield, sous le regard plein d'amour de Missy.

«J'y arriverai!», affirme-t-il beaucoup plus pour lui que pour George.

Mais bientôt revient l'ombre d'un nuage; le temps d'un cliché, il s'imagine avec une autre valise de dollars, tendant celle-ci à un homme en noir, antipathique, avec qui il vient de conclure un marché visant la disparition de Paul Lapierre. «*Je suis fou! Complètement cinglé! Il m'a rien fait, Paul. C'est vrai, finalement, c'est moi qui ai couché avec sa femme, c'est moi le salaud de l'histoire.*» Nathan est surpris, il n'avait pas encore vu cela sous cet angle. «*Que dirais-tu si une fois marié avec Missy, un autre, Endicott par exemple, allait coucher avec? Hein, que ferais-tu?*

Là, c'est vrai que je me servirais de la valise pleine de dollars. Contre qui? Missy?

Non, non! contre Endicott, Et puis ça ne sert à rien de se faire mal avec des choses qui n'arriveront jamais. Ce n'est pas le genre de Missy. Zut! je voudrais bien la voir, je m'ennuie. On serait bien, là, tous les deux dans ce camion, je conduirais pendant qu'elle dormirait, insouciante, dans la couchette à l'arrière, ce serait formidable de la sentir là. M'entends-tu, Missy? Tu n'oublies pas que je t'aime, hein? Oh oui, je t'aime! Et je te jure que pour toi je vais le gagner, ce monde. C'est vraiment de la folie d'aller penser qu'elle pourrait..., et avec Endicott Fairfield en plus!»

«Êtes-vous marié? demande-t-il à George.

— Pourquoi cette question?

— Comme ça, pour rien.

— Ah j'y suis! c'est la raison! Tu fugues à cause d'une p'tite amie? Tu voudrais la marier mais t'es trop jeune, c'est la raison, hein?

— Un peu, enfin..., pas vraiment.

— Mais ça y ressemble?

— Si on veut...

— Sois pas pressé, mon gars, attends d'connaître les filles avant d'fixer ton choix. Moi, par exemple, pour répondre à ta question, j'ai été marié un an avant de m'apercevoir qu'c'elle que j'avais choisie était juste intéressée par l'salaire que j'ramenais à la maison et qui lui permettait de rester vautrée à la journée longue devant la télé en s'empiffrant de beignes, de chips et de sodas en attendant d'pouvoir mettre ses peintures de guerre les vendredis et les samedis soirs pour aller faire d'l'épate dans les restaurants et les clubs où, soit dit en passant, elle perdait pas une occasion d'rouler des œillades aux types qui, à vue de nez, avaient une cote de crédit plus haute qu'la mienne. Par bonheur, un jour j'l'ai surprise en train d'faire subir un traitement anti-acné à un p'tit gars d'ton âge voisin d'chez nous. J'ai eu là un beau prétexte pour lui dire d'faire ses valises. Depuis... eh bien à vrai dire y a des fois qu'on s'sent un peu solitaire, des fois qu'on rêve d'une fille bien comme y en a dans les films.

— Il doit bien y en avoir, en réalité.

— Faut espérer, mais c'est comme à la 6/49, on sait que l'gros lot existe, on en rêve, on s'demande c'qu'on f'rait si on l'avait, mais reste qu'on a autant d'chance de l'récolter que d'recevoir la famille royale pour souper. J'en connais du monde sur la route, j'en ai vu des types qui disaient: moi ça marche, jusqu'au jour où ils disent: on n'était pas faits pour vivre ensemble, ou alors: faut faire avec c'qu'on a. Remarque que d'leur bord les femmes doivent se chanter l'même refrain.

258

— Vous êtes plutôt pessimiste.

— Hum... ouais, j'en rajoute p't'être un peu, mais n'empêche...»

Depuis que George a parlé de son ex-femme et de ce qu'elle avait fait avec le «p'tit gars», Nathan n'a pu s'empêcher de se la représenter sous les traits de Jolene (sauf en ce qui concerne les beignes, Jolene est trop attentive à sa ligne pour se laisser aller aux goinfreries). S'est-il trompé sur son compte? N'est-elle qu'une femme qui, avec lui, s'est offert *«une distraction»*? Il ne le croit pas vraiment, mais le doute demeure.

Il en est toujours à ces questions lorsque le camion pénètre dans les faubourgs de Nanaïmo. Dans le petit jour bleu et rose, la majorité des bungalows sont encore plongés dans cet état *inanimé* qui caractérise les demeures dont les occupants se sont retirés au royaume du sommeil. L'heure a quelque chose de triste et de magique. Triste, car bientôt le *vrai* jour sera là, et avec lui disparaîtra cette sensation qu'il a de voyager non seulement sur des distances, mais aussi dans un état d'être différent. Là, comme ça, il a l'impression de veiller sur ceux qui dorment, de voir et sentir des choses qu'ils ne connaîtront pas, et, surtout, de par son seul passage, de *voler* une appartenance à ce décor que ne possèdent même pas les véritables propriétaires. Une nouvelle fois, il s'imagine que ce doit être agréable d'être routier et il le dit:

«Quand même, c'est bien de voir tout ça en travaillant.

— En ce moment, on est juste à l'heure où on a l'impression que tout c'qu'est moche a disparu et que tout c'qu'est chouette est à venir. Ça dure pas long, tantôt, avant même qu'on ait réalisé c'qui se s'ra passé, on va se r'trouver au milieu du trafic, des gens pressés d'aller gagner des sous, et tout s'ra à r'commencer. Enfin pour nous, ce matin, ce s'ra différent, on s'ra sur le traversier. Tu... Mais au fait! tu m'as pas dit d'où tu venais?

— De la Saskatchewan.

— Ah, t'es du continent. La Saskatchewan... Y a longtemps qu't'es sur l'île?

— Juste quelques jours; je suis venu voir mon grand-père.

— Comment t'es venu?

— Avec une femme du village qui venait voir son mari.

— La Saskatchewan, c'est un beau coin, ça! J'sais pas pourquoi, y me semble qu'c'est une de ces places où on peut encore être heureux, c'est tranquille.

— Peut-être trop tranquille, l'action que les gens n'ont pas devant leur porte, ils la cherchent dans leur tête, et c'est pas toujours au point, d'après ce que j'en sais.

— Tu s'rais-t-y philosophe?

— C'est quoi au juste, être philosophe?

— Ben en fait, j'crois qu'c'est quelqu'un qui cherche des moyens pour faire passer le goût d'la merde, quoique souvent, parce qu'y croient que leurs moyens doivent s'appliquer à tout l'monde, y n'font qu'en accentuer le goût; comme le glutamate, si tu veux.

— Et je serais comme ça, moi?

— Tu pourrais l'devenir si tu penses trop.

— Faut bien penser, non? On est fait pour ça.

— Là j'en sais rien, j'y ai jamais pensé.»

Tout deux éclatent d'un rire bon enfant, et ce rire est bénéfique à Nathan. Il lui semble que plus il s'éloigne de Jolene et du reste, plus l'avenir est souriant.

Selon la loi des séries qui, on ignore pourquoi, veut que lorsqu'un événement arrive il se reproduise dans un laps de temps assez court, Nathan est de nouveau sur le traversier faisant la navette entre Vancouver et Nanaïmo. Après avoir englouti deux œufs, trois saucisses, des patates et quatre toasts au restaurant du bord, après avoir laissé George s'absorber dans la lecture du journal, il s'est rendu sur le pont extérieur où il demeure appuyé sur la main-courante de bois tandis qu'à la poupe l'île n'est plus qu'une ligne brune à l'horizon et qu'à la proue s'amplifie la promesse du continent. L'air ambiant est tiède, léger, lumineux, et même, à travers certains effluves mêlés de mazout et de friture, il perçoit l'iode océanique. «*Eh bien*, se dit-il, *que pourrait-il arriver de mieux à un être humain que d'être là en ce moment? Comme ça, je n'ai envie de rien, je n'attends rien, je ne regrette rien; je suis bien.*»

Sans en prendre conscience, il se persuade que tout ce qui lui arrivera à partir de maintenant sera le fait de ses actes et décisions, et cela se traduit pour lui par un sentiment de liberté proche de l'ivresse. Il ne comprend même plus pourquoi, voici quelques heures à peine, il était si abattu. «*J'ai tout devant moi, se dit-il, si je veux, je peux tout voir, tout sentir, tout faire; le monde m'appartient, à moi de faire les bons choix... Dans le fond je crois que c'est ça la vie; une succession ininterrompue de choix. Chaque seconde de la vie est le résultat d'un choix en même temps que l'obligation d'en faire un autre.*

Alors tu choisis toujours d'aller au Yukon?

Ça semble s'imposer. Ce qui m'ennuie, c'est pour Maman. Comment va-t-elle réagir à mon départ? J'ai peut-être agi un peu vite? Elle sait bien qu'un jour ou l'autre on doit quitter la maison, mais est-elle préparée à cela? Déjà que je suis tout ce qu'il lui reste. En lui donnant des nouvelles souvent, elle saura que je ne l'abandonne pas. Qu'est-ce que ça donnerait de plus de retourner à l'école? On se verrait quelques minutes le soir, et puis après? Il faut bien que je fasse ma vie, comme on dit... Peut-être aussi que si je m'en vais, Maman se sentira moins obligée de rester chez Grand-p'pa, peut-être qu'elle voudra refaire sa vie à elle? Ça me paraît improbable, mais on sait jamais. Je suis bien ici! Ce serait parfait si c'était un bateau qui partait pour un long, un très long voyage. Là, je serais en train de voguer vers Bora Bora. Oh oui! ce serait super, les îles...

T'en arrives d'une île, c'était pas si terrible...

Pas d'une île comme ça, une île où il n'y aurait pas d'usine, pas de route, pas de moteur. Pourquoi Missy veut-elle absolument récupérer sa terre? C'est un tas de problèmes, on serait tellement mieux sur une île comme je veux. J'irais à la pêche pendant qu'elle s'occuperait de... Non! elle ferait ce qu'elle voudrait, un peu plus et je la mettais à l'entretien de la paillote. Et puis ça sert à rien d'y penser, ce qui compte à l'heure actuelle c'est de faire fortune. Comment? George dit qu'il faut vendre, je veux bien, moi, mais quoi? Il va falloir que je trouve quelque chose, et vite, parce que j'ai plus beaucoup d'argent. Qu'est-ce que je vais faire quand j'en aurai plus du tout? Faut manger, dormir sous un toit, ça prend des sous, tout ça. Allons, n'y pensons plus, ça pourrait assombrir le moral. Et puis, de toute façon, tout ira très bien. Est-ce que Jolene...

Non! ne pense pas à elle; c'est fini!»

À l'horizon, il distingue à présent, en contrebas d'un impressionnant arrière-plan de montagnes qui paraissent presque plantées là pour le décor d'un film, la silhouette géométrique et foisonnante des tours de Vancouver dont les teintes, sous cet éclairage, paraissent avoir été empruntées aux ailes des mouettes qui piaillent dans le sillage écumeux du traversier. Avant même de les percevoir dans leur réalité, Nathan imagine les odeurs lourdes et sucrées du quartier chinois, celles faites de gazon coupé et de macadam mouillé des tranquilles banlieues résidentielles, celles inquiétantes et subjectives des quartiers de la nuit; tout un monde à découvrir, à explorer; lorsqu'il reviendra du Yukon.

Nettement George n'est pas un être diurne; autant cette nuit il était loquace et même volubile, autant, depuis qu'ils ont quitté le traversier, il se montre taciturne. Tout d'abord Nathan a cru que l'homme devait avoir quelque chose à lui reprocher, puis, constatant que George répondait sans rancune ou mauvaise humeur à ses questions, il s'est dit que ce devait être dans son caractère, et, chemin faisant, il en est même venu à apprécier qu'il en soit ainsi, trouvant dans le silence l'occasion de contempler tout à loisir les panoramas grandioses et, surtout, de les utiliser comme cadre à ses rêveries. Reprenant celles qu'il avait élaborées en voiture avec Jolene concernant une idyllique vie de trappeur, il les modifie au gré du paysage. Ici, alors que des vallées herbeuses et abritées le permettent, il devient rancher. Parti de rien, il a d'abord abattu les arbres des pentes escarpées et les a transformés en rondins, poutres, planches, bardeaux avec lesquels il a bâti la maison et les dépendances. Il a retiré les plus belles pierres du torrent où, pendant des millénaires, l'eau glacée des montagnes les a polies; il les a utilisées pour ériger fondations et cheminées. À partir de quelques reproducteurs, il a monté un troupeau qui maintenant parsème *sa* vallée. Évidemment, pour couronner le tout, Missy apparaît sur la galerie de la maison, vêtue à l'ancienne d'une robe bleu ciel descendant jusqu'aux chevilles et d'un tablier bordé d'une fine dentelle, presque aussi long que la robe. Gaiement, elle fait tinter le triangle d'acier afin de signifier que le repas est prêt. Là, alors que la forêt dense occupe les contreforts de pics abrupts, il redevient trappeur, piégeant le castor, la loutre, le rat musqué et même l'ours grizzli. Cette fois encore, c'est lui qui a bâti sa maison de pierres et de rondins, mais celle-ci, au lieu de dominer une vallée, se cache sous les frondaisons vertes et bleues de grands sapins séculaires et odorants. Sans qu'il en analyse les raisons, à présent il fait intervenir une Missy vêtue d'une salopette en denim sur une épaisse chemise à carreaux rouges et noirs et cette fois, au lieu de le convier au repas, ils sont tous les deux face à un bon feu dans la cheminée, assis en tailleur, côte à côte, sur la peau d'un grizzli qu'il a lui-même abattu dans un face à face très rapproché!

Les distances sont grandes, ce n'est qu'en milieu d'après-midi, passé Prince George, à peu près à mi-parcours de Fort Nelson, qu'ils s'arrêtent devant un restaurant en bois *rond* dont le toit descend à portée de main. À l'intérieur, les murs sont couverts de photos représentant autant de camions, tous plus rutilants les uns que les autres. George remarque l'étonnement de Nathan face à cette exposition.

«Y en a pour qui l'camion est plus important qu'la bonne femme, explique-t-il au garçon qui examine chaque photo. Y en a d'autres, au contraire, qui peuvent pas se passer, où qui ont peur de laisser leur douce moitié, alors y t'ont des *cabs* qui sont de véritables appartements, comme le blanc et rose surallongé qu't'as devant les yeux. On appelle son propriétaire Mobile Home.

Il se penche pour mieux observer à l'extérieur par la baie vitrée.

«Tiens! celui qu'arrive, on l'appelle Zorro, j't'en dis pas plus...»

Nathan se penche à son tour pour voir arriver sur le parking du restaurant le camion le plus noir, le plus ténébreux qu'il ait jamais vu. Étincelant, à croire que son propriétaire s'arrête partout pour le faire reluire. Même les vitres sont teintées noires, jusqu'aux enjoliveurs, pare-chocs et la grille du radiateur qui soient émaillés noirs. Mais là où Nathan n'en revient pas c'est lorsqu'il voit sortir de la cabine le Zorro en question: bottes mexicaines noires, pantalons noirs, ceinturon noir, chemise noire s'ouvrant largement sur une poitrine à la pilosité noire, lunettes noires et enfin, chapeau noir.

«Bah ça alors! s'exclame Nathan.

— Attends, mon gars, c'est pas fini», le prévient George.

Médusé, Nathan ne peut s'empêcher d'observer avec une curiosité trop prononcée pour être polie l'homme qui entre dans le restaurant en lançant un bref «salut» acidulé à la clientèle de routiers dont il semble familier. La serveuse, qui paraît également être la patronne, une grosse personne coiffée à la Zaza Gabor et maquillée façon blonde incendiaire des années cinquante, lui adresse un signe de la tête qui agite ses rangées de mentons:

«'lut, Zorro, comme d'habitude?

— 'jour, Gail, ouais, comme d'habitude.»

Nathan a reçu et entamé le *club* qu'il a commandé lorsque le «comme d'habitude» est servi au surnommé Zorro: café noir et... toasts brûlés noirs. Ne voulant pas croire ce qu'il voit, Nathan interroge George du regard. Celui-ci dissimule mal une envie de rire et répond par un imperceptible oui des paupières. Ne voulant plus regarder Zorro de crainte d'être victime d'un fou rire, Nathan fixe son regard à l'extérieur et en profite pour examiner le camion de George, plus ordinaire, lui, vert et noir avec une longue remorque intégralement couleur rouille. Soudain, il éprouve vis-à-vis de ce camion quelque chose comme une affinité. Il sait fort bien que ce n'est qu'acier, plastique et résine, pourtant c'est, avec sa valise, la seule chose qui le rattache maintenant au monde qu'il a quitté. Il a du mal à admettre que ce n'était que la nuit dernière, il a l'impression que toute une époque s'est glissée entre le dernier cri de Jolene et l'entrée de Zorro dans ce restaurant; une époque qui a anesthésié ses douleurs d'hier, comme si la distance avait aboli le fait qu'il soit le fils du Pasteur et le «*complice*» de Jolene. Ici, dans ce petit restaurant planté entre deux parois granitiques, tandis que Zorro vient de mettre une pièce dans le juke-box qui aussitôt restitue la voix de Springsteen où, dans une longue lamentation ponctuée de plaintes à l'harmonica, le chanteur parle d'une certaine Mary Lou qui aime un beau Johnny à qui elle promet de travailler tous les jours et de lui ramener tout l'argent, ce qui n'empêche pas le Johnny en question de lever les pieds en laissant seule la pauvre Mary Lou. La patronne regarde elle aussi par la fenêtre, peut-être dans l'espoir qu'un jour, sur cette route, viendra un type à qui ce sera égal qu'elle soit «un peu grosse», un type qui descendrait vers le sud, à Vancouver, Seattle ou même, qui sait, à Los Angeles, vers la vie, loin de l'ennui, un type qui s'arrêterait dans des motels, se coucherait sur elle et lui murmurerait qu'il tient à elle. Sur le parking, les camions parlent d'autres contrées, mais toujours d'une même musique, d'un même macadam, des mêmes assiettées de *bines*, des mêmes serveuses avenantes et mélancoliques, des mêmes bungalows aux hypothèques difficiles à payer et des mêmes compagnons, que ce soit à Minneapolis, Fort Worth, Montréal, Grande Prairie ou Anchorage, réunis autour des mêmes tables de billard, des mêmes bières, des mêmes matchs de base-ball et du même rêve de faire partie de la grande communauté des *truckers* rassemblés sous le signe de la Grand'Route nord-américaine – à l'image des serveuses de *truckstop*: avenantes et mélancoliques. Oui, dans ce petit restaurant qui, lui aussi, sent le bacon, la friture et la sauce spaghetti, il est bien loin de ce qu'il a connu. Ça ressemble même à une autre vie, à une autre chance. Il ne manque que Missy.

22

Ils ont roulé tout l'après-midi, puis toute la soirée, passant villes et villages sans se retourner. Nathan ne garde de toutes ces agglomérations qu'une image confuse faite de stations-service, de scieries, de restaurants rouges et blancs, d'autres jaunes et rouges, tous surmontés d'enseignes géantes reconnaissables d'un bout à l'autre du continent. Les camions passent rarement par les zones résidentielles, mais il a aperçu celles-ci, dans le prolongement d'un carrefour, de l'autre côté d'une voie ferrée. Toutes les mêmes, que ce soit à Hope, Prince George ou Dawson Creek. Des carrés de pelouse, des *split level* aux murs de brique claire ou de bardeau blanc, des remises préfabriquées en tôle, quelques arbres pour faire romantique, des femmes en shorts, des tricycles abandonnés, le tout invariablement ordonné; comme les téléromans ou le cinéma le lui ont déjà appris. Mais peut-être que tout le monde l'a appris ainsi? Il s'interroge à savoir si les gens agencent leur cadre de vie en étant influencés par la télévision, les revues ou un autre média, ou si c'est le contraire, ou tout simplement un cercle vicieux? «*Sûrement un cercle vicieux*», décide-t-il. Dehors la nuit est tombée et Fort Nelson n'a pas l'air différent du reste tandis qu'ils longent un large boulevard désert et parcimonieusement éclairé.

«Eh ben c'est pas trop tôt, fait George, on arrive. Enfin, moi j'arrive, parce que toi y t'reste encore un bout à faire pour le Yukon.

— Je sais pas comment vous remercier.

— Ça m'a fait plaisir, mon gars. J'espère qu'tu sauras trouver c'qu'y te faut.

— Vous faites pas de bile pour moi.

— À propos, où comptes-tu dormir cette nuit? J'peux malheureusement rien t'offrir, j'ai juste ma couchette derrière.

— Oh, je verrai bien, j'imagine que quand on part sur la route, faut apprendre à compter sur l'inattendu.

— C'est justement c'qui fait l'charme de la chose. Tiens, j'crois que l'mieux c'est d'te laisser au croisement là-bas avant que je tourne. C'est sur la grande route et pas loin du centre, quoiqu'à c't'heure-là y doit pas y avoir grand-chose d'ouvert.

— Ça ira, ce sera très bien.»

Ils ne savent plus quoi se dire tandis qu'approche le point de séparation. Nathan ne connaît George que depuis peu, pourtant il a l'impression de laisser un ami. Les freins font entendre leur soupir; le cœur battant plus vite que la normale, le garçon ferme ses doigts sur la poignée de sa valise à ses pieds, comme s'il s'agissait d'une bouée de sauvetage; et c'est l'arrêt.

«Eh bien... merci encore, dit Nathan en ouvrant la portière.

— Fais attention à toi, mon gars, et puis oublie c'que j't'ai dit; la vie c'est quand même une sacrée foutue partie d'plaisir.

— Je m'en souviendrai.»

Nathan descend. Il voudrait remercier davantage mais il faut fermer la portière. Il s'écarte du camion, un peu surpris du contact de ses pieds sur ce sol stable et inconnu. Il fait un salut de la main auquel George répond. Le moteur ronfle plus fort et le camion s'avance pour aussitôt tourner à l'intersection. Rapidement il n'est plus visible que par ses lumières rouges qui elles-même s'estompent. Puis c'est le silence. «*Et qu'est-ce que je fais maintenant?*» se demande-t-il. Pour la première fois de sa vie, il se rend compte à quel point une ville où personne ne vous attend est hostile, à quel point une ville livrée à l'éclairage blême des réverbères est triste pour celui qui y débarque. Mais il n'a pas le temps de s'appesantir longuement sur ces considérations impitoyables pour le moral, il doit faire connaissance avec le Fléau du Nord: les maringouins. Ils ne leur faut pas longtemps pour localiser ce *repas* et s'y regrouper. D'abord il les entend *ziller* autour de ses oreilles; très vite cela devient irritant et, comme pour accentuer son inconfort, il réalise qu'il est très fatigué. Il avait imaginé, puisque la nuit est douce, pouvoir s'étendre quelque part dans l'herbe *«en écoutant chanter les cigales»*. Il s'aperçoit que les moustiques ne lui en laisseront pas le loisir. Déjà, sans même qu'il se soit rendu compte des piqûres, il sent le pavillon de ses oreilles s'échauffer. *«Faut pas que je reste dehors, faut que j'aille dans le centre»*, se dit-il en avançant d'un pas précipité, une main occupée à porter la valise et l'autre à se donner des tapes pour éloigner les insectes voraces dont le vol sonore est en train de l'énerver furieusement. *«Saloperie de saloperie! Mais pourquoi il m'a débarqué là? Il devait le savoir qu'il y avait plein de maringouins; il l'a fait exprès!»*, et ainsi de suite sans chercher à raisonner. À ce rythme, il a tôt fait de se retrouver dans le *centre*, en autant que l'on puisse appeler ainsi la réunion de quelques magasins fermés, de quelques restaurants clos, et d'un hôtel, peut-être ouvert? Rien à voir avec le Château du lac Louise; le *Lido*, comme l'annonce une enseigne éteinte ou hors d'usage, est une grosse bâtisse de brique brune dont il ne se serait peut-être même pas occupé s'il n'y avait vu entrer bien en avant de lui deux gars aux longs cheveux noirs, apparemment des Indiens. Pressé d'en finir avec les moustiques, beaucoup moins nombreux à présent qu'il n'y a plus de verdure, mais dont le simple souvenir suffit à lui faire croire qu'ils y en a toujours autant, il s'engouffre dans le *lobby* comme les deux gars avant lui. Assez vaste, faiblement éclairée, couleur ocre, un peu miteuse, la pièce s'ouvre, à droite de l'entrée, sur une salle à manger fermée qui, pour l'heure, baigne dans l'obscurité, à gauche sur le comptoir de réception désert, en face, recouvert d'un tapis élimé rouge avec des motifs rococo, sur l'escalier qui doit monter aux chambres. Les deux Indiens, eux, sont réunis autour d'un téléphone public, juste à côté de l'entrée. Ne sachant que faire, intrigué par le fait qu'il n'y a personne à la réception, Nathan va s'asseoir sur une banquette de moleskine verte située contre le mur jouxtant la salle à manger. L'un des Indiens a réussi à avoir la communication qu'il désirait et, d'après ce que peut entendre Nathan, réclame qu'on vienne les chercher, lui et son compagnon. De toute évidence, la personne à l'autre bout de la ligne n'a pas l'air disposée à se déplacer cette nuit; le ton monte:

«Qu'est-ce qu'on fait alors? Tu peux me le dire?... Se démerder, se démerder, comment?... La soirée était *tripante*, on a pas vu l'heure... allez, c'est pas grand-chose de prendre le *pick-up* et de faire dix milles... Bon, O.K., j'ai compris; laisse faire, on arrivera à se débrouiller.

— Il veut pas venir? demande l'autre qui porte un collier de perles turquoise.

— Non, il dit qu'on avait qu'à rentrer avec Ronny quand on en avait l'occasion.»

À leur attitude, Nathan se rend compte qu'ils sont ivres. Trop d'alcool a effacé tout éclat d'humanité dans leur regard. Instinctivement il est porté à la méfiance et se détourne, ne voulant pas attirer leur attention sur lui.

«Je vais appeler ma sœur, dit celui au collier, elle viendra, elle. Merde! j'ai plus de vingt-cinq sous.

— Moi non plus, constate l'autre en fouillant dans ses poches. (Il se tourne vers Nathan.) Hé, vieux, t'as pas une pièce pour le téléphone?»

Ne pouvant plus faire comme s'ils n'étaient pas là, Nathan sort la pièce demandée.

«Voilà, dit-il à celui au collier qui s'approche.

— Merci, vieux. Il rejoint l'appareil mais avant d'appeler se retourne vers Nathan. J'me trompe ou t'as l'air perdu?»

Ces paroles empreintes d'une certaine sollicitude font oublier à Nathan leurs regards éteints; toutefois, pour l'instant, tout ce qu'il demande c'est d'être tranquille et, si c'est possible, de pouvoir s'étendre sur cette banquette malgré le fait qu'elle sente la bière, le mégot et le pet.

«Ça va, affirme-t-il.

— T'es sûr? Parce qu'autrement on peut t'emmener avec nous, on laisse pas un *chum*, nous autres...

— Ça va, je t'assure.

— O.K., O.K., vieux.»

L'affaire a l'air de mieux s'arranger avec la sœur; lorsqu'il raccroche, l'interlocuteur de Nathan adresse un signe de tête affirmatif à son compagnon.

«Elle arrive, dit-il. Son bonhomme de mari râlait, mais elle arrive.

— Crois-tu qu'il y a de la bière chez elle?

— M'étonnerait.»

Tous deux vont s'appuyer contre la porte vitrée extérieure, sans doute pour surveiller l'arrivée de la sœur. Celui au collier s'adresse de nouveau à Nathan:

«T'arrives en ville?

— Tout juste, et je savais pas qu'il y avait autant de moustiques. C'est toujours comme ça?

— Tout le temps qu'il fait pas froid, c'est-à-dire pas longtemps. D'où tu viens?

— Du sud, de la Saskatchewan.

— Et y a pas de maringouins par chez toi?

— Pas comme ici, jamais comme ça.

— Et des Suédois?

— Des Suédois?

— Ouais, pas loin d'ici il y a un motel qu'a été acheté par des Suédois, des nouveaux au pays, des gens très *comme il faut* qui refusent de nous donner une chambre. Ils disent: pas de gens de couleur. Qu'est-ce que tu penses de ça, toi?

— Je trouve que... c'est insultant.

— Et qu'est-ce que tu fais, toi, quand t'es insulté?

— Je cogne, répond-il surtout pour montrer à l'Indien qu'il est de son côté.

— Ça paraît que t'es pas né sur une réserve.

— Qu'est-ce que vous faites, vous autres?

— On attend, on attend. Y a rien d'autre à faire. Si on cognait, je veux dire si on cognait des blancs, on se ferait mettre en dedans pour longtemps; et en dedans y a pas de boisson pour oublier qu'on attend.

— Mais vous attendez quoi?

— On attend, c'est tout...»

Comme il n'en dit pas plus, Nathan se demande ce que peut signifier ce «on attend». Qu'est-ce qu'ils attendent? Cherchant une réponse, il les observe. Tous deux sont vêtus de pantalons et vestes usés en denim, tous deux portent des maillots de corps en coton noir, et tous deux sont chaussés de bottes westerns en cuir retourné, usées elles aussi. Ils sont grands, ou tout au moins leur maigreur en donne l'impression. Brusquement les traits de leur visage lui rappellent Jonas. Mêmes visages triangulaires, mêmes cheveux d'un noir qui parfois semble avoir des reflets bleus, mais comme il constate cela, eux reconnaissent la voiture de la sœur et sortent sans plus s'occuper de lui. Parce qu'ils lui rappellent maintenant Jonas, la porte est à peine refermée derrière eux qu'il voudrait les rejoindre, mais il est trop tard, que pourrait-il leur dire? Hé! attendez, vous me rappelez mon demi-frère? Et après? Et puis Jonas serait-il devenu comme eux en vieillissant: adepte de la bière en attendant? Des Suédois auraient-ils dit à Jonas qu'ils n'acceptaient pas les gens de couleur? À cette idée, il s'insurge, puis se sent très seul, tellement seul qu'il n'a plus d'autre idée que de s'abandonner à la fatigue qui en profite pour affirmer tous ses droits. «*Ça dérangera personne si je m'allonge ici*», se convainc-t-il. Deux minutes plus tard, tourné de côté vers le dossier, genoux remontés vers le ventre, mains jointes sous la joue, il s'est endormi sans même s'en rendre compte.

«Réveille-toi!»

Émergeant dans la réalité, Nathan éprouve quelques secondes d'angoisse avant de se souvenir où il est et pourquoi il y est.

«Les chambres, tu sais, c'est aux étages, dit l'homme qui l'a réveillé en le secouant par l'épaule.

— Hein? Heu... Excusez-moi, je me suis endormi.

— J'ai vu ça. Il faut te lever maintenant, on va ouvrir le restaurant. Ça paraît mal des jeunesses en train de faire un somme dans le *lobby*.»

Mal réveillé, regrettant vaguement un lit ou une douche, Nathan se redresse et fixe avec un certain ahurissement l'homme qui l'observe avec un sourire un brin ironique au coin des lèvres. Il a le visage joufflu et sanguin, son crâne est coiffé de quelques cheveux d'un blanc jaunâtre trop épars pour ne pas laisser apparaître l'épiderme rosé entre chaque sillon tracé par le peigne. Il porte un gilet noir à rayures jaunes sur une chemise blanche au col usé. Cette tenue le désigne à Nathan comme étant le concierge de lieux, ou en tout cas quelque chose comme ça.

«Je me suis endormi, répète le garçon cherchant quoi dire.

— J'ai bien vu ça cette nuit en revenant de nettoyer la cuisine. Pourquoi t'es là? T'es perdu? Tu t'es échappé?

— Non! Non, rien de tout ça, je vais voir mon grand-père au Yukon. Il enchaîne aussitôt sur un autre sujet pour faire diversion. Merci de m'avoir laissé dormir.

— Ouais, c'est pas mon habitude, tu sais, mais je me suis dit: C'est pas le genre à faire du mal, laisse-le dormir. J'ai été jeune moi aussi.

— Merci.

— Ouais, mais maintenant va falloir débarrasser les lieux, les clients, tu sais... Tiens justement, en voilà un qui descend.»

Quelques minutes plus tard, Nathan a rejoint l'*Alaska Highway* et tend son pouce en direction du nord. Il est encore de bonne heure et pourtant déjà, pour la plupart en route pour l'Alaska, nombreux sont les camions et les campeurs motorisés. Certains conducteurs ou passagers lui adressent des signes ironiques, d'autres, visiblement, l'évitent du regard comme si le fait de le voir pourrait les obliger à s'arrêter pour le prendre; d'autres encore y vont carrément d'un bras d'honneur ou autres gestes du même goût. Mais il ne se passe pas longtemps avant que ne stoppe un *station* bleu, immatriculé en Alberta. La voiture n'est occupée que par son conducteur, un grand mince au visage qui passerait immédiatement à l'anonymat s'il n'était occupé en son centre par un nez qui a toutes les apparences d'une éponge imbibée d'un liquide rosâtre. Ignorant pourquoi il établit cette comparaison, Nathan, qui pourtant n'en a jamais vu, imagine ce liquide comme étant celui avec lequel on embaume les cadavres.

«Où vas-tu? demande le conducteur avec une certaine brusquerie.

— Au Yukon...

— Watson Lake, ça te va?

— Oui, très bien.

— O.K., ça va, embarque ton bagage à l'arrière.»

À peine a-t-il pris place dans l'automobile que l'homme ne manque pas de lui demander d'où il vient. Mais aussitôt que Nathan le lui a dit, il se désintéresse du cas de son passager pour se pencher de vive voix sur le sien:

«Moi, je viens d'Edmonton, mais c'est fini! J'y remettrai plus les pieds, ah non! Tel que tu me vois, je suis bien décidé à me retirer dans une cabane quelque part dans un coin perdu au nord; un coin où ni personne ni facture ne pourront me rejoindre. Le monde est trop tarte, je veux plus rien savoir. Peux-tu comprendre ça, toi, qu'une femme qu'on a gâtée, pourrie même, un beau jour, quand t'arrives de l'ouvrage, elle est partie avec pour seule explication un petit mot à la con. Cent soixante mille dollars! Oui! Cent soixante mille dollars! c'est ce que j'ai payé pour offrir à madame une maison digne d'elle. Ça n'a pas suffi! Qu'est-ce qu'elle voulait de plus? Il y avait tout, tout, tout: cuisine ultra-moderne avec le micro-ondes, le four à convection encastré, le robot culinaire, le lave-vaisselle entièrement automatique – et qui venait d'Allemagne en plus, – une salle de lavage indépendante avec table de pressage, tu vois, pas du tout venant, le salon avec les divans et fauteuils en vrai cuir, pas en simili! Et puis une télé écran géant, le dernier cri, tu vois, et le vidéo à cinq têtes avec un an de programmation à l'avance, le stéréo cent vingt watts pour écouter roucouler ses chanteurs à la guimauve, et même une espèce de connerie d'ordinateur pour qu'elle classe ses recettes, et ça je sais vraiment pas pourquoi vu qu'elle ressortait tout le temps les trois mêmes. Qu'est-ce qu'elle voulait de plus? Pas un manteau de fourrure, elle en avait un, pas des vacances, tous les ans elle partait avec sa copine, une autre drôlesse celle-là, pendant deux semaines en croisière dans les mers chaudes pendant que moi je me donnais des ulcères à force d'avaler des *TV dinners* et du ragoût irlandais en boîte. Peux-tu comprendre pourquoi elle est partie, toi?

— J'en sais rien, on dirait pourtant qu'elle avait tout...

— Oui, tu peux le dire! Tout! Et pis merde! Tiens, regarde à l'arrière, y a une caisse de bière, attrapes-en deux.

— Pas pour moi, merci.

— Eille! Je te dis d'en prendre une, t'es dans ma voiture, tu fais ce que je te dis.»

Ne voulant pas le contrarier, Nathan fait comme le lui commande l'homme abandonné et commence à avoir une petite idée sur le pourquoi du départ de sa femme. La bière est fraîche, il la sent glisser jusqu'à son estomac, surpris de trouver cela agréable à cette heure encore matinale.

«Elle avait même une piscine reprend son voisin, et pas une piscine hors-terre, non, une piscine creusée en forme de cacahouète avec un pourtour en dalles d'ardoise et tout le tremblement. Vingt ans! À m'échiner dans cette foutue cimenterie! Tu connais pas ça, toi, le travail dans le ciment. C'est sec, ça rentre partout, aujourd'hui je dois avoir assez de ciment dans les poumons pour construire un barrage. Et pour quoi? Pour rien! Elle a foutu le camp, la garce! Qu'est-ce que tu veux que j'en fasse de la baraque à cent soixante mille bâtons? Qu'est-ce que j'en ai à foutre de la piscine? Si je m'y risquais, avec tout le ciment que j'ai dans le coffre, je coulerais à pic, et, foutre de foutre! C'est elle qui palperait l'assurance-vie, non!

— Vous ne pouvez pas revendre?

— Évidemment, mais je la connais, elle exigera la moitié de la vente. Tout le temps que j'occupe ou que je fais semblant d'occuper la maison elle peut pas faire grand-chose, parce que, quand même, je suis pas innocent, j'avais tout prévu, mais si je vends... Penses-tu que j'ai zigoné dans le ciment pendant vingt ans pour que Madame parte dépenser tout ça à Acapulco avec un gigolo? Jamais! Plutôt foutre le feu.»

Nathan, que la bière matinale rend légèrement euphorique, se sent enclin à soutenir l'homme délaissé. Il veut bien compatir.

«Elle vous a juste laissé un mot et elle est partie? Elle vous explique rien?

— Rien! Juste qu'elle foutait le camp. Si tu veux mon avis, il y a quelque part un salopard monté comme un cheval qui lui aura mis le feu au pétard. Et même là? J'ai l'esprit ouvert, je lui ai déjà offert une soirée d'échange avec un autre couple, tu vois ce que je veux dire, et puis je suis pas si mal pourvu, je me suis même renseigné, mon toubib dit que je suis dans la bonne moyenne, alors?

— Peut-être que la taille de... n'a pas une grosse importance? fait Nathan, un peu gris.»

L'homme tourne son regard vers lui et l'observe méchamment.

«Qu'est-ce que tu veux dire, j'ai pas très bien saisi ton allusion?

— Y a pas d'allusion, je disais simplement que ce ne doit pas être ça qui retient ou non une femme.

— Qu'est-ce que t'en sais? T'as l'air bien jeune... Mais! Peut-être que tu veux insinuer que je pourrais mal baiser! c'est ça! hein?

— Pas du tout!

— T'es mieux! ça me dérangerait pas de te laisser sur le bord de la route. J'ai entendu dire qu'il y avait pas mal de grizzlis et de carcajous dans ce coin-ci.»

Ces paroles font passer Nathan de l'euphorie à l'indignation. *«C'est du chantage! Est-ce qu'il croit que j'ai peur des ours? J'en ai rien à foutre qu'il me laisse sur le bord de la route, il passera bien quelqu'un d'autre. Attends, tu vas voir...»*

«Je commence à comprendre pourquoi votre femme est partie, et je vous assure que ce n'est pas directement relié à la queue.

— Quoi! qu'est-ce que tu dis?

— Je dis que votre femme est partie parce qu'elle devait en avoir plein son casque de vivre avec un adjudant-chef. J'en ai déjà connu un, moi, et je crois que sa femme aurait dû partir, comme l'a fait la vôtre, avant qu'il joue à touche-pipi avec un de ses garçons.»

À peine a-t-il terminé que l'homme stoppe la voiture dans un envol de poussière jaune.

«Petit salaud! Petit salaud! On ramasse ces ordures sur le bord du chemin et ça vous insulte dans votre propre voiture, on veut rendre service et comme remerciement on a droit aux ordures d'une gueule sale. Sors de cette voiture! Sors!

— Je sors! je sors, et avec le même soulagement que votre femme a dû ressentir en se sauvant à Acapulco avec le *gigolo monté comme un cheval.*»

Il finit sa phrase en descendant et claque la portière. Aussitôt le *station* redémarre dans un autre nuage de poussière.

«Ma valise!», crie Nathan se rendant compte de son oubli.

Mais la voiture est déjà loin. Bientôt la poussière retombe, et, faisant un tour sur lui-même, il prend brutalement conscience de l'omniprésence de la forêt qui l'environne, verte et dense, sans complaisance. Aussi de la chaleur qui commence à monter du sol. Aussi et déjà des moustiques, mouches noires et brûlots qui ne tardent pas à le repérer. «Merde! merde! merde!» Puis les mots grizzli et carcajou lui reviennent en mémoire. Il tend l'oreille, à l'écoute d'éventuels bruits suspects, rassemblant dans sa tête tout ce qu'il peut se souvenir sur ces animaux: pour nager, courir ou grimper, un ours est toujours plus rapide qu'un homme, et, évidemment, beaucoup plus fort... Quand au carcajou, le diable de la forêt, il se souvient que même les ours en ont peur! Chaque craquement, chaque froissement non identifié est maintenant considéré par Nathan comme suspect. «*Ce serait quand même la poisse s'il y avait un ours ici,* essaye-t-il de se réconforter. *Mais, aussi, pourquoi y en aurait pas? On entend même pas d'oiseaux, c'est peut-être un signe? Peut-être que les oiseaux se taisent quand il y a des ours? Sinon pourquoi ils se tairaient? C'est vrai ça, c'est pas normal ce silence. Hein! C'est quoi ce bruit?*»

À présent, résonnant jusque dans sa tête, ce qu'il entend surtout, ce sont les battements accélérés dans sa poitrine. Un campeur motorisé passe, le laissant rêveur quant au confort qu'il imagine à l'intérieur: un lit, un frigidaire avec du jus d'orange, et, qui sait? peut-être même une douche? Puis un camion passe à son tour, soulevant chaque fois un nuage de poussière. «*Bon sang! j'aurais pu attendre pour dire au bonhomme ce que je pensais de lui. Et puis non! il n'y a pas de raison qui puisse justifier qu'on se laisse humilier, pas de raison de lui laisser croire qu'il peut prendre les gens de haut et ensuite s'imaginer être le bon Samaritain. Mais? Saleté de bestioles! Ça recommence!*»

Une heure est passée, aucun véhicule ne s'est arrêté, il a complètement oublié ours et carcajous. L'ennemi, c'est le nuage des insectes qui bourdonnent autour de lui, profitent de chaque orifice pour prendre part au festin, s'insinuent jusque dans les narines ou même dans la bouche lorsqu'il l'ouvre pour crier sa rage. Il ne sait quoi faire, en veut à la terre entière de n'avoir pas amené le progrès dans ce qu'il appelle maintenant à qui veut l'entendre ces «saloperies de régions sauvages. La nature! La nature, qu'ils disent, une belle cochonnerie, oui! Pourquoi est-ce qu'ils ne mettent pas de l'insecticide! Il faut tuer tout ça, c'est une nuisance. Protéger la forêt, qu'ils n'arrêtent pas de dire, est-ce qu'elle nous respecte, la forêt?»

Oubliant complètement les mammifères précédemment redoutés, il quitte la route pour aller sous les arbres voir s'il n'y aurait pas de l'eau, non pas tant pour boire que pour rafraîchir son cou et ses oreilles qui, à force d'être piqués et grattés, ne sont plus que sang. Mais, dépassé les premiers arbres, il se rend compte que dans un sens ou un autre il ne peut rien discerner à plus de quelques mètres. Devant, derrière, tout autour de lui il n'y a que troncs rugueux et fouillis d'aulnes au feuillage abondant. Impossible de se situer ici. Avancer davantage équivaudrait à se perdre en quelques secondes. Remarquant un tapis de mousse au pied d'un rocher gris presque aussi haut que lui, il a l'idée de s'en faire des cataplasmes. L'idée est bonne car l'effet sur son cou et ses oreilles est immédiat, la mousse humide lui procure une sensation de fraîcheur là où tout à l'heure il n'y avait que feu. Encouragé, il va jusqu'à s'allonger par terre et il enfouit son visage dans la mousse. Ainsi, pour la première fois depuis plus d'une heure, il connaît un moment de répit. Les insectes sont toujours là mais, peut-être parce que la mousse les tient à distance, il a le sentiment d'avoir obtenu un délai de grâce avant que ne commence le second round qu'il sait perdu d'avance. Momentanément en trêve avec son environnement immédiat, il prend conscience des senteurs que dégage la mousse. Senteurs qui lui parlent de décomposition, d'humus et de renaissance. Ici, où certainement nul homme n'a jamais posé le regard, il devine la présence immanente de ce qu'il prend pour l'esprit des choses; ou est-ce le fantôme d'une généra- tion végétale disparue? Il y a là quelque chose de vivant et de sensible, il en est certain, aussi certain que l'autre soir lorsqu'il s'est couché sur le sol. Un instant éphémère, il a la révélation fugitive qu'il n'est, que tout n'est, que parce qu'une force en a décidé ainsi. Que tout ce qui a été, est et sera a été mathématiquement calculé dans un dessein bien précis. Lequel? Depuis la plus lointaine galaxie jusqu'à la plus innocente pous- sière de cette terre, tout, absolument tout a sa raison d'être qui doit entrer dans le *calcul*. Il imagine que, connaissant les propriétés et les réactions de chaque atome composant la boule de matière originelle, il était possible à la Force, non pas de deviner, mais bien de tout calculer. La Force? Est-ce un lapsus pour désigner Dieu? Il hésite, il n'ose les associer; d'une part il conçoit la Force, ou l'Esprit, peu importe le nom, comme étant à la fois ce qui est et cause de ce qui est, d'autre part il y a Dieu qu'on lui a enseigné, Dieu à visage humain, Dieu d'amour mais aussi capable de colère et de revirement d'idée, Dieu dont on peut avoir peur mais aussi que l'on peut aimer pour peu que l'on veuille bien se persuader de sa réalité. Il sait pour sa part qu'il n'en est pas certain et, curieusement, demande à Dieu de le convaincre. Par contre, là, le visage dans la mousse vivante, la Force, il la devine; mais comment l'aimer? Alors pour redonner à Dieu toute l'exclusivité vénérative qu'il estime devoir lui rendre, il se tance intérieurement: «*Mais qu'est-ce que je débloque! la Force! Qu'est-ce que c'est que ces niaiseries? Je ferais mieux de réfléchir à la façon de me sortir de là, parce que dès que je vais me relever, les bestioles vont remettre ça. Et si je me couchais en travers du chemin, ils seraient bien obligés de s'arrêter? Oui! je vais faire comme ça! Allons-y!*»

Cependant, à peine de retour sur la chaussée, il n'a pas besoin de poser d'action inconsidérée, une vieille camionnette grise aux lignes rondes qui doit avoir au moins trente ans, une antiquité, s'arrête à sa hauteur.

«Besoin de quelque chose?»

Nathan se penche pour apercevoir le conducteur par la vitre ouverte.

«Je serais ravi de quitter cet endroit, répond-il.

— Monte.»

Autant celui qu'il nomme maintenant l'*abandonné* possédait, outre son nez, tous les attributs de l'anonymat, autant celui-ci, au contraire, présente tous ceux de l'originalité. Approchant certainement la soixantaine, l'homme est exactement vêtu comme s'il devait incarner le rôle d'un Daniel Boone ou celui d'un Davy Crocket dans un western italien (selon Nathan, ses vêtements sont trop défraîchis pour que ce soit une production d'esprit hollywoodien). Seules digressions par rapport aux personnages invoqués, le large chapeau de cuir usé et taché remplaçant le bonnet de raton laveur, et la natte de cheveux blancs noués dans le dos. Visage couleur cuivre, raviné par le temps et sûrement la sueur ou peut-être même les larmes, tandis qu'enfoncés loin au fond d'orbites mises en relief par des arcades sourcilières proéminentes, ses yeux d'un bleu très clair, presque passé, semblent s'amuser de ce qu'ils voient.

«Eh bah dis donc, t'es dans un drôle d'état, qu'est-ce qui t'est arrivé?

— Les moustiques...

— Oui, mais qu'est-ce que tu fais ici, sans huile à mouches?

— Je..., j'étais sur le pouce et je me suis chicané avec celui qui m'a pris.

— Il a essayé de faire des trucs avec toi?

— Non! Non! En fait je ne sais plus très bien ce qui s'est passé...

— Ouais bah en tout cas, c'est pas chrétien d'abandonner quelqu'un ici. (L'homme tend la main à Nathan.) Moi c'est Jack, j'espère qu'on s'engueulera pas.

— Moi c'est Nathan, je ne pense pas que ça arrive, je tiens pas à retrouver les moustiques...

— Ah! Ah! on dirait que tu y as goûté.»

Jack Conroy laisse passer un camion, attend que retombe le nuage de poussière et reprend la route. Nathan a un dernier coup d'œil pour ce nulle part où il a vilipendé la nature et reconnu qu'elle n'était pas toujours la «*douce mère*» qu'il croyait.

«Tu me parais encore tout jeune, dit Jack, qu'est-ce tu fais dans la vie?

— Je cherche, répond Nathan.

— Tu cherches? L'amour? La vérité? La fortune? Les hommes cherchent pas autre chose, même que, selon Jack Conroy ici présent, on cherche tous la vérité en croyant qu'elle nous mènera à la fortune qui elle nous payera l'amour. Alors, toi?

— Pour l'instant je crois que pour moi c'est la fortune.

— Tu crois? T'en es pas sûr?

— Si, je cherche fortune.

— Dans ce coin oublié des hommes? Dans ce pays de Caïn? Pour faire fortune, il faut vendre et pour vendre il faut des acheteurs.

— On m'a déjà dit ça, mais je me suis laissé dire qu'au Yukon, il y avait de l'or.

— De l'or!

— Eh bien, oui?»

Jack Conroy soulève son chapeau et le replace plus en arrière. D'une poche sur sa poitrine, il extirpe un petit cigarillo noir et irrégulier.

«T'en veux? propose-t-il à son passager, c'est moi qui les fabrique, avec mon tabac.

— Non, merci. Vous me répondez pas, qu'est-ce qui ne va pas avec l'or?»

L'homme allume son cigarillo, exhale une longue bouffée aussitôt halée à l'extérieur, semble satisfait et paraît lentement revenir au sujet de la conversation.

«Quel âge tu me donnes?

— Bien... je sais pas, peut-être cinquante, dit-il poliment.

— Tu seras plus près de la vérité si t'en mets quinze de plus, mais je redoute que tu aies dit ça uniquement pour me faire plaisir. Quoi qu'il en soit, comme tu me vois, je reviens d'un long voyage. J'ai été enterrer mon frère à Windsor, tout au sud de l'Ontario. Ou plutôt, pour être plus précis, j'ai été lui rendre hommage sur sa tombe parce que je suis arrivé beaucoup trop tard. Ceci pour te dire qu'il y a de cela plus de quarante ans, à plus ou moins un an d'intervalle, nous avons tous deux quitté la ferme familiale, là-bas dans le sud ontarien, lui pour faire quelques milles jusqu'à Windsor où, après plusieurs petits boulots, il a fini par lancer une affaire de nettoyage industriel: lavage des vitres d'immeubles, entretien des bureaux, n'importe quoi. Ça paraît pas comme ça, mais mon frère est mort millionnaire: un condo à Palm Beach, sa maison principale sur le bord du lac Saint-Clair avec vue sur Détroit, au moins douze chambres, autant de salles de bains, des colonnades blanches pour soutenir le portique d'entrée, du personnel aux petits soins, membre du Yacht club local, ses entrées au terrain de golf le plus prisé, ses enfants dans les grandes écoles, sa femme présidente d'un tas d'œuvres charitables, bref, la réussite. Moi, à la même époque, je suis venu au Yukon chercher de l'or, et... Sacrifice! j'en cherche toujours. Ce vieux tacot et une cabane en planches dont je n'ai aucun titre sont tout ce que je possède...

— Vous êtes chercheur d'or!»

Imperceptiblement Jack Conroy plisse les paupières et un léger sourire amusé où plane une certaine satisfaction étire ses lèvres sur une dentition chevaline incroyablement conservée pour son âge et l'existence pas toujours facile qu'il semble avoir vécue.

«Tu dis chercheur d'or de la même façon que tu aurais pu dire vous êtes Merlin l'Enchanteur.

— J'en avais jamais vu avant vous.

— Et maintenant que tu me vois, que penses-tu du chercheur d'or?

— Je sais pas... Je crois que malgré tout ce que vous venez de dire sur ce que votre frère possédait, j'ai l'impression que vous préférez être à votre place.

— Sûrement! Lui est six pieds sous le gazon.

— Je veux dire, même s'il était vivant, non?

— J'y ai jamais vraiment pensé, mais il se peut que t'aies raison. Il aspire profondément une autre bouffée odorante de son cigarillo. Cela dit, je suis la preuve vivante que ce n'est pas en cherchant de l'or qu'on fait fortune. Remarque bien que j'ai quand même réussi à vivre sans jamais rien demander à personne.

— Pourtant j'ai lu des livres où il y en avait qui faisaient fortune en trouvant des filons.

— Moi aussi, et d'autres qui faisaient fortune au casino ou sur des terrains de course. Je parie que t'as lu des Jack London ou des James Oliver Curwood et que, toi aussi, tu as voulu partir à l'aventure, c'est ça, hein?

— Oui, j'ai lu Jack London, mais c'est pas pour ça que je suis parti, c'est vraiment pour faire fortune.

— Pour faire fortune! Et maintenant que tu as vu ce que moi j'ai récolté après quarante ans à fouiller le nord, y crois-tu toujours?

— J'espère.»

Nathan n'ajoute pas que selon lui tout s'enchaîne trop distinctement pour que tout cela ne soit pas *voulu* par le destin.

«T'as quel âge, Nathan?

— Je vais avoir seize ans.

— Pas plus que ça! Tu me paraissais un peu plus vieux. Tes parents? Ils savent que t'es là?

281

— Mon père est mort. Pour la suite il choisit un demi-mensonge ou plutôt, dans son esprit, une demi-vérité. Et j'ai dit à Maman que je partais faire fortune.

— Et elle t'a laissé partir? Comme ça?

— J'imagine qu'elle ne doit pas en être ravie, mais... il fallait que je parte.

— On peut savoir où tu comptes chercher de l'or?

— J'en sais trop rien, quelque part au Yukon.

— C'est grand, le Yukon, tu sais.

— Je finirai bien par trouver, j'ai confiance.»

Jack Conroy parvient mal à dissimuler un sourire à la fois ironique et compréhensif.

«As-tu des fonds pour te réserver un *claim*?

— Un quoi?

— Un *claim*, une concession. Pour avoir le droit de chercher de l'or, tout comme du pétrole, de l'uranium ou n'importe quoi d'autre dans le sous-sol, et surtout pour profiter de sa découverte, il faut que tu fasses enregistrer l'endroit où tu comptes effectuer tes recherches; c'est ça un *claim*.

— Mais j'ai rien du tout, moi.

— Ça, c'est embêtant...

— Qu'est-ce que je peux faire?

— Hum... D'après ce que je vois, tu n'as pas d'outils non plus, pas même de pelle, de pioche, de tamis ou d'acide, rien. À mon idée, si tu veux enregistrer une concession, acheter les outils essentiels, du matériel de camping et des provisions, il va falloir t'arrêter à Whitehorse pour faire, je sais pas... la plonge dans un restaurant. Dans un an, si tu économises tout, peut-être que tu pourras financer tes recherches.

— Un an!

— Dans le meilleur cas. Plongeur c'est pas ce qu'il y a de plus payant.

— Mais c'est trop long! un an!

— Qu'est-ce qui te presse tant que ça? Il y a plus de quarante ans, moi, que je cherche le spot qui me fera riche.

— Moi, je peux pas attendre tout ce temps-là, il faut...

— Il faut quoi?

— Enfin, j'ai promis quelque chose à quelqu'un.

— Ça, tout le monde un jour a promis quelque chose à quelqu'un et, si tu veux mon opinion, ce qui compte ce n'est pas tant de réussir que d'essayer.

— Moi, il faut que je réussisse parce que sinon...

— Sinon?

— Sinon je serai jamais heureux.»

À nouveau Jack Conroy soulève son chapeau, le déporte en arrière, puis secoue la tête comme s'il était découragé.

«T'as décidé ça tout seul, toi, quand tu seras ou ne seras pas heureux, tu te crois maître de ton bonheur? Tu t'imagines que c'est comme ça, qu'il n'y a qu'à se dire: si j'obtiens ça, je serai heureux?

— En tout cas, je sais bien que si je l'obtiens pas, je ne le serai pas.

— Comment peux-tu savoir? Tu connais l'avenir? Tu lis dans les cartes? Dans le marc de café?

— Non mais...

— Alors ne décide pas d'avance si tu seras heureux ou non, le bonheur, crois-moi, ça se commande pas.

— On peut quand même essayer de l'atteindre, non?

— On peut, on peut...»

Depuis quelque temps, le panorama s'est élargi, la forêt qui bordait chaque côté de la route a fait place à des pentes escarpées, à des ravins, à des lacs sur lesquels miroitent des montagnes. Est-ce parce qu'il a appris qu'aucune civilisation n'a laissé sa marque par ici, Nathan a le sentiment que c'est un privilège de pouvoir contempler ces terres insoumises, car ici la nature semble «*spirituellement vivante*». Il ne s'explique pas comment, mais c'est dans l'air. L'esprit de la nature ne se révèle-t-il uniquement que lorsque celle-ci n'a jamais été violée? Comme s'il devinait un peu l'état de ses pensées, Jack Conroy désigne le paysage d'un mouvement englobant de la main.

«Tu vois, dit-il, dans le fond, c'est surtout pour ça si j'ai passé ma vie à fouiller le sol; ça me permet de vivre dans des coins comme ceux-ci. J'en suis né à quelques milles, mais j'aurais pas pu me faire au lac Saint-Clair; tu fais juste tomber dedans et t'es couvert de pustules, tellement c'est pollué.

283

— Ici aussi, rétorque Nathan en désignant son cou qui n'a pas fini de lui cuire. Comment vous faites pour vous arranger de toutes ces bestioles?

— À mon âge, on finit par avoir le cuir épais, et puis y a les huiles. On en trouve dans le commerce, mais moi je préfère fabriquer la mienne: citronnelle, essence de cèdre et camphre.

— C'est efficace?

— Ça n'empêche pas les maringouins de te seriner dans les oreilles, mais ça évite d'être mangé comme tu viens de l'être. Va falloir passer de l'alcool là-dessus si tu veux pas que ça s'infecte.

— De l'alcool? J'en ai pas, j'ai même plus rien, celui avec qui j'ai eu des mots est parti avec ma valise.»

Cette fois Jack Conroy éclate d'un rire tout à fait jovial.

«Toi, dis donc, tu fais tout un chercheur d'or, j'ai bien envie de t'engager...

— Comment ça?»

Reprenant quelque peu son sérieux, l'homme observe son passager par à-coups.

«Disons que ce n'est pas encore une proposition ferme, mais que dirais-tu de travailler avec moi au lieu de faire la plonge en ville? Vois-tu, je commence à me faire plus vieux, je n'ai plus le tonus d'avant et d'autre part je ne veux pas lâcher; on ne sait pas, c'est peut-être la semaine prochaine que je vais faire la grande découverte.

— Vous voudriez que je travaille pour vous?

— Non, pas pour moi, avec moi; je ne me sens pas l'âme d'un employeur.

— Vous voulez dire en associé ou quelque chose comme ça?

— Ouais... Seulement, vu que j'apporte quand même l'expérience et le matériel, j'estime que pour commencer, on devrait partager trois quarts pour moi, un quart pour toi; c'est normal, non?

— Je crois... Oui, je crois que ça me plaît!»

Jack Conroy paraît s'abîmer dans une mer de réflexion, ce qui laisse à Nathan le loisir, lui aussi, de réfléchir à ce qui lui arrive. *«Maintenant c'est clair,* se persuade-t-il, *tout semble s'emboîter pour m'amener à rechercher de l'or, c'est évident! À moins que je m'illusionne? Je me demande quand même s'il y a une volonté qui veut tout ça? Suis-je vraiment destiné à trouver de l'or ou est-ce que je veux le croire? C'est encore plus facile de se bourrer le crâne à soi qu'aux autres.*

C'est vrai, pourquoi tiens-tu absolument à ce que qui ou quoi veuille s'arranger pour que tu sois chercheur d'or? C'est le hasard, c'est tout.

Le hasard, le hasard, ça en fait beaucoup, d'abord moi qui dis sans m'en rendre compte que je veux aller à Whitehorse, pourquoi est-ce justement Whitehorse qui m'est venu à l'esprit? Ensuite tomber tout de suite sur le camion qui m'amène d'une seule traite aux portes du Yukon, le pays des chercheurs d'or, et maintenant un vrai chercheur d'or en chair et en os qui me propose de travailler avec lui; ça fait vraiment beaucoup de coïncidences, sans compter que je suis justement à la recherche de la fortune, donc le prototype même du chercheur d'or. Oui! ça fait beaucoup pour être seulement le hasard. À moins que le fait de chercher fortune n'entraîne automatiquement sur une logique de ce genre? Comment savoir? Sapristi! c'est de plus en plus beau par là!» Il ressent le besoin d'exprimer son enthousiasme:

«Qu'est-ce que c'est beau!

— C'est la nature à l'état brut, un autre avantage de la vie de chercheur d'or, du moins pour celui qui préfère la nature sauvage au confort moderne.

— Vous?

— Là-dessus, je change d'idée cent fois par jour; en vérité, et même si je sais que ce n'est guère possible, j'aimerais bien concilier les deux.

— Pourquoi guère possible?

— C'est incontournable, la nature sauvage n'est sauvage que si elle est sauvage. Si tu y mets des lignes de transports, des habitations permanentes et des centres commerciaux, c'est fini.

— Où travaillez-vous, au fait?

— Carrément dans la toundra, encore plus de maringouins qu'ici. À peu près à mi-chemin entre Dawson City, dont tu as dû entendre parler si tu as lu Jack London, et Inuvik dans les Territoires. En fait, pour tout te dire, c'est beaucoup moins grandiose qu'ici, c'est... totalement différent.

— Votre proposition m'intéresse, dit Nathan, très résolu cette fois.

— Attention, je dois te prévenir, il faut s'habituer aux insectes, à la monotonie et aussi à un peu de crasse, là-bas on se lave dehors, il n'y a pas de douche, ni même de toilettes. Tout se fait dehors, la cahute sert juste à s'abriter la nuit et à protéger les provisions.

— Et l'hiver, que faites-vous?

— Ça dépend, dans le temps je travaillais pour des compagnies minières, depuis quelques années je redescends jusqu'à Whitehorse où, avec d'autres énergumènes comme moi, j'attends que reviennent les beaux jours. Pour tout te dire, on attend plus souvent à la taverne qu'ailleurs.

— Heu... vous buvez?

— Disons que je déteste pas me retrouver entre connaissances pour parler de tout et de rien. Tu sais, quand t'as passé toute une saison seul avec toi-même, tu as fait provision d'un paquet de choses à dire, même si la plupart du temps c'est insignifiant. Ce qui importe c'est que lorsqu'on parle avec les autres, on a l'impression d'exister, ou plutôt non, de compter. C'est ça, on a l'impression de compter.»

Nathan s'apprête à lui dire qu'il va pouvoir parler davantage s'ils travaillent ensemble, mais, au dernier moment, un réflexe de circonspection lui suggère que ça ne paraîtrait peut-être pas nécessairement positif aux yeux de Jack Conroy. Il est décidé à chercher et à trouver l'or qui lui permettra de racheter la terre de Missy et, pour cela, il a besoin d'un *associé*.

23

BLUESTONE

«Hein! Salut, Missy!

— Endi! Salut! Quelle surprise! Il y a longtemps que tu es revenu?

— Non, c'est ma première sortie et je te jure que ça fait plaisir de se retrouver chez soi.

— Tu parles d'une surprise, répète-t-elle, si je m'attendais...»

Ils s'observent, tous deux sincèrement surpris de se rencontrer, même si, au fond, Missy a toujours su qu'un jour il allait revenir et qu'ils se rencontreraient tous les deux dans des conditions semblables. Et si, dans le subconscient d'Endicott, cette première sortie solitaire est sous-tendue par le souhait non formulé de rencontrer celle qui lui a écrit là-bas, en Angleterre, ce pays déliquescent, appendice d'un continent qui, maintenant plus que jamais, lui paraît sombre, maussade, décadent, rongé dans ses brumes acides, alors qu'ici le ciel est encore plus bleu, plus vaste qu'il s'en souvenait, alors qu'une légère brise chlorophyllée incline gracieusement les herbes qui déjà troquent le vert pour l'or, alors que par une si belle journée les spermophiles se risquent témérairement hors de leurs terriers d'un bout à l'autre de la Prairie.

«Où est-ce que t'allais par là? demande Endicott, se rendant compte qu'elle est sur le chemin qui conduit soit chez lui, soit chez les Lapierre.

— Je vais au lac, il y a plein de canards en ce moment.

— Je t'accompagne?

— Bien sûr! Toi, tu allais quelque part?

— Nulle part en particulier, je prenais l'air. C'est qu'on a du bon air dans la Prairie.

— Mieux que dans les vieux pays?

— Tu peux pas savoir...»

Côte à côte, à pas lents, tous deux prennent la direction du «lac» qui en réalité n'est qu'un grand bassin de rétention situé sur les terres des Lapierre.

«On dirait que t'as pas aimé ton voyage? s'étonne Missy

— J'ai aimé voir des choses nouvelles, mais, crois-moi, j'aimerais pas retourner là-bas pour y vivre.

— C'est drôle, j'aurais cru que... C'est vrai, quand les gens parlent de l'Europe, on a l'impression que c'est plein de vieilles choses...

Justement! c'est vieux. Un tas de vieux cailloux rongés par le smog, et quand c'est pas ça, ce sont des villes-dortoirs laides et sans âme. Oh, c'est sûr! j'exagère, il y a de beaux monuments et même de beaux quartiers, mais il n'y a qu'une infime partie de la population qui y vit.

— Si je comprends bien, tu ne t'es pas plu là-bas?

— En tout cas je suis content d'être revenu. Au fait, je te remercie pour ta lettre, c'était gentil.

— C'est normal d'écrire aux gens qu'on connaît quand ils sont loin.»

Sans savoir exactement pourquoi, tous deux se sentent embarrassés. Il leur faut traverser quelques secondes d'un silence gêné avant que Missy ne l'interroge sur ce qu'il a fait dans les vieux pays.

«Et l'école là-bas, c'est comment?

— C'est différent. On apprend des choses qui ici sont plutôt réservées aux universitaires ayant choisi un domaine particulier.

— Comme quoi?

— La philosophie, le sens de l'histoire, tu vois, des trucs qui font croire aux gens qu'ils sont intelligents. Là-bas, entre les cours, c'est pas rare d'entendre discuter de marxisme, d'existentialisme, de positivisme, de temporalité et autres affaires du même goût. Au début, vu que la philosophie, j'y connaissais pas grand-

288

chose, je me suis dit que j'étais et que j'allais avoir l'air complètement innocent, et puis je me suis vite aperçu qu'il suffisait d'avoir lu trois ou quatre livres-clef, d'avoir cherché le sens des principaux termes dans le dictionnaire et avec ça je t'assure que tu peux broder des heures sur l'être et le devenir de l'humanité en prenant des poses éclairées, comme ça... (Il s'arrête, relève le menton de façon altière, croise les bras haut sur la poitrine, place sa jambe droite à la verticale du tronc, la gauche légèrement en avant, ouvrant un angle de quarante-cinq degrés avec la droite.) Ensuite, poursuit-il, il faut moduler la voix, bien détacher les mots, et ça, ça doit être pour leur laisser le temps de comprendre, et tu commences en disant quelque chose comme: moi, (arrêt) je pense (arrêt) qu'il existe aujourd'hui (intonation prolongée) une réminiscence de la théologie médiévale, du reste... Enfin tu vois le genre... là-dedans, le *moi* sert à te démarquer du commun des mortels décidément trop ignares, tandis que le *je pense* signifie que, par on ne sait quel miracle qui n'est pas donné à tout le monde, tu possèdes, toi, la faculté de penser, le reste ne sert qu'à éblouir les autres ainsi que soi-même. Et là tout le monde t'écoute, chacun cherchant la faille dans ton propos afin de pouvoir dire à son tour: moi, je pense que... Cela dit, en grattant, on s'aperçoit vite que là-bas comme ailleurs ce qui intéresse tout le monde, c'est le sexe.

— Hein!

— C'est vrai, j'avais oublié qu'ici à Bluestone on n'aborde pas ces sujets-là.

— Parce que... là-bas? demande-t-elle avec une certaine agitation.

— Sans problème. Il regarde autour d'eux comme si une oreille indiscrète pouvait surprendre leur conversation. Tu promets de ne rien répéter à personne si je te raconte comment j'ai fait de l'argent là-bas?

— Le sexe, faire de l'argent, oh la la! J'ai l'impression que ça va être pimenté.

— Tu promets?

— Je promets.

— Bien, là-bas, au pensionnat, je finançais le dépucelage de gars qui étaient pressés et qui n'avaient pas l'argent comptant. Bien sûr, ils me remboursaient ensuite avec un peu d'intérêt. Chaque dépucelage me rapportait environ le tiers de l'investissement.»

Elle l'observe, à présent totalement décontenancée.

«Qui... Je veux dire qui s'occupait du...

— Du dépucelage?

— Oui... c'est ça.

— Debbie.

— Debbie?

— Une fille avec qui je m'étais arrangé. Elle travaillait dans un pub dans le quartier des filatures, enfin, un pub... Quoi qu'il en soit, elle était gentille et me faisait des réductions pour les gars que je lui amenais.»

Endicott s'exprime le plus naturellement du monde, exactement comme s'il expliquait comment il s'était gagné son argent de poche en distribuant les journaux ou en tondant des gazons. Surprise, nerveuse, Missy finit par céder à un rire sans joie.

«On peut dire que tu es... spécial. Son visage exprime un certain souci. C'était dangereux, non?

— Dangereux?

— Eh bien je veux dire... les maladies?

— Il y a les capotes. C'est pas fait pour les chiens, les capotes.

— Alors comme ça, toi, tu as...»

Il secoue vigoureusement la tête, presque avec offuscation.

«Sûrement pas! Quand ça m'arrivera, ce sera gratis. J'ai pas du tout l'intention de payer pour ça.

— C'est bien.

— Je ne sais pas si c'est bien, mais c'est comme ça que je vois les choses. Il baisse la voix avant d'ajouter plus gravement: Je crois que ça prend de l'amour pour que ce soit bien, tu crois pas?»

Elle rougit et s'en rend compte.

«Heu... oui, oui, je suppose, sûrement!

— Peut-être que ça t'embarrasse, toutes mes histoires?

— Non, c'est juste que... c'est nouveau pour moi.

— Bon, on va parler d'autre chose, tu veux?

— D'accord. Oh! regarde! une antilope là-bas!»

Il se tourne dans la direction indiquée et aperçoit l'animal qui remonte un vallon en grands bonds successifs. Soudain, pour lui, cet animal représente la liberté, chez lui, son chez lui. De faire partie de tout cela le gonfle de fierté. Puis son regard revient sur Missy qu'il associe elle aussi à ce tout, et il a envie de poser son bras en travers de ses épaules. Sans l'avoir vu, elle ressent le regard différent qu'Endicott vient de poser sur elle. Elle trouve cela agréable, mais aussitôt se reproche vaguement cette sensation.

«Je suis content d'être rentré, affirme-t-il d'une voix imperceptiblement rauque.

— Moi je suis contente que tu sois revenu, je t'assure.

— Je... On s'était jamais parlé comme ça.

— Comment?

— Bien... seuls, tous les deux.

— Oui, c'est juste... Regarde, les canards sont là, fait-elle soudain en pointant le doigt vers le bassin de rétention. Ils m'amusent, je les regarde marcher et je ris toute seule.

— Moi aussi, j'aime bien les canards», répond Endicott en se rendant compte aussitôt qu'il n'a jamais rien ressenti pour eux et ne pense pas non plus que ça changera.

«*Nathan*, évoque-t-elle pour elle-même, *je me demande bien ce que tu fais en ce moment? Endicott, il est gentil, il me fait un drôle d'effet mais c'est pas comme toi!*

N'oublie pas, Missy, qu'un jour tu dois récupérer la terre de Papa, c'est tout ce qui compte.

Je sais, je sais, Nathan la rachètera; il l'a dit.»

24

ARCTIQUE

Jack Conroy lui a dit de ne pas brûler tout le kérosène, mais Nathan sait bien que son *associé* a surtout voulu lui signifier de ne pas se coucher trop tard. La cabane qui l'abrite est, à cette heure, partiellement éclairée par le jour gris collé à la fenêtre et aussi par la faible lueur un peu plus chaude de la lampe, que le garçon a réglée à la plus basse intensité pour ne pas déranger Jack Conroy qui s'est couché aussitôt après le souper. D'habitude, Nathan en fait autant, mais ce soir, alors qu'il y a plus d'une semaine qu'il se le commande, il s'est décidé à écrire une lettre à sa mère. Cherchant ses mots, il détaille ce qui l'entoure avec l'expression d'une personne découvrant les particularités d'un lieu pour la première fois. Quatre murs dont Jack Conroy lui a dit que les colombages étaient faits de «gros madriers de quatre pouces de côté, assez pour résister à un ours malin», un rang de planches dehors, un rang dedans. Les planches viennent d'une ancienne grange, sûrement située à plus de mille milles au sud. Des planches que le temps et les intempéries ont rendues grises jusqu'au cœur. Chacune d'elles est clouée aux madriers avec cette particularité que les clous ne sont pas enfoncés jusqu'à la tête, ceci parce que chaque fois que le prospecteur choisit une nouvelle zone de recherche, il défait sa cabane, empile planches et madriers sur le plateau de son vieux *pick-up* et reconstruit ailleurs, exactement comme avant. Même les clous retrouvent leurs trous. Une seule fenêtre qui ne s'ouvre pas et dont le cadre est bourré d'étoupe à cause des moustiques. Pour l'heure, elle laisse entrer la lumière grise d'une journée qui, sous ces latitudes et à cette époque, n'en finit pas. Le plancher aussi est fait d'un double rang entrecroisé de planches grises, tout comme le plafond que constitue le pan unique du toit recouvert d'un papier goudronné. «*Ça ressemble plus à une vieille caisse de légumes qu'à autre chose*», se dit Nathan.

Maman,

Il y a déjà longtemps que je veux t'écrire mais tu sais comment c'est, on a pas le temps. Tu dois te demander ce que je fais, alors tiens-toi bien, je suis devenu chercheur d'or. J'ai rencontré un prospecteur et je travaille avec lui. Il m'apprend toutes les ficelles du métier. Je ne peux pas te dire où c'est parce que ça n'a pas de nom, tout ce que je peux te dire c'est que c'est dans l'Arctique et qu'il fait jour 24 heures sur 24.

Tapotant avec son stylo sur la feuille de papier brun qu'il a découpée dans un sac d'épicerie ramené de Dawson où ils ont acheté le ravitaillement pour l'été, il se demande s'il doit parler du paysage dans lequel il évolue depuis trois semaines. Jack Conroy a eu bien raison de dire que c'était moins grandiose que les montagnes plus au sud; ici tout est morne, plat, marécageux, humide, pas vraiment froid à cette époque, mais pas tellement chaud non plus, et surtout, comme l'a promis le prospecteur, infesté de moustiques. Il a vu des hardes de caribous qui, d'un bout à l'autre de la «belle» saison, demeurent sans cesse en mouvement pour tenter d'échapper à l'emprise féroce des insectes. Chaque matin, en sortant de la cabane, alors qu'aussitôt les moustiques se remettent à *ziller* autour de lui, il se demande avec hargne pourquoi aucun chercheur n'a trouvé le moyen d'inventer une peste, un fléau, n'importe quoi de radical qui décimerait toute cette population sans laquelle, il en est persuadé, la région deviendrait un coin de paradis. Cela par opposition à ce qu'il considère actuellement comme un «purgatoire». Imaginant qu'il doit quand même y avoir pire, il n'a pas choisi pour l'endroit l'épithète d'enfer, enfer dans lequel cependant il a remplacé depuis quelque temps les flammes éternelles par les nuages de moustiques que ne repoussent pas les décoctions odorantes de Jack Conroy. Non! il vaut mieux ne pas parler du décor à sa mère; s'il lui disait: c'est bien, il mentirait, et avouer que c'est «*d'une tristesse à pleurer*» ne remonterait pas le moral à Rose-Ange, là-bas à Bluestone où, avec le recul, sa mémoire lui restitue la Prairie avec encore plus de pureté et plus de luminosité. Comme pour lui donner raison, dehors, le vent se fait entendre sur le même ton qu'ici il l'a toujours entendu: lugubrement plaintif. Son seul avantage est celui d'éclaircir les nuages de moustiques. Doit-il lui parler de son travail? Depuis trois semaines qu'il est ici, ils remuent des tonnes d'alluvions à la pelle, il faut ensuite les *laver* à l'aide d'une pompe mobile normalement utilisée pour combattre les feux de forêt et qui, durant deux heures chaque jour, déchire le silence d'une pétarade régulière. Ils n'ont récolté en tout et pour tout qu'une once et demie, pesée avec précision sur la petite balance du prospecteur. Non! il vaut mieux ne pas s'étendre sur cela non plus. Lui-même commence sérieusement à perdre ses illusions. Chaque matin, grimaçant sur des muscles qui restent endoloris jusqu'à ce qu'il les réchauffe par le travail, il se demande s'il ne s'est pas berné lui-même. «*Il y a plus de quarante ans que Jack Conroy cherche le gros lot, j'ai bien l'impression que je perds mon temps, c'est davantage une loterie qu'autre chose. Faut quand même que je laisse croire à Maman que tout va bien. Quoi dire?*

Pour l'instant on a trouvé un peu d'or, rien d'extraordinaire mais mon associé (car je suis associé avec lui) dit que c'est bien, c'est un début, tu vois. Je m'excuse encore si je t'ai causé un peu d'inquiétude, il fallait que je le fasse. As-tu dit à Missy que j'étais parti? J'imagine qu'en ce moment il doit faire beau à Bluestone. Comment va Grand-maman? J'espère que Grand-papa n'est pas trop fâché contre moi, dis-lui que j'ai bien aimé le travail sur la garette. Je ne sais pas quand tu recevras cette lettre car ici il n'y a pas de poste.»

Il a demandé à Jack Conroy comment envoyer une lettre; celui-ci lui a répondu que rien n'était plus facile: il suffit d'aller sur le bord de la route lorsqu'on entend un véhicule, généralement un camion, et de confier la lettre au chauffeur qui, s'il n'est pas «sauvage», la postera à Inuvik ou à Dawson, selon sa direction. Il arrive parfois que l'un ou l'autre de ces routiers s'arrête, histoire de couper une solitude trop pesante, et vienne faire un peu de conversation avec Jack Conroy. C'est comme ça qu'ils ont appris que la sécheresse perdure toujours, principalement dans les grandes plaines, mais il paraît que l'on en souffre aussi dans l'Est et même jusqu'en Europe et dans les grandes étendues sibériennes. «Pour sûr que le temps est détraqué», a conclu Jack Conroy ce soir au souper, mais Nathan ne se soucie pas trop de la sécheresse, à Bluestone, aussi loin qu'il puisse s'en rappeler, le sujet a toujours existé.

Voilà, je crois que je t'ai à peu près tout dit. Maintenant, je vais aller me coucher car on commence de bonne heure le matin. Ah oui, t'inquiète pas, je mange très bien et je ne manque de rien sauf que je m'ennuie de toi. Mais ça, on n'y peut rien. Je veux aussi profiter de cette lettre pour te dire de ne pas te faire de bile et que, si ça te tente, tu peux aller vivre en ville. J'ai bien réfléchi et je crois que tu devrais refaire ta vie. Je sais que tout seul c'est pas drôle. Ce que je veux dire c'est qu'il ne faut pas que tu te sentes prisonnière parce que je ne suis pas majeur, moi je ne me sens pas prisonnier, alors pourquoi le serais-tu? Bon, cette fois je t'embrasse et je vais me coucher. Je suis sûr que demain on va trouver quelque chose d'intéressant. À bientôt.

P.S.: Sais-tu qui me remplace au magasin?

«*Je suis bête*, se dit-il, *je lui pose des questions et elle ne pourra même pas me répondre. En tout cas elle se fera moins de souci quand elle aura reçu ça. Je me demande quand même s'ils ont fait des recherches pour me retrouver?*»

Sans se relire, il plie le papier et l'insère dans une enveloppe qu'il a fabriquée avec un autre sac d'épicerie et collée avec un peu d'eau et de farine. Il tourne la molette de la lampe pour l'éteindre. Dans la semi-obscurité de ce jour qui n'éclaire pour ainsi dire pas, il regarde par la fenêtre la rivière qui s'écoule juste en face, reflétant çà et là des ors qui ne semblent pas appartenir au firmament d'argent. Imperturbable, elle porte en son onde d'obsidienne la certitude que tout passera, sauf l'intarissable écoulement du temps dans la grande nuit solitaire. Là, face à la désolation, Nathan est effleuré par l'intuition du pourquoi est-ce que les hommes construisent, démolissent et rebâtissent sans cesse: ils luttent, ils luttent sans relâche contre l'incontournable solitude, contre le désert, contre la nuit, contre la nature dont ils sont chair et sang, contre la peur, contre la mort. Il frissonne, hausse les épaules et va rejoindre son sac de couchage posé sur un matelas de mousse synthétique. Jack Conroy avait déjà tout ça, à croire qu'il l'attendait. Enfoui dans le sac, dans l'obscurité, il restructure mentalement son iceberg et s'y installe, avec Missy tout contre lui.

Des plaintes étouffées s'insinuent dans le rêve de Nathan où, jusqu'à maintenant, il était question d'une calculatrice sur laquelle il devait faire des opérations de plus en plus compliquées et qui devaient donner des produits équivalents comme, par exemple, 16 est le produit de 4x4 ou de 8x2; un rêve fatigant dans lequel les plaintes répétées ne veulent pas entrer dans la logique du thème. Il a beau essayer de les associer aux chiffres, rien à faire, un gémissement et un 7 ne donnent aucune réponse adéquate dans l'étroit rectangle gris. Ça devient lancinant, tellement, qu'il se réveille. Ce n'est pas suffisant, depuis la couche de Jack Conroy arrive une autre plainte. Mal réveillé, ne sachant trop où est le rêve, où est la réalité, Nathan se redresse.

«Ça ne va pas?», demande-t-il lorsque enfin il réalise que c'est le prospecteur qui râle.

La réponse ne vient qu'au terme de quelques secondes ponctuées d'un autre gémissement:

«Non, pas très fort...»

Nathan se souvient qu'avant de se coucher Jack Conroy s'est plaint de l'estomac. «On mange trop de féculents», a-t-il déclaré. Peut-être fait-il une indigestion? Nathan s'en rappelle d'une au lendemain de son dixième anniversaire; avait-il mal digéré le gâteau? Ou peut-être les côtelettes préparées avec une sauce crème et des champignons? Il se souvient aussi de la désapprobation affichée du Pasteur en face de ce repas *spécial* préparé par sa mère qui n'avait cherché qu'à lui faire plaisir. Aujourd'hui encore, il se remémore fort bien les maux de ventre affreux, la dysenterie qui l'avait cloué toute la journée sur le siège des toilettes, au point d'avoir l'impression de s'évacuer lui-même, les nausées extrêmes qui le pliaient en deux au-devant de la cuvette d'émail, et puis l'abattement, l'impression d'être vidé de toute force, le goût de s'enfoncer dans le sommeil, rien que le sommeil, tandis qu'il entendait le Pasteur reprocher la «débauche culinaire» à sa mère. Est-ce de cela que souffre le prospecteur? Dans la grisaille qui vient de la fenêtre, il distingue les traits tirés de l'homme ainsi que son front luisant. Il paraît avoir vieilli de quelques années depuis le souper.

«C'est encore l'estomac? demande Nathan.

— Je ne sais pas, je ne sais pas du tout, mais ça fait mal en chien!

— Voulez-vous quelque chose?

— Non, rien, merci, rendors-toi...»

Grimaçant, l'homme crispe sa main sur son estomac. D'où il est, Nathan constate qu'il transpire abondamment. Ça l'étonne car il ne fait pas chaud du tout. *«Il doit faire de la fièvre, se dit-il, on voit ça des fois, dans les films, lorsqu'ils ont beaucoup de fièvre, les malades transpirent beaucoup et on leur met des compresses humides sur le front.»* Il se lève, enfile ses pantalons, bien décidé à donner une compresse froide à Jack Conroy. Encore une fois, il voit celui-ci grimacer en enfonçant son poing fermé à la hauteur du plexus.

«Je comprends pas, fait-il sur un ton où transparaît l'angoisse, le mal remonte jusque dans l'épaule et même la mâchoire...»

Au ton, Nathan comprend que le prospecteur a peur et ça l'étonne; jusqu'à maintenant, il l'a toujours vu comme une force de la nature. De constater qu'il peut avoir peur lui semble presque impudique. Pour beaucoup oui, mais pas Jack Conroy. Et puis de quoi a-t-il peur? Réfléchissant à cette question, il verse un peu d'eau de la cruche en plastique sur une serviette qu'il apporte au prospecteur.

«Mettez-ça sur votre front, conseille-t-il, ça va faire descendre la fièvre.

— La fièvre?»

Jack Conroy passe la main sur son visage et, apparemment découragé, constate combien il transpire.

«Merde! Merde! Merde!

— Qu'y a-t-il? demande Nathan qui commence à s'alarmer.

— Panique pas, mais je crois bien que je suis en train de faire une saloperie d'infarctus.

— Une crise cardiaque! Réalisant aussitôt que son attitude ne doit pas être la bonne il se reprend: Mais non! Mais non! juste une indigestion.

— J'ai bien peur pourtant de ne pas me tromper...

— Ben voyons! Pourquoi vous feriez ça, c'est... c'est pas possible.

— Tu sais conduire?

— Oui...

— Je crois qu'il faut aller à Inuvik.

— Mais? Vous m'avez dit qu'on en était à deux cent cinquante milles, même en roulant à soixante-dix il faut au moins quatre heures...

— Ça vaut mieux que de rester là, crois-moi.»

Voyant à quel point Jack Conroy semble inquiet, Nathan n'insiste pas. «*Il a peur de mourir, se dit-il. J'aurais peur aussi, mais s'il a vraiment une crise cardiaque, comment va-t-il tenir quatre heures de route?*» C'est un autre dilemme qui se présente à l'esprit de Jack Conroy, alors qu'il s'est toujours affirmé à lui-même qu'il mourrait comme il a vécu, c'est-à-dire loin du monde auquel il trouve de trop nombreux défauts, à commencer par l'obligation de se plier à ce que, en parodiant avec ironie de nombreux communicateurs professionnels, il nomme «un choix de société». Maintenant que la mort lui adresse des signes, il désire retourner vers ce monde. Et cela davantage dans le but d'être avec lui que dans celui d'être soigné. À présent, alors que cette douleur lui engourdit le côté, cette cabane qu'il a toujours considérée comme son chez-soi lui fait peur. Dans le cadre de la fenêtre, le ciel d'un rose laiteux est incapable d'éclairer cette pièce, incapable de la *réchauffer*. Ce ciel lui semble froid et solitaire, tout comme la terre lugubre qui s'étend vers tous les points de l'horizon. Non, ce qu'il désire maintenant, c'est une salle blanche pleine de monde s'agitant autour de lui, des lumières violentes, un projecteur doré qui l'éblouisse, de l'activité, des gens et encore des gens, le sourire réconfortant d'une infirmière, un sourire de femme, un sourire de lait, le savoir-faire d'un médecin – même s'il n'y croit guère –, l'intérêt de lui brillant dans une foule de regards, et encore et encore les lumières chaudes, aveuglantes, gaies. Pourquoi est-il revenu dans le nord? Il s'est toujours enorgueilli de vivre loin des autres, c'est seulement à présent qu'il se rend compte à quel point il les aime. Quel imbécile il fait.

«Je me suis trompé, murmure-t-il en enfilant laborieusement une chemise de flanelle par-dessus son épais caleçon de laine jauni par des années de transpiration. Je me suis trompé, je croyais que parce que j'aimais pas la foule, j'aimais pas les gens. Ne fais pas la même erreur, Nathan, s'il n'y a aucun crédit à accorder à la foule, l'individu, lui, mérite une attention.

— Oui, oui, bien sûr. On y va? Voulez-vous que je vous aide?

— Ça va, ça irait mieux si ça faisait moins mal, mais ça va.»

Quelques minutes plus tard, ils roulent vers le nord, soulevant derrière eux un nuage ocre.

«Attention de nous mettre dans le fossé», recommande Jack Conroy sur un ton qu'il veut badin, les yeux presque dissimulés par une contraction douloureuse des traits.

Petit à petit, Nathan parvient mentalement à se mettre à la place du prospecteur et dans cette approche il conçoit à quel point celui-ci doit se sentir seul. Alors que, jusqu'à tout à l'heure, il l'a toujours considéré comme un pilier, un roc sur lequel devaient s'abîmer toutes les agressions, voici qu'il se rend compte qu'un rien, un tout petit rien comme un cœur, un morceau de muscle – gros comme un poing, paraît-il –, voilà que ça suffit pour faire s'écrouler la citadelle. Ce n'est que cela un être humain? Il se revoit inspectant la proéminence de ses biceps ou l'apparence de ses pectoraux. *«Comment peut-on accorder de l'intérêt à ces choses-là? Il suffit d'un rien pour nous envoyer de l'autre bord.*

Parce qu'on en a besoin de ce côté, c'est pour ça que c'est important, c'est stupide de s'en glorifier mais on a besoin de tous ses morceaux, et en bon état autant que possible.

Ouais, peut-être... Mince! j'aimerais pas être à sa place, me sentir mourir, ici, sans famille, sans rien, je crois que j'aurais l'impression d'avoir gâché ma vie. Est-ce que c'est ce qu'il pense? Qu'est-ce qu'il disait tantôt? Qu'il s'était trompé? Bah, l'important c'est de gagner son ciel. Quoique je me demande si c'est parce qu'on est habitué à ce que tout coûte quelque chose ou soit payé qu'on imagine automatiquement que nos souffrances ou nos sacrifices doivent nous mériter un paradis? C'est peut-être pas comme ça que ça se passe.»

Jack Conroy a la couleur d'un vieux cierge. Nathan le revoit, pas plus loin qu'hier, pelletant et piochant avec lui. «*Un travail de bagnard*» a-t-il pensé au début, puis bien vite il s'est aperçu qu'il aimait cet effort physique constant. Une fois passé le *réchauffement* du matin, une fois le corps baigné de sueur, on peut prendre ses distances avec ses muscles et, sans les éprouver, les sentir s'agripper au manche de la pioche ou de la pelle ou au boyau de la pompe; le corps entier participe aux injonctions de la volonté, il y répond comme une machine bien huilée, il se coltine joyeusement avec les éléments, chaque muscle libérant les toxines de l'organisme et du moral, et l'on s'en sent comme *purifié*. Il y a quelques heures, Jack Conroy participait sans faillir à ce labeur, maintenant, Nathan se demande s'il aura la force de se tenir assis sur la banquette jusqu'au bout. Au bout de quoi?

Il a couvert une cinquantaine de milles lorsqu'il aperçoit devant lui le panache de poussière caractéristique d'un véhicule sur cette route non bitumée. À en juger l'épaisseur, il ne peut s'agir que d'un camion. Il lui vient une idée dont il fait part au prospecteur qui tient ses paupières crispées.

«Voilà un camion, je vais l'arrêter pour qu'il demande une ambulance dans son CB.»

Il a parlé sur ce ton sans réplique que l'on a toujours tendance à prendre avec les malades. La maladie semble détruire chez les autres toute inhibition face aux formes de respectabilité dues à l'âge, à la richesse ou au statut social; la maladie révélant, pour celui qui en est atteint, sa nature commune. Jack Conroy, anéanti par son propre corps qui ne réagit pas comme il le voudrait, ne trouve ni le désir ni la force de s'opposer au garçon. S'en remettant à lui, il ne fait que hocher faiblement la tête.

Dans le prolongement d'une ligne droite, Nathan stoppe le *pick-up* un peu en travers de la route et grimpe sur le plateau arrière en agitant les bras. Bientôt le camion, un gros *flatnose* rouge vif, stoppe et le conducteur, sourire jovial aux lèvres, se penche à l'extérieur en s'accoudant par la vitre ouverte.

«Qu'est-ce qui se passe? Une attaque de la diligence sur la *Dempster*?»

Nathan a déjà sauté sur la route et va à sa rencontre.

«Vous avez un CB? Il faut demander une ambulance à Inuvik, mon... j'ai quelqu'un qui semble avoir une crise cardiaque.»

Le chauffeur se penche pour mieux distinguer Jack Conroy à travers le pare-brise du véhicule qu'il reconnaît. Entre Dawson et Inuvik, tous les routiers connaissent le «Tacot de Jack».

«C'est Jack! fait-il étonné, quand ça a commencé?

— Je sais pas vraiment, au souper il avait déjà mal.

— Mince! Il attrape le micro de sa radio, puis paraît avoir une idée. J'y pense, quand je suis passé à Red River tout à l'heure j'ai aperçu un hélico des *Montés*, attends...»

Nathan l'observe pendant qu'il est en contact avec ce qu'il a nommé «le Comptoir-Lunch de Red River» et qui, paraît-il, est équipé d'une base CB afin que les camionneurs s'en servent comme d'un babillard. «Oui, l'hélicoptère est toujours là», «oui, on va essayer de réveiller les *Montés*». Moments d'attente pendant que se relaient les messages. Finalement, au terme d'un temps qui leur semble infiniment long, la réponse attendue arrive.

«Ça y est! répète le routier à Nathan qui a déjà compris, ils s'en viennent avec l'hélico.»

Le garçon se précipite vers Jack Conroy pour lui annoncer la bonne nouvelle. Le prospecteur s'est allongé sur la banquette, genoux remontés. Il paraît avoir un peu de difficulté à respirer, Nathan ne sait si c'est à cause du malaise lui-même ou de l'anxiété qu'il doit procurer.

«Jack! Jack! Bonne nouvelle, un hélicoptère arrive exprès pour vous chercher.»

À ces mots, les traits du malade, visiblement, se détendent quelque peu et sa respiration redevient plus régulière.

«Bon, merci...

— Ça va aller maintenant.

— Ouais, je suppose...»

Le camionneur, un costaud au visage carré tavelé de son, se présente par-dessus l'épaule de Nathan.

«Alors... Jack? Paraît que tu veux aller te faire dorloter par des créatures à Inuvik?»

Tant bien que mal, Jack Conroy essaie de sourire.

«C'est toi, Fred, salut.»

Il n'en ajoute pas davantage, retombe en lui-même et ferme les paupières. Nathan et le dénommé Fred s'observent un instant avec l'air sceptique.

«Heu... Jack? demande Nathan, est-ce que je dois suivre par la route jusqu'à Inuvik?»

Lèvres contractées par une pointe de douleur que les autres ne peuvent imaginer, l'interpellé fait un oui presque agacé avec la tête. Le camionneur fait signe à Nathan de le suivre un peu à l'écart.

«Est-ce qu'il a pris quelque chose? Voyant l'attitude interrogative du garçon, il spécifie: est-ce qu'il a pris de la boisson?

— Non, non je ne crois pas. Déjà pendant le souper, il s'est plaint d'avoir mal à l'estomac. Et si je me rappelle bien, maintenant que j'y repense, il s'est même couché sans fumer son cigarillo habituel. Ah?... Je crois que j'entends l'hélicoptère.»

Ensemble, ils tournent la tête dans le sens d'où provient un son haché. Apercevant «*la grosse libellule de verre*» Nathan ressent un frisson général qu'il met sur le compte d'une nuit trop courte mais qui en fait est une réaction physique provoquée par rien moins que de l'émerveillement. «*Quand même! la technique c'est formidable,* se dit-il, *on est là au milieu de rien, un appel est lancé dans les airs et, quelques minutes plus tard, les secours arrivent du ciel.*» Alors que généralement il a plutôt tendance à faire le contraire, cette fois il acclame le «*génie*» humain, se convainc qu'il en fait partie, qu'il en est un des éléments, et c'est ce qui le fait frissonner.

L'appareil se pose dans un déplacement d'air qui leur agite les cheveux dans tous les sens, en même temps qu'il soulève une nuée de poussière. Puis, pour Nathan, tout se passe comme dans un songe, tout va très vite; quelques questions concernant directement la santé du prospecteur posées par les agents, quelques réponses, l'embarquement d'un Jack Conroy privé de toute autodétermination, tout va très vite. Emballement des pales, nouvelle nuée de poussière, salutations et recommandations du camionneur: «Tiens-moi au courant», départ du camion, encore de la poussière, puis plus rien, sinon le silence. Un peu ahuri, il se retrouve sur la route, seul à côté de la camionnette, réalisant que même les policiers ne lui ont rien dit sur ce qu'il devait en faire, peut-être justement pour éviter d'avoir à trancher entre la loi et le bon sens. «*Je suis libre!*» Il sait parfaitement qu'il a des obligations, néanmoins cette réaction est imposée par le véhicule dont il dispose. Pour Nathan, une voiture et la possibilité d'aller quelque part avec représente l'essence même de ce qu'il appelle être libre. Cependant, presque aussitôt, cette même *liberté* lui paraît bien décatie. Il prend conscience du brusque départ de Jack Conroy, se rend compte qu'il existe une possibilité qu'il ne le revoie plus, «*après tout, s'il a une crise cardiaque, c'est grave*». Et c'est l'impact, le constat: il vient de vivre trois semaines en compagnie d'un homme qui jusque-là lui était inconnu et pas une seule fois, durant ces journées de labeur, ces repas pris ensemble, il ne s'est demandé ce qu'il pensait du prospecteur. Jusqu'à maintenant il a trouvé tout *naturel* d'être aux côtés de cet homme qui d'emblée lui a accordé sa confiance et qui jamais ne lui a fait une seule réflexion désobligeante. Voici qu'il est parti, aspiré vers le ciel. La gorge serrée, il s'aperçoit que Jack Conroy lui manque. «*Il a toujours été correct avec moi, j'aurais pu m'occuper de lui davantage.*» Il oublie déjà que, pas plus tard qu'hier, Jack Conroy n'offrait pas spécialement l'image d'un homme dont on peut s'*occuper* au sens charitable du terme. Au loin, donnant du relief au silence, le cri déchirant d'un huart égaré trop au nord, et ce cri, pour Nathan, ne fait qu'ajouter au sentiment confus qu'il a *abandonné* le prospecteur.

«Allez! s'ordonne-t-il tout haut, surtout par besoin d'opposer sa voix au cri de l'oiseau, direction Inuvik, Jack a besoin de toi, et tâche de lui apporter un peu de... un peu de quoi? Bah oui, un peu d'amour, faut pas avoir peur des mots.»

Inuvik. Quelques enfilades de rues tristes bordées de bungalows blancs ou pastel. Des constructions récentes, mais déjà avec ici et là les signes du délabrement. En autant qu'il y ait une nuit dans ce jour prolongé, ce n'est que le matin mais, comme si c'était le vendredi soir à Moose Jaw ou partout ailleurs, Nathan croise plusieurs fois des adultes titubants, d'autres affalés, qui sur un trottoir, qui dans une encoignure, qui avachis sur une canalisation aérienne. Un groupe d'enfants, les uns aux cheveux noirs, les autres blonds ou roux, joue dans une mare de boue à l'extrémité d'une rue. Sur tout cela, le ciel promet une belle journée, il est d'un bleu très pâle, sans nuage, l'air est frais mais confortable. À première vue, la population semble autant composée de Blancs que d'Autochtones, et, pour les uns comme pour les autres, la position sociale semble devoir s'inscrire dans le fait de posséder un véhicule surélevé à quatre roues motrices, aux couleurs violentes et généralement harnaché d'une nombreuse batterie de phares. Et toujours des hommes et des femmes des deux races sous l'emprise de l'alcool. Nathan est déçu, il avait toujours cru que ces villes du *bout du monde* devaient receler une atmosphère dynamique, jeune, joyeuse, colorée, avec un goût d'aventure; au lieu de cela sa première impression en est une de morosité, d'ennui, d'abandon, d'aboulie, et cela est d'autant plus triste qu'il ne semble pas que cela résulte d'un espoir trop longtemps attendu, mais au contraire de cette espèce de désenchantement morbide qui atteint ceux qui ont tout essayé.

Presque une exception, le petit hôpital, lui, semble pimpant et *prospère*. Il y retrouve Jack Conroy installé dans un lit des Soins Intensifs. «Ne le fatigue pas, pas plus de cinq minutes», a évidemment prévenu une infirmière brune en blouse blanche laissant deviner le grain ambré de ses chairs un peu rebondies et dégageant un suave parfum corporel.

Même s'ils expriment une immense fatigue, les traits du prospecteur sont plus détendus. Il a un sourire navré à l'intention de Nathan.

«Te voilà, je me demandais si tu n'avais pas fait demi-tour. Drôle d'histoire, hein?

— J'allais pas vous laisser tout seul ici... Comment ça va maintenant?

— Je suppose qu'il y a deux possibilités, ou je vis ou je meurs.

Ils ont laissé entendre qu'il s'agissait d'un problème au myocarde. Le myocarde? Si c'est moi qui sais ce que c'est?»

Nathan, comme le prospecteur, sait que c'est «*quelque chose au cœur*», mais pas davantage. De toute façon, il préfère ne pas parler de cœur du tout.

«J'en sais rien non plus, dit-il.»

Déjà l'infirmière brune passe et prévient Nathan:

«Encore une ou deux minutes, pas plus. Se tournant vers le malade: C'est votre petit-fils, monsieur Conroy?

— C'est un peu ça, oui, si on peut dire...»

Mais elle pense déjà à autre chose et sourit machinalement.

«Bien, je vous laisse avec lui encore une minute.»

Sitôt qu'elle a le dos tourné, Jack Conroy fait signe au garçon de s'approcher.

«Alors! demande-t-il, que vas-tu faire à présent?

— Bah... je vais vous attendre.

— Non, c'est pas possible! D'abord parce que le médecin m'a laissé entendre tout à l'heure que j'étais ici pour au moins deux ou trois bonnes semaines, ensuite parce que je crois qu'après tout ça, si je vis...

— Mais vous allez vivre!

— J'espère! En tout cas, si c'est le cas, je retournerai en Ontario. Cette fois je crois que la toundra, j'en ai assez.

— Vous voulez abandonner?

— Oui, c'est fini pour moi et, si je peux me permettre de te donner un conseil, c'est celui d'abandonner tout de suite. Fais-le avant que tu commences à te dire que tu y as trop mis d'énergie pour laisser tomber si près du but. Mais, comme tu as dû t'en rendre compte, le but s'éloigne aussi vite qu'on avance.»

Nathan observe le visage de Jack Conroy. De nouveau, son regard profond, ses rides, tout évoque les grandes solitudes, la vie sauvage, tout un monde mythique qui, il le sait à présent, n'est qu'un compromis avec la solitude, une fuite continue devant la crainte de se voir absorbé par le moule commun, l'angoisse que sa *différence* ne soit pas reconnue, la crainte d'être tellement comme les autres que cela le condamnerait à un isolement qu'en fin de compte il s'est lui-même imposé.

«Que voulez-vous que je fasse, alors?

— Va-t'en. Retourne vers le Sud, ici il n'y a que désolation, tu t'en es pas aperçu?

— Mais je veux pas vous laisser! s'exclame Nathan sans répondre.

— C'est gentil, je te remercie, mais t'inquiète pas, dès que je scrai sur pieds, je retourne en Ontario. En fait, je t'ai pas dit toute la vérité; j'ai quand même réussi à faire quelques économies. Même si on ne gagne pas le gros lot, la vie qu'on mène ne coûte pas cher et l'on peut se permettre d'en mettre un peu à gauche. Qui sait? Plus tard, si tu passes en Ontario, tu pourras toujours me rendre visite.

— Comment je vous trouverai?

— Laisse-moi ton adresse chez ton grand-père, je t'y enverrai la mienne.»

Brusquement Nathan se rend compte qu'il éprouve une véritable affection pour cet homme dont il ne connaît pas grand-chose. Il aimerait le lui signifier, mais comment? Au lieu de cela, il ne fait que poser une question le concernant lui-même.

«Où est-ce que je vais aller?

— Ne te pose pas cette question. En sortant d'ici prends le chemin que tu auras envie de prendre et fais toujours comme ça.

— Mais, je veux rester ici jusqu'à ce que vous alliez mieux. Je ne vais pas vous laisser tout seul!

— Non, Nathan. Merci encore, mais va-t'en. Oh! une chose, en passant devant la cabane, arrête-toi pour y prendre l'or. Tu sais où est la cache?

— Oui, Jack, mais les trois quarts sont à vous.»

Jack Conroy a un geste de la main comme pour balayer une mouche importune.

«Prends-le, j'insiste, ça me fait plaisir. Qui sait, ce sera peut-être la base sur laquelle tu établiras la fortune que tu cherches?»

Nathan secoue la tête.

«Non, Jack, non, s'il y a une fortune, et il y en aura une, c'est à vous que je la devrai.»

Il voudrait ajouter: «*Je ne vous oublierai jamais*», mais juge à tort ou à raison que ce serait sans doute trop «*larmoyant*» entre eux.

«Allez, Nathan, file maintenant, faut que je me repose, tu sais ce qu'a dit l'infirmière. Tiens! justement la revoilà.

— Eh bien, au revoir, et merci encore pour tout...»

Jack Conroy fait oui rapidement de la tête, visiblement pressé que Nathan disparaisse afin de se laisser aller à une petite faiblesse *«compréhensible dans mon état»*, estime-t-il.

«Salut, Nathan, et méfie-toi.

— Salut, Jack...»

Nathan s'en va à reculons, ponctuant tous les trois pas d'un bref signe de la main, puis il franchit la porte battante séparant l'Urgence de la salle des Soins Intensifs. La porte refermée il fait demi-tour, une boule dans la gorge, et, quelque part, une envie de pleurer. De nouveau au point zéro d'un départ, de nouveau seul alors qu'il vient tout juste de s'apercevoir qu'il a un ami qu'il faut laisser. *«Donc, c'était pas l'or,* se dit-il en reniflant un bon coup. *Quoi d'autre maintenant? Missy, si tu savais comme c'est compliqué... Quand même, ce serait tellement plus facile si elle était avec moi, pourquoi est-ce qu'il faut être seul? Enfin... À bientôt Jack, j'irai te voir en Ontario, promis, juré.»* Il s'arrête au bureau des infirmières, réclame papier et crayon pour inscrire l'adresse de Magellan Lapierre, puis, comme l'infirmière brune revient, il lui tend le papier ainsi que les clefs du «bazou» en lui demandant de remettre cela à son «Grand-père».

25

Trois jours, trois camions et deux voitures plus tard il a retraversé le Yukon du nord au sud et se trouve à quelques milles au sud de Watson Lake, côté Colombie Britannique. Presque six heures qu'il est là, déposé par un homme dans la cinquantaine aux cheveux et à la barbe d'ermite, conduisant une voiture bringuebalante qui a bifurqué dans un chemin à une seule voie dont nul panneau n'indique la destination. L'attente est longue et il est content de s'être arrêté à la cabane, non seulement pour y prendre l'or, mais aussi un flacon «d'huile à mouches». Jamais encore il n'a attendu si longtemps. Que se passe-t-il? Plus haut, dans le Nord, il a pu vérifier qu'il suffisait de se mettre au bord de la route, mais ici, même si ce n'est pas encore ce que l'on peut appeler la civilisation, les gens ont déjà l'air plus refermé sur eux-même, peut-être sont-ils plus confiants dans leurs capacités individuelles et estiment-ils que les autres n'ont qu'à faire comme eux? Déjà ici, on se dit que l'on a gagné sur la nature. Pourtant la nature est bien là pour Nathan. En fait, il aimerait bien être à même de disposer d'un peu plus de confort *artificiel*. Dans peu de temps, il va retrouver la nuit perdue jusque-là, elle enveloppera tout et il sait qu'alors les chances d'être pris par une voiture seront minimes. De vert-gris qu'elles étaient, les épinettes passent au noir et leurs cimes se découpent comme des ombres chinoises sur un ciel dont c'est l'instant où l'on ne sait pas s'il est marine, ardoise ou suie. *«Je serais mieux de me préparer un feu, se dit-il, au train où c'est parti, je risque fort de passer la nuit ici. S'il y a des ours, des gloutons ou des loups, le feu les tiendra éloignés.*» Cette décision prise, il fait plusieurs voyages entre le fossé qui borde la route et la lisière du bois tout proche, revenant chaque fois les bras chargés de bois mort. Un petit tas pour le feu, un gros pour l'approvisionnement; il veut en avoir pour la nuit. Il utilise quelques branches sèches d'épinette pour amorcer la flamme. Rapidement, celle-ci s'élève dans l'obscurité menaçante avec des craquements réconfortants, envoyant des gerbes de brindilles rougeoyantes à l'assaut du ciel. Passée la première fierté d'être maître d'un tel élément, de l'utiliser ici pour son seul bénéfice et sous sa seule gouverne, il se rend compte qu'il a faim. Très faim. L'ermite qui l'a laissé ici l'avait pourtant prévenu qu'il le laisserait en pleine nature, mais, dans son désir de toujours avancer, Nathan a passé outre au conseil de rester aux abords de Watson Lake où, en cas de besoin, il aurait toujours pu trouver à boire ou à manger. Les yeux fixés sur l'éclat doré, il rêve de poulet rôti et de grandes tasses de café et de monceaux de patates frites. Plus il rêve, alors qu'en désespoir de cause on pourrait penser qu'il se contenterait du moindre, plus ses désirs se font extravagants: rosbif, sirloin, gâteau au fromage avec des cerises, beaucoup de cerises, de grands verres de soda-mousse avec des boules de crème glacée, des petits gâteaux secs du Danemark comme ceux qu'autrefois sa mère achetait dans le temps de Noël, ceux dans les grandes boîtes rondes en fer blanc, illustrées de scènes hivernales ou maritimes. L'imagination, plus encore que l'estomac, lui faisant éprouver sa faim, il finit par s'apercevoir qu'il vaut mieux laisser de côté ces élucubrations qui ne font qu'exacerber l'appétit. Restent les flammes, les flammes qui brusquement lui rapportent le souvenir d'un autre foyer, et cela lui semble bien loin dans le temps, là-bas dans la Prairie, au Vallon du Crâne, dans la cabane en mottes de terre, avec Missy. «*Missy! Comme on serait bien tous les deux en ce moment! Mais pourquoi chaque fois que je pense à elle, je ne peux pas m'empêcher de la vouloir, serrée contre moi? Serrée... C'est une façon de parler, parce qu'en fait ce que je voudrais vraiment c'est... la toucher, la prendre, la sentir. Qu'est-ce que ça veut dire? Est-ce que je ressens vraiment de l'amour ou est-ce du désir? Les deux doivent aller ensemble. C'est drôle quand même parce que, lorsque je pense à Jolene j'ai aussi toujours envie de... n'ayons pas peur des mots, même si je déteste l'expression, de faire l'amour avec, mais quand je pense à Missy on dirait que je désire quelque chose de plus, quoi? C'est comme si avec elle j'étais sûr de pouvoir trouver quelque chose. Mais quoi? Mince! j'ai l'impression qu'il y a encore bien du chemin à parcourir avant de savoir... Faire fortune, c'est pas si facile. Vendre que George disait, facile à dire. Et puis il y a une chose à laquelle on a pas vraiment pensé: est-ce que Cornelius Fairfield voudra vendre? C'est pas dit que lorsque j'aurai les sous, il voudra abandonner ses terres, même que ça m'étonnerait. Et si c'est le cas, que fera Missy? Voudra-t-elle de moi?*

De toute façon, si elle ne voulait pas de toi juste à cause de ça, ça voudrait dire qu'elle ne t'aime pas, et si elle ne t'aime pas, c'est pas la peine de gâcher ta vie pour elle. Et puis ça m'embête qu'elle n'ait pas refusé quand je lui ai dit que je voulais devenir riche pour elle. Est-ce que c'est normal? Moi, il me semble que je lui aurais dit que c'était pas la peine, que quoi qu'il arrive je serais avec elle, en tout cas il me semble que c'est comme ça qu'elle aurait dû réagir.

T'en reviens toujours au même point, t'as l'impression qu'elle ne t'aime pas vraiment. C'est ça, hein?

Oh, et puis merde! tout ça, c'est rien que des suppositions qui... tiens, on dirait des phares?»

Venant sur le chemin à une voie où a disparu le véhicule qui l'a laissé là, Nathan voit s'approcher un double faisceau lumineux. Se relevant vivement, il s'approche de la croisée de la route, décidé à demander de l'aide, même si c'est pour repartir dans l'autre sens. Rapidement, ce qu'il reconnaît pour un *pick-up* semblable à celui de Jack Conroy, peut-être encore en plus déglingué, arrive à sa hauteur et s'arrête sans qu'il sache si c'est pour lui ou, plus certainement, à cause de l'obligation de bifurquer. À peine révélé par la lueur des flammes, il distingue qu'à l'intérieur de la cabine un homme seul se penche dans sa direction.

«Tu vas vers le sud? demande le conducteur qui, avant de recevoir la réponse, ajoute une remarque: si c'est le cas, je te conseille quand même d'embarquer avec moi, parce qu'à cette heure-ci, tu trouveras plus personne pour te prendre. La nuit, tous les chats sont gris, tu connais le proverbe.

— Vous allez à Watson?

— Exact, et j'ai de la place...»

Nathan ne se fait pas prier.

«Je vous remercie, dit-il, je commençais à croire que j'allais passer la nuit ici. C'est pas que j'étais mal, j'ai fait un feu, mais y a pas grand-chose à manger.

— Y a longtemps que t'es là?

— Sept ou huit heures.

— Ouais, faut dire que t'avais pas le spot idéal non plus. Comme ça, en pleine nature, les gens hésitent, ils se disent: Qu'est-ce qu'il fait là celui-là? D'où il sort? Et avant qu'ils ne se soient répondu à la première question ils sont déjà loin. Tu dois avoir faim, non?»

Brièvement Nathan observe son bienfaiteur. L'obscurité n'est transgressée que par les quelques lumières du tableau de bord et le vague reflet des phares sur la route, mais cela lui laisse quand même le loisir de se rendre compte que l'homme est amérindien; son front busqué, ses pommettes proéminentes et ses cheveux noirs, même s'ils sont coupés courts, le lui apprennent.

«Affamé, acquiesce-t-il, j'étais en train de rêver à des repas impossibles.

— Et où vas-tu comme ça?

— À vrai dire, j'en sais rien. Tout ce que je sais c'est que je cherche du travail.

— Voilà ce que j'appelle l'aventure. Tu viens d'où?

— Je travaillais au-dessus de Dawson City, je cherchais de l'or avec un prospecteur.

— D'après ton moyen de transport, s'esclaffe l'homme, je vois que tu n'as pas dû en trouver lourd, de l'or!

— Vous n'avez pas l'air de trouver ça sérieux?

— Pour dire vrai, non, pas tellement. Mais c'est pas grave, tu m'es sympathique et ce soir je t'invite dans ma famille. Tu vas bien manger, bien dormir, et demain tu pourras repartir d'un bon pied. Ça te va?

— Vous êtes bien gentil, mais je veux pas vous déranger...

— Ça ne me dérange pas, je sais ce que c'est que d'avoir de la misère.»

Ils croisent les premiers réverbères blafards de Watson Lake et l'homme engage son véhicule sur le parking d'un motel miteux dont un néon mauve ne mentionne pas le nom, mais seulement qu'il est équipé TV et *AIR CONDITIONED*. Il se gare juste en face d'une porte rose portant inscrit le chiffre trois en peinture noire.

«Et voilà, fait l'homme, sans que ses traits laissent deviner ses pensées, on est arrivés.»

Nathan, qui d'après les paroles de son hôte, s'attendait à une maison et à une famille, ne sait comment réagir. Quelque part une voix, celle de la prudence, lui conseille de se sauver à toutes jambes, mais une autre, celle qui ne veut pas faire de peine, lui recommande d'attendre et de voir pour juger. Rapidement, pour son plus grand soulagement, les faits donnent raison à la seconde voix; à peine sont-ils descendus du *pick-up* que la porte s'ouvre et, dans l'entrebâillement d'où s'échappe une lumière jaune à laquelle vient s'ajouter sans s'y dissoudre celle bleutée et mouvante de la télévision, s'affiche la physionomie d'une forte femme entourée de petites têtes curieuses.

«Ma femme, mes enfants, les présente l'homme avant de s'adresser à ceux-ci: j'ai amené un invité pour la nuit et je crois qu'il a faim.»

Nathan est poussé à l'intérieur où il découvre un autre personnage assis au pied d'un des deux grands lits. C'est un vieil homme aux longs cheveux couleur sel, qui semble obnubilé par la télévision. Son visage, sans exprimer autre chose que l'attention qu'il porte au petit écran, évoque de par ses traits malmenés une exposition à tous les soleils, à tous les vents et à tous les froids. Sa présence dans cette chambre paraît aussi incongrue que le serait celle d'un mustang dans l'enclos de l'abattoir. Son hôte le présente comme étant son beau-père. Dans cette chambre, Nathan compte quatre enfants, les parents et le vieux; sept personnes dans la même pièce. Il se souvient des gars de Fort Nelson qui lui ont parlé de Suédois qui n'acceptent pas de «sauvages» dans leur établissement; s'imaginant que les Amérindiens logent peut-être toute leur famille dès qu'ils disposent d'une chambre, il comprend mieux les raisons des hôteliers en question, cela sans pour autant leur trouver d'excuse.

«Femme, commande l'homme, donne à manger à notre visiteur. S'adressant à Nathan: t'aimes les sandwichs?

— Oui... bien sûr.»

Intrigué puis surpris, il regarde la femme ouvrir un des larges tiroirs de la longue commode en placage brun acajou, en extraire du pain en tranches, un gros Bologne entamé, un bocal de moutarde, un autre de ketchup, un paquet de *demi-lunes* au chocolat, un sac de chips à saveur oignon, et des canettes de soda. Bientôt, elle étend moutarde puis ketchup sur le pain, découpe une épaisse tranche de Bologne qu'elle intercale entre deux tranches et tend le tout à Nathan.

«Tiens, mange.»

C'est dit sur un ton sans réplique, le genre de ton qu'emploient certaines personnes qui, peut-être de peur d'essuyer un refus, croient nécessaire d'imposer leur bienveillance. Mais Nathan a suffisamment faim pour ne pas se faire prier. C'est seulement en la voyant préparer un second sandwich qu'il fait non de la tête.

«Pas pour moi, dit-il, avec celui-là, ce sera suffisant.

— Faut que tu manges, réplique la femme.

— Mais...

— Pas d'histoire! Et ensuite tu mangeras un gâteau.»

Comme s'il l'avait déjà oublié, l'homme qui l'a amené ne s'occupe plus de lui; il s'est assis à côté du vieux et, comme lui, paraît s'être abîmé dans une contemplation du petit écran qui dépasse la simple écoute et qui fait penser à Nathan à la façon qu'ont les petits enfants de regarder des dessins animés. Pourtant, d'après ce qu'il peut en voir et en entendre il ne s'agit pour l'instant que d'un magazine où un grand type au rire niais et à la cravate trop colorée interroge des personnalités inconnues de Nathan, mais qui visiblement apprécient le fait que la télévision leur offre l'opportunité de démontrer aux auditeurs comme ils sont spirituels. Seuls les enfants ne semblent pas captivés par l'émission, ou du moins ne le sont-ils plus depuis son arrivée, c'est lui qui paraît les intéresser. Deux petits gars et deux petites filles à qui il donne un âge variant entre cinq et dix ans. Ils l'observent avec des grands yeux interrogateurs, se regardent entre eux, se sourient comme s'ils voyaient quelque chose de drôle, puis reprennent leur étude de celui que dans leur tête ils doivent nommer l'*inconnu*. Nathan a du mal à finir son second sandwich, mais il n'a pas terminé la dernière bouchée que la femme lui tend d'office un gâteau *demi-lune*.

«Non, non, merci, j'ai plus faim.

— Allez, mange, tu sais pas ce que t'auras demain.»

Nathan ne voit pas d'autre alternative que d'accepter. Il se demande si, comme les loups, ainsi qu'il l'a appris un jour, les amérindiens ont souvent l'habitude de se gaver avec, dans le subconscient, l'idée que demain il n'y aura peut-être rien à se mettre sous la dent?

L'émission prend fin en même temps qu'il fait passer son gâteau à grand renfort de soda. Bientôt, comme s'il n'était plus là, c'est toute la famille qui est captivée par le déroulement d'un film où deux policiers, dans une succession de coups de feu et de poursuites spectaculaires, ont bien du mal avec les truands qu'ils traquent et leurs collègues corrompus qui ne valent pas mieux.

Une fois le film terminé, puis commentés les mérites des héros ainsi que la vilenie des «méchants», le père fait signe à sa femme:

«Va être temps d'installer les matelas.»

Comme s'il s'agissait d'un signal, les enfants s'approchent de leur mère qui vient d'ouvrir la penderie. À chacun, elle tend un matelas de mousse roulé qu'ils s'empressent d'étendre sur le sol, occupant ainsi toute la surface disponible. L'homme interpelle le plus jeune des garçons:

«Tu vas coucher à côté de Grand-père et laisser ton matelas à... il se tourne vers Nathan: C'est quoi ton nom, au fait?

— Nathan.

— O.K., Nathan, tu vas dormir sur le matelas, là. Ça te va?

— Très bien, merci. Mais ça m'embête de vous déranger...

— Nous déranger? T'as que ce mot-là à la bouche. Non, y a pas de dérangement, où t'as vu du dérangement? Si tu dérangeais je t'aurais pas invité.»

Déjà tout le monde est en train de se déshabiller, adultes comme enfants, et, incrédule, Nathan aperçoit la femme qui, assise sur le bord de son lit, fait glisser ses pantalons noirs, révélant des petites culottes rouges, mais aussi et surtout des cuisses énormes, gigantesques selon lui. Son matelas se trouve dans le prolongement et perpendiculaire au lit du couple, il n'est pas habitué à ce genre de promiscuité et se dépêche de détourner la tête, hésitant lui-même à ôter son linge devant tout le monde. Comme s'il se rendait compte de sa gêne et voulait l'en taquiner, son hôte s'adresse à lui:

«Tu te couches pas?

— Oui, oui, je réfléchissais...

— Ça réfléchit aussi bien couché. As-tu besoin de quelque chose?

— Non, rien, merci.»

Sa dernière syllabe est un peu rauque car, du coin de l'œil, il vient d'apercevoir la femme qui cette fois a ôté l'ample chemisier jaune qu'elle portait et apparaît sans aucune vergogne en soutien-gorge assorti aux petites culottes, immense. Jamais il n'a imaginé qu'une poitrine puisse être aussi imposante. Tant de chair lui paraît obscène, mais, dans le même temps et malgré lui, il en anticipe la chaleur et se questionne quant au toucher. Pas longtemps, car aussitôt il a l'impression que son hôte peut lire en lui et il s'évertue sur-le-champ à oublier ces pensées troubles. Il aperçoit le vieil homme qui lui aussi s'est déshabillé et apparaît simplement vêtu d'un caleçon court et blanc, offrant le spectacle pathétique d'un corps qui autrefois a dû être fier et puissant, mais qui à présent n'est plus qu'une enveloppe usée et, cela il se l'imagine, triste de ne plus pouvoir prétendre à la force et ainsi à la séduction. Les enfants sont vite couchés et, la tête appuyée dans la paume de la main, ils l'observent avec un sourire un peu amusé au coin des lèvres. «*Qu'est-ce que j'ai qui les amuse? Je peux tout de même pas ôter mes pantalons pendant qu'ils me regardent comme ça... Quand est-ce qu'il va fermer la lumière?*» Il se rend compte qu'il n'y a plus que lui debout, l'homme et la femme sont assis dans leur lit, et, à l'instar de leurs enfants et même du vieux, ils l'observent exactement comme s'il donnait un spectacle. Cherchant le salut dans la fuite, à la fois perturbé et en colère après lui-même pour ce qu'il nomme sa «*niaiserie*», il enjambe rapidement deux matelas pour aller se réfugier dans la salle de bains. Dix minutes plus tard, il est rassuré en sortant de constater que les lampes sont éteintes et qu'il va pouvoir se glisser sous sa couverture sans être l'objet d'une attention qu'il trouve déplacée. Étendu sur le dos, les yeux ouverts, écoutant toutes les respirations, il lui faut du temps avant de trouver un sommeil qui lui apporte l'oubli de ce qui l'entoure et le plonge dans un rêve où il est question d'une longue route bordée de chaque côté, et cela à l'infini, par des femmes énormes, adipeuses qui veulent le saisir et l'engloutir. Plus tard dans la nuit, il fait un autre rêve. Il se trouve dans une pièce aux murs de bois massif, une pièce à la fois chaude, rustique, d'apparence charmante où, en corsage blanc et portant des tresses, se trouvent deux jeunes filles blondes qu'il n'identifie pas, ainsi qu'un pilote anglais de la Seconde Guerre mondiale. D'après ce qu'il comprend, le pilote a été abattu. Il est blessé et les deux jeunes filles, qui l'ont recueilli, le soutiennent le long d'un escalier qui conduit à une chambre où sûrement elles envisagent de le soigner. C'est à ce moment que, observateur invisible, Nathan aperçoit en haut du mur de l'escalier un petit cadre vitré protégeant une espèce de parchemin qui illustre un triangle dans lequel un cœur saignant est percé par deux poignards entrecroisés. Il ignore ce que cela représente, mais il sait sur-le-champ que c'est mauvais. Réellement mauvais. Aussitôt, venant de l'étage, et sans qu'il le voie, il entend comme un goutte-à-goutte qu'il imagine immédiatement comme des gouttes de sang tombant lentement dans une coupe. Il ignore pourquoi, mais il comprend que les deux jeunes filles blondes viennent d'offrir le pilote en sacrifice à quelque divinité diabolique. Comme il réalise cela, il se retrouve les lèvres fermées sur le téton d'un sein plantureux, énorme, au-dessus duquel il reconnaît le visage d'une Jolene haletante de plaisir. C'est à cet instant qu'il se réveille. Il ne comprend pas pourquoi le visage de Jolene lui est apparu, surmontant un corps qui n'était pas le sien, et surtout, alors que toute cette scène est véritablement maléfique, pourquoi il a éjaculé dans son rêve. Sa réaction physique l'horrifie.

Lorsqu'il s'éveille à nouveau, il constate que le jour filtre autour des rideaux bruns. Enfin la nuit est terminée. À voix basse, les enfants parlent de ce qu'ils vont faire aujourd'hui. Il est question de construire un radeau avec des vieux barils de métal. Nathan décide de se lever au moment où se redresse son hôte.

«Bonjour, dit-il.

— Ah... salut.»

L'homme a presque l'air surpris de sa présence et même, dans l'esprit de Nathan, se comporte un peu comme si ce matin sa présence l'importunait. Qu'en est-il? Cette question sans réponse ne fait qu'inciter davantage Nathan à s'en aller au plus vite; rapidement il est habillé et, se dirigeant vers la porte, il salue l'homme de la main:

«Je m'en vais, fait-il. Encore merci pour votre hospitalité.

— Ouais, ouais, salut.»

Sans aucun doute Nathan ne se sent plus le bienvenu. Il ne comprend pas du tout pourquoi et, à cause de cela, il est habité par un sentiment confus de frustration. «*Qu'est-ce qu'il a à ne pas être content? Je ne lui ai rien demandé, moi. Ça avait l'air de lui faire plaisir de m'accueillir hier soir, pourquoi il fait cette tête-là maintenant? Après tout, j'étais pas si mal à côté de mon feu. On a pas le droit d'aider les gens et ensuite de leur laisser sentir qu'ils dérangent; c'est pire que de ne rien faire du tout.*»

Il est content de refermer la porte de la chambre derrière lui. La lumière extérieure l'assaille et brusquement c'est comme s'il retrouvait une liberté troquée en échange d'un gîte et d'un couvert. Il sait qu'il doit cette impression uniquement au fait que l'homme n'a pas été courtois avec lui. Il s'en fait le reproche: «*Ces gens-là viennent de t'aider, ils t'ont donné à manger, t'ont offert le matelas d'un de leurs enfants, et toi tu trouves le moyen de leur faire des reproches, t'es vraiment ingrat!*»

Mais ces pensées, celles qui interrogent et celles qui culpabilisent, se dissolvent vite dans l'air frais et lumineux du matin. «*Premièrement*, établit-il en lui-même, *trouver un restaurant, avaler un bon gros petit déjeuner avec des œufs, des saucisses, des patates et plein de café. Ouais! ça me paraît bien, ensuite il ne restera plus qu'à reprendre la route. Je sens qu'aujourd'hui ça va marcher. Où est-ce que je vais me retrouver cette fois?*»

Ça a marché! Sitôt l'estomac calé, comme il l'a envisagé, Nathan s'est posté sur l'*Alaska Highway* et tout de suite un camion, encore un, s'est arrêté. Nathan commence à connaître les chauffeurs: il y a les bavards et ceux qui ne disent pas un mot. Rapidement il a appris à discerner à quelle catégorie il a affaire. Celui-ci, un petit brun qui doit avoir dans la vingtaine, fait partie du genre qu'il nomme «mélomane taciturne». En effet, depuis déjà plus de deux heures qu'il est avec lui, un système sophistiqué de quatre puissants haut-parleurs ne cesse de distiller, à grand renfort de vibrations, une musique qui n'a rien à voir avec le country qu'écoutent généralement les camionneurs. Celui-ci, marginal, semble avoir un penchant pour une musique dite *subliminale*, avec des sons tels que le soupir des vagues sur la grève, le chant d'un rossignol solitaire, le hululement d'un hibou, le bruissement du vent dans les feuillages ou *l'éternel glissement* d'une dérive cosmique. Du reste, tout dans la cabine est à l'image de ce genre musical, à commencer par un épais tapis mauve qui recouvre tout l'habitacle du sol au plafond, ou, fixés sur le tableau de bord, une série de cubes, de cylindres et de pyramides en plastique translucide à l'intérieur desquels divers colorants pailletés d'or et d'argent se meuvent au gré des inclinaisons et cahots de la route.

À peu près à mi-chemin entre Watson Lake et Fort Nelson, donc bien loin du monde, le chauffeur engage son camion sur le parking d'un *truck-stop* qui comporte un garage, une salle à manger, un comptoir d'articles de chasse et pêche et même, éparpillées autour sous le couvert des sapins, des *cabines* en bois rond où le touriste fatigué doit pouvoir passer la nuit. Comme en témoigne un vaste panneau blanc sur lequel s'étalent de grandes lettres rouges, l'endroit se nomme: *MILES 402*.

«Veux-tu quelque chose à boire ou à manger? demande le chauffeur en descendant; après il n'y a plus rien jusqu'à Fort Nelson.

— Je viens», décide Nathan.

Dans la salle à manger saturée de musique country, il n'y a que quelques camionneurs attablés devant un café ou une pointe de tarte, les yeux dans le vague, certainement d'avoir fixé trop longtemps la route. Derrière le comptoir, une rouquine grassouillette au visage couvert de taches de son, essuie avec un air d'ennui affecté les cloches transparentes qui recouvrent les tartes. En les voyant entrer, son regard paraît se réveiller.

«Salut, Jim, lance-t-elle à l'adresse du chauffeur qui visiblement a sa sympathie. T'es accompagné aujourd'hui...

— Salut, Roslyn, oui je suis accompagné... Il te reste de la tarte au citron?

— Toujours! Son regard prend un masque grave. Tu sais pour Brian Pritchard?

— Non, quoi?

— Il a versé pas loin d'ici, il y a moins d'une heure. Paraît qu'il aurait pris une courbe trop vite et que sa remorque a quitté le chemin. Lui il aurait pas grand-chose, mais ça aurait l'air que son *truck* est fini.

— Maudit! Il est pas chanceux.

— Le principal est qu'il soit pas blessé, non? Il doit avoir des assurances?

— Sûrement, j'imagine... Il se tourne vers Nathan. Tu prends quelque chose?

— Juste un café et un beigne.»

La dénommée Roslyn observe Nathan avec curiosité.

«Un ami de Jim? ne peut-elle s'empêcher de lui demander.

— Il y a deux heures qu'on se connaît; je voyage sur le pouce.

— Ah bon... Tu chercherais pas du travail, des fois?

— J'ai rien contre, si ça paye.

— Attends une minute...»

Roslyn disparaît quelques instants par la porte battante qui doit mener aux cuisines et revient accompagnée d'une grande femme maigre au front haut, rousse elle aussi, mais alors que la serveuse est d'un roux résolument carotte, la femme tire plutôt sur le blond. Du menton Roslyn lui désigne Nathan et aussitôt celui-ci se sent l'objet d'un examen évaluateur sous le faisceau d'un regard bleu, apparemment aussi dénué d'expression qu'il est délavé.

— Tu voudrais travailler ici? demande la femme qui, sans attendre de réponse, poursuit: j'avertis tout de suite, ce serait juste pour l'été; il me manque quelqu'un pour faire des travaux divers.

— Quel genre de travaux?

— La plonge, l'entretien, des choses comme ça... Tu serais capable?»

Nathan réfléchit rapidement. Il est évident que ce qu'on lui propose maintenant ne fera pas de lui un homme riche, mais, en attendant de trouver mieux, peut-être est-ce aussi bien de gagner quelques dollars qui s'ajouteraient à ce qu'il a retiré de l'or offert par Jack Conroy?

«Je serais capable, affirme-t-il. Quelles sont les conditions?

— Nourri, tu prends ce que tu veux à la cuisine, logé – j'ai une *cabine* inutilisée – et deux cents dollars par semaine, en bel argent sonnant.»

Nathan comprend que la propriétaire préfère engager du personnel qu'elle n'aura pas besoin de déclarer. Il soupçonne que c'est pour cette raison qu'elle s'adresse à quelqu'un comme lui dont l'âge permet plus facilement ce genre d'arrangement. Pourquoi, il l'ignore, mais peu lui importe.

«Ça m'intéresse, dit-il.

— Heu... tes parents, ils vont être d'accord?

— J'ai plus que ma mère, y aura pas de problème; c'est entendu avec elle que durant l'été je dois gagner ma vie.

— C'est une bonne chose, ça apprend à vivre. Bien, moi c'est Anne, la patronne pour tout ce qui touche au restaurant ou aux cabines. Mon mari s'appelle Henry, il est absent pour le moment, c'est lui le patron pour tout ce qui touche au garage et aux articles de chasse et pêche. As-tu des bagages, quelque chose?

— Que ce que j'ai sur le dos. Moi c'est Nathan.

— Très bien, Nathan, je vais te montrer la cuisine, puis la *cabine* où tu vas loger.»

Avant de la suivre, il adresse un salut de remerciement au chauffeur.

«J'ai bien aimé le bout de route», affirme-t-il, merci.

Toujours aussi taciturne, le dénommé Jim répond par un bref mouvement du chef.

La cuisine n'est pas grande et Nathan comprend tout de suite pourquoi Anne Greenwood a fait appel à ses services: les locaux ont besoin d'entretien. Elle ouvre tous les panneaux pour lui montrer où sont rangés les ustensiles, lui explique que durant le jour c'est elle qui fait la cuisine et que la nuit, une employée qu'elle nomme Sandy la remplace.

«Durant la nuit? Vous ne fermez pas?

— Jamais. Ici nous sommes à plus de trois heures de part et

320

d'autre du premier point de service, la plupart des camionneurs arrêtent ne serait-ce que pour prendre un café, surtout la nuit. Les nuits sont longues pour eux, seuls dans leur camion. À propos, je compte te faire travailler sur l'horaire de nuit, ça ne te dérange pas?

— Jour et nuit?

— Non, bien sûr, juste de dix heures du soir à huit heures du matin.»

Il remarque qu'elle n'a pas encore souri une seule fois. L'observant plus attentivement, il constate comme ses traits semblent fatigués. Non pas de cette fatigue qu'il ressentait après toute une journée de piochage, mais de celle qu'il a pu lire dans le regard de sa mère tout au long de l'hiver. Et, parce qu'elle présente les mêmes *symptômes* que Rose-Ange Barker, sans connaître les raisons de cet état, il se sent immédiatement de l'affection vis-à-vis de cette femme. À l'arrière de la cuisine, une porte battante munie d'une moustiquaire donne directement sur un espace herbeux d'une trentaine de mètres. Au-delà, c'est la forêt. Le devançant, la femme le conduit vers la lisière dans laquelle s'ouvre un étroit sentier battu qu'ils suivent quelques instants avant d'arriver sur la berge d'une petite rivière au débit rapide et au clapotis sonore. Le sentier qui longe cette berge conduit à trois cabines construites en rondins écorcés. Anne Greenwood les désigne du doigt.

«Les deux premières, explique-t-elle, sont occupées par Sandy, Roslyn et Pamela. Pamela est celle qui travaille de nuit au restaurant. La troisième cabine est inoccupée, ce sera la tienne. Normalement le lit est fait, la seule chose qui manque par rapport aux cabines des clients c'est l'eau courante, mais t'es jeune et tu dois pouvoir te contenter de l'eau de la rivière; les filles le font, elles. Tu peux aller visiter si tu veux, moi il faut que je retourne à la cuisine. Au fait, comment ça se fait que tu n'as pas de bagages?

— C'est une longue histoire...

— Bon, tu me raconteras ça un jour, si ça te tente.»

Elle le laisse et, d'une démarche soignée, presque insolite en ces lieux, il la voit remonter la légère inclinaison du sentier. Jusqu'à ce qu'elle disparaisse, il suit du regard sa silhouette enveloppée d'un tablier bleu pâle puis se tourne vers son nouveau logis. *«Eh bien, la voilà la cabane de mes rêves! Missy, il ne manque plus que toi.»*

26

«Missy, téléphone pour toi...»

Étendue sur le ventre en travers de son lit, Missy est plongée depuis le début de l'après-midi dans cet univers corrompu de richesse factice que quelques auteurs à succès ont su créer. À l'appel de sa mère, elle relève immédiatement la tête, mais il lui faut quelques secondes avant de quitter l'univers de Danielle Collins pour revenir à la tranquille réalité de Bluestone. Un téléphone pour elle? Qui peut bien l'appeler? Sa première idée est que ce doit être Endicott avec qui elle a maintenant pris l'habitude d'aller se promener. Il ne l'a encore jamais appelée mais chaque chose a un début. Un peu surprise, un peu fébrile, elle dévale l'escalier et saute presque sur le combiné que tient encore sa mère qui parle de la sécheresse avec la personne en ligne.

«Ah, la voici, je vous la passe...

— Oui? fait Missy dans le combiné.

— Bonjour Missy, c'est madame Barker, la mère de Nathan. Je me demandais s'il te serait possible de passer ici, j'ai... enfin j'ai quelque chose à te communiquer. Bien sûr, ce n'est pas urgent, seulement lorsque ça t'adonnera...»

Missy est intriguée, elle ne voit pas comment elle pourrait remettre à plus tard la réponse aux questions que soulève cet appel.

«Je peux passer cet après-midi, répond-elle, je n'ai rien de particulier à faire.

— Parfait! Cet après-midi, ce sera très bien. On en profitera pour collationner ensemble.

— Bien..., alors à tout à l'heure, madame Barker.

— À tout à l'heure, Missy, et encore bonjour à ta maman.»

Lesja Bagriany est tout aussi intriguée que sa fille.

«Que voulait-elle? ne peut-elle s'empêcher de demander.

— J'en sais rien, elle dit qu'elle a quelque chose à me communiquer.

— C'est étrange? Qu'est-ce que ça peut être? Crois-tu que ça puisse concerner... comment s'appelle-t-il déjà? Nathan? C'est ton camarade, non?»

Missy s'est posée la même question, mais que sa mère l'exprime tout haut l'amène à se dire qu'il est peut-être arrivé quelque chose au garçon. D'après ce qu'elle sait, il doit passer l'été sur l'Île de Vancouver où se trouve le chantier forestier de son grand-père. Se transportant en imagination dans cet univers qu'elle ne connaît qu'à travers le roman *The Invention of the World* de Jack Hodgins, elle se met soudain à imaginer toutes sortes d'accidents effroyables causés par d'énormes machines jaunes, puis elle se souvient du ton de Rose-Ange Barker; il ne lui a pas paru angoissé, non, ce doit être autre chose, il faut que ce soit autre chose, mais quoi?

«On saura ce qu'il y a tout à l'heure, dit-elle à sa mère, je lui ai dit que j'y allais tantôt.»

Lesja fronce les sourcils, ce qui a pour effet de creuser un pli vertical lui barrant le front. Pour la première fois, les soucis que peut avoir une mère lorsque sa fille atteint un certain âge font leur apparition.

«Tu vas dire que ça ne me regarde pas, essaie-t-elle déjà de se concilier Missy, mais j'ai remarqué ces derniers temps que tu étais... comment dire?... en bons termes avec Endicott Fairfield. Est-ce que celui-ci ne risque pas de se froisser si en même temps tu es... amie avec Nathan Barker?

— Mais? Maman! Voyons, si je ne dois avoir qu'un seul ami, c'est et ce sera Nathan! Pourquoi tu dis cela? C'est ridicule! Je vois Endicott par-ci par-là, c'est tout.

— Excuse-moi, j'avais cru que tu l'aimais bien. Après tout, ça paraît être un bon garçon... C'est aussi le petit-fils du propriétaire, il ne faut pas oublier que nous ne sommes plus chez nous, c'est sûr que ça ne nous ôte pas le droit de penser comme on veut, mais c'est pas utile non plus de chercher des chicanes pour rien.

— Nous y voilà! Je le savais! Je savais que ça finirait par arriver! Eh bien non, non et non! Nathan est mon ami, que ça plaise ou non à la famille Fairfield.

— Enfin, Missy, pourquoi te fâches-tu? Je n'ai rien dit de mal... C'est normal qu'une mère s'inquiète pour sa fille...

— S'inquiète pour sa fille! Tu penses surtout aux relations avec le propriétaire ou... le visage de Missy marque d'abord le plus grand étonnement puis la plus vive colère. Oh! mais j'y suis! Je vois! T'as déjà imaginé que je serais la petite amie d'Endicott et que comme ça, plus tard, je pourrais l'épouser et que la terre que nous avons vendue nous reviendrait, c'est à ça que tu penses! hein? C'est ça, dis?»

Pour toute réponse, elle ne reçoit qu'une gifle violemment assenée sur la joue. Un instant, elle reste surprise, bouche ouverte, puis essaye de parler; mais rien ne veut sortir.

«Tu n'es qu'une sotte, lui rétorque sa mère. Jamais! je le jure! je n'ai pensé à ce que tu viens de dire. En fait, Missy, et ça me fait de la peine de le découvrir, je crois que tu m'accuses d'avoir des pensées qui en réalité doivent être les tiennes.

— C'est pas vrai! articule Missy, t'as pas le droit de dire ça! C'est pas vrai!

— J'ai pourtant toujours remarqué que l'on est plus prompt à reconnaître chez les autres ce que l'on ne veut pas voir en soi.»

Attirés par les éclats de voix, Ken, Katria et Ted se sont rapprochés. Missy pointe le doigt vers eux.

«Qu'est-ce que vous avez vous autres à me regarder comme ça? Je vous ai rien demandé, mais alors rien du tout!

— T'as rien demandé, répond Ken d'une voix blanche, mais moi je vais te dire ce que j'en pense, je pense que Maman a raison. J'ai remarqué ton manège avec Fairfield, je vous ai vus l'autre jour, assis côte à côte dans les vallons, je sais pas ce qui s'est passé après parce que je suis pas curieux et que je suis parti, mais ça m'étonnerait pas que..., oh et pis rien...

— Rien, oui, tu peux le dire. Alors puisque nous en sommes aux soi-disant révélations, peux-tu expliquer à Maman ce que faisait ta main dans les culottes de Suzie Fairfield l'autre jour sous le pont, et aussi ce que faisait la main de la même Suzie dans tes culottes à toi? Hein, peux-tu le dire ça?»

Comme Missy, tout à l'heure, la bouche de Ken ne fait qu'un rond, rien ne veut en sortir. L'air indigné, sous l'œil amusé de Katria qui n'en espérait pas tant aujourd'hui, il prend le parti de quitter la pièce pour la galerie extérieure en claquant la porte. Lesja Bagriany ne sachant quelle attitude adopter entre l'ironie et la réprobation finit par opter pour un masque d'indifférence et tourne le dos à Missy en haussant les épaules. Katria, qui trouve dommage que toute cette belle altercation pleine de *révélations* amusantes tourne aussi court, cherche malicieusement à en rajouter:

«Qu'est-ce qu'ils pouvaient bien faire les mains dans la culotte de l'autre? demande-t-elle à Missy qui n'a pas bougé.

— J'en sais rien, demande à Maman si tu veux savoir.

— Maman, qu'est-ce qui...

— Oh, Katria, ça suffit! Va jouer avec Ted, ça vaudra mieux.

— Bon, bah puisque personne veut rien me dire à moi, je demanderai à un garçon de mon âge, voilà!»

Sur cette affirmation, la tête haute, elle sort à son tour dans la cour, sous les regards ahuris de Missy et de sa mère. Finalement celles-ci se regardent, hésitent, puis éclatent d'un rire soulagé.

«Excuse-moi, Missy, je me suis emportée, mais t'avoueras que parfois tu parles un peu sèchement...

— T'as raison, Maman, c'est moi qui m'excuse.

— Tu devrais te passer un peu d'eau froide sur la figure avant de partir, tu es toute rouge.»

Dehors tout est ocre, il n'a presque pas plu depuis la fonte des neiges et même les herbes les plus résistantes ne sont plus que des tiges jaunes et cassantes. Le ciel, lui, est toujours aussi bleu, peut-être même encore plus? Quant au vent, lui aussi est toujours présent, charriant avec lui les parfums subjectifs d'autres ailleurs, d'autres étendues, d'autres cieux. «*Comme un requiem*», pense Missy qui à l'instar de tout le monde ici a le sentiment que la Prairie est en train de mourir. Mais pour l'instant ses préoccupations sont autres; elle repense sans cesse à ce que sa mère lui a fait comprendre. Est-il vrai qu'à travers sa relation de camaraderie avec Endicott elle ne poursuive d'autre but que de reprendre un jour possession de *sa* terre? «*Tu dois reconnaître que tu agis bizarrement*, se dit-elle, *pourquoi sinon tu aurais écrit cette lettre à Endicott pendant qu'il était en Angleterre? Il l'a dit lui-même, tu es la seule hors de sa famille qui lui ait écrit. Et puis rappelle-toi ce que tu as pensé quand Nathan t'a dit qu'il rachèterait la terre, tu as pensé que c'était un rêveur. Oui! souviens-toi, tu as pensé: Nathan est bien gentil mais jamais le Rancher ne vendra ses terres ou même une partie. Et puis rappelle-toi aussi que l'idée t'est venue qu'avec Endicott...*

Peut-être que l'idée m'est venue, mais je ne l'ai pas acceptée, certainement pas!

C'est ce que tu te dis, mais il n'en reste pas moins que tu fais en sorte de bien t'entendre avec Endicott. Pire que cela, je trouve que tu commences à l'apprécier. Souviens-toi l'autre après-midi, quand il s'est baigné dans la rivière, tu t'es dit qu'il était beau, non?

Et alors? Je trouve aussi parfois que des acteurs sont beaux, et puis après? Non! Il faut que j'arrête, je crois que je suis en train de me mentir; c'est vrai que pendant un moment j'ai eu envie d'être près de lui, mais... C'est de la faute à Nathan tout ça. Pourquoi est-il parti aussi longtemps? C'est gai! Ça fait pas tellement fidèle comme réaction.

Ce que tu ne veux pas admettre, c'est que même si Nathan occupe une place à part, ça ne t'empêche pas de trouver qu'Endi est plus... plus réaliste, peut-être plus solide face aux événements, plus fort, plus mature.

Cette maturité-là n'est qu'un masque. Les mots crus qu'il emploie parfois, son attitude cynique, comme cette histoire de financement de dépucelage, tout ça, c'est pour donner le change.

Tu t'esquives, Missy, au lieu de répondre aux vraies questions, tu es en train d'analyser le caractère d'Endicott; pour l'instant ce n'est pas ce qui importe, ce qui compte c'est de fixer une fois pour toutes si tu es vraiment l'amie de Nathan ou si tu espères, car c'est de cela qu'il s'agit, mettre le grappin sur Endicott et par là sur la terre? C'est ça qu'il faut savoir.

C'est complètement ridicule!»

S'approchant de la maison de Magellan et Virginie Lapierre, le cours de ses réflexions dévie pour s'attacher à cette simple et belle bâtisse d'où émane l'image d'un certain bonheur de vivre; celui qui fait référence à ces «bons» sentiments tels qu'elle imagine qu'ils devaient être hier, aux *«choses de toujours»* qui, ici ou là, ont marqué sa mémoire: un rayon de soleil où danse la poussière blanche, une brise d'été agitant mollement les tentures, un plancher de bois fleurant bon la cire, le pain tout chaud sortant du four, le napperon de dentelle sous un vase de fleurs des champs, le guéridon fragile où trônent les deux médaillons de laiton ciselé dans lesquels, sur papier jauni, regardent les anciens au regard sévère, mais qui donnent un caractère immuable au temps trop éphémère. *«J'aimerais une maison comme celle-là plus tard. J'ai l'impression qu'entre des murs comme ça, chaque minute est agréable. Chaque matin, on doit se lever avec la certitude d'une belle journée pleine d'activités intéressantes et chaque soir, on doit se coucher avec le sentiment d'avoir donné et d'avoir reçu. Mais si la sécheresse continue, est-ce que les gens vont rester ici? Est-ce que cette maison sera toujours habitée? Elle sera peut-être abandonnée, sa peinture s'écaillera, la galerie s'affaissera, un passant brisera des vitres pour s'amuser, le sable envahira les planchers, et puis, dans cinquante ou cent ans, il n'y aura plus rien. Pourquoi est-ce qu'il ne pleut plus?»*

Devant la porte, elle hésite un instant avant d'actionner la sonnette, craignant soudain d'apprendre quelque chose qui pourrait lui faire mal. Au premier coup, Rose-Ange Barker lui ouvre aussitôt et sourit à travers un regard manifestement douloureux.

«Bonjour, Madame, c'est moi, Missy.

— Bonjour, Missy, je te reconnais... Entre, je suis contente que tu sois venue. Allons dans la cuisine, nous y serons plus à l'aise pour goûter. Je viens justement de sortir du four des biscuits au gingembre, tu les aimes?

— Oui, bien sûr.»

Missy s'est installée sur la chaise que lui a désignée Rose-Ange, devant la grande table rectangulaire recouverte d'une toile plastifiée jaune or avec des fleurs rouges et vertes, dont les composants de synthèse dégagent une odeur artificielle un peu entêtante. Sans rien dire, le cœur battant rapidement, elle suit les mouvements de la femme qui s'active à leur servir chacune une grande tasse de chocolat chaud ainsi que les biscuits dont elle a parlé et dont l'arôme emplit la pièce. Il lui semble que la femme a vieilli depuis qu'elle l'a vue la dernière fois. «*C'est normal,* se dit-elle, *cela remonte à avant tout ce gâchis.*» Elle n'a aucune difficulté à lire la marque des épreuves sur le visage de son hôtesse. Sa peau est pâle, presque diaphane, ses lèvres semblent continuellement étirées dans un léger et perpétuel sourire comme pour masquer une blessure lancinante, ses paupières sont crispées comme si la lumière était trop vive. Pourtant, il est évident que Rose-Ange Barker veut donner l'image de la bonne humeur.

«Tu dois te demander pourquoi je t'ai appelée? demande-t-elle à la jeune fille en s'asseyant face à elle.

— Oui, ça m'intrigue.

— Je m'en doute. Bien…, tout d'abord je dois te demander si tu sais où est Nathan.

— Nathan? Il n'est pas sur l'Île de Vancouver, avec son grand-père?

— Non, il n'y est plus, répond Rose-Ange en secouant négativement la tête. En fait il n'y est plus depuis presque deux mois et tout ce que je sais tient dans ces deux lettres, (de la poche de son tablier, elle sort le premier mot que Nathan a laissé au soin de Jolene, puis la lettre écrite la nuit où Jack Conroy est tombé malade.) Tout ce qu'il dit, c'est qu'il est parti faire fortune… Oui, oui, fortune. Il cherche de l'or, quelque part dans l'Arctique d'après ce que j'ai compris. Je t'ai demandé si tu savais où il était, car je me suis dit qu'à toi il en a peut-être dit plus long?»

Missy est abasourdie. Nathan parti, et pour faire fortune! Ainsi il ne parlait pas en l'air lorsqu'il a affirmé qu'il voulait gagner ce qu'il fallait pour racheter la terre. Dans l'Arctique, a dit sa mère, comment a-t-il fait?

«Je ne savais pas qu'il était… parti, fait-elle sur le ton du monologue. Vous ne l'avez pas fait rechercher?

— J'y ai bien pensé, mais qu'est-ce que ça aurait donné? On l'aurait déféré devant un juge pour enfant, le juge aurait relié son geste à ce qui s'est passé et aurait certainement recommandé qu'il soit placé dans une de ces institutions... Non, il finira bien par revenir, du reste, il le dit. Je sais qu'il court certains dangers contre lesquels des jeunes de votre âge ne sont pas toujours préparés, mais je crois que ces dangers sont moindres que les conséquences que pourraient avoir les règlements pas toujours judicieux d'une institution d'État sur son développement. Je le connais, Nathan, si on le force à faire une chose à laquelle il ne croit pas, il se rebiffera et il s'ensuivra des punitions qu'il n'acceptera pas davantage, et ça ira de mal en pis. Ce que j'aimerais, par contre, c'est qu'il me donne davantage de nouvelles. J'espérais un peu qu'il t'en ait donné puisque, et là je m'excuse de ne l'avoir fait plus vite, il m'a demandé de te dire qu'il était parti faire fortune. Sais-tu pourquoi?

— Pas du tout, ment Missy.

— Il ne t'a jamais dit qu'il partirait?

— Pas que je m'en souvienne.

— Et il ne t'a pas non plus parlé d'or ou de choses comme ça?

— Non... Vous devez être terriblement inquiète?

— Je ne te le cache pas, surtout qu'il a toujours eu des idées un peu... spéciales, d'ailleurs tu as dû le remarquer?»

Missy a un mouvement qui peut aussi bien vouloir dire oui que non. Après le choc de cette nouvelle, petit à petit elle réalise ce que celle-ci implique: «*Mais alors? S'il est parti pour faire fortune, c'est pour moi qu'il l'a fait! C'est évident! C'est pour moi, juste pour moi qu'il agit ainsi. Quand je pense...*

T'es vraiment une garce, Missy Bagriany, il n'y a pas cinq minutes t'en étais encore à te demander qui de Nathan ou d'Endicott aurait ta préférence. Lui n'a pas hésité, il t'a dit qu'il rachèterait ta terre et le voici qui cherche de l'or dans l'Arctique...

Mais je ne veux pas! Non! Je ne veux pas qu'il fasse ça pour moi, je ne lui ai rien demandé, moi. Je ne lui ai rien promis non plus. Qu'est-ce qu'il s'est imaginé? Il est bien capable de trouver de l'or. Mince alors, j'étais loin de m'imaginer...»

«Vous dites qu'il y a deux mois qu'il est parti?

— Un peu moins, Jolene Lapierre était encore là-bas. Du reste c'est elle qui m'a ramené le premier mot. Je dois dire également que c'est elle qui m'a tout de suite prévenu par téléphone et aussi m'a fait comprendre que ce serait mal à propos de faire appel à la police. Tu te rends compte, il est d'abord parti avec sa voiture, pas bien loin, mais quand même... Elle a été gentille de ne pas porter plainte.

— Mais là-bas, son grand-père, votre papa, il n'a pas fait de recherches?

— Mon père est un homme spécial, de la vieille génération. À l'âge de Nathan, il était déjà au travail. Non, lui, quand il a appris que Nathan cherchait de l'or dans le nord, il a trouvé ça amusant, en tout cas c'est le mot qu'il a employé.

— C'est toute une nouvelle que vous m'apprenez là.

— À vrai dire, j'espérais que tu m'en donnerais aussi, parce que maintenant il y a presque un mois que je n'ai rien reçu.

— Un mois! Oh, j'ai cru que vous veniez juste d'en recevoir. Mais alors..., nous arrivons à la fin de l'été, dans l'Arctique il va commencer à faire froid, il va revenir, non?

— J'espère, j'espère de tout mon cœur, parce que sinon...»

Missy comprend les angoisses de Rose-Ange Barker. Elle réalise soudain que cette femme n'a plus que son fils. Aussi, elle se sent coupable en quelque sorte d'être la cause de la fugue de Nathan; sans elle, sans cette fichue obsession de récupérer sa terre, il serait certainement là aujourd'hui, ou tout au moins avec son grand-père.

«Vous croyez qu'il peut ne pas revenir cet hiver? demande-t-elle.

— Je n'en sais rien, il ne faudrait pas qu'il essaie d'aller faire sa fortune dans une ville, qu'y ferait-il? Il y a la drogue, toutes ces choses affreuses dont on parle sans arrêt à la télévision.

— Oh, je crois qu'il ne faut pas vous en faire, veut la rassurer Missy, je crois qu'il va revenir pour l'hiver, il ne peut pas faire autrement, et puis...

— Et puis?

— Eh bien... il y a vous, il doit s'ennuyer.»

Rose-Ange a un sourire indulgent.

«Un garçon de quinze ans peut s'ennuyer de sa mère, mais quelques secondes par-ci par-là. En fait, j'aurais été plus convaincue si tu m'avais dit qu'il s'ennuierait de toi.

— De moi!

— Ce n'est pas un reproche, Missy, au contraire... Du reste, c'est ce que m'a fait comprendre Jolene Lapierre. Elle a dit qu'il avait des attaches ici et qu'il ne serait pas long à revenir.

— C'est curieux, j'ai encore été au magasin hier et elle ne m'a rien dit, sauf qu'elle était enceinte, elle avait l'air ravi.

— Enceinte! Ça c'est une bonne nouvelle! Mais pour en revenir à Nathan, elle n'a rien dit à personne, nous nous sommes entendues à ce sujet. De la même façon, j'aimerais, si possible, que tu n'en parles pas. Je ne voudrais pas que ça s'ébruite avant qu'il revienne.

— Je ne dirai rien, madame Barker, je me sens bien assez fautive comme ça...»

Missy a exprimé son état d'âme sans réfléchir. Elle voudrait rattraper ses mots mais il est trop tard, déjà Rose-Ange Barker la regarde avec interrogation.

«Fautive? Que veux-tu dire?»

Missy réfléchit à toute allure, cherche un mensonge *honorable* et convaincant, mais se rend rapidement compte qu'elle ne ferait que s'enfoncer davantage. Et puis, la mère de Nathan mérite bien la vérité, ou tout au moins une partie; elle ne peut pas non plus révéler que...

«C'est de ma faute, madame Barker, je viens de m'en apercevoir. J'ai repensé à l'une des dernières fois qu'on s'est vus, Maman avait déjà vendu la terre de Papa, ça ne me plaisait pas et j'en ai parlé à Nathan. Je me souviens que ce jour-là, il m'a dit de ne pas m'en faire, qu'un jour il rachèterait notre terre. Sur le coup, je n'y ai pas prêté attention, c'est seulement maintenant que je réalise qu'il pensait peut-être ce qu'il disait.»

Rose-Ange, le coude appuyé sur la table, pose son front dans le creux de sa main et, avec un sourire teinté à la fois de tristesse et d'ironie, secoue lentement la tête.

«Ça, c'est bien du Nathan, fait-elle. Il imagine que l'affection doit se gagner et pour ça, il doit être prêt à jouer les Don Quichotte. En ce moment je suppose qu'il est convaincu qu'il doit se mériter ton affection, l'acheter en quelque sorte. Et d'après ce que tu viens de me dire, je suis certaine que pour cela il croit devoir gagner assez d'agent pour renégocier ce que ta maman a vendu.

— Vous voyez que c'est de ma faute, si je ne lui avais rien dit, tout ça ne serait pas arrivé.

— Mais non, Missy, tu ne pouvais pas savoir.»

Rose-Ange se rappelle cette nuit où Nathan (il devait avoir six ans) s'était réveillé au milieu de la nuit en hurlant. Évidemment elle s'était précipitée dans sa chambre où elle l'avait trouvé assis dans son lit, les yeux hagards et les joues ruisselantes de larmes. Il lui avait raconté le cauchemar qu'il venait de faire. Des «mauvais» l'avaient attaché sur une table et lui avaient «plongé un couteau dans le cœur. Et je suis tombé dans un trou noir sans fin jusqu'à temps que je me réveille», avait-il ajouté. Elle l'avait rebordé, lui avait affirmé que c'était fini, que ce n'était qu'un rêve et, croyant l'incident classé, était repartie vers sa chambre. Mais ce n'était pas terminé pour Nathan qui avait continué à *vivre* son cauchemar. Ce n'est qu'en l'entendant parler tout haut qu'elle s'était relevée et était allée s'asseoir à côté de lui dans le lit, essayant de dissiper les miasmes du mauvais rêve en lui parlant de choses banales. Il commençait à se calmer lorsque Joshua avait surgi, la mine sévère.

«Que fais-tu là? avait-il demandé à sa femme.

— Nathan a fait un cauchemar, nous parlons de choses et d'autres pour lui changer les idées.

— Qu'est-ce que c'est que ces histoires! J'ai fait des cauchemars comme tout le monde et jamais personne n'est venu me consoler. Que veux-tu en faire? Une lopette?»

Cherchant avant tout à éviter une discorde, elle s'était relevée en affirmant au garçon que tout était rentré dans l'ordre. Mais son mari ne semblait pas disposé à ce que cela se termine ainsi. Attrapant Nathan par le bras il l'avait retourné sur ses genoux et lui avait administré une fessée.

«Voici la bonne façon de soulager un cauchemar», avait-il tonné.

Elle s'était disputée avec lui à ce sujet, mais le mal était fait; désormais Nathan serait persuadé qu'au fond du «trou noir» il n'y a pas de réconfort, juste le châtiment. Elle se rend compte que déjà, à l'époque, son mari présentait des «*symptômes*» qui auraient dû l'avertir. Elle se reproche de ne pas avoir *voulu* les détecter. «*J'ai seulement voulu croire qu'il était normal, se dit-elle, j'ai* voulu faire fi de ces signes pour me raccrocher à l'idée que tout allait bien, je ne voulais pas bousculer notre existence, j'ai toujours voulu me masquer la réalité, je suis lâche.»

«Si jamais il te fait signe d'une façon ou d'une autre, demande-t-elle à Missy, préviens-moi.

— Bien sûr! et je vous jure que si je peux savoir où il est, je lui dis de revenir, croyez-moi.

— Oh, il va revenir, j'en suis certaine, non, ce qui m'inquiète c'est de savoir dans quel état.»

Sur le chemin du retour, Missy se fait à la fois le procureur et l'avocat de ses sentiments: «*Dès le début, Nathan m'a fait comprendre qu'il tenait à moi et moi, en retour, je ne l'ai même pas cru.*

Ce n'est pas parce qu'il est parti chercher de l'or qu'il va en trouver, et s'il n'en trouve pas? Est-ce que la terre va rester à Cornelius Fairfield?

Mais c'est terrible de raisonner ainsi! Malgré tout ce que je sais, je tire encore des plans à savoir s'il a des chances de me procurer ce que je désire, je suis ignoble!

Ce n'est pas parce que lui t'aime que toi tu dois nécessairement l'aimer, ça ne se commande pas ces choses-là. On sait que tu l'aimes bien, c'est d'accord, mais c'est pas une raison pour que tu te sentes responsable de tout ce qu'il peut faire parce que lui t'aime, tu ne lui as rien demandé.

Ça, c'est vrai! je ne lui ai rien demandé. C'est pas parce qu'on s'est allongés l'un contre l'autre dans le noir une fois que je suis obligée pour autant de lui consacrer ma vie... Endicott..., il m'a fait un drôle d'effet quand il est sorti du lac l'autre jour.»

27

Bien qu'il soit ici pour travailler, Nathan a surtout l'impression d'être en vacances. Il a vite considéré sa *cabine* comme un chez-soi qui lui est vraiment propre. Quatre murs très rudimentaires, un lit de fer recouvert d'une courtepointe aussi bariolée qu'usée, une étagère, c'est tout. Mais là, personne ne vient troubler ses rêveries, largement alimentées par le caractère propre de la forêt qui l'entoure et qui, petit à petit, lui révèle qu'elle est, qu'elle vit et qu'elle peut souffrir comme n'importe quelle autre entité. Là, il peut s'imaginer être qui il veut et, dans les limites de ce que cette modeste pièce le lui permet, il peut faire ce qu'il veut. En un mot, il s'y sent libre. Il s'y est attaché comme on s'attache a une habitude, non pas parce qu'elle est nécessairement bonne mais parce qu'elle délimite une frontière, une attache entre un quotidien rassurant et l'inconnu qui, malgré ses aspects positifs, porte en lui le germe de l'isolement. L'horaire de nuit est un autre avantage qu'il apprécie particulièrement, il lui donne le sentiment d'évoluer dans une autre dimension de la réalité, une dimension plus riche, plus intime. Sans qu'il soit capable d'expliquer pourquoi, il a remarqué que la nuit est plus propice aux contacts humains; l'on s'y sent plus proche des autres, moins enclin à les voir comme des antagonistes. Les clients sont plus chaleureux, les conversations vont plus en profondeur. Peut-être à cause de cela, il a établi rapidement des liens qui vont plus loin que la simple bonne entente avec Sandy et Pamela. Surtout avec Pamela, une brune d'apparence fragile avec laquelle il se sent bien, même s'il a vite compris qu'elle et Roslyn gagnaient principalement leur vie après les heures de service, en procurant aux camionneurs qui se sentent «un peu seuls» quelques instants de répit dans leur cabane au bord de la rivière. Bien sûr, au début, ses idées forgées par son éducation sur ce genre de commerce l'ont mis en garde: il croyait avoir affaire a des personnes prêtes à atteindre leur but *per fas et nefas*, puis à cela a succédé l'étonnement de ce que Pamela ne se comportât pas comme il pensait qu'une fille *comme ça* devait le faire, c'est-à-dire «*sans cœur*». Au contraire, il s'est rendu compte qu'elle est débordante d'attention pour ses semblables qui eux ne le lui rendent pas nécessairement; notamment les clients *solitaires* qui, pour la majorité, une fois la *transaction* effectuée, se comportent avec elle en tyranneaux de bas étages: «Allez, poupée, amène-moi du café». Parfois, dans ces moments-là, il voit passer un trait douloureux dans les yeux de la serveuse et, à travers elle, lui-même se sent insulté par ces hommes qui ne sont, selon lui, que des enfants trop gâtés, dissimulés dans l'apparente maturité de physiques bedonnants d'abandon. Jamais il n'a pu autant vérifier le dicton comme quoi l'ignorance a le mépris facile. Bien entendu, s'interrogeant sur la façon dont Pamela pouvait s'arranger affectivement de ce qu'elle faisait de son corps, il a fini par lui poser la question. Ce fut entre trois et quatre heures du matin, alors que le restaurant était vide, comme généralement à ces heures pendant lesquelles lui et les deux filles en profitent pour enfin éteindre la chaîne stéréo qui autrement, et selon la volonté intransigeante de la clientèle, fait entendre sans répit la voix nasillarde de tous les bardes country d'Amérique du Nord, ces heures où ils s'attablent devant un café et jasent très librement jusqu'à ce qu'un autre camion vienne *souffler* sur le parking. «J'ai un truc, avait-elle répondu, ça peut paraître bête mais je n'accepte jamais d'aller avec un brun aux yeux bleus, ça, c'était le premier et le seul garçon dont j'ai été amoureuse. En faisant comme ça, j'ai toujours l'impression de garder une place pour lui. Oui, je sais, c'est stupide...» Nathan lui a aussi demandé pourquoi elle «faisait ça?» Il a été un peu déçu lorsqu'elle lui a répondu que c'était pour pouvoir s'acheter du linge et même, peut-être, une voiture. Il aurait préféré qu'elle lui dise que c'était pour subvenir aux besoins d'une petite sœur paraplégique ou autre attention du genre.

Outre sa cabine et les nuits pendant lesquelles il a l'impression de vivre plus intensément, il y a la curiosité de côtoyer des gens différents. Henry Greenwood, son patron, un colosse doux comme un agneau, qui s'autodétruit en avalant chaque jour un plein flacon de comprimés à la codéine, une bouteille de whisky et pas moins d'une trentaine de cafés copieusement sucrés. Nathan se demande comment cet homme fait pour survivre et surtout pour fonctionner, car, malgré tous ces abus, l'homme travaille au garage du matin au soir, principalement occupé à changer les roues des camions dont peu arrivent jusqu'ici avec tous leurs pneus intacts. Il y a aussi sa patronne, Anne Greenwood, dont il a percé le secret. Anne Greenwood qui, comme son mari, s'adonne sans ménagement pour sa personne à la codéine et au whisky. Elle aussi vide sa bouteille tous les jours. Un soir, en prenant son service, il les a trouvés tous deux attablés dans le restaurant, l'un et l'autre endormis, la figure reposant carrément sur un T-bone steak à peine entamé au milieu de leur assiette, totalement ivres. C'est ce soir-là que Sandy lui a raconté comment ce couple qui avait eu trois garçons n'en a plus aucun. Deux se sont tués dans l'accident d'un camion qu'ils avaient *emprunté* «pour rigoler», le troisième est au pénitencier pour le meurtre à la hache d'une serveuse dont il s'était amouraché avant de réaliser qu'elle aussi voulait arrondir son salaire. Plus que jamais, il a pris conscience combien les «grands espaces sauvages» peuvent être pourvoyeurs de tragédie. *«Peut-être à cause de l'ennui qui leur est attaché?»* s'est-il demandé.

C'est justement ce à quoi il pense ce soir, tout en nettoyant un frigidaire. *«Qui devient-on lorsqu'on passe sa vie loin de tout, comme ici? À Bluestone, on est isolé, mais il y a quand même le village, des voisins, et puis la ville n'est pas vraiment loin, tandis qu'ici... Des arbres, des arbres, des arbres, du silence, des murailles de granit, tout est immobile, comme figé. Moi et les filles, on est juste de passage, mais pour celui qui reste ici tout le temps, ça doit être d'une tristesse... Je me demande si je ne finirais pas moi aussi dans le whisky? En tout cas, ce serait préférable que de tuer une serveuse à coups de hache. On dit que les ours polaires tuent juste pour le plaisir de voir du rouge, l'homme le fait-il pour tromper le quotidien? Le Pasteur a-t-il tué Jonas par ennui? Jack*

Conroy disait que là-bas, à Inuvik ou à Tuktoyaktuk, presque tout le monde s'adonne à l'alcool, que soûls, les couples ne se reconnaissent plus et se mélangent au hasard, que les cas d'incestes ne se comptent plus, ainsi que les bagarres qui finissent dans le sang. Est-ce que les gens sont comme les ours? À moins que l'ennui ne soit qu'un état d'attente avant qu'on se décide à faire le mal qu'on a envie de faire? Bon sang! la friture!»

Il vient de se rappeler que Sandy lui a demandé de surveiller que l'huile qu'elle a mise à chauffer ne brûle pas pendant qu'elle allait «au petit coin». Un simple coup d'œil suffit à le convaincre de sa distraction, une fumée noire s'élève au-dessus du récipient. Nathan se précipite pour éteindre, mais trop tard, une légère flamme court sur l'huile. Il pousse un juron, puis, sans réfléchir, ignorant qu'il vaudrait mieux tenter d'éteindre avec du bicarbonate ou tout simplement l'extincteur, il imagine que le mieux est de prendre le récipient par ses anses et de le porter dehors pour ne pas risquer que cela mette le feu à la cuisine. Agissant comme il l'a envisagé, à l'aide d'un torchon il se saisit précipitamment de la bassine d'huile, traverse la cuisine et, tout aussi rapidement, en supportant le récipient devant lui, les bras tendus, il donne un coup de pied dans la porte extérieure qui malheureusement est munie d'un rappel qui la rabat aussitôt contre son bras, provoquant en retour un large débordement d'huile brûlante sur sa main. Sur le coup, surpris, il donne un autre coup de pied dans la porte et, furieusement, envoie tout promener en avant de lui, mais déjà son cerveau lui apprend qu'il a mal, très mal, et il crie. Le cri ne calme rien, la douleur empire, et, sans réfléchir, hurlant à présent, il traverse la cuisine et fait brutalement irruption dans le restaurant sous les regards surpris de Pamela et de quelques clients. Sourd aux questions qui fusent, comme un dément, il fait trois fois le tour de la salle à manger puis repart comme une flèche dans la cuisine où, sortant des toilettes, Sandy finit par l'arrêter.

«Mais qu'est-ce que t'as?

— L'huile! L'huile! hurle-t-il. Je me suis renversé l'huile en feu sur la main...»

Il ne peut rien ajouter de plus explicite, recommence à crier et, une nouvelle fois, indifférent de l'image qu'il donne, va refaire le tour de la salle à manger en sautillant. Tout le monde maintenant a entendu et compris l'explication qu'il a donnée à Sandy. Un premier camionneur se lève:

«De l'eau froide, conseille-t-il, il faut mettre ta main sous l'eau froide.»

Et il reconduit Nathan à la cuisine où il l'oblige, lui qui voudrait continuer à sauter partout, à mettre la main sous le robinet. Pamela qui les a suivis, prétend:

«Il faut mettre de l'essence de vanille, chez nous, c'est ce qu'on mettait sur les brûlures.»

Aussitôt Sandy se saisit du flacon d'essence de vanille et en verse généreusement sur la main qui déjà commence à se boursoufler de façon inquiétante. Un autre camionneur a suivi, lui aussi a sa recette:

«Il faut un corps gras, du beurre ou de la margarine...»

Encore une fois c'est Sandy qui présente le plat de plastique plein de la margarine dont on tartine les toasts. Le premier camionneur plonge la main de Nathan dans le plat, la douleur redouble. On retourne à l'eau froide. Un troisième camionneur fait son apparition. Il a été chercher un baume dans la trousse de premiers soins de son camion.

«J'ai ce qu'il faut», annonce-t-il avec le ton de celui qui vient de sauver une situation.

C'est Pamela qui étend la crème médicamenteuse sur la main qui a maintenant doublé de volume et a pris une teinte écarlate. La douleur est intolérable, Nathan continue à crier, tant et si bien que Henry Greenwood, qui couche au premier étage, finit par apparaître.

«Faut pas laisser souffrir ce garçon», déclare-t-il en apprenant la situation.

Il disparaît quelques secondes dans la pièce où l'on garde les provisions et en ressort avec une bouteille de whisky dont il emplit à moitié un grand verre, l'étend de jus d'orange et le présente à Nathan.

«Bois, ça te fera du bien.»

Nathan boit d'un trait, puis retourne de lui-même à l'eau froide dont il a constaté que c'est encore ce qu'il y a de plus efficace.

Nettement sa main n'est pas belle à voir. Après considérations avec les clients et les filles, Henry Greenwood décide d'appeler les urgences à Fort Nelson pour savoir ce qu'il convient de faire. Ayant expliqué à l'infirmière de garde ce qui s'est passé et quelle apparence présente la main de Nathan, elle lui confirme qu'il vaut mieux conduire le blessé à l'hôpital sans attendre davantage. Le premier camionneur tente de plaisanter pour essayer de changer les idées de Nathan qui, s'il ne crie plus, n'en continue pas moins de gémir.

«As-tu vu ta main, on se croirait dans le film *Dune* quand le Baron gonfle avant d'être avalé par le verre des sables...»

Henry Greenwood prépare un second verre identique au premier et de nouveau le tend à Nathan.

«Tiens, ça te fera pas de mal, je t'assure.»

Nathan engloutit le verre comme le précédent, étonné de ne pas ressentir les effets du premier. «*Je devrais être soûl*», se dit-il. On discute pour savoir comment Nathan va rejoindre Fort Nelson qui est quand même à deux cents milles d'ici. Malheureusement, les trois camionneurs se dirigent tous vers l'Alaska, et Henry Greenwood, lui, ne peut pas conduire depuis qu'une administration «non compréhensive» lui a retiré un permis incompatible avec son taux permanent d'alcoolémie.

«Je pourrais le conduire, propose Pamela, mais qui va s'occuper de la salle à manger?

— Je vais réveiller ma femme, décide le patron. Elle vous remplacera pour le restant de la nuit.»

Entendant cela, Nathan se sent importun.

«Vous dérangez pas, dit-il, ça va aller mieux, je vous assure. Je veux pas ennuyer personne.»

Mais ils font comme s'ils n'avaient rien entendu. Henry Greenwood monte déjà chercher son épouse. Dans un geste réconfortant, Sandy pose sa main sur l'épaule de Nathan et, malgré un regard craintif vers la main tellement enflée qu'elle ne présente plus aucune ligne, l'assure que «tout va rentrer rapidement dans l'ordre». Les camionneurs approuvent et regagnent la salle à manger. Bientôt, le regard embrumé autant par l'alcool que par le sommeil, Anne Greenwood apparaît et pose des questions qui démontrent que malgré tout sa tête fonctionne toujours:

«Il va falloir mentir, prévient-elle Nathan à qui la douleur interdit toute pensée approfondie; il va falloir dire à l'hôpital que tu es de notre famille et que tu es en vacances chez nous, comprends-tu?

— Oui...

— Il ne faut surtout pas dire que tu travailles ici, tu aurais des problèmes, et nous aussi.

— Je dirai que je suis en vacances... Ça chauffe...

— Henry, dit-elle à son mari, donne-lui un verre.

— J'y en ai déjà donné deux.

— Eh bien un troisième. Elle se tourne vers Pamela. Vous pouvez aller, je m'occupe du restaurant. Parlant pour elle-même, ou peut-être pour Nathan: On avait pas besoin de ça...»

Outre la douleur, ces mots font mal au garçon. Il s'était persuadé qu'Anne Greenwood l'aimait bien. «*Ben merde!* se dit-il en déformant un peu les raisons de sa présence au *MILE 402, quand je pense que je suis resté ici pour aider... Je l'aimais bien, moi, pourtant... Maudit! si ça continue la peau va éclater, jusqu'où ça peut enfler, il doit y avoir une limite?*»

Emporté dans la nuit, il se sent ballotté par les événements sans que ceux-ci parviennent à véritablement l'atteindre. Tous ses raisonnements conscients et inconscients sont axés sur sa brûlure; rien ne compte sinon combattre la douleur contre laquelle les trois verres de whisky ne semblent pas apporter d'apaisement. Il donnerait n'importe quoi pour une accalmie et le droit à un peu de sommeil. Comme ce serait merveilleux de pouvoir dormir sans plus rien sentir! Il y a près de deux heures qu'il est en voiture, sur la banquette arrière, et il reste encore à peu près autant à couvrir lorsqu'il réalise sa situation avec un peu plus de lucidité. Jusquelà, il n'a fait que serrer les lèvres ou retenir des plaintes. Il est installé à moitié couché sur le côté, le bras pendant dans un sceau rempli d'eau à demi. De temps en temps, Pamela s'arrête pour y ajouter des glaçons qu'elle puise dans une glacière. Nathan ne se souvient même pas qui a eu l'idée de cette installation.

«Est-ce qu'il y en a encore pour long? demande-t-il.

— À peu près une heure, minimise Pamela. Ça ne va pas mieux?

— Si, mais je suis fatigué.

— Dors, ça ira mieux.

— Je voudrais bien mais... Je dois avoir l'air chialeux, hein?

— Pas du tout! Moi, il me semble qu'à ta place je crierais beaucoup plus fort. On m'entendrait jusqu'au Mexique.

— C'est bien la première fois qu'un truc comme ça m'arrive.

— Moi, ce qui m'a fait le plus mal, c'est quand j'étais petite, une crise d'otite. Ça n'a l'air de rien à dire, mais alors... Je m'en souviens comme si c'était hier, je ne savais plus où me mettre, j'ai essayé de me verser de l'eau dans l'oreille, j'ai enroulé ma tête dans un foulard, rien, il n'y avait rien qui faisait.»

Nathan a l'impression d'avoir fourni un effort héroïque pour suivre cette courte conversation, pendant quelques secondes il a laissé sa douleur au second plan et c'est presque avec une espèce de soulagement qu'il y retourne. À l'avant, estimant que le meilleur moyen de lui faire oublier son mal est de parler, Pamela continue à évoquer des souvenirs de jeunesse que Nathan enregistre sans y prendre vraiment garde.

Arrivé à l'hôpital, il lui semble que tout va très vite. Ébloui par les néons, il se retrouve étendu sur une civière roulante. On lui demande son poids, un médecin examine sa main et fait une grimace. Le revoici avec un masque de chirurgien sur le visage, un bonnet de toile verte sur la tête, assisté d'une infirmière dans la même tenue. On lui pose un masque noir à soporifique devant la figure mais le résultat n'est pas celui escompté, au lieu de se détendre le voici qui s'arc-boute sur la table et sursaute comme s'il recevait des décharges électriques. À ce qu'il comprend vaguement, on décide donc d'y aller d'une anesthésie générale. Une piqûre, rapide aspiration vers les ténèbres, puis plus rien.

«Tu n'es plus rien, tu n'as plus de vie, tu n'as plus de corps.»

La voix continue pendant qu'il assiste, impuissant, au passage de son corps dans un laminoir compliqué. Ça ne fait pas mal, mais par contre la peur est au rendez-vous. Ainsi donc il est mort! Que s'est-il passé? Et pourquoi passe-t-on son corps dans cette machine? C'est éprouvant. Ah! Tiens? il recommence à souffrir. Il ne voit plus son corps, il est dedans. Il est dedans, mais quelqu'un s'amuse toujours à le faire passer entre les cylindres du grand laminoir. Un brouillard blanc, une nouvelle vision, quelqu'un est là, près de lui, qui? Il cligne des paupières pour écarter le brouillard. Il n'y a personne, juste une haute bouteille d'air à côté de sa civière. Un regard à droite et à gauche lui confirme qu'il est bien vivant. Une pièce de réanimation? Il l'ignore. Qu'est-ce qu'il fait là au fait? Ah oui! sa main! Un coup d'œil, un cri. Qu'est-ce qu'ils lui ont fait? Il appelle, il veut savoir, qu'est-ce qu'ils lui ont fait à la main. Ils sont fous! La «*chose*» au bout de son bras est suspendue dans le prolongement d'une attelle; une masse de viande informe. Vêtue d'un long tablier, souriant derrière un masque, une infirmière s'approche de lui.

«Réveillé?

— Qu'est-ce que vous avez fait à ma main?

— N'aie pas peur, il y a juste que lorsque tu es arrivé ici, ta main était infectée et le docteur a dû enlever la peau. Ça paraît pire que c'est en réalité.

— Mais j'ai plus de doigt? Où sont-ils?

— T'en fais pas, ils sont toujours là; c'est juste qu'ils sont collés ensemble. Ça décollera lorsque la peau repoussera. Si tu veux, maintenant que tu es réveillé, on va te transporter dans une chambre stérile, une chambre particulière. Pendant quelques jours, tu vas tous nous voir avec des gants, des masques et des chaussons de tissus, le temps qu'une peau se reforme, et puis après... eh bien après ce sera fini. As-tu mal?

— Oui, partout, c'est comme si j'étais passé dans une machine... Quelques jours?... Vous voulez dire que je vais rester plusieurs jours, ici, à l'hôpital?

— Il n'y a pas d'autre solution, mais t'en fais pas, c'est pas si mal que ça, ici.»

Une autre infirmière est arrivée, masquée elle aussi. Elles ont installé une tente en plastique autour de sa civière, puis l'ont fait rouler jusque dans une chambre située tout au bout d'un large couloir.

«Ici, lui dit la première infirmière, c'est un tout petit hôpital, presque une pension de famille. Tu vas voir, on va te chouchouter comme le petit Jésus dans la crèche.

« — Où est Pam..., la personne qui m'accompagnait?

— Je ne sais pas, quand j'ai pris mon quart à huit heures il n'y avait personne. Tu l'ignores peut-être, mais tu as dormi sept heures. Pam, c'est ta mère?

— Heu... non, elle tra... enfin, c'est une amie de la famille.

— Elle reviendra certainement dans le courant de la journée. Bien, maintenant je vais te faire une petite piqûre pour calmer le mal. Ça devrait aussi te faire dormir.»

Nathan voudrait dire qu'il a assez dormi, qu'il voudrait repartir, mais il se laisse faire sans dire un mot. Après tout, ils doivent savoir ce qu'ils font. Il ne lui faut pas longtemps après l'intramusculaire pour ressentir les effets du *Démérol*. La douleur l'abandonnant, presque par plaisir, il lutte vaguement contre le sommeil, il a l'impression d'être dans un cocon, il a chaud, il est bien, ne pense à rien, tout est noir, ce n'est même pas noir, ce n'est rien. Il ne sait pas s'il se passe longtemps avant qu'il ne glisse dans un sommeil où, cette fois, il n'y a plus ni voix ni laminoir; il n'y a que l'oubli.

Pendant deux jours, il végète ainsi dans un état ouateux qui oscille entre l'inconscience et une certaine béatitude, puis le médecin ordonne l'arrêt du *Démérol* et c'est le retour à la réalité. Ça ne lui plaît pas du tout. D'abord il demande une nouvelle piqûre, on la lui refuse, il se plaint de «douleurs atroces», il lui faut absolument une piqûre, nouveau refus. Il exige sans succès, puis finit par se fâcher, hurlant depuis sa chambre qu'il a affaire à une équipe de bourreaux, que les infirmières, les docteurs et tous autant qu'ils sont ne sont que des barbares, des nazis, des sadiques qui lui ont ôté la peau pour le plaisir, ce sont des «écorcheurs à vif», ils méritent la pendaison, les feux de l'enfer. Sans rancune, l'infirmière-chef vient lui exposer pourquoi il ne peut plus avoir d'injection. D'abord parce qu'il doit maintenant être capable de mieux supporter «le dérangement», ensuite parce que s'il en prenait davantage il deviendrait complètement dépendant.

«Regarde dans quel état de dépendance tu es après seulement deux jours.»

Désormais, s'il souffre, il aura droit à un analgésique et c'est tout. Comme il s'apprête encore à rechigner, d'un geste maternel elle lui pose la main sur le front et fait doucement non du chef en souriant avec une lueur de complicité.

«Je sais que tu comprends, ajoute-t-elle, on t'aime bien ici, ne va pas nous donner à penser qu'on s'est trompé. J'ai du jus à l'office, qu'aimerais-tu? Orange, pamplemousse, raisin?

— Pamplemousse, cède-t-il.

— Bon! C'est bien, tu vas voir, ça va aller.»

Il désigne sa main à présent recouverte d'une croûte brune et verdâtre qui ne permet pas de distinguer les doigts.

«Et ma main, comment elle va aller, elle?

— Très bien! tout est normal, ne te laisse pas abuser par son apparence.

— C'est vous qui le dites, mais c'est ma main droite à moi, je peux même pas écrire...

— Si tu veux écrire à quelqu'un, je peux t'envoyer une auxiliaire à qui tu pourras dicter ta lettre?»

Une résurgence de la *défaite* qu'il vient d'essuyer pousse Nathan à une pointe de cynisme:

«Et qu'est-ce qu'elle pourra faire d'autre?

— C'est parfait! je vois que tu vas beaucoup mieux...»

Sur ces mots énoncés avec plus de froideur, elle s'apprête à sortir. Nathan la retient:

«Attendez, je veux bien quelqu'un pour écrire.

— Réellement pour écrire?

— Pour parler, aussi, c'est long tout seul ici.

— Bien, je vais voir si ont peut t'installer une télévision.

— Merci», dit-il en songeant qu'il préférerait quelqu'un avec qui parler.

L'infirmière partie, il se laisse aller à imaginer que Missy, sachant où il est et pourquoi il y est, a pris un autobus et qu'elle est en route pour venir lui rendre visite. Puis, cela paraissant trop improbable, il fait intervenir Jolene qu'il s'est efforcé d'oublier depuis qu'il a quitté l'Île de Vancouver. Pendant quelques secondes il revit la dernière nuit au motel de la plage, puis il secoue violemment la tête: «*C'est fini! il ne faut plus y penser.*

Facile à dire, mais ça n'empêche pas que j'aimerais bien

revoir Jo. Je m'ennuie d'elle au fond. Oui, Jo, je m'ennuie de toi.
Peux-tu m'entendre où tu es?

Ça m'étonnerait. De toute façon, on croit toujours qu'on est
compris et puis en fait on reste tout seul avec ce qu'on a dans le
crâne. C'est vrai qu'avec Jolene il s'est quand même passé
quelque chose. Était-ce réciproque? Bon! voilà que je suis en
train d'imaginer son corps, c'est du sexe, ça!

Et alors? Quoi d'autre?

Quoi d'autre! Mais il y a la communion, gnochon! Tu ne vas
pas dire que t'as oublié? Ne dis pas que tu ne te rappelles plus
toute cette douceur, les ombres bleues, cette joie qui donne envie
de pleurer, cette... reconnaissance? T'as pas oublié ça?

Non, c'est ce qui est le pire. Même que je voudrais que ça
recommence alors que je sais très bien que ce n'est pas possible.
Il faudrait que je finisse par me décider, un de ces jours, ou c'est
Jolene ou c'est Missy.

Il n'y a rien à décider, tu sais bien que pour Jo, c'est impossi-
ble.

Mais ce n'est pas la raison, c'est Missy qui compte, non? Plus
ça va, plus je me demande si...

Si tu ne t'es pas monté la tête?

Bon sang oui! Il y a quoi? deux mois que je l'ai pas vue et il me
semble que je ne sais plus très bien à quoi elle ressemble. Je revois
ses yeux, ils ont beaux, ça pour l'être ils le sont. Je revois ses
cheveux, son sourire, sa poitrine, enfin..., ce que ça fait sous la
robe, mais tout ensemble, j'ai du mal. Par contre, Jolene je la vois
comme si elle était là. Et je crois bien que maintenant c'est tout
contre Jolene que je voudrais m'étendre. Oui! c'est contre elle que
je voudrais trouver un peu de chaleur, c'est à elle que je voudrais
parler de tout ce que j'ai dans la tête. Finalement je ne me vois pas
en train de parler de tout ça à Missy. C'est curieux, elle m'intimide,
ce devrait plutôt être Jolene, non? Jo, qu'est-ce que tu es en train
de faire en ce moment? Tu dois encore être en train de charmer tes
habitués. Tu ne sais pas ce que je donnerais pour retourner dans
ce motel... J'entends encore les vagues, elles me parlent de toi. Ce
bout de plage est devenu notre havre, tu ne trouves pas ça
poétique? Oh Jo! Je m'ennuie... De toi, de cette étrange nuit, de

ces tropiques que tu as allumés en moi... *Oui, les tropiques! je les imagine: des grèves parfumées, le bruissement des palmes, l'océan qui nous parle des abysses bleu nuit, ton corps qui ruisselle sous la lune, comme ta peau doit être salée... Jo, Mon Amour, pourquoi c'est pas possible? Dis-moi? Je voudrais tant me retrouver tout contre toi. Mais pourquoi a-t-on décidé que ce n'était pas possible? Et si je l'appelais? Qu'est-ce qui m'en empêche? C'est pas pour rien qu'il y a un téléphone sur la table de nuit. Non, pas maintenant, elle doit être occupée au magasin, mais cette nuit, quand elle dormira, la sonnerie la réveillera, elle répondra d'une voix ensommeillée et je lui dirai: Salut! C'est moi. Elle s'exclamera: Nathan! Me demandera où je suis, ce que je fais, et je lui apprendrai que je suis blessé, à l'hôpital, et que je n'arrête pas de penser à elle...*

Foutaises! Elle te répondra sur un ton de reproche, elle te dira que tout était clair entre vous, qu'il ne peut y avoir de suite et elle raccrochera en te demandant de ne plus appeler. Voilà exactement ce qui se passera. Qu'est-ce qui t'arrive? Alors ce n'est plus Missy qui compte?

Mais bon sang! pourquoi tout est si compliqué? Je ne demande pas grand-chose, moi, juste un peu de complicité, quelqu'un. C'est pourtant pas si compliqué! Excuse-moi, Missy. Excuse-moi d'avoir douté, d'avoir cherché la facilité. Et puis, c'est faux que je ne me souviens pas de toi, tes yeux sont toujours là, dans ma tête, ils y seront toujours, et je te jure qu'ils me font mal. Ils me font mal parce qu'ils sont trop beaux.

C'est vrai qu'ils sont extraordinaires, ses yeux! C'est comme s'ils parlaient de pays qui n'existent que dans les rêves, comme si je ne pouvais les mériter, peut-être que c'est pour ça qu'ils me font mal; mais un mal dont je ne pourrai jamais me passer. Et si j'appelais Missy? À elle, je lui dirais: Bonjour, Missy, c'est Nathan. Elle dira: Nathan! il y a si longtemps! Alors je lui dirai tout sans lui laisser le temps de répondre, je lui conterai tout ce qui m'est arrivé, elle sera béate d'étonnement. Et puis je lui dirai comment ses yeux me transpercent, comment, lorsque je les imagine, je vois des pays de calme et de douleur, des aubes pures, des matins clairs, des crépuscules embrasés pleins de promesses.

Oui, Missy, tes yeux sont mes voyages, la couleur de mes rêves, mon unique bagage. Oui! Ça aussi, c'est poétique, et en plus, c'est vrai. Qu'est-ce que je pourrais lui dire encore? Missy, il est une galaxie entre le vide et la nuit où des astres éteints ont fait de moi ton magicien, et dans l'aube glacée du premier matin... Non! ça c'est un peu trop... C'était quoi déjà ce poème de mademoiselle Tuck qui m'avait plu? Ah oui! La maison solitaire, aux larmes de la nuit, domine la mer, qui étouffe mes cris. La maison de pierre, au vent de l'ennui, a un cœur de pierre et pour nom nostalgie. Dans ma chambre oubliée de l'or et des fées, sont éteints à jamais les soleils éclatés. À jamais, à jamais... C'est pas gai, mon affaire... Ouais, peut-être ne dirait-elle qu'un banal: Allô, comment vas-tu? Suivi rapidement d'un: Bon, il faut que je te laisse, bonne chance. Là, c'est vrai que tu pourrais parler de chambre solitaire et de larmes dans la nuit... Je pourrais aussi appeler Maman, ça par exemple ce serait gentil pour elle.

Pour ça oui! On dirait que tu ne penses pas trop à ce qu'elle doit ressentir. Ne pas savoir où t'es, mets-toi à sa place.

Elle va me demander où je suis, qu'est-ce que je vais lui répondre? Bah, j'inventerai... C'est décidé, j'appelle!»

De sa main valide il atteint le téléphone, l'amène sur le lit, décroche et compose. À la seconde sonnerie, c'est Rose-Ange qui répond:

«Allô? Oui?»

Il hésite encore une seconde puis se lance:

«Maman? C'est moi, Nathan.

— Nathan! Mais mon Dieu! Où es-tu?

— Toujours dans le Yukon. Je t'appelle pour avoir des nouvelles?

— Des nouvelles! Des nouvelles, que veux-tu qu'il se passe ici, c'est plutôt à toi d'en donner des nouvelles. Tu ne... Elle se rend compte qu'elle s'engage sur une voie pavée de reproches et se reprend. Comment vas-tu?

— Bien, Maman. Tu as reçu ma lettre?

— Il y a un mois, oui. Tu cherches toujours de l'or? Tu en as trouvé?

— Eh bien... à vrai dire, pas tellement, mais ça va venir...

— Bien sûr. Il va bientôt commencer à faire froid où tu es, non? Qu'est-ce que tu vas faire, cet hiver?

— Pour l'instant, ça va. Pour cet hiver, je sais pas encore.

— Tu peux revenir, tu sais...

— Je sais, Maman. Mais je ne sais pas si c'est une solution.

— Une solution à quoi?

— Eh bien, je t'ai expliqué, je dois faire fortune. Il le faut.

— Je veux bien croire que tu crois qu'il le faille, mais l'hiver, tu ne vas pas rester dans le nord, quand même? Qu'y ferais-tu? Ne crois pas que je veuille t'obliger, mais, à mon idée, tu serais mieux de revenir à la maison, du moins pour l'hiver. Tu ne crois pas?

— Je sais pas...

— Tu pourrais retourner aux études, c'est toujours utile, et puis aussi tu pourrais travailler au magasin; justement Jolene Lapierre est enceinte; elle doit avoir besoin de quelqu'un.

— Enceinte!

— Oui. D'où appelles-tu?

— D'une cabine.

— Je veux dire de quelle ville?

— Inuvik...

— Tu es loin. Je ne veux pas te faire de reproche, mais je dois t'avouer que ta... ton départ m'a un peu bouleversée, je ne m'y attendais pas.

— Je sais, Maman. Je m'en excuse.

— Heu... Nathan?

— Oui?

— Je sais pourquoi tu dois faire fortune, Missy m'a tout raconté.

— Ah..., elle t'a dit. Tu lui as dit que j'étais parti?

— Oui, veux-tu connaître sa réaction?

— Dis toujours.

— Elle a dit que si elle pouvait te rejoindre, elle te dirait de laisser tomber.

— Tu dis ça parce que tu voudrais que je revienne.

— Tu peux l'appeler chez elle, si tu veux... Mais tu as raison sur un point, j'aimerais beaucoup que tu reviennes. Je m'ennuie, vois-tu.

— Moi aussi, Maman, je m'ennuie.

— Eh bien alors? Qu'attends-tu pour revenir?

— Mais puisque je dois faire fortune!»

Elle cherche l'argument qui pourrait lui faire oublier cette folle entreprise. Comment, sans qu'il se cabre, l'amener à comprendre qu'on ne fait pas nécessairement fortune parce qu'on l'a décidé, que c'est plus compliqué que cela? Comment lui faire comprendre à quel point elle a rêvé que pour encore au moins quelque temps elle pourrait exercer son rôle de mère, s'occuper de ses études, de ses repas, bref de lui? Comment lui faire comprendre qu'elle a besoin de cela pour ne pas se sentir complètement inutile?

«Et si tu revenais, on pourrait étudier tous les deux les divers moyens de faire fortune, tu ne crois pas?

— Peut-être? Il faut que j'y pense. Tu as dit que Jolene Lapierre était enceinte?

— Oui, pourquoi?

— Comme ça... Bien, il va falloir que je raccroche et...

— Tu vas rappeler plus vite que tu ne l'as fait?

— Oui, Maman. Promis.

— Fais attention à toi, Nathan... Je t'embrasse.

— Moi aussi, Maman, je t'embrasse. Ah, au fait! Est-ce que tu comptes rester à Bluestone?

— Où voudrais-tu que j'aille?

— Je ne sais pas... Peut-être que tu voudrais refaire ta vie, comme on dit.

— Pour l'instant, Nathan, tout ce qui a de l'importance pour moi c'est uniquement ton bonheur. Et puisque nous en sommes là, encore une chose que tu dois savoir, depuis quelque temps, la Missy pour qui tu crois devoir faire fortune, eh bien elle passe son temps à se promener avec Endicott Fairfield.»

«*Il a fallu que je lui dise,* se reproche-t-elle. *Je ne pouvais m'en empêcher. Quelle idiote!*»

«Elle doit avoir ses raisons, finit par dire Nathan sur un ton qu'il voudrait plus léger. Au revoir, Maman.

— Au revoir, Nathan. Fais attention à toi.»

Raccrochant, il a bien envie de projeter le téléphone à travers la chambre. Ainsi Missy se promène souvent avec Fairfield, eh bien elle va voir! Non seulement, il va faire fortune, non seulement il va racheter la terre du Rancher, mais aussi il va la garder pour lui, uniquement pour lui. Jamais elle ne l'aura. Jamais! «*C'est pas de l'amour ça, se dit-il, ça ressemble plutôt à de la haine.*

Que ce soit ce que ça voudra, je m'en fous! Jolene enceinte... Mais de qui?» Y repensant il se rappelle très bien les mots qu'elle a prononcés dans ce motel, des mots qu'il avait oubliés: *Donne-moi-le, je suis prête à présent.* Est-il vraiment le père? Il ne sait qu'en penser. «*Père à mon âge, c'est insensé! D'un autre côté, je ne sais pas pourquoi, mais ça me ferait plaisir... Jo, qu'est-ce qu'on a fait?*» Sans qu'il s'en rende compte, il se laisse aller à se figurer des situations comme celle-ci: lui et Jolene sont côte à côte sur un divan de velours bleu turquoise. Derrière le divan, une lampe sur pied éclaire leur intimité d'un chaud halo doré. Par terre, une moquette couleur bouton d'or, sur la moquette un petit enfant. Ils le regardent et se sourient. Sans aucun doute, là, ils sont heureux. Nathan ne comprend plus rien.

Au milieu de la nuit, il est littéralement arraché du sommeil par des cris atroces. D'abord une plainte comme noire et acérée qui s'époumone depuis le fond d'un gouffre de détresse; puis, cristallisation sonore de l'angoisse la plus brutale, trois noms lancés comme un appel au secours privé d'espérance: «JOYCE... ROSE... WARREN...» «*C'est affreux! Qui peut souffrir autant?*» Comme les cris persistent, Nathan allume d'abord la lampe au-dessus de son lit puis actionne le bouton de sa sonnette. Il faut quelques minutes avant qu'une infirmière, sans masque – elles n'en portent plus depuis le souper –, vienne s'enquérir du motif de son appel.

«Un problème, Nathan?

— C'est quoi, ces cris, demande-t-il, ça m'a réveillé. Qu'est-ce qu'il a?

— Accident de voiture. Un homme vient de perdre sa femme et ses deux enfants dans une collision.

— Mais c'est affreux! Toute sa famille! Ces noms qu'il crie, c'est ceux de sa femme et de ses enfants?

— Oui. Elle renifle et a les yeux un peu trop grand ouverts comme lorsqu'on essaye de contenir une larme. Nathan comprend qu'elle est secouée. Bon, si tout va bien pour toi, je te laisse. Il va cesser de crier, on vient de lui donner un tranquillisant.

— Un tranquillisant! Vous croyez que ça va suffire? Et puis vous ne pourriez pas le laisser exprimer sa peine, il faut que ça sorte, ces choses-là.

— Trop de désespoir, cela peut affecter la santé, et puisqu'il y a maintenant des moyens de contrôler la douleur morale, pourquoi ne pas s'en servir?

— Mais c'est complètement fou! Je suis sûr qu'en ce moment sa santé doit être le cadet de ses soucis. C'est pas normal de... comment dire?... de dévier les sentiments, de changer l'humeur de quelqu'un avec des produits chimiques.»

Brenda (c'est le nom inscrit sur la barrette d'aluminium qu'elle porte sur sa blouse) est devant la porte, de profil, prête à sortir. Mais la question de Nathan paraît susciter chez elle une interrogation. Il la voit plisser le front, ce qui a pour effet de faire légèrement remonter ses lunettes à fine monture dorée qui lui donne un petit air intellectuel, ce qui pour Nathan a quelque chose d'érotique. Elle est de petite taille, porte une queue de cheval serrée qui veut domestiquer une chevelure ondulante couleur de blé mur, tient ses mains enfoncées dans les poches de sa blouse blanche sous laquelle, soudain, il se rend compte qu'elle ne porte rien d'autre que ses sous-vêtements. Cette dernière observation déclenche en lui un appétit qu'il voudrait réprimer.

«Tout n'est que réaction chimique, affirme-t-elle. La faim, la soif, la peur, le plaisir, la honte, le dégoût, le bonheur, le désir, l'amour; tout cela et tout le reste n'est que le produit d'une réaction biochimique. Donc, si quelqu'un est malheureux, pourquoi ne pas contrebalancer la réaction avec une structure chimique contraire? Après tout, le principe, c'est d'être heureux, pas vrai?

— C'est pas vrai! c'est épouvantable comme raisonnement!

— Mais non, pas du tout, rien n'est plus réel.

— À vous entendre, si un jour je tombais amoureux de vous, ce ne serait rien de plus qu'une réaction chimique dans mon cerveau, et si c'était un amour malheureux, il ne suffirait que d'un composé quelconque pour tout remettre en ordre?

— Le chocolat.

— Hein?

— Le chocolat, c'est reconnu pour les chagrins d'amour. Bien sûr, entre nous, je crois qu'il doit y avoir des composés plus efficaces.

— Vous ne le pensez pas. J'y crois pas; tout à l'heure j'ai vu que vous étiez triste à cause de l'accident, c'est juste chimique, ça aussi?

— Attends encore quelques minutes que l'antidépresseur fasse effet et tu verras si la peine n'est pas chimique. Il suffirait même d'augmenter un peu la dose et l'homme qui crie en ce moment pourrait se mettre à chanter dans une heure.

— C'est horrible! On ne devrait pas avoir le droit de travestir les sentiments. C'est comme tuer quelqu'un, c'est refuser le droit à la conscience de s'exprimer. Après tout, le cerveau ne doit pas être autre chose qu'un relais entre la conscience et le monde. Oui! Ça doit être ça.

— D'autres diront que cerveau et conscience c'est bonnet blanc et blanc bonnet, on pourrait discuter des jours et des nuits là-dessus sans en savoir davantage.

— Alors réellement, pour vous, tout n'est que réaction chimique? N'importe quoi, tout ce qu'on ressent, le bien et le mal?

— Tu vois, lorsque j'étais petite, on m'a longtemps fait croire que mes parents m'avaient trouvée dans une rose; quelle déception le jour où il a bien fallu que j'admette que je sortais d'un ventre, comme le caca et le pipi. Ainsi les roses n'étaient rien d'autre que des roses. Quelle déception aussi lorsqu'on m'a dit que le bon père Noël qui chaque année venait s'asseoir sur un trône doré au centre commercial de mon quartier n'était qu'un employé déguisé. Quelle déception aussi, après une jeunesse baignée par l'histoire du prince charmant, de constater que celui que j'avais choisi pour le symbo- liser n'avait rien de plus pressé en tête que de... enfin tu vois. Tout ça pour te dire que ce n'est pas parce qu'elle est décevante que la réalité, la vraie, doit être ignorée.

— J'imagine qu'il doit y avoir des avantages à se dire que l'on n'est rien d'autre qu'un tas de réactions chimiques; on est plus responsable de rien, tout peut se faire, n'importe quel pasteur peut se faire masturber par son gars et l'étouffer ensuite avec un oreiller.

Quelle importance puisque ce ne sont que des réactions chimiques...

— Là, vraiment, tu as dû aller chercher ton exemple dans le pire des journaux à sensations. Et puis tu oublies aussi la morale...

— La morale! La morale! Au nom de quoi cette fichue morale?

— Au nom de la raison, voyons.

— La raison? Mais, vous le dites vous-même, ce n'est rien d'autre qu'une réaction chimique. Tenez, un exemple, dit-il, emporté par le besoin de la convaincre, je viens de m'apercevoir que vous portiez pas grand-chose sous votre blouse et j'ai beau user de toutes les réactions chimiques de ma raison, rien n'y fait, celles de la bandaison sont plus fortes; alors la morale au nom de la raison... Faudrait trouver quelque chose de plus fort.»

Un sourire amusé aux lèvres, elle ouvre la porte.

«J'ai beaucoup à faire, dit-elle, on pourra reprendre cette intéressante discussion une autre fois.»

Nathan réalise ce qu'il vient de dire.

«Je m'excuse pour... je sais pas ce qui m'a pris.

— Faut pas t'excuser, c'était un bel exemple de réaction chimique. Tu as pris beaucoup de médicaments, ces derniers temps. Allez, je te laisse, et n'hésite pas à sonner s'il y a quelque chose. Quelque chose de sérieux, bien entendu.»

Comme Brenda l'a prédit, les cris et les appels sont allés en diminuant. À présent, à peine une demi-heure s'est écoulée, le silence est revenu. «*Alors c'est vrai, il suffit d'un peu de poudre de ceci ou cela et même les plus grandes détresses sont oubliées?*» Nathan a éteint sa lampe et, dans ce qu'il veut être un esprit de compréhension et de partage, cherche à se représenter les souffrances de l'accidenté. Dans le même esprit, voulant toucher la blessure du doigt, il en vient à imaginer que c'est lui qui aurait été le chauffeur, Jolene son épouse, le bébé qu'elle porte son enfant et, comme il manque encore quelqu'un pour équivaloir ce qui est arrivé à l'inconnu d'à côté, il ajoute Missy comme étant sa fille. «*Bon voilà*, se dit-il, *la voiture est sous un camion, je suis à l'hôpital et eux sont... à la morgue. Bon sang! je suis vraiment seul... SEUL... TOUT SEUL... C'est vrai ça, comme je suis là, j'ai toujours l'impression d'être seul, mais moi, au moins, je sais qu'un jour, j'ignore quand, mais un jour quand même je pourrai voir et parler à Jolene ou à Missy. Je suis seul, mais il y a les autres qui vivent, tandis que lui, dans la chambre à côté, tous ceux qu'il aimait sont morts. Et on lui donne de la poudre ou je sais pas quoi pour oublier. Non! j'aimerais mieux être mort. Oh oui! mille fois! Tiens? Pourquoi j'ai choisi Jolene comme ma femme et Missy pour ma fille? Missy... mais pourquoi se promène-t-elle avec Fairfield? C'est écœurant, complètement! Il faudrait que je l'oublie, elle est pas toute seule après tout, il doit y en avoir d'autres. Du chocolat, disait l'infirmière tout à l'heure, m'étonnerait que ce soit efficace. Pourtant, le gars dans la chambre d'à côté, il ne dit plus rien. Peut-être dans le fond? Qu'est-ce qu'il peut y avoir dans le chocolat qui ôte les peines d'amour? Si je trouvais ça, je ferais fortune! Je vois déjà les annonces:* ELLE VOUS A QUITTÉ, IL VOUS EN A PRÉFÉRÉ UNE AUTRE, OUBLIEZ TOUT ET REPARTEZ EN NEUF AVEC TROMPLAMOUR, LE MÉDICAMENT QUI AGIT INSTANTANÉMENT... *Ouais, ça m'en prendrait un peu de Tromplamour... Pourquoi ça ne marche-rait pas dans le fond? Dans le temps, ils faisaient bien des philtres d'amour, c'est pas chimique ça? Hum, il me semble bien que les philtres d'amour n'existent que dans les légendes, comme Tristan et Iseut. C'est mademoiselle Tuck qui voulait qu'on le lise; ça m'a paru une corvée à l'époque, aujourd'hui ça m'intéresserait. Un philtre d'amour... Missy me regarderait avec de grands yeux pleins d'admiration, elle trouverait extraordinaire tout ce que je ferais, elle m'aimerait... Oui, voilà bien ce qui ne va pas finalement; elle ne t'aime pas. Elle t'aime bien, mais c'est tout. Oh merde! Vite un peu de Tromplamour, s'il vous plaît. Quoique..., au fond, ce serait quoi l'avantage qu'elle m'aime comme je viens de l'imaginer? Ce serait vite lassant, pour ne pas dire énervant... Mais c'est merveilleux ça! pourquoi je n'y ai pas pensé avant? quel besoin on a de vouloir être aimé comme une idole? C'est stupide! Je l'aime, ça devrait suffire pour être heureux. C'est stupéfiant comme les réactions chimiques peuvent devenir compliquées!»*

28

Étendu dans son lit, songeur, Cornelius Fairfield a le visage tourné vers l'extérieur. Les deux fenêtres de la chambre sont grandes ouvertes et offrent, en contraste avec la chaleur de l'éclairage orangé de la pièce, la froide pureté du violet crépusculaire. L'été tire déjà à sa fin, grésillonnements et stridulations sont disséminés dans le temps et l'espace. Au profit d'une fraîcheur annonciatrice de la saison morte, l'air a perdu cette senteur entêtante, sensuelle, que dégage la terre lorsque l'ombre du soir vient la reposer de douze heures d'incandescence. L'été tire à sa fin et Cornelius Fairfield croit pressentir que sa vie suit le même chemin. Ce noir sentiment a commencé au lendemain de cette soirée en compagnie de Susan; cette soirée où il a compris que ses fantasmes ne sont en fait *réellement* que des fantasmes, qu'ils ne se réaliseront plus. Le corps, la pâte vivante animée par l'esprit de Susan ne lui appartiendra jamais, tout ne sera désormais que faux semblant. Oh! Il ne lui a rien proposé, pas plus que, par anticipation, elle n'ait repoussé quoi que ce soit. Non, cela a été plus subtil. Il a compris que sa *carcasse* ne serait plus à la *hauteur*, il a réalisé qu'il n'aurait plus la force d'enfreindre les lois de l'humanité. Non pas, comme il se l'affirme, que sa conscicnc se heurte à l'idée de voler la femme de son fils, non, simplement est survenue la crainte latente de décevoir. Et avec cette crainte, ou par elle, se tarit le courant de son énergie vitale. Celle-ci à présent fait place au bouillon saumâtre et malsain de la peur – celle de dégénérer, celle que le corps ne s'amoindrisse, et, avec lui, le pouvoir de séduction qu'il a toujours exercé, que lui, Cornelius Fairfield, offre prise à la sénilité, à l'impuissance. Plus il appréhende le péril, plus celui-ci s'incruste. Lui pour qui chaque matin avait l'attrait d'une aventure, le voici qui s'enfonce maintenant dans les méandres lents de la nostalgie. Lui qui se vantait d'être un roc se découvre mille maux inquiétants dont il amplifie les effets au point de leur prêter un pouvoir destructeur. Une banale douleur rhumatismale est considérée comme l'attaque sournoise d'une sombre tumeur dotée de sa propre volonté et s'épanouissant aux dépens de lui-même. Lui qui n'avait jamais douté de sa libido se surprend à présent, se tripotant le pénis à la recherche d'une érection de jouvenceau. Mais la chair est flasque, flasque jusqu'à ce qu'en désespoir de cause il fasse intervenir le souvenir du jeune Joshua. Alors là, là seulement, il parvient à s'extirper quelques gouttes de semence qui, aussitôt échappées, le plongent dans un abîme de remords, lui dont la capacité d'omission garantissait la force. Mais son remords n'est pas tant le regret d'avoir perverti que celui de ne pas avoir été celui qu'il voudrait; lui dont les idoles s'appelaient John Wayne ou Gary Cooper.

Abandonnant l'observation mélancolique du ciel, il se détourne pour fixer son petit-fils assis de l'autre côté du lit. Depuis quelque temps, Endicott a pris l'habitude de venir lui faire une petite visite avant le souper. Ce qu'il vient juste d'apprendre à son grand-père ramène brutalement celui-ci au cœur de la conversation dont il s'était légèrement évadé. Ayant appris par Susan que le garçon fréquentait Missy depuis son retour de Grande-Bretagne, il a demandé à celui-ci sur un ton mi-évasif, mi-ironique, ce qu'il en était. Endicott lui a expliqué qu'il s'entendait bien avec elle, qu'ils faisaient ensemble d'agréables balades et tout cela a satisfait le Rancher, jusqu'à ce qu'Endicott lui apprenne qu'il y avait certainement quelque chose de sentimental entre Missy Bagriany et Nathan Barker.

«Le fils du Pasteur?

— Oui, Grand-père, celui-là.

— Ah?... Et toi, comment la trouves-tu?

— Bah... elle est gentille, que veux-tu dire?

— Quand on demande à un gars ce qu'il pense d'une fille, on

ne lui demande pas s'il aime sa taille ou ses genoux, on lui demande s'il l'aime.

— Je l'aime bien, oui. Mais je crois pas que j'en sois amoureux, si c'est ce que tu veux dire. De toute façon, à mon âge on peut pas être amoureux...

— Avec le fils du Pasteur... répète Cornelius Fairfield, sans réagir à la dernière remarque d'Endicott. Je m'attendais pas à ça.

— Que veux-tu dire?

— Hein! Oh, rien... Il semble revenir au propos. Alors j'imagine que tu comptes mener une chaude lutte?»

Endicott sourit et secoue la tête:

«Je ne pense pas, non; nous ne sommes pas des cerfs ou je ne sais quel animal luttant pour les faveurs d'une femelle.

— Je vois que tu as ramené de *grandes idées* d'Europe...

— Non, je ne crois pas, seulement que si une personne a des sentiments pour une autre, on peut pas l'obliger à changer. Et puis pour ce qui est de l'Europe, je t'ai déjà dit que j'aimerais pas vivre là-bas.

— Crois-tu que ce soit tellement différent d'ici? Enfin, je ne parle pas de la Prairie, mais du continent dans son ensemble?

— Je voudrais bien m'en persuader, Grand-père... De toute façon, je ne crois pas que ça ait une grosse importance maintenant: on va tous mourir comme des rats d'ici une génération ou deux.

— Quel bel optimisme!

— Réalisme, Grand-père

— Un peu décadent peut-être... l'espoir, la lutte sont le panache des forts. N'es-tu pas de ceux-là?

— J'en sais rien, je doute que l'homme soit vraiment ce qu'il pense de lui-même. Je ne crois pas qu'il soit foncièrement méchant, non, il est bête, et c'est le cas de le dire puisque comme une bête, oubliant qu'il est pourvu d'un esprit, il ne se laisse guider le plus souvent par ses instincts. Sinon pourquoi tout irait si mal? Et je ne parle pas des grands problèmes qui font que la planète est à bout de souffle, ces problèmes-là ne sont pas, comme on nous le répète, la faute de quelques mystérieux capitaines d'industries, mais l'addition de toute la lâche stupidité de chacun de nous. Dès qu'on sort du berceau, on nous impose des valeurs qui n'ont aucun fondement digne de raison: la patrie? Qu'est-ce que c'est sinon un vaste bourrage de crâne visant à nous faire croire que là, sur un territoire donné, par droit de naissance, nous avons le privilège d'être la crème du monde? Je crois qu'il y a environ cinq mille nationalités sur cette planète, faut-il autant de patries? Nous avons pourtant tous les mêmes besoins, à qui profite la différence? Qu'est-ce qu'il y a encore?... La réussite? De quoi? Sûrement pas, comme on veut se le dire, pour le bénéfice des générations futures! On passe notre jeunesse les uns à apprendre à produire, les autres à apprendre comment faire produire, le reste de notre vie à produire ou à obliger les autres à le faire, et de quoi s'aperçoit-on aujourd'hui? C'est qu'on a tellement produit qu'on va en crever. Mais comment faire autrement? Chacun veut être le plus fort, le plus beau, le plus intelligent, celui qui possède le plus, et tout ça pour quoi? On en revient à ce que je te disais tout à l'heure sur les cerfs: pour séduire. C'est tout ce qui nous motive, rien d'autre. Reste à savoir pourquoi l'on veut tant séduire? Est-ce que c'est l'instinct de conservation? De reproduction? Ce serait le comble. En voulant reproduire, on détruirait ce qui est indispensable à la reproduction. À moins que derrière tout cela il n'y ait un dessein secret que je ne connais pas. Peut-être ne sommes-nous qu'une étape dans le processus de prise de conscience de soi par la matière?

— Et tu me dis que tu n'aimes pas l'Europe! Mais, mon pauvre garçon, tu me parais complètent contaminé. Qu'est-ce que c'est que toutes ces idées? Crois-tu une minute que j'ai fait prospérer ce ranch pour séduire une femme qui qu'elle soit? Crois-tu que je vais accepter de m'entendre dire que je ne suis qu'une particule inconsciente dans la Grande prise de conscience de la matière? Prise de conscience de la matière! Mais où as-tu été pêcher ça? En Angleterre?

— Grand-père, tout le monde rêve à quelque chose: être un industriel puissant, un artiste universel, un professionnel reconnu, un illustre mystique, tout le monde veut posséder des voitures de luxe, une villa à Hawaï, un yacht de cent mètres de long, ses habitudes dans tous les Ritz de la planète, une garde-robe princière, ou même le plus beau ranch qui soit, mais supposons un instant qu'il y ait... je ne sais pas... un événement cosmique qui, pour une raison ou une autre, laisse tout en place mais fasse disparaître tout le monde sauf toi, qu'est-ce que ça donnerait d'avoir ces choses-là puisque personne ne serait là pour constater que tu les as?

— Sais-tu ce que je faisais avant que tu n'arrives?

— Non?

— Je fumais un bon cigare cubain, seul, et je t'assure que même si personne n'est venu me voir pendant que je fumais, le plaisir était là.

— C'est pas pareil...

— Ouais... Je vois ce que c'est, mon petit-fils refuse la possibilité d'avoir tort. À propos, si tout n'est que séduction, pourquoi tu n'essayes pas de séduire la petite Bagriany?

— J'ai pas dit que j'essayais pas, Grand-père, j'ai simplement dit qu'il y en avait un autre et que tout le temps qu'il serait là...

— Eh bien arrange-toi pour qu'il n'y soit plus; je veux dire pour qu'elle le regarde de la façon que tu veux qu'elle le regarde.

— En fait, le problème est là, il est là sans y être et ça, c'est la pire des concurrences; on ne peut blâmer un absent, ça nous retombe toujours sur le nez.

— Ça, c'est vrai!»

Il fait maintenant presque nuit et, comme cela se produit régulièrement à partir de ce moment, Cornelius Fairfield sent les serres d'une sourde angoisse lui étreindre le plexus. La nuit, qui autrefois symbolisait le repos, est devenue source d'anxiété. Est-ce parce qu'elle a la couleur de la mort? Ces questions diffuses et presque inconscientes provoquent ce qu'il nomme: «mes douleurs». Ne désirant pas qu'Endicott soit témoin de ses grimaces, il lève le bras en direction de la porte:

«Va, dit-il, ça va être l'heure du souper.

— Est-ce que je dois dire à Jemina de monter ton plateau?

— Oui, si tu veux...»

Sitôt la porte refermée sur Endicott, il grimace. Non pas tant de la douleur qu'il ressent présentement dans le côté gauche, qu'en réaction à la crainte qui court dans ses veines et qui est d'autant plus sournoise qu'elle n'a pas de nom. «*Mais de quoi ai-je peur?*

se demande-t-il, *c'est ridicule!*» Il sait que c'est sans fondement, il sait qu'il n'est physiquement pas à l'article du trépas, il sait au fond que ses douleurs n'existent pas et pourtant, rien à faire, il a mal, il a peur. La nuit est tombée et il a hâte au matin, hâte de retrouver encore une fois la lumière. «*Peut-être pour la dernière fois*», dit la voix lointaine qui lui susurre cela tous les soirs. Il voudrait bien la faire taire celle-là. «*Dans le fond,* essaye-t-il de se rassurer, *et si la mort n'était pas les ténèbres mais la lumière? Rien ne dit que de l'autre bord l'état naturel ne soit pas la lumière. Ce serait même logique puisqu'ici c'est le noir. Le noir est un état matériel, de l'autre côté il n'y a pas de matière, pas de dessein de la matière comme dirait Endicott. Bon, je sais bien que je n'ai pas toujours été un chrétien exemplaire, mais j'ai rien fait quand même qui puisse me condamner aux ténèbres éternelles? Oui, je sais il y a cette histoire avec Joshua Barker... Qu'est-ce que je pourrais faire pour me racheter? Oui, c'est ça! il faut que je me rachète, après je n'aurai plus peur de mourir. Un océan de lumière dorée, de chaleur et de bonté... Ce serait pas si mal.*»

29

S'éveillant, Nathan a immédiatement l'intuition qu'un événement inhabituel s'est produit. Il ne sait quoi et apparemment rien n'appuie cette impression, sinon que les bruits ordinaires paraissent plus feutrés et les silences plus lourds, comme si, inconsciemment, le personnel hospitalier voulait marquer une certaine déférence vis-à-vis d'un fait dont il ignore tout mais qu'il pressent tragique. À l'extérieur, une mince couche nuageuse fait le ciel uniformément ivoirin, et cette pâleur sans éclat donne à la chambre un aspect encore plus fonctionnel, plus froid qu'elle n'était déjà. S'en faisant la réflexion, il se rend compte que l'inconnu de la chambre voisine n'émet aucune lamentation comme il l'a fait toute la journée d'hier et cela, malgré les «euphorisants». «*Il doit dormir,* se dit-il, *à moins que les pilules fassent maintenant vraiment effet?*» Cette idée l'ennuie un peu; cette nuit il a été *content* de signaler à Brenda que finalement toute la chimie était impuissante contre «les blessures de l'âme».

Un coup d'œil en direction de sa main lui permet de constater que, malgré «une belle croûte» aux teintes allant du brun au vert, il n'est pas sorti d'ici. Les doigts sont toujours soudés les uns aux autres, et il se demande si le médecin ne lui a pas menti, si un jour il en retrouvera l'usage. Pour le moment, il ne voit pas comment cette masse compacte et écœurante pourrait redevenir une main capable de la moindre préhension. Il est en train d'évaluer lugubrement les possibilités de «*vie normale*» avec l'usage d'une seule main lorsqu'une auxiliaire entre pour la température du matin.

«Qu'est-ce qui ne va pas dans la cabane? demande-t-il aussitôt en faisant référence à l'impression qu'il a depuis son réveil.

— Comment cela?

— Je sais pas, on dirait qu'il y a quelque chose dans l'air qui n'est pas comme d'habitude?

— Tu dois te faire des idées, tout est normal...

— Ce que j'aime avec vous autres c'est la facilité que vous avez de raconter n'importe quoi, comme si les malades ou les blessés étaient tous une bande d'abrutis. On sent bien qu'il y a quelque chose qui ne va pas...»

Sans répondre, et comme pour le faire taire, elle lui présente le thermomètre à la bouche.

«Je finirai bien par savoir, fait-il avant d'accepter l'instrument.»

«Ils m'énervent, s'emporte-t-il, on est cloué là et pas moyen de savoir ce qui se passe, c'est pas normal! Tiens... on dirait qu'elle ne porte rien sous son tablier... Elle est pas mal... Ça doit être chaud... et doux... Chaud et doux... Toucher... Elle se déshabillerait... Toute nue... La chair... Entrer en elle... Ce serait bon...

Bon! Bon! Mais à quoi je pense! Quel espèce de salaud je suis? Qu'est-ce que je fais de Missy? Je la trompe en pensée! Ni plus ni moins. Pourquoi on se laisse ainsi aller? Je me le demande et poutant je bande toujours... Maudit! je voudrais tout oublier; j'ai l'impression que depuis presque un an tout n'est que gâchis, j'aime pas cette vie! Est-ce que c'est ma faute? Je voudrais une autre vie, une vie normale, comme les autres. Un père, une mère, des frères et sœurs, une belle petite maison blanche, des vacances en famille, des rêves normaux, une chambre... oui, une chambre à moi où la nuit j'écouterais le silence de la grande nuit américaine, où j'imaginerais ma vie sous le grand ciel américain, une vie sans faute, sans rien dont j'aurais honte. Pourquoi je n'ai pas droit à cela? Pourquoi je suis le fils du Pasteur? Est-il vrai que le châtiment céleste doit toucher plusieurs générations? Y a-t-il une parade? Ça doit exister des familles où les sentiments sont à leur place, ça paraît un peu dépassé, mais comme je voudrais une existence où tout serait à sa place, les choses comme les sentiments. Je m'y vois dans la gentille maison blanche, on irait à la messe le dimanche, on recevrait les grands-parents pour le repas après la messe, on se chicanerait entre frères et sœurs mais aussi on s'entraiderait, l'après-midi, le papa sortirait le break et on irait se promener. Je suivrais sérieusement mes études et me préparerais pour une profession intéressante comme astronome, océanographe, zoologiste comme le voudrait Missy, ou archéologue. Et Missy serait ma petite amie; elle n'irait pas se promener avec les autres, surtout pas avec Fairfield. On habiterait dans une gentille ville avec des grands arbres dans les rues, peut-être des ormes ou des érables ou encore des noyers, on ne serait pas loin non plus d'une ville plus grande où parfois l'on pourrait aller en excursion, Missy et moi, voir des musées, aller au théâtre, aller danser, aller au restaurant, dans un beau restaurant avec maîtres d'hôtel en smoking noir, serveurs en vestes blanches, murs tapissés rouges, verres en cristal, éclairés par la flamme d'une bougie; ensuite on irait se promener à pieds dans les rues du centre-ville, il ferait doux, nous serions seuls entre les gratte-ciel, on parlerait de nos projets, et puis on rentrerait. Devant la clôture de sa maison, je l'embrasserais, là, je serais complètement tourneboulé, et puis je rentrerais chez moi les mains dans les poches, en chantant, en reniflant l'odeur des grands arbres. Dans la maison, le monde serait couché, j'irais au frigidaire chercher un grand verre de lait et une pointe de gâteau au fromage. En montant l'escalier, à travers la porte de papa et maman, papa me demanderait si j'ai passé une bonne soirée, je lui dirais: extra, et il me souhaiterait une bonne nuit en me rappelant qu'il faudra se lever de bonne heure le lendemain pour une partie de pêche. Je m'endormirais dans mon lit, sans crainte de ce qui pourrait arriver le lendemain, sans penser à toutes sortes d'affaires bizarres, et je me sentirais plus propre. Oui mais voilà, c'est rien qu'un rêve, la réalité est bien différente. Pourtant... Peut-être aurait-il seulement suffi que le Pasteur soit différent? Pourquoi était-il comme ça? Oh et puis il a bon dos, le Pasteur, je ne peux quand même pas lui imputer mes propres manquements. Et puis aussi, de toute façon, toutes ces rêveries-là n'arrivent jamais dans la vraie vie, c'est bon dans les films. Dans la réalité, les nouveaux bungalows n'ont plus d'arbres autour, tout au plus des terrains vagues, sites de futures zones résidentielles; il n'y a plus de poisson dans les rivières, plus question de se promener tranquille entre les gratte-ciel à moins de vouloir se faire égorger, quand au baiser devant la porte de ma petite amie..., ça a l'air que maintenant les filles en veulent plus. Du reste, ça ne date peut-être pas d'aujourd'hui, même que certainement les choses ont toujours dû être aussi crues. Comme ce qui a dû se passer dans cet hôpital... Qui est mort?*

Prenant une attitude *au courant*, il dit à l'infirmière d'un ton grave:

— Comme ça, il est mort, c'est dur...

— Ah tu sais, tu as entendu... Oui, c'est triste... Il était encore jeune... Mais avec ce qui lui est arrivé, peut-être que finalement, pour lui, c'est mieux ainsi. En tout cas il a choisi...»

Nathan se demande pour qui la mort pourrait être préférable? Aussitôt la réponse lui vient comme une évidence: celui dont la famille a été tuée dans un accident. «*Je savais bien*, se dit-il, *que leurs produits chimiques ne pouvaient pas consoler. Il faut vraiment être stupide pour croire ça. C'est donc pour ça qu'on ne l'entend plus crier. Je comprends mieux. Maudit, lui aussi il a souffert, et plus que sa part. Est-ce que tout le monde doit souffrir ainsi?*»

«*Ça a commencé à refroidir aujourd'hui, dit l'infirmière en fixant la fenêtre, l'esprit visiblement ailleurs qu'à ces propos destinés à masquer un silence toujours gênant entre deux personnes. Faut croire que cette année encore, on aura droit à l'hiver.»

«*Et Voilà! un pauvre gars vient de mourir et elle pense au temps qu'il fait...*

Et toi, qui es-tu pour la juger? Qui te dit que ses mots ne sont pas là pour cacher sa tristesse?

En voilà une histoire pour une simple envie de baiser... Y a rien de mal...

Ta gueule! Mais ferme-la! C'est avec des idées comme ça qu'on se gâche une existence. Au lieu de les combattre, on les accepte, on leur trouve d'excellentes raisons, et ensuite tout devient sombre, sinistre. Pourtant... Et Missy dans tout ça? De quoi j'aurais l'air quand je la reverrai? Il n'est pas question de se cacher quoi que ce soit, sinon ça ne voudrait plus rien dire.

Missy, elle est avec Fairfield, peut-être même qu'ils baisent aussi, on sait jamais...»

À cette hypothèse, ses pensées entrent en collision avec un mur opaque. Incapable de réfléchir, il n'a plus dans la tête qu'un kaléidoscope d'images qui se répercutent comme autant de coups de poing. Et ces images qui dans son esprit font voler en éclats la douce innocence de Missy, ces images qui lui disent qu'elle aussi est de chair et de sang, qu'elle aussi est la proie de terminaisons nerveuses et de désirs, ces images qui transforment la petite fille en jeune femme, ces images-là le déchirent. Et puis soudain, retrouvant la faculté de penser, il se demande comment il a pu un seul instant la remplacer par Jolene, ou pire, par une main. Comment il a pu l'oublier? Car maintenant, en ce moment, il voit Missy dans toute sa personne. Elle est là, intégrale dans sa mémoire qui, jusqu'à présent, lui a refusé cette évocation. Évocation qui lui fait réaliser ce que le temps et l'espace ont eu le pouvoir de lui faire négliger. Comment est-ce possible? Comment un seul instant a-t-il pu croire qu'il y en aurait d'autres que Missy? Comment a-t-il pu faire fi de ce regard violet qui, il s'en rend compte à présent, n'a jamais cessé de briller en lui, au milieu de sa nuit. Comment a-t-il pu se *«salir»* ainsi alors qu'elle l'attend? Elle, si belle; elle, si proche de lui. Il se souvient qu'elle est lui et qu'il est elle. L'imaginant, il s'attache à la vision de son cou si blanc, si fragile, si précieux, ce cou qui symbolise tant de beauté, tant de douceur, ce cou qui donne toute la mesure de ce qu'il y a à la fois d'éphémère et d'éternel dans ce qu'elle est. Il se persuade que par la force d'un phénomène dont il ignore tout, sa propre chair est imprégnée de celle de Missy, que, quoi qu'il fasse, jamais il ne pourra l'écarter ni de son esprit, ni du désir immanent à chacun de se retrouver en un autre. Jamais.

«Mais oui! se persuade-t-il. Elle m'attend! Il faut que je sorte de cet hôpital au plus vite. Non mais regarde cette foutue main, jamais elle ne reviendra comme avant, c'est impossible! Il faut que je fasse quelque chose! Quoi?»

Toute la journée, il s'est posé la même question puis, fatigué de tourner en rond, après le souper, il a allumé la télévision que l'infirmière-chef lui a obtenue, et, comme si la programmation avait été conçue à son intention, c'est en voyant, pour la troisième fois et avec autant de plaisir, le film *Ben-Hur* qu'il s'est persuadé avoir la réponse à son problème: un miracle, il lui faut un miracle. C'est pour cela qu'à présent, alors que les lumières sont éteintes et qu'il n'entend plus que des ronflements en arrière-plan, il a sorti la bible des Gidéons du tiroir de la table de chevet et l'a placée sous sa main, certain que cet «*acte de foi*» lui vaudra une guérison rapide. Y pensant, il a du mal à trouver le sommeil. Il se fait le reproche de ne pas avoir fait confiance à Dieu, ces derniers temps, d'avoir, par orgueil, essayé de tout régler par lui-même. «*Faut vraiment être inconscient pour se laisser aller à ça, comme si j'avais la possibilité de changer quoi que ce soit à ce qui doit arriver.*

Voilà que tu parles comme le Pasteur.

C'est pas parce que le Pasteur s'est fait l'instrument du Diable que tout ce qu'il prêchait est faux, et c'est peut-être même pour ça que le Diable s'en est particulièrement pris à lui, peut-être était-il trop dangereux?

Et si Dieu et le Diable n'existaient pas? Si, comme le prétend Brenda, tout n'était que réaction chimique? Après tout, qu'est-ce qui te prouve que ça existe, tout ça? Est-ce parce que tu as entendu parler le Pasteur depuis que tu es au monde? Tu ne crois pas que ça puisse être un vaste lavage de cerveau?

Non, je ne connais rien d'autre qui soit aussi juste que les Évangiles. Le coup de tendre l'autre joue, celui d'aimer ceux qui nous plaisent pas, mieux, celui d'aimer ceux qui font du mal à ceux qu'on aime, ça, c'est presque inhumain, et finalement, y a pas de message politique ou philosophique qui puisse l'égaler, rien du tout! Et on voit bien à la marche du monde que l'homme ne sait pas mener ses affaires, on voit bien qu'il serait plus averti de se laisser guider par les Évangiles, cela, Pasteur ou pas. Et puis, si tout n'était vraiment que réactions chimiques, à partir de quoi cela aurait-il commencé? Car s'il n'y a rien, comment se fait-il qu'il y ait quelque chose?»

Endormi, il ne s'en rend pas compte lorsque Brenda, effectuant une ronde, entre dans sa chambre et, dans le faible halo de sa lampe de poche, remarque sa main posée sur la couverture en simili-cuir bleu marine de la bible. Elle fronce les sourcils, secoue légèrement la tête avec une pointe de reproche sur les lèvres, puis s'apprête à poursuivre sa ronde mais, se ravisant, elle se penche, soulève la main de Nathan et fait glisser le livre. Dormant mal car, dans son sommeil, il s'efforce justement de maintenir sa main sur le livre, le geste de Brenda suffit à réveiller Nathan qui se rend compte aussitôt de ce qu'elle a fait. Il se redresse vivement sur son séant.

«Pourquoi vous avez ôté ce livre? demande-t-il avec indignation. Il vous dérange?

— Il ne me dérange pas du tout, mais ce que tu fais là n'est pas propre, pas hygiénique.

— Hygiénique! Avouez plutôt qu'il vous dérange. C'est ça, hein?

— Il ne me dérange pas du tout, simplement que j'estime qu'un livre est fait pour être lu, et non pas pour servir à je ne sais quelle magie noire ou blanche.

— C'est pas de la magie, c'est de la confiance! Vous ne connaissez pas ça, la confiance?

— Bien sûr, j'ai confiance en moi, confiance dans ma famille, mes amis, dans la raison, le bon sens commun, pas dans un livre.

— Je n'ai pas confiance dans un livre non plus, celui-ci n'était là que pour marquer la confiance que je porte à celui dont il est question à l'intérieur.

— Pourtant et justement on ne connaît celui-ci que par ce livre, non?

— On verra bien demain.

— Qu'est-ce qu'on verra demain?

— Vous verrez... Est-ce que je peux ravoir le livre, s'il vous plaît.»

Le ton de Nathan implique plus une sommation qu'une requête. Brenda ne s'y trompe pas mais croit pouvoir argumenter sur un autre point:

«Ce n'est pas le livre en tant que tel qui me dérange, c'est l'hygiène. Tu ignores qui a touché ce livre et tu mets ta main blessée dessus, sans parler du prochain qui l'ouvrira, est-ce que ce serait agréable pour lui de savoir...

— J'ai dit que je faisais confiance à ce livre, aussi je ne pense pas qu'il puisse me faire du mal. Et puis vous vous leurrez vous-même si vous vous dites que c'est par hygiène que je ne dois pas l'utiliser.

— Oh! Fais comme tu voudras, après tout, c'est ta main...

— C'est ça, c'est ma main.»

À peine a-t-elle passé la porte qu'il replace la bible sous sa main, fier d'avoir remporté une victoire sur ce que, sans vraiment en connaître le sens, mais comme il l'a souvent entendu dans la bouche du Pasteur, il nomme le paganisme. «*Elle va finir par m'énerver, elle, avec son air de tout savoir de la vie parce qu'elle porte une blouse blanche. Confiance dans la Raison... Quand est-ce qu'on a vu la Raison venir à bout de nos désirs, c'est stupide!*

Si la Raison ne vient pas à bout des désirs, d'après ce qui s'est passé ce matin, faut croire que ta foi n'est pas tellement plus forte.

J'ai jamais dit qu'elle était forte, par contre je voudrais bien qu'elle le soit.»

Certain à présent que le fait d'avoir «*défendu la cause du Seigneur*» face à l'auxiliaire et aussi à lui-même, lui vaudra bien une «récompense» et fort de cette assurance, il se rendort rapidement.

Évidemment, son premier mouvement en s'éveillant dans la clarté naissante de l'aube est de regarder sa main. Celle-ci offre toujours la même apparence, cependant il lui semble qu'il y a quelque chose de différent. Quoi, il ne saurait le dire, mais il n'est pas déçu. Il est certain que quelque chose a eu lieu. «*Dans tout miracle, se persuade-t-il, il faut s'aider; il est évident que la croûte ne pouvait pas s'envoler comme ça au milieu de la nuit, non, ce qu'il s'agit maintenant de savoir c'est ce qu'il y a dessous.*»

Joignant le geste à la pensée, du bout des ongles de sa main valide, il commence à écorcher la «croûte» aux allures de carapace. Il lui faut presque une minute pour dégager quelques milli-mètres carrés qui laissent apparaître une surface neuve d'un rose vif nettement plus encourageant que le brun verdâtre nauséeux. «*Il me faudrait quelque chose pour ramollir cette cochonnerie et la décoller plus facilement, raisonne-t-il, comme ce que Maman emploie pour nettoyer les plaies, comment ça s'appelle? Ah oui,*

368

peroxyde d'hydrogène. Oui, du peroxyde, ça devrait nettoyer toute cette... C'est certain qu'ils me laissent avec cette croûte pour me garder ici. Je suppose que dans le coin ils doivent pas avoir beaucoup de patients à se mettre sous la dent, ils veulent rentabiliser leur hôpital. Eh bien non! Pas avec moi! Enfin j'exagère peut-être en leur prêtant ces intentions-là, mais il n'empêche que pour ma main j'ai raison. Qui va me donner du peroxyde? Jamais les infirmières voudront.» Comme pour vérifier son raisonnement, il actionne sa sonnette et peu de temps après, il est encore trop tôt pour qu'elle soit remplacée. Brenda apparaît.

«Un miracle à signaler? demande-t-elle d'emblée.

— Oui, mais il me faudrait un peu de peroxyde d'hydrogène pour le prouver.»

Pendant quelques instants, elle le regarde sans comprendre. Lui, durant ce temps, prend conscience une nouvelle fois qu'elle ne porte pas «*grand-chose*» sous sa blouse. Il est troublé.

«Du peroxyde? reprend-elle, mais pour quoi faire?

— Je ne peux pas le dire, ça fait partie du miracle.

— Nathan! Pour qui me prends-tu?

— Pour une infirmière qui doit veiller au confort de ses malades, c'est pour ça que je vous demande du peroxyde. Qu'est-ce que vous voulez que je fasse de mal avec ça, une bombe? Croyez-vous que je veuille le boire? Pour me suicider peut-être? À propos, on a constaté que les antidépresseurs, c'est peut-être pas ce qu'il y a de mieux pour soigner les blessures morales?»

Nathan ignore que c'est Brenda qui a *trouvé* l'accidenté; aussi ne comprend-il pas pourquoi les yeux de la jeune femme s'embuent. Néanmoins, conscient d'être sûrement pour quelque chose dans cette réaction, il demande en quoi:

«J'ai dit quelque chose qu'y fallait pas?»

Cherchant à dissimuler son état, Brenda bat rapidement des paupières plusieurs fois de suite et néglige la question de Nathan:

«Que veux-tu faire avec du peroxyde?»

Maintenant qu'il a remarqué qu'elle peut avoir des larmes dans les yeux, elle lui semble différente, quelque chose en elle lui rappelle une certaine fragilité qu'il a remarquée aussi bien chez Rose-Ange que chez Jolene ou Missy, une chose immatérielle aussi précieuse que fragile et que, selon ce qu'il ressent, sa condition de garçon fait qu'il pourrait l'abolir, l'effacer par simple inadvertance. Il veut comprendre:

«J'ai dit quelque chose de mal et ça vous a chagrinée? J'ai... je vous ai fait de la peine, c'est ça?

— Mais non...

— Mais oui! J'ai dû... provoquer une *réaction chimique*, laquelle?

— Décidément, ça t'a marqué.

— C'est normal! Me dire que ce que je peux ressentir est le fait d'un mélange d'enzymes quelconques, ça rabaisse un peu.

— Pas tout le temps, pas tout le temps. Si je te disais...

— Quoi?

— Inutile d'entrer dans les détails, disons simplement que lorsque les gens agissent envers vous de façon négative, c'est plus facile de se dire qu'il s'agit d'un accident biochimique.»

Cette affirmation rappelle aussitôt à Nathan son drame familial. Il constate que, placés sous l'éclairage d'un «accident biochimique», les actes commis par le Pasteur sont un tout petit peu plus «*pardonnables*». Mais le même éclairage porté sur ce qu'il ressent pour Missy devient trop terre à terre, trop stérile pour être acceptable. Tendu par le ressort qui force chacun à défendre son point de vue et parfois à l'imposer, surtout lorsque celui-ci se heurte à un autre qui risque de déstabiliser toute une façon de penser, Nathan secoue violemment le chef:

«Plus facile à accepter peut-être, mais si c'est vraiment le cas, alors que tout parte tout de suite en fumée...

— Et voilà! Voilà bien ceux qui clament que l'amour ou la haine sont des sentiments tellement élevés qu'ils ne peuvent être physiques. Mais en réalité ce n'est pas l'amour que vous aimez, c'est l'idée. La preuve, vous êtes prêt à tout envoyer promener si ça ne correspond pas à ce que vous souhaitez.

— À quoi ça servirait?

— Est-ce tellement important de savoir à quoi peuvent servir les sentiments?»

Dérouté, certain qu'il doit y avoir des arguments mais n'en trouvant pas d'assez percutants, Nathan, pour reprendre la parole, revient à ce qui l'a amadoué chez Brenda tout à l'heure:

«Et tout à l'heure, pourquoi aviez-vous de la peine?

— Eh bien... eh bien, j'avais de la peine pour ce jeune type qui s'est fichu en l'air, voilà, c'est simple.

— Ah, on aurait dit que j'avais dit quelque chose...

— Tu m'y as fait repenser, c'est tout.

— Ouais, vous avez peut-être raison... L'important c'est d'avoir des sentiments, des bons évidemment.

— Ce que tu peux être *sérieux*. Si tu restes dans la région ça ne m'étonnerait pas qu'on se revoie ici dans quelques années pour cause d'ulcère. Bien, tu disais du peroxyde?

— Oui, ça m'aiderait à vous prouver qu'il y a quand même autre chose.

— Je ne vois vraiment pas ce que tu peux vouloir faire avec, mais enfin, si tu y tiens...

— Merci, Brenda.»

Sitôt en possession de la bouteille, il s'enferme dans la salle de bains et entreprend patiemment d'ôter la croûte. Par moment, soulevant un morceau, il se rend compte, lorsque le sang perle, que la nouvelle peau n'est pas reformée, il contourne et enlève ailleurs. Il lui faut presque trois quarts d'heure pour en venir à bout. Mais au terme de ce délai, avec une joie non dissimulée, il contemple sa main retrouvée. Ses cinq doigts sont bien là. Il est incapable de les bouger, mais il est certain qu'avec de l'entraînement ça reviendra. À part les petits îlots de croûte qu'il a laissés pour permettre à la peau de se reformer complètement, toute sa main est couverte d'un nouvel et mince épiderme extrêmement doux au toucher. «*Quand elle va voir ça,* se dit-il en pensant à Brenda, *elle sera bien obligée d'admettre qu'il y a autre chose que la chimie.*

Peut-être que de toute façon tu aurais obtenu le même résultat sans la bible?

Jamais! Maintenant que le miracle s'est produit, je ne vais pas commencer à me dire que peut-être... Non, jamais!»

Il est déçu en voyant la tête que fait Brenda lorsque, gonflé de certitude, il lui présente sa main.

«Zut! tu n'aurais pas dû faire ça! fait-elle avec reproche, dans un jour ou deux, ce serait tombé tout seul et la peau aurait été complètement reformée. Ne dis pas au docteur que je t'ai donné le peroxyde... J'aurais dû me douter. Enfin, puisque le mal est fait...

— C'est faux! Si je n'avais rien fait, je serais resté avec cette croûte jusqu'à la fin des temps. Vous refusez d'admettre.»

Il ne dit pas cela sous forme de question, quelque part il se la pose lui-même et, comme pour l'y encourager, Brenda poursuit:

«Un jour, tu sauras répondre aux questions que tu te poses, même si nos réponses ne sont jamais définitives. En tout cas, ça m'a fait plaisir de te connaître. Je suis en congé les deux prochaines nuits; aussi je ne pense pas que l'on se revoie maintenant que ta main semble en bonne voie de guérison. Et, s'il te plaît, sois un peu plus relax.

— J'essaierai. Merci.

— Allez, salut, Nathan.»

Lorsqu'elle ouvre la porte pour sortir il sent déjà le vent de la liberté, celui de l'évasion qui lui souffle au visage. Un frisson d'exaltation le parcourt. Un élan de joie brute. Ça y est! bientôt il sera de nouveau maître de sa route. Il va de nouveau pouvoir se fondre dans l'immensité continentale, s'y tailler une place. Il y a une fortune qui l'attend, une fortune pour lui et Missy. «*Cette fois,* s'ordonne-t-il, *t'es mieux de ne pas te tromper. Finie la plonge au bout du monde; y a pas d'argent à faire là-dedans. Tu remontes au 402 pour prendre ta paie et tu files là où il y a des acheteurs: la grande ville!*»

372

30

Ça tombe bien, il sort aujourd'hui et hier, pour première visite, il a eu Henry et Anne Greenwood. Ils sont «descendus» en ville faire provisions, profitant pour cela du permis de conduire en bonne et due forme d'un vieux trappeur qui lui, lorsque la solitude lui devient par trop difficile, vient se ressourcer dans les tavernes locales en utilisant le véhicule des Greenwood. Son patron a appris à Nathan qu'ils passeraient la nuit au *Star Light* et que, s'il le désirait, il pourrait remonter avec eux au *402*. «Nous serons au motel jusque vers midi», a-t-il ajouté en signifiant par là qu'eux ne se dérangeraient pas davantage.

C'est vers ce motel qu'il se dirige maintenant, tout surpris de la caresse de l'air frais sur ses joues, légèrement frissonnant, heureux, manœuvrant entre ses doigts la balle de mousse dure que lui a donnée le docteur pour l'aider à récupérer l'usage de ses doigts.

Le *Star Light* est un motel comme tant d'autres, propre, mais le genre que l'on oublie aussitôt après l'avoir quitté. Lorsqu'il se présente au bureau pour connaître le numéro de chambre de ses employeurs, il est accueilli par une femme dans la quarantaine, svelte, presque maigre, aux traits fins, d'un blond naturel très clair touchant presque au blanc. D'emblée, il se demande ce qu'une femme de cette «*classe*» peut faire dans ce motel.

«Anne et Henry Greenwood, dites-vous? demande-t-elle en consultant brièvement son registre, c'est au vingt et un.

— Je vous remercie, je n'ai pas vu leur voiture sur le parking.

— Ah, je les connais, ils viennent régulièrement, le matin ils vont faire leurs courses. Ils vous attendent?

— Oui, je dois remonter avec eux, je travaille au *402*.

— Je vois. Vous pouvez les attendre ici, ils ne devraient plus tarder maintenant. Vous n'êtes pas de la région?

— Non, de la Saskatchewan.

— La prairie, hein?

— C'est ça, la prairie.»

Elle hoche la tête comme si ce mot évoquait quelque chose pour elle.

«Je viens de terminer des petits sablés, lui propose-t-elle, je peux vous en offrir? Vous me direz ce que vous en pensez.

— Je veux bien, merci.»

Les petits gâteaux sont délicieux et dénotent, dans l'esprit de Nathan, le fait d'une gentille personne. Le genre de personne qui dans son subconscient évoque l'ordre, la retenue, quelque chose de printanier dans les couleurs et les parfums. Il imagine sans peine des armoires pleines de linge blanc embaumant la fleur des champs. Il ne la connaît pas, mais déjà il ne peut nier qu'il se sent bien en sa présence. Il s'apprête à mordre dans un second sablé lorsque, bardée de chrome, une voiture bleu ciel d'un modèle démodé vient se garer devant le bureau. Par l'une des larges vitrines Nathan observe l'homme qui en descend, côté conducteur, et gravit les trois marches qui conduisent dans le bureau. Un homme dans la cinquantaine, visage brique, cheveux longs et noirs attachés dans le dos, de toute évidence un «Indien». À peine arrive-t-il devant le comptoir que la femme secoue lentement la tête de gauche à droite.

«Désolé, dit-elle avant que l'homme ne dise quoi que ce soit, le motel est complet.»

Nathan qui, comme l'homme, voit bien que le parking est désert, est surpris.

«Pourtant..., répond l'homme en désignant les alentours du regard.

— En fait, et autant que vous le sachiez, nous n'acceptons pas les gens de couleur.

— Si c'est ainsi...»

Comme si les paroles de la femme étaient tout à fait naturelles, sans rien ajouter, affichant la plus totale résignation, l'homme fait demi-tour sous le regard déconcerté de Nathan qui soudain se sent solidaire de lui et de tous ceux qu'il représente. Il se rappelle soudain son premier passage à Fort Nelson, les deux Indiens dans le hall qui parlaient d'un motel tenu par des Suédois nouveaux venus qui n'acceptaient pas les «gens de couleur». Il ne comprend pas du tout comment une femme avec qui il s'est tout de suite senti des affinités, comment elle a pu aussi froidement, sans l'ombre apparente d'un remords, refuser un client parce qu'il était indien? Peut-être est-ce l'opinion positive qu'il lui a tout de suite vouée qui l'autorise à donner son avis:

«Mais... Vous n'aviez pas le droit de le traiter ainsi!»

La femme le regarde avec douceur et lui sourit d'une façon tout à fait désarmante pour lui.

«Vous êtes jeune, vous ne pouvez pas tout savoir...

— Je sais qu'on ne peut repousser quelqu'un à cause de sa race, c'est... c'est du racisme!

— Pas du tout, simplement de la prévoyance. Et vous avez vu, il ne s'est pas obstiné, il a fait demi-tour. Sûrement vous devez ignorer ce que font ces gens une fois qu'ils ont loué une chambre, ils amènent l'épouse, les enfants, les parents, n'importe qui. Ils peuvent s'entasser à douze dans une chambre, et cela le plus souvent pour de longues périodes. Je vous laisse imaginer dans quel état nous retrouvons ensuite la chambre...»

Nathan se souvient de la nuit qu'il a passée à Watson Lake; sur ce point, il ne peut contredire la femme, mais cela ne lui paraît toutefois pas une excuse suffisante.

«Vous êtes de Suède, je crois?

— Oui..., comment le savez-vous?

— J'ai entendu parler de vous par des Indiens, la première fois que je suis passé dans cette ville...

— Oui, et alors?

— Alors je me demande comment, vous qui venez d'un autre continent, vous pouvez, à peine arrivée dans un nouveau pays d'accueil, interdire votre établissement, public, à des gens dont les ancêtres sont arrivés ici il y a des milliers d'années. Ça me paraît incroyable!

— Personne, absolument personne n'est responsable d'être né

dans un pays plutôt qu'un autre. Mon mari et moi avons choisi celui-ci, cela, nous en sommes responsables et si nous en sommes responsables, nous sommes par conséquent membres à part entière de ce pays et peut-être même plus que d'autres. Par ailleurs, il n'y a aucun préjugé raciste dans cette mesure, nous entendons simplement louer les chambres de notre établissement à des personnes qui s'en tiendront aux règles d'usage, c'est tout.

— Avez-vous des enfants?

— Oui, trois.

— Alors lorsque vous vous retirerez, lorsque toute votre vie vous aurez amélioré ce motel, n'importe qui plutôt que vos enfants pourra en prendre possession puisque, lui, il l'aura choisi. Vos enfants eux ne l'auraient que par droit de naissance, ils n'en seraient donc pas légitimes propriétaires... Quant au reste, c'est une mesure raciste puisque vous déduisez à première vue que, puisqu'il s'agit d'un Indien, il va amener toute sa tribu dans la chambre. (Il croque dans son second sablé.) Je comprends pas, pourtant vous m'avez tout de suite été sympathique.»

Visiblement l'argument de Nathan a porté, un pli horizontal barre le front de la femme qui semble chercher une réplique, autant pour son bénéfice que celui du garçon qui vient de lui avouer la première impression qu'elle lui a faite. Lorsque quelqu'un, même un jeune homme, vous trouve «sympathique», c'est affligeant de penser qu'on peut le décevoir. Il n'y a pas très longtemps, un client de passage, un «monsieur bien», lui a affirmé que «déjà au temps du Troisième Reich, nombre d'Européens se trouvaient toutes sortes d'idées *généreuses* pour justifier l'ostracisme infligé aux peuples tziganes, juifs, arméniens ou autres». C'est difficile d'accepter le fait d'être implicitement catalogué avec ces *généreux Européens*. Comment expliquer que cela n'a rien à voir avec la malheureuse tenue d'un motel à la frontière du Yukon? Et c'est la réplique toute simple qu'elle veut formuler lorsque Nathan, qui vient d'apercevoir le break des Greenwood, se lève pour aller à leur rencontre.

«Merci pour les sablés, lance-t-il à la femme en s'arrêtant sur le seuil avant d'ajouter: et pensez à ceux grâce auxquels nous avons le plaisir de trouver des coins de pays encore vierges, imaginez si ç'avaient été des Européens qui soient arrivés ici il y a quinze ou vingt mille ans... le Nouveau Monde serait aussi vieux que l'ancien.»

Il trouve les Greenwood avec une mine encore plus lasse et défraîchie qu'à l'habitude. En pénétrant à leur suite dans la chambre, il comprend tout de suite pourquoi. Partout traînent des bouteilles vides; ils ont dû passer leur temps à boire. Un élan de pitié le gagne et, bien que sachant que c'est tout à fait ridicule, il se culpabilise de savoir qu'il va bientôt les abandonner. «*Qu'est-ce que je pourrais faire d'autre de toute façon? Je suis trop vieux pour leur donner l'illusion d'avoir retrouvé un fils, et puis ça m'intéresse pas du tout, je ne suis pas responsable.*»

Il sait que cet hiver, pour la première fois, ils se retireront durant la saison difficile «quelque part, plus au sud, plus au chaud, dans une pension pas trop chère». Il les imagine passant jour et nuit vautrés sur un lit grinçant ou se berçant mollement dans des fauteuils usés, vidant bouteille après bouteille, marmonnant des phrases incompréhensibles, ne se nourrissant plus, sinon à l'occasion de conserves déficientes, jusqu'à... jusqu'à ce que leur corps fatigué n'en puisse plus, qu'un premier d'entre les deux tombe, laissant l'autre dans une détresse encore plus profonde, seul, irrémédiablement seul, et cela malgré tout l'alcool ambré incapable depuis déjà longtemps de procurer l'ivresse qui autorise l'oubli. Il a souvent vu cela à Bluestone. D'abord on remarque que la peinture extérieure de la maison commence à s'écailler, puis rapidement tout semble aller à vau-l'eau.

Le troisième personnage, le conducteur, qui se prénomme Russel, apparaît à Nathan comme une pâle copie de Jack Conroy. Sous une apparence extérieure comparable, alors que le chercheur d'or possédait un charisme fort, celui-ci paraît dépourvu de personnalité, et, comme s'il le savait, tente d'y pallier en débitant sans cesse des blagues douteuses ayant pour principaux protagonistes, s'ils ne sont pas noirs ou indiens, d'hypothétiques habitants de Terre-Neuve ou du Québec, chacune ponctuée d'un éclat de rire graveleux certainement destiné à donner le ton.

Lorsqu'ils quittent le motel, Nathan a un regard en direction du bureau en pensant à cette femme qu'il était prêt à parer de toutes

377

les qualités. Encore à présent, malgré ce qu'il sait, il ne peut s'empêcher de la considérer comme une personne sympathique. «*Est-ce normal?*»

Passé les dernières habitations de Fort Nelson, avec les blagues de Russel comme bruit de fond, il laisse son regard errer sur le rempart que dresse la forêt de part et d'autre de la route. Cette forêt dans laquelle, lors de son premier passage, il a connu les moustiques, le sous-bois déroutant et la mousse rafraîchissante. Ici, dans le confort de la voiture, il en oublie les inconvénients pour ne s'en rappeler que la dimension pathétique et mystérieuse. Assise à l'arrière, à ses côtés, Anne Greenwood remarque la façon dont il observe le rideau sylvestre.

«Tu as l'air perdu dans tes songes?

— Hein? Non, non, je regarde dehors, c'est tout.

— Tu dois être content d'être sorti de l'hôpital. Ta main, ça va à présent?

— Bah, à vrai dire, ça commence à me démanger sérieusement.

— Je vois ça, t'arrêtes pas de te gratter. Arrête, il faut laisser à la peau le temps de se reformer. (Elle attrape son sac à main posé entre eux et en retire un flacon de comprimés à la codéine dont elle et son mari ont l'habitude de se gaver. Elle en extrait deux qu'elle tend à Nathan.) Tiens, avale ça, ça calmera tes démangeaisons.»

Comme Nathan garde les comprimés dans le creux de sa main, elle attrape une canette de bière d'un *pack* posé à ses pieds et la donne au garçon.

«Pour faire passer», offre-t-elle.

Depuis que toutes les *recettes* contre les brûlures ont causé l'infection de sa main, il s'est lui-même mis en garde face aux médications venant de tout un chacun, mais, ne voulant pas la blesser, il ouvre la canette et fait passer les comprimés à l'aide de grandes lampées fraîches et mousseuses. L'effet ne tarde pas à se faire sentir, le mélange alcool-codéine lui procure, outre un apaisement notable des démangeaisons, une euphorie qui teinte ses pensées de couleurs vives.

«C'est chouette! Ça ne démange plus», assure-t-il bientôt à sa voisine, plus désireux d'exprimer son humeur exaltée que le principe analgésique du produit.

Alors que jusqu'ici il n'avait pas prêté attention à la musique venant du lecteur dans lequel Henry a introduit une de ses nombreuses cassettes country, voici que ses oreilles attrapent chaque note au vol, et que son cerveau les amplifie, les prolonge, leur associe des images joyeuses et entraînantes. Et il trouve cela des plus à propos lorsque Henry, qui vient d'avaler une longue rasade de whisky directement au goulot, passe la bouteille à sa femme, et qu'ensuite celle-ci la lui tend à son tour:

«Tiens, ça ne te fera pas de mal.»

Quel bonheur d'être entre de si braves gens qui savent comment prendre la vie. Quel plaisir d'être là, entre rien et nulle part, à écouter ces chansons qui parlent de si beaux sentiments, c'est à pleurer de tendresse. Et puis ce liquide doré qui réchauffe le corps et l'âme... Il trouve parfois que la bouteille est longue à lui revenir. Ça ne doit pas être rigolo pour Russel à l'avant qui, lui, parce qu'il conduit, n'a le droit que d'humecter ses lèvres de temps en temps. Qu'il se sent heureux tout à coup, c'est facile dans le fond, il suffit d'un peu de whisky et le tour est joué. C'est stupide de s'en priver.

«Eh bien dis donc! t'as l'air d'aimer ça, constate Anne Greenwood en s'esclaffant.

— Et comment!

— Y a pas de raison autrement, affirme Henry en se retournant, c'est le propre de l'homme: la chasse, la boisson et les femmes. Aimes-tu les femmes, petit?

— Je les adore!

— Aimes-tu la chasse?

— Non, tuer, j'aime pas ça.

— Ah! Ah! un sentimental... T'as raison, y a que des brutes comme Russel pour prendre leur pied à piéger de pauvres petites bêtes qu'ont jamais fait de mal à personne. Dans le fond, on devrait l'enfermer. Et la boisson, tu aimes?

— Terrible! Terrible! Terrible!

— Tu vois ce que je te disais, femme?

— Qu'est-ce que je dois voir, Henry?

— Ben... qu'les gars, c'est la boisson et les femmes. Hé,

garçon, t'es pas chanceux finalement parce qu'en frais de femme, y a pas grand-chose à se mettre sous la braguette dans le coin, tu vas devoir inviter la veuve poignet. Pas vrai, Russel?

— Vrai! répond celui-ci, goguenard. À propos savez-vous pourquoi ils manquent de sexe au Québec?

— Non mais tu vas nous le dire, rigole déjà Henry.

— Parce qu'y se séparent. Ah! Ah! y se séparent!»

Même ivre, Nathan ne le trouve pas drôle; toutefois, pour ne pas casser l'ambiance, il feint de rire, ce que remarque sa voisine qui lui fait un clin d'œil et secoue lentement la tête d'un air entendu. De se savoir en complicité avec elle ne fait que renforcer sa conviction de vivre des instants extraordinaires. Il rit de plus belle.

L'euphorie s'est estompée. En arrivant au *402*, Nathan a mal au cœur et n'a plus d'autre idée que d'aller se coucher. Sans même entrer au restaurant pour prendre un café, il se dirige en titubant quelque peu vers sa cabine où, à peine la porte refermée derrière lui, il s'affale tout habillé sur le lit de fer, pousse quelques grognements de désapprobation à son égard puis sombre dans un sommeil très lourd.

La nuit est tombée depuis longtemps lorsqu'il se réveille, toute trace d'ébriété disparue, sinon un léger mal de tête. Pendant quelques minutes, extrêmement lucide, il écoute le silence troublé seulement par le chuintement et les clapotis de la rivière qui, il s'en rend compte, n'a rien changé à son cours, à cause de son absence. «*C'est ça*, se dit-il, *je pourrais mourir que ça ne changerait absolument rien à rien; les ruisseaux couleront toujours dans les rivières, celles-ci dans les fleuves, de même que les étoiles ne changeront pas d'éclat avant des temps géologiques, et cela sans que j'y sois pour quelque chose. Partout, le monde continuera sa course éternelle, je serais mort et puis c'est tout... Pourquoi est-ce que je pense à ça maintenant? Est-ce que je vais mourir?*» Sans en chercher la raison, il se sent la proie d'un malaise autant moral que physique. Prenant de l'ampleur de minute en minute, une horde de fantasmes morbides va de pair avec une douleur irradiant son côté gauche. Sans penser un instant que l'alcool ingéré dans la journée puisse en être responsable, il pense à

Jack Conroy et suppute un malaise cardiaque, un probable arrêt du cœur. Plus cette idée s'impose, plus s'installe la peur qui fait battre le cœur, ce qui renforce d'autant sa crainte que celui-ci *«puisse éclater»*. Dans l'obscurité, il imagine le muscle vermeil qui enfle, qui enfle, puis explose dans une gerbe de sang lourd. Il en anticipe la douleur, puis la chute sifflante dans le gouffre noir. Il est maintenant couvert de sueur, la douleur dans le côté s'est propagée jusque dans le milieu du dos, le cœur bat au rythme d'un tam tam africain. Selon lui, *«tous les symptômes de la crise cardiaque sont présents, c'est exactement comme pour Jack Conroy.»* Il se persuade qu'il n'en a plus pour très longtemps et se demande ce qu'il doit faire du court temps qui doit lui rester, mais la peur trop vive l'emporte sur le reste et l'empêche de raisonner. La lumière! Il lui faut de la lumière, il ne veut pas mourir comme ça tout seul dans le noir. Joignant les gestes à la pensée, il se lève, sort et se dirige à tâtons vers le restaurant; là il va trouver du monde à qui donner ses dernières paroles et de la lumière à emporter dans l'au-delà.

Sitôt franchie la porte de la cuisine, l'éclairage cru des néons le fait ciller. Sitôt aperçu le sourire de Sandy, il prend conscience de toute la supercherie qu'il s'est lui-même montée.

«Un revenant, fait la cuisinière de nuit, dont les mots attirent Pamela dans la cuisine.

— Nathan! s'exclame cette dernière, te revoilà!

— Me revoilà...

— Et ta main? demande Sandy.

— Ils m'ont greffé celle-ci, plaisante-t-il en levant la sienne. On dirait pas, mais il y a à peine deux jours on ne la voyait même pas, ce n'était rien qu'une croûte verte. À ce sujet il faut que je vous signale que pour une brûlure assez grave il ne faut rien mettre d'autre que de l'eau. Il s'adresse à Pamela. Tu es repartie bien vite? J'ai été déçu en me réveillant le matin.

— J'ai pourtant attendu que le médecin en ait fini avec toi, se défend-elle. Ils m'ont dit qu'ils allaient te laisser dormir et aussi que tu devais être tenu à l'écart des microbes; et puis il fallait bien que je revienne...

— Je sais, Pam, je sais. Non, en fait je te remercie de ce que tu as fait pour moi. C'était très gentil.»

Pamela est une jeune femme sensible, ces quelques mots lui font venir une larme au coin de l'œil. Vivement, comme si elle avait à y faire, elle retourne vers le restaurant.

«C'était rien que normal, assure-t-elle sans se retourner.

— As-tu faim? demande Sandy lorsque la porte battante se referme sur la serveuse, t'es tout pâlot. Mais qu'est-ce qu'ils t'ont donné à l'hôpital...»

À ces mots concernant son apparence, la doulcur dans sa poitrine qui s'était estompée comme par magie, se fait à nouveau sentir, l'éclairage de la cuisine semble décliner, l'idée d'une fin imminente resurgit à nouveau. Esquissant une grimace douloureuse, il porte sa main au niveau du plexus. Sandy s'inquiète de ce geste:

«Mal à l'estomac?

— Je sais pas si c'est l'estomac...

— Ça te fait quoi?»

Il désigne son plexus solaire:

«Mal ici, jusque dans le dos.

— Ça, mon vieux, c'est l'estomac.

— Qu'est-ce qui peut provoquer ça?

— N'importe quoi, tu sais, la nourriture, les soucis, le tabac, l'alcool. J'en connais quelque chose, chaque fois que mon père prenait un coup, parfois il pouvait passer toute une nuit à genoux en se tenant comme toi.

— L'alcool? Ah c'est peut-être ça! fait-il avec soulagement.

— Dis-moi pas que t'as pris un coup?

— Bah... un peu, en revenant, dans la voiture...»

Il ignore pourquoi, mais il se sent coupable de l'avouer. Cela n'a pourtant pas l'air d'offusquer la cuisinière.

«Cherche pas plus loin pourquoi t'as mal; essaye plutôt de manger un peu et ça devrait passer. J'ai du pain-de-viande tout chaud, en veux-tu une tranche?

— On peut toujours essayer, si c'est ce qui est au menu du jour, parce que vu que je ne travaille plus ici, va falloir que je paie mon repas.

— Ben voyons donc! Elle baisse le ton. Tu travaillais en dessous de la table, je t'assure que le patron doit être content que tout se soit passé sans ennui, je crois même qu'ils ont prévu que tu ne travaillerais plus, d'ici la fin de la saison et que tu serais nourri et logé en attendant que ta main soit complètement rétablie.

— Tu crois? Vraiment?

— Certaine. Ils vont te ménager, sois sûr. Faire travailler un mineur sans le déclarer, ça va chercher loin ces affaires-là. Ils voudront pas que t'aies à redire contre eux.»

D'abord rassuré sur son état de santé, cette information comme quoi il pourrait, s'il le désire, bénéficier de quelques jours de vacances sur place, lui remonte complètement le moral et cela même s'il sait qu'il ne profitera pas de cette occasion car il est pressé de repartir, de trouver le filon de la fortune qui le ramènera vers Missy; et puis il n'a aucune intention d'exercer une forme de chantage quelle qu'elle soit auprès d'Anne et Henry Greenwood.

«J'ai accepté de travailler à ces conditions, dit-il, ce serait maudit à présent de m'en plaindre ou de vouloir en profiter, ce serait comme un bris de parole.

— Toi alors! t'as de ces idées...»

Il la regarde avec un froncement de sourcils. Que veut-elle dire? Qu'une parole donnée n'a pas d'importance? Soudain, il la voit sous un aspect différent: «*Une gentille fille, oui, mais un peu égoïste, sans... noblesse, sans respect pour soi. Le genre de personne à qui on ne peut pas accorder sa confiance*». Il est tout déconcerté de l'associer à l'une de ces personnes dont il croit pourtant savoir qu'elles forment la grande majorité. Peut-être est-ce de l'avoir déduit par lui-même, et ce pour la première fois, qui lui fait réaliser que d'autres peuvent être différents de lui-même, lui qui jusqu'à présent s'est toujours conforté dans la vague idée que tout le monde devait être plus ou moins semblable. Pour être certain néanmoins de ne pas porter un jugement trop hâtif, il pose la question:

«Tu ne crois pas qu'on doit respecter ses engagements?

— Ouais... mais faut aussi prendre ce qui passe. Ce qu'on prend pas, y a pas personne qui nous le donnera.

— C'est pas certain, et puis de toute façon ce qui compte c'est pas d'attendre mais de donner, non?»

Pour toute réponse, elle éclate d'un rire argentin qui désarçonne Nathan et en même temps l'agace.

«Je vois pas ce qu'il y a de drôle?

— Toi, ta façon de voir les choses, on croirait entendre... un pasteur, tiens!»

Nathan a l'impression qu'il vient de se heurter la tête contre un mur. Presque sonné, il lui faut quelques secondes avant de réagir:

«Je ne suis pas pasteur! T'entends? Je ne suis pas pasteur! Jamais!

— Bon, bon, te fâche pas, t'es pas un pasteur..., tu parles d'une affaire! Tout ce que j'ai voulu dire c'est qu'avec tes idées, tu te réserves des tas de désillusions. Maintenant, moi, ce que j'en dis...»

«*C'est curieux,* se dit Nathan, *c'est la seule ici qui ne se prostitue pas et pourtant je suis sûr que les autres doivent avoir des idées plus... plus élevées.*» Comme il se le demande, Pamela, surtout attirée par leur ton, revient dans la cuisine.

«Qu'est-ce que j'entends? demande-t-elle avec bonne humeur, des chicanes?

— On se chicane pas, fait Sandy, je faisais juste remarquer à Nathan qu'il fallait pas attendre des autres qu'ils nous servent, qu'il fallait se servir. Mais lui il pense que non, que ce qui compte de toute façon c'est de donner...

— Ah...

— Qu'est-ce que t'en penses, toi? lui demande Nathan.

— Rien.

— Comment ça, rien?

— J'en pense rien. À quoi ça servirait de toute façon? Entre ce qu'on pense et ce qu'on fait...

— Alors t'as pas d'idée sur rien?

— Oh oui, je sais par exemple que ce qui motive un bonhomme, c'est son ventre et principalement ce qu'il y a au bout, et ce qui motive une femme c'est de se sentir aimée.

— Tu peux inverser ça et ce serait sûrement aussi vrai, rétorque Nathan. Je connais pas grand-chose aux femmes, aux hommes pas tellement plus, mais j'ai l'impression qu'eux aussi, ils ont besoin d'être aimés.

— Si c'est le cas, ils s'en sont pas rendu compte, répond Pamela avec une moue désabusée.

— Ce sont des prétentieux, l'appuie Sandy. Tiens, par exemple, il y a à peu près un an, je sortais avec un type qui suivait encore ses études. Un jour que je l'attendais dans un centre commercial où nous avions rendez-vous, j'entre dans la librairie pour voir un peu ce qu'on pouvait y trouver, et j'y achète un livre qui avait l'air intéressant: *Mammon*, un truc sur l'histoire de l'argent à travers les siècles, bref un peu plus tard je rencontre mon gars, il regarde le livre que j'ai acheté, et vous savez pas ce qu'il me dit? Il me dit qu'il va le lire puis qu'il m'en fera une courte synthèse à mon niveau. Une courte synthèse à mon niveau! comme si j'étais complètement cruche.

— Qu'est-ce que t'as fait? demande Nathan.

— Bah... pour pas faire d'histoire j'y ai laissé le livre, mais j'ai pas eu ma synthèse, on a cassé avant, il prenait de la coke et j'aime pas ça.

— Ça fait qu'il y a deux types de bonshommes, estime Pamela, il y a ceux qui t'engueulent chaque fois que tu ouvres un bouquin et te disent que ce sont des niaiseries et une perte de temps, je serais un peu de cet avis-là; puis il y a ceux, comme le tien, qui estiment que c'est pas la peine que tu lises parce que de toute façon tu comprendrais rien.

— Il doit bien y avoir un troisième type, soutient Nathan. Personnellement, si j'avais une amie, ça ne me ferait rien qu'elle lise, au contraire! Et jamais j'irais penser qu'elle ne pourrait pas comprendre le livre qu'elle se serait choisi.

— T'es encore jeune et plein d'idées sur toi-même, lui répond Pamela, mais lorsque t'auras vieilli, que tu traîneras ta brioche comme un trophée, et tes vieilles rancœurs comme raisonnement, peut-être que t'auras peur que ta femme ne devienne plus instruite que toi, peut-être bien que tu te foutras en rogne quand tu voudras épancher ton trop plein de libido et qu'au lieu de ça, elle sera plongée dans un film romantique, en train de rêver à un beau mâle, riche, puissant, viril, bronzé et tout et tout. À ton âge, tu peux pas savoir comment tu seras. Tu sais, quand on est au pied du mur, les idées généreuses... C'est ça, vieillir...

— Si c'est ça vieillir, je vous trouve rudement vieilles.

— Peut-être bien que c'est toi qui es rudement jeune, et si ça se trouve, c'est peut-être pour ça qu'on t'aime bien. Tiens! pendant que t'es jeune et que je t'aime bien, je vais te dire un truc qu'on devrait enseigner à tous les jeunes gars de ton âge, un truc que j'ai appris grâce, si on peut dire, à ce que je fais: la queue, oui oui, la queue, eh bien oublie ça; tous autant que vous êtes, vous faites une fixation là-dessus; l'est-y grosse, l'est-y longue, l'est-y ceci, l'est-y cela, qu'est-ce que tu veux que ça y fasse à la fille? Du moment que le porte-queue la remplit suffisamment, ce qui est le cas pour tous ceux qui veulent se donner la peine de bander, et surtout qu'elle ait l'impression qu'il l'aime et qu'elle l'enflamme, le reste... qu'est-ce qu'elle en a à faire si le membre à cinq, six ou sept pouces? T'es tout rouge, ça t'embarrasse ce que je te dis là?

— Non! Non!

— T'as compris ce que je voulais dire?»

Comme il acquiesce du chef, un grondement de moteur sur le parking en avant annonce l'arrivée d'un client.

«Bon, voilà du monde, fait-elle en se dirigeant vers la salle à manger. Réfléchis à ce que je viens de te dire.

— Elle a raison, approuve Sandy lorsqu'ils se retrouvent seuls; j'avais pas pensé à ça, mais elle a raison.

— Peut-être, d'une certaine façon, oui, parce qu'elle voit des tas de queues, elle sait ce que c'est, mais la fille ordinaire, elle, celle qui en a juste vu une ou deux, qui sait si elle sera pas tentée d'aller voir ailleurs s'il n'y en a pas des plus grosses et donc, si c'est ce qu'elle croit, des meilleures?

— Non, vois-tu, là je crois pas. Une fille qui se sent bien avec son type, ça m'étonnerait qu'elle saute la clôture juste pour voir si des fois y aurait pas un pénis plus performant. Ça, c'est un mythe qu'ont beaucoup de bonshommes, et ça les fait devenir jaloux, méfiants et finalement méchants et parfois c'est justement à cause de ça si la femme va voir ailleurs.

— Et toi, as-tu quelqu'un qui t'attend à la fin de la saison?»

Lentement, presque tristement, elle fait signe que non:

«Personne... Elle semble se reprendre. Mais crois-moi, ce sera pas long avant de trouver! Je suis encore présentable, pas vrai?

— Sûr!

— C'est bien vrai ce que tu dis là?

— J'ai pas l'habitude de mentir.

— Même pour faire plaisir?»

Cette insistance le met mal à l'aise, il s'imagine que s'il lui assure catégoriquement qu'elle est *présentable*, elle pourrait comprendre cela d'une façon qu'il veut éviter. Mais, coupant court à cet atermoiement, Pamela passe la tête par la porte battante pour commander un demi-poulet BBQ.

«Un demi-BBQ, c'est parti! clame Sandy avec le même entrain que si elle venait de prendre les commandes de tout un autobus d'affamés. Puis s'adressant à Nathan: Tu peux aller t'asseoir, je fais marcher ton pain-de-viande.»

A-t-elle eu peur de sa réponse?

31

Nathan est parti dans la matinée sans dire au revoir à Pamela et à Sandy; pour la bonne raison qu'elles étaient couchées, mais aussi – et cela il ne se l'avoue qu'à présent – avec le souci inconscient de laisser derrière lui l'espèce d'auréole, toujours romantique à son avis, du «*grand voyageur*», de «*l'aventurier*», et aussi le sentiment d'une perte, celle qui ne manque pas de survenir lorsqu'une personne que l'on a connue s'évanouit de par le monde sans laisser de trace. Il n'est pas du tout navré de penser qu'il peut laisser cette impression dans son sillage, au contraire.

Il s'est levé vers dix heures, est allé déjeuner puis a réclamé son salaire à Anne Greenwood. Celle-ci a fait montre d'un regret apparemment sincère à l'idée qu'il les quitte:

«Tu ne veux pas rester, le temps que ta main se rétablisse complètement?

— Non, merci, je dois partir...»

En véritable femme de l'Ouest, elle n'a pas insisté, lui laissant ce libre arbitre tant révéré en ce pays et qui, pour certains étrangers, peut faire figure d'indifférence. Cette liberté de mouvement que chacun juge essentielle pour lui et, en conséquence, n'a d'autre choix que de reconnaître à autrui.

«Fais bonne route, lui a-t-elle simplement souhaité en lui donnant ses gages.

— Merci, et reposez-vous bien cet hiver», l'a-t-il saluée en voulant signifier par là: «*tâchez de modérer sur le whisky*», sous-entendu: je vous aime bien.

Moins d'une demi-heure plus tard, il est monté dans ce camion appartenant à un surnommé Le Poète, en route pour Vancouver.

«Je m'appelle Louis, Louis Roberge, s'est présenté le camionneur. Comme t'as déjà dû t'en rendre compte à mon accent, je suis un Acadien, du Nouveau-Brunswick, et je suis plus à l'aise quand je parle braillon. Content de pouvoir te rendre service, mais j'te préviens, je suis pas le genre à causer longtemps. De toute façon, tu dois pas avoir tellement envie de causer non plus, je sais que partir c'est revenir en nostalgie.»

Nathan n'a pas eu besoin de se poser de questions à propos du surnom de Louis Roberge. Dans la trentaine, l'homme est entièrement vêtu de denim: veste, chemise et pantalon. Comme tous ses confrères, il est chaussé d'une paire de bottes de l'ouest, mais, contrairement à la plupart, il ne porte pas le chapeau à large bord ou la casquette de base-ball; lui, se promène «nu-tête», les cheveux noirs et raides, coiffés en arrière et plaqués avec de la gomina, à la façon des années 50. Pas très grand, il a le visage rond, lisse, hâlé et à demi dissimulé derrière une paire de lunettes noires, elles aussi à la façon des années 50. Comme il l'a prévenu, Louis Roberge ne parle pas beaucoup, ce qui donne à Nathan tout le loisir de penser à sa destination, mais aussi à ce qu'il quitte. Alors qu'il se laisse entraîner vers le sud à des vitesses dépassant largement les limites autorisées, c'est maintenant qu'il prend conscience du monde qui disparaît derrière lui. Plus il s'en éloigne, plus il le pare d'une auréole de grandeur et de mystère qu'il ne lui avait pas encore donnée jusqu'à présent. Dans le rétroviseur, un lac d'argent entrevu devient le miroir où se reflète, telle une armée pétrifiée et famélique, la lisière d'un sous-bois émeraude qui propage son secret jusqu'aux limites de la toundra ocre, brune, fragile et hostile. Toundra silencieuse, si ce n'est l'appel d'un loup qui, plus que les vents arctiques glaçant les os, propage à l'âme la déchirure d'être seul, implacablement seul. Aussi seul que chaque étoile du cosmos peut être solitaire au milieu des milliards d'étoiles qui l'entourent. «*À moins qu'un jour l'univers ne se recontracte?* s'interroge-t-il. *Alors, toutes les étoiles ne feront plus qu'une... Une avant d'éclater à nouveau. Moi je ne voudrais plus faire qu'un avec Missy, sans risque d'être séparé à nouveau. J'aimerais* bien, un jour, revenir par ici avec elle, lui montrer comme la nature est belle, même si elle paraît n'avoir aucun sentiment à l'endroit de ses rejetons. Il me semble qu'avec Missy tout serait différent, tout cet isolement ne serait plus qu'un cadre. Que faudrait-il pour payer tout ça? Payer? C'est peut-être à ça qu'il pensait, le Pasteur, lorsqu'il disait que l'on vit pour apprendre à s'élever au-dessus de la chair? En tout cas, lui, on dirait bien qu'il a manqué son coup. Qu'est-ce qu'il disait d'autre? Ah oui! Que l'on s'arrête de vivre au moment où l'on a atteint son niveau maximum de générosité, à moins que ce ne soit le point de non retour de la Rédemption. Faut pas être sorcier pour deviner auquel des deux points il était arrivé. Et puis je pense, je pense, mais tout ça ne me dit pas ce que je vais faire.»

En repassant par cette route qu'il a empruntée voici quelques mois en compagnie de George, il a l'impression à la fois de revenir en arrière, mais aussi d'avancer en terrain connu, même s'il n'est passé par ici qu'une seule fois. Bien que rien ne ressemble à ce qu'il a pu connaître à Bluestone en matière de paysage, il a la sensation de revenir chez lui. Il lui faut longtemps avant de comprendre que cette sensation est due au fait de se retrouver dans ce que, dans le Nord, les gens appellent non sans un brin de dédain: «le Sud». Ce n'est pas que le panorama diffère d'avec celui du *402*, non, il s'agit surtout d'un état d'esprit qui, il le sent, est différent. Alors que «là-haut», c'est encore l'Aventure, ici, c'est déjà la vie «normale» avec tout ce que cela présuppose de banalité, de routine et de renoncement. Vancouver? Pourquoi a-t-il choisi d'aller à Vancouver puisqu'un autre camionneur lui a offert la possibilité de se rendre jusqu'à Minneapolis? A-t-il eu peur d'être tenté de s'arrêter au passage pour faire un petit détour jusqu'à Bluestone, jusqu'à Missy? En y repensant, il ne le sait pas très bien. Pourtant, de Minneapolis, il se serait trouvé au cœur du continent, à quelques heures d'une ville comme Chicago et même, pourquoi pas, à partir de là, il aurait pu continuer vers des villes aux noms évocateurs comme Saint-Louis ou La Nouvelle-Orléans. C'est là où sa mère a été en vacances étant jeune fille, elle lui en a parlé avec des éloges. Il revoit encore le pétillement dans ses yeux lorsqu'elle évoquait ce séjour. Alors, ce choix? D'après ce qu'il se souvient – ou veut se souvenir – il a choisi Vancouver en songeant à un article lu sur le journal alors qu'il se trouvait encore à l'hôpital; il y était question d'une ville dont l'ouverture sur le Pacifique, et donc l'Asie, lui garantissait un essor, une croissance et une prospérité exceptionnelle. Et pour l'instant, la prospérité, c'est tout ce qu'il recherche. C'est pour cette raison que, sur un coup de tête, il a opté pour Vancouver, cette ville dont ce qu'il a pu en apercevoir au passage ne l'a pas particulièrement enthousiasmé, du moins pas de la même manière que Calgary. Mais il a l'intuition, à présent, que ce qu'il a ressenti en traversant cette dernière ne devait certainement être rien d'autre qu'une fabulation entièrement sortie de l'esprit d'un garçon s'écartant pour la première fois du vallonnement infini lui ayant toujours servi de décor.

«Vous connaissez Vancouver? demande-t-il à Louis Roberge.

— Une saleté!

— Ah! bon!

— Une cochonnerie!

— Vous n'avez pas l'air d'apprécier particulièrement?

— J'ai rien contre, sauf que pour moi dès que ça dépasse quatre ou cinq cents habitants, c'est pas vivable.

— Ça me soulage, je commençais à avoir peur d'arriver en enfer.

— C'est pas loin, c'est pas loin...»

Au ton, Nathan sent qu'il est inutile de poursuivre cette conversation, déjà l'homme semble replongé dans ses rêveries. Il lui a expliqué tout à l'heure qu'il avait choisi ce métier parce qu'il lui permettait de rêver tant qu'il le désirait. «Il arrive, avait-il ajouté, que le soir venu j'en tire quelques lignes. Un jour, j'enverrai tout ça à un éditeur et, qui sait, mon nom sera peut-être aussi célèbre que celui d'un Jack Kerouac ou d'un Malcom Lowry».

Alors que le camion dépasse les limites de Clinton qui, dans la nuit, ne suscitera pas d'autres souvenirs que quelques taches de lumière jaune triste, il est en train de se faire la réflexion que s'il évite de repasser par chez lui en ce moment c'est surtout parce qu'il n'a encore rien réussi. Il n'aime pas l'idée de revoir Missy sans au moins lui apporter les preuves tangibles d'une réussite. «*Si, même sans le dire, juste parce qu'il est le petit-fils de Cornelius Fairfield, Endicott peut faire valoir qu'il est l'héritier du Ranch C&E, moi je dois prouver que je suis capable de faire fortune par moi-même.*

Tu crois vraiment que ça peut avoir de l'influence sur Missy?

Elle ne se dira sûrement pas: lui est mieux parce qu'il est riche ou lui est mieux parce qu'il est capable de gagner beaucoup et de m'offrir autant, mais, sans qu'elle s'en rende compte, ça doit jouer, c'est forcé. Chacun doit chercher dans l'autre ce qui lui convient. J'imagine que si elle était ronde comme une boule de quille ou vulgaire comme il y en a tant, le genre à jurer, à mâcher de la gomme la bouche grande ouverte, en regardant les gens et les choses avec une moue dégoûtée, je pense pas que je me donnerais beaucoup de mal pour elle, je ne l'aurais même pas regardée, ç'aurait fini avant de commencer...»

L'arrachant à son argumentation intérieure, sur le bord de la route, une silhouette se découpe dans la lueur des phares et agite les bras au-dessus de sa tête à leur intention.

«Crime! Qui c'est ce p'tit bout? s'étonne Louis Roberge. En pleine nuit à part ça!»

Mais déjà il a rétrogradé, les freins couinent bruyamment et finalement le camion s'immobilise à une centaine de pieds au-delà de la silhouette, une adolescente, se sont-ils rendu compte au passage. Elle les rejoint presque immédiatement, grimpe sur le marche-pied et apparaît dans le cadre de la portière que vient d'ouvrir Nathan.

«Pouvez-t-y m'prendre, s'y vous plaît? Y fait noir comme chez l'diâbe et j'commence à m'morfondre.

— Qu'est-ce tu fais là au milieu de la nuit? C'est pas une heure pour que les demoiselles se baladent sur le bord de la route.»

Elle hésite quelques instants avant de répondre, quelques instants durant lesquels elle paraît évaluer si elle doit dire toute la vérité, quelques instants pendant lesquels ils la détaillent, éclairée par la lueur du plafonnier de la cabine. Elle est jeune, seize ou dix-sept ans, plutôt petite, ses cheveux noirs séparés par une raie au milieu tombent jusqu'aux épaules, de chaque côté d'un visage aux traits assez durs que font oublier de grands yeux, très noirs, eux aussi, et une petite bouche vermeille, ronde et charnue. Elle est vêtue de jeans noirs, étroits et de ce qui semble être un débardeur de coton rouge sous un spencer noir. Elle transporte un sac de sport en nylon vert et rose fluorescents

«J'suis partie d'la maison, l'père a encore pris un coup et y bardasse pas mal. C'te fois, j'ai préféré sacrer le camp avant qu'y... Voyez c'que j'veux dire...»

Impossible de dire si elle brode. Est-ce une histoire pour apitoyer, est-ce une vérité réchauffée ou est-ce tout simplement son histoire?

«Et où veux-tu aller comme ça?

— Ben j'voudrais ben aller chez ma sœur qui travaille à Vancouver, mais à cette heure, j'irai n'importe où...

— C'est qu't'as l'air toute jeune, dit Louis Roberge, davantage pour l'évaluer que pour vraiment poser une objection, je veux pas être accusé d'enlèvement de mineure, moi.

— Vous craignez rien avec moi, j'suis pas le genre à aller conter mes misères aux bœufs, si j'étais d'même y en a que j'connais qui seraient en cabane d'puis longtemps.

— Bon, ça va, mais va falloir que tu t'installes dans le *bed* à l'arrière, comme tu peux voir y a pas de place en avant.

— Pas de problème pour moi, au contraire, j'pourrai faire un p'tit dodo. J'connais ça, les *trucks*, mon oncle en a un.»

Sans attendre d'autre invitation, elle grimpe la dernière marche, passe devant Nathan en se courbant, claque la portière derrière elle et se faufile sur la couchette à l'arrière.

«Au fait! Vous allez où? demande-t-elle, alors qu'assise sur la couchette entre eux elle ôte ses bottes.

— Chez ta sœur, ça te va? propose Louis Roberge

— Vancouver! Super! Moi c'est Sherilyn, leur apprend-elle en reculant pour s'installer dans la position du lotus.

— Salut, Sherilyn, moi c'est Louis et lui c'est Nathan. Si tu veux dormir et être tranquille, t'as juste qu'à tirer le rideau et t'allonger.»

Mais elle a plutôt l'air enclin à bavarder:

«Ouais, merci... Un chouette camion qu'vous avez là. Vous êtes deux chauffeurs? Elle s'adresse directement à Nathan dans son dos. Ou toi t'es un apprenti? T'as l'air jeune.

— Non! non! fait Louis en riant, lui est comme toi, un passager du hasard.

— Un passager du hasard! vous avez des jolis mots, vous!

« — Comme tu vois.

— Toi aussi, tu vas à Vancouver? demande-t-elle à Nathan avec ce ton de bonne entente que l'on emploie en rencontrant quelqu'un partageant un sort semblable.

— Oui, mais ne me demande pas pour quoi faire, je le sais pas encore.

— D'où tu viens?

— Saskatchewan, enfin avant, comme c'est là, j'arrive du Yukon et Louis, lui, il revient d'Alaska.

— L'Alaska! ça fait toute une trotte!

— C'est rien ça, ma belle, claironne le camionneur, après Vancouver je repars pour Newcastle, Nouveau-Brunswick.

— Ah.»

La réaction de la passagère laisse penser à Nathan qu'elle doit ignorer où se situe exactement le Nouveau-Brunswick. Louis Roberge semble en arriver à la même déduction.

— Tu sais où c'est? demande-t-il.

— C'est d'l'autre bord du Québec, non?

— C'est juste, approuve le camionneur sans apporter davantage de précision.

— Ça doit être tout un voyage...

— T'aimes ça, les voyages, ma belle?»

Louis Roberge n'a rien demandé d'autre, pourtant Nathan est certain que le camionneur a engagé une conversation à double sens. Il se sent brusquement mal à l'aise.

«Bah... faut dire que j'ai pas encore beaucoup mis l'nez en dehors de chez moi, mais j'dis pas qu'ça doit être pénible.»

À Cache Creek, Louis Roberge range son camion sur le parking d'un restaurant ouvert jour et nuit. Un peu plus tard, se retrouvant seul avec Nathan aux pissotières, il lui adresse un clin d'œil complice.

«Qu'est-ce que tu penses de la petite? Mignonne, hein! Avoue que t'y mettrais bien ton affaire y'où je pense?

— Hon... Hon...

— T'oses pas le dire! Ah! Ah! Il baisse la voix. Ça te ferait-y de quoi, si on s'arrête un peu plus loin sur une aire de repos, t'y vois pas d'inconvénient? Quand j'aurai fini, t'auras qu'à prendre ton tour.

— C'est que...

— T'aurais-t-y peur de pas être à la hauteur?

— Non, c'est pas ça, mais... si elle veut pas?

— Pour qui tu me prends? Est-ce que j'ai une tête de violeur? Si elle veut pas, on pensera à autre chose pis c'est tout... Alors?

— Bah... si personne n'est forcé...

— Bon! C'est entendu!»

Attablés à côté d'une grande vitrine qui ne renvoie que le voile gris-noir de la nuit seulement troublée par les feux de position du camion et le halo orangé d'un lampadaire anémique, tous les trois prennent une soupe nouilles et poulet trop salée, un gâteau dit des *anges* trop caoutchouteux et un café qui a dû rester trop longtemps sur le réchaud. La gorge serrée, l'esprit plein d'une confusion faite d'un mélange de désir mal identifié, de dégoût de lui et des autres, de curiosité malsaine, Nathan ne prononce pas un mot et garde le nez penché vers son assiette. Sherilyn, elle, parle sans discontinuer de tout et de rien tandis que Louis Roberge, qui d'un geste large, a annoncé qu'il paierait l'addition, fait semblant de l'écouter avec intérêt. Mais il a suffi à Nathan de ne jeter qu'un seul coup d'œil dans sa direction pour comprendre qu'en réalité le camionneur se repaît déjà.

Reprenant la route, Nathan garde les paupières baissées dans l'espoir bien incertain que s'il reste ainsi rien ne se produira, qu'ils arriveront à Vancouver et que tout restera «*propre*». Pourtant Louis Roberge a repris sa conversation à double sens et, même si Nathan s'efforce de se convaincre que son esprit déforme le sens des réponses de Sherilyn, il lui faut bien se rendre à l'évidence qu'à moins qu'elle ne soit la fille la plus naïve de la création, elle répond positivement aux avances du camionneur. «*Pourquoi?* se demande-t-il, *une fille plutôt mignonne comme elle s'allongerait sous le premier venu? Pamela, c'était pour de l'argent, c'est compréhensible, mais là? Même si elle ne fait rien, elle sait bien qu'elle arrivera quand même à Vancouver. Est-ce que ce serait par envie? Peut-être au fond que les filles c'est comme les gars? Nous on a envie de pénétrer, sûrement qu'elles ont envie de l'être. Si c'est le cas, c'est un peu décevant.*

Pourquoi? Tu penses que les femmes sont des saintes, qu'elles ont l'obligation d'êtres meilleures que toi? C'est stupide! Pense plutôt comme ça doit être plaisant de poser les doigts sur cette fille, d'avoir ton ventre collé contre le sien, la chaleur de sa peau, sa toison..., tu sais, une toison, comme Jolene, humide, chaude...

Merde! Merde! Merde! Mais pourquoi on est toujours fourré dans des situations comme ça? J'ai rien demandé, moi!»

Pourtant, comme pour lui rappeler qu'il a donné son accord, Louis Roberge annonce qu'il trouve la route un peu longue:

«Je crois que j'ai un petit coup de barre, ça te dérange pas, ma belle, si je m'arrête un moment pour m'étendre sur la couchette à côté de toi? Ce serait plus prudent.

— Ça m'fait rien», répond-elle sans *évidemment* faire remarquer qu'en attendant elle pourrait tout aussi bien s'installer sur le siège du conducteur.

Environ un mille plus loin, après avoir «*préparé l'atmosphère*» en insérant dans le lecteur audio du camion une cassette à la fois rythmée et lascive des *Gliders*, que Sherilyn s'empresse de trouver «super!», il gare le véhicule sur une aire de gravier concassé. Un bloc dans la gorge, les mains agitées d'un tremblement qu'il ne peut contrôler, Nathan annonce d'une voix rauque qu'il va «prendre un peu l'air.

— C'est ça, acquiesce le camionneur, après toute une journée là-dedans on a envie de se dégourdir les jambes. Lorsqu'on repartira, tu pourras toujours t'allonger derrière, je pense pas que ça dérange Sherilyn, pas vrai, ma belle?

— C'est vous qui savez, c'est pas mon camion...»

À peine la portière refermée, Nathan s'en veut de ne pas avoir été plus énergique. «*Mon rôle, se reproche-t-il à présent, c'était d'empêcher ça. Même si la fille est d'accord, c'est pas une raison, elle ne sait pas ce qu'elle fait, elle gâche sa vie.*

Tu te racontes de belles paroles, mais ce ne sont que des paroles puisqu'en ce moment tu fais le piquet dehors pendant que l'autre est en train de s'envoyer en l'air. Et toutes ces belles paroles ne veulent pas dire que, toi, tu ne le feras pas.

Non! je ne le ferai pas!

Qu'est-ce que ça changerait? L'autre y est déjà, un de plus, un de moins... Et puis l'expérience, c'est pas mauvais. Quand t'arriveras auprès de Missy, de quoi t'auras l'air si tu ne sais rien faire?

Non! j'ai dit non!»

Il s'est assis sur le banc d'une table de pique-nique, à quelques mètres du camion, se répétant inlassablement qu'il ne le fera pas. Mais plus il se le répète, plus il visualise des scènes qui tendent à lui soutenir qu'il serait *«niaiseux de ne pas en profiter»*. Malgré lui, parfois il regarde vers le pare-brise, comme s'il pouvait apercevoir quelque chose. Une ombre, n'importe quoi qui, il le sait, mettrait le feu aux poudres dans un sens ou dans un autre. Quelque part, cachée derrière un massif montagneux, la lune bleuit la nuit contre laquelle se découpe la silhouette noire et presque décharnée des sapins. Tout est pur, tout est calme. S'arc-boutant sur une partie de ce monde, là où le remugle des passions humaines laisse place aux fragrances vivantes de la terre en gestation, la nuit apporte le sentiment de ce qui est vain et de ce qui durera à tout jamais, et c'est beau. Pourquoi faut-il que dans la cabine...

Un appel de phares, ça doit être pour lui, pour le prévenir qu'il peut retourner au camion. Il aimerait presque mieux rester ici, attendre un autre véhicule. Cependant, poings serrés au fond des poches, incapable à présent de raisonner clairement, il se dirige vers le véhicule, ouvre la portière et se hisse sur le siège. Le rideau est fermé, derrière le volant, éclairé seulement par quelques témoins bleus du tableau de bord, Louis Roberge fait la gueule. Nathan entend soupirer derrière le rideau. Le camionneur hausse les épaules.

«Mademoiselle voulait jouer les délurées, les affranchies, grogne-t-il, ce que Mademoiselle n'avait pas précisé c'est qu'elle avait cru qu'il ne s'agissait que de pelotage, elle se croyait avec les jeunots de sa cambrousse. Peut-être qu'elle s'imagine qu'un homme peut se contenter de faire mumuse avec une paire de nichons. Viarge!

— Qu'est-ce que...? demande Nathan avec angoisse.

— Oh t'inquiète pas, je l'ai pas forcée. Hein, que j't'ai pas forcée?

— Non y m'a pas forcée, fait une voix monocorde derrière le rideau.

— Pourtant j'aurais dû! Des allumeuses comme toi, ça mérite une leçon.

— Elle ne savait pas, plaide Nathan soudain content de se glisser dans le rôle de la défense.

— Elle savait pas quoi? Que lorsqu'on fait bander un mâle, il y a de bonnes chances pour qu'il veuille se mettre? Que maintenant je suis quitte pour avoir mal aux couilles pour le reste de la nuit? Qu'elle se renseigne, crime! avant d'allumer les cierges.

— Elle est jeune, elle pouvait pas savoir, répète Nathan.

— Toi aussi, tu m'as l'air bien jeune... T'es pas déçu, toi, tu croyais pas que t'allais jouer aux fesses?

— Ben... à vrai dire, je trouvais ça un peu...

— Un peu quoi?

— Je sais pas comment dire...

— Arrêtez d'vous chicaner à cause de moi, fait Sherilyn derrière le rideau. J'm'excuse... Oh! et puis si faut l'faire pour régler le problème, allons-y!»

Le camionneur se retourne et regarde le rideau fermé.

«Veux-tu dire que t'es prête à finir ce qui a été commencé? C'est pas des blagues, ce coup-là?

— Vous voyez bien que ça ne la tente pas, s'interpose Nathan de plus en plus fier de lui.

— Eille! Tu peux pas la laisser répondre! Elle est assez grande, non?»

Cette fois, il n'y a pas à s'y tromper, le ton implique qu'il est furieux.

«Ouais, j'suis assez grande, répond-elle avec un mélange de lassitude et d'irritation dans la voix.

— Moi, je dis et je répète que ça la tente pas, se braque Nathan, pourquoi obliger les gens à faire des choses qui les tentent pas? Surtout ça...

— Wo! Je t'ai déjà dit que j'étais pas un violeur, O.K.!

— J'ai pas dit ça, j'essaie juste de replacer les choses à leur place.

— Et c'est quoi la place des choses, Monsieur-qui-sait-tout? C'est où la place d'une bite qu'a été allumée, hein?

— La place des choses, c'est de respecter les sentiments des autres. Quand un homme et une femme font ça, ça s'appelle faire l'amour, il est où l'amour si l'un des deux le fait à contrecœur?

— Eh bien moi j'appelle ça baiser. L'amour, je le fais avec ma femme!

— Vous êtes marié!

— Je te vois venir, tu vas encore me sortir une morale longue comme le bras. Eh bien, oui, je suis marié, j'ai deux enfants, je suis catholique, lorsque j'en ai l'occasion, je vais à la messe du dimanche, je donne pour le chauffage de l'église, les maladies du cœur et les petits Noirs qui crèvent de faim, et aussi j'ai une maison qui est loin d'être finie de payer mais qui a du papier fleuri sur les murs, que je voudrais pas être à la place de celui qui lèvera l'œil sur ma femme, et malgré tout ça, oui, j'ai parfois envie de baiser et pour moi, baiser ça veut simplement dire mettre ma queue dans une bonne femme, sentir son cul frétiller dans mes mains, décharger et c'est tout, même si t'es encore bien jeune pour comprendre ça.

— Ça peut paraître étonnant, mais je comprends, je comprends même très bien. Ça ne m'empêche pas de croire que c'est pas nécessairement bien, et...

— Vous avez fini devant? se manifeste Sherilyn, si faut l'faire qu'on l'fasse et qu'on en finisse. Qu'on baise puisqu'il s'agit de ça.»

Surpris, Nathan regarde vers le rideau de serge marron. «*Qu'est-ce que je fous ici en train d'essayer de convaincre un camionneur de ne pas toucher à cette fille qui n'a pas l'air de savoir ce qu'elle veut?*»

«C'est pour toi que je parle, fait-il à l'adresse de la fille derrière le rideau.

— Mais je rêve! Je rêve! s'exclame Louis Roberge, je lui offre gentiment de lui faire faire un bout de route et comme merci, le voilà en train de me faire la morale.

— Je fais pas la morale, je...

— T'essaies juste de te donner bonne conscience, le coupe Sherilyn sur le mode railleur et cynique.

— Oh et puis merde! Amusez-vous, baisez tant que vous voulez, je retourne faire un tour dehors.»

Joignant le geste à la parole, il ouvre la portière et saute à nouveau du camion. «Qu'ils fassent ce qu'ils veulent après tout, marmonne-t-il en retournant vers la table de pique-nique, je ne suis pas responsable de ce que font les autres. C'est quand même dommage de se démolir comme ça. Qu'est-ce qu'elle va retirer de tout ça sinon de la salissure? Et lui qui est marié...»

«Jolene aussi, elle était mariée.

C'était pas pareil!

Quelle différence? Qu'est-ce qui dit qu'elle aussi n'avait pas juste envie de baiser comme le camionneur?

Tout le dit, ça se sentait!

À moins que ce soit ce que tu as voulu sentir. Si c'est Missy que tu aimes, pourquoi toi et Jolene ç'aurait été différent de ce qui doit se passer dans le camion?

Parce que j'aime bien Jolene, que Jolene m'aime bien!

Et qu'est-ce que tu aimes dans Jolene, elle ou son corps?

Elle! Et puis c'est pareil!

Tu ne crois pas plutôt que ce que tu aimes en elle, ce que tu as aimé et ce que souvent tu espères encore, c'est d'assouvir ton besoin de ce que le camionneur appelle baiser? Admets que lorsque tu penses à elle, il est toujours question de faire l'amour. Admets par contre que lorsque tu penses à Missy il est toujours question d'une espèce de fusion de l'esprit que t'imagines pouvoir atteindre en passant par une totale intimité physique. Avec Jolene, il n'est question que de fusion physique, et même si cela va de pair avec une parfaite entente, au fond, cela n'a rien à voir avec le souhait que tu as de te fondre avec Missy, et ça, même si la fusion n'arrive jamais, c'est de l'amour, le reste n'est que du désir. Reste à savoir ce qu'il faut penser du désir, si, comme le disait le Pasteur, nous sommes sur terre pour nous élever au-dessus de la chair, il est clair qu'il faut lutter contre ou, comme semble le supposer Brenda, nous ne sommes que réactions chimiques, alors là, le désir n'est plus qu'un besoin qu'il serait bête de ne pas assouvir. Curieux quand même que ce soit justement le Pasteur qui, en ayant fait le contraire de ce qu'il disait, fournisse la preuve qu'il n'avait pas tort. Merde! voilà que j'ai envie... C'est obligé, à force de penser à tout ça... Peut-être aussi que je vois trop les choses en

400

noir ou en blanc, que j'oublie les dégradés, peut-être finalement faut-il privilégier le véritable amour tout en gardant quelque part une petite place pour la part des sens. C'est sûrement ce qu'a voulu dire le camionneur. Si on ne leur laisse aucune place, peut-être auront-ils raison de nous comme ils ont eu raison du Pasteur?

En clair, tu es en train de te dire que ce serait plutôt une bonne chose si tout à l'heure, avec cette Sherilyn, tu rendais aux sens la part qui leur revient, c'est ça?

Non! Même si je reconnais que je peux en avoir envie, je sais que ce ne serait pas bien. Elle me fait un peu pitié dans le fond, c'est une pauvre fille, je voudrais bien pouvoir l'aider. Allons! voilà que je veux jouer les chevaliers sans reproche...»

Il est rendu loin dans la voie du preux défenseur de la veuve et de l'orphelin lorsqu'il entend claquer la portière du camion. Ombre chinoise se découpant sur celle des arbres qui eux-mêmes se découpent sur la nuit polarisée par la lune, il aperçoit le camionneur qui va se placer à l'arrière du véhicule pour uriner. Peu après, sifflotant, il vient vers lui.

«Eh bien voilà, fait-il à Nathan, personne n'a souffert, au contraire! Tu devrais y aller, elle est plutôt mignonne, tu sais. Tout à l'heure quand tu disais que ça ne lui disait pas grand-chose tu avais peut-être raison, mais je te jure qu'elle a vite changé d'avis. Allez, vas-y, moi je vais prendre un peu l'air pendant ce temps-là.

— Mais...

— Quoi encore? S'il faut te mettre les points sur les i, t'as qu'à juste lui demander si ça la tente ou pas. Si elle dit non et bien ça finira là, on repartira et c'est tout.

— Je vais lui demander, cède Nathan qui ne sait plus quoi rétorquer.

— C'est pas plus compliqué que ça! Dans l'obscurité il a un sourire railleur que Nathan ne distingue pas. Et puis, si t'es du genre délicat et pointilleux sur l'hygiène, ça calmera peut-être tes réticences d'apprendre qu'elle m'a fini à la bouche, ce qui veut dire, si t'es encore trop ingénu pour comprendre, qu'elle est propre, propre, propre.»

Nathan ne veut pas admettre qu'il y prend garde, mais effectivement cette information lui ôte un certain souci. Il se demande ce qu'il fait en grimpant dans le camion, pourquoi il est aussi faible. *«Pourvu qu'elle me dise non! Pourvu qu'elle me dise non!»* se répète-t-il. Mais le rideau est ouvert et ce qu'il découvre sur la couchette efface en lui tout ce qui n'est pas lié directement au besoin de ce corps. Faiblement éclairée par la lueur du plafonnier de la couchette, elle est étendue, presque inerte, sa peau est si pâle que le seul fait de l'observer procure à Nathan la sensation curieusement agréable d'être un barbare. Il ne peut s'empêcher de comparer les seins à ceux de Jolene qui étaient lourds, voluptueux, presque maternels. Ceux-ci, petits, visiblement durs, parlent de fougue et de verdeur. Il en est de même de la toison nichée dans le prolongement d'un ventre sylphide à l'aspect de marbre. Alors qu'épanouie, celle de Jolene symbolisait pour le garçon mystère et luxuriance, celle-ci, discrète, évoque la biche innocente que le chasseur brutal trouve trop belle pour vivre, la source enchantée, la Faute irrépressible. La tête de la jeune fille repose dans l'éventail noir de ses cheveux, ses lèvres carminées sont figées dans un demi-sourire à la fois triste et charnel, de ses yeux noirs grand ouverts elle le fixe sans autre expression qu'une attente aussi impassible que le cours tranquille des grands fleuves sous la lune. Et tout cela provoque chez Nathan un désir de pierre qu'aucune raison ne serait capable de juguler. Tout ce qu'il ressent est un fantastique besoin de se jeter sur elle et de la mordre et de la goûter et d'entrer, et de se vider en elle. Rien de plus, rien de moins. Il a la bouche sèche et tressaille lorsqu'elle ouvre la sienne pour parler:

«Nathan? C'est ton nom, hein?

— Oui...»

D'un geste vague de la main elle désigne son bas-ventre.

«Alors? Ça te dit?

— OUI!»

Nathan se rend compte que c'est un cri qu'il vient de pousser.

«Et... Et toi? demande-t-il.

— À ton avis?

— J'en sais rien...

— À toi de décider.

— C'est dur de décider dans l'état où je suis, avoue-t-il franchement.»

Alors, comme s'il s'agissait d'un geste aussi banal que de serrer la main, elle tend le bras vers l'entre-jambe de Nathan et, à travers le tissu du pantalon, referme les doigts sur son sexe d'un mouvement évaluateur.

«C'est vrai qu'ça semble sérieux», reconnaît-elle.

C'en est trop pour Nathan et, sans savoir comment, pantalon baissé, il se retrouve sur elle, en elle, sans préalable, sans aucun ménagement. D'abord elle rit, mais ce rire ne désarme pas le garçon, au contraire, il ne fait que renforcer sa faim; puis le rire s'estompe et, comme une fleur noire, il voit s'épanouir au fond des prunelles de Sherilyn ce qu'il provoque en elle. Elle a les lèvres entrouvertes, de la surprise dans le regard et aussi comme une supplique douloureuse. C'est à cet instant qu'il se persuade qu'il la possède et donc qu'il doit certainement l'aimer. Sans plus de ménagement que pour le reste, il plaque ses lèvres sur la bouche entrouverte, la fouille de sa langue, trouve ce qu'il cherche. Pour la première fois depuis des lustres, il n'a pas au fond de lui l'idée immanente de Missy. Sous lui il *possède* une femme, le corps d'une femme devenu celui de toutes les femmes qu'il veut assouvir en même temps que s'y noyer. Bien sûr, tout cela, il ne se le dit pas; tout au plus le ressent-il. Tout ce qui compte à présent c'est d'éprouver chaque parcelle d'elle, de s'activer ensemble, à l'unisson vers une bienheureuse douleur.

C'est fini. Bras et jambes repliés autour de lui, elle rit à présent de bon cœur. Lui n'ose en demander la raison.

Attrapant son pantalon, il vide ses poches à la recherche d'un paquet de mouchoirs en papier, sans remarquer l'œil qu'elle pose sur son portefeuille contenant tout ce qu'il a gagné cet été.

«Je crois qu'on est mieux de s'habiller, faudrait pas oublier où on est.

— T'as raison, l'approuve-t-elle en attrapant son linge en boule au pied de la couchette. Tu disais que tu savais pas c'que t'allais faire à Vancouver?

— C'est vrai, j'en ai aucune idée.»

Louis Roberge n'est pas encore revenu, mais elle s'approche à l'oreille de Nathan pour lui parler:

«On pourrait voir ça ensemble...

— Qu'est-ce que tu veux dire?

— Bien..., pour te dire vrai, j'ai pas de sœur qui travaille là-bas. J'suis partie d'chez moi pour m'trouver un job en ville, c'est tout.

— Et qu'est-ce qu'on pourrait voir ensemble?

— J'ai un peu d'argent, j'imagine que toi aussi, on pourrait mettre en commun au début ça coûterait moins cher, tu crois pas? T'as combien?

— Pas mal, j'ai travaillé tout l'été. Mais dis-moi ce qui pourrait coûter moins cher?

— La nourriture, le logement; une chambre c'est toujours moins cher à deux, et puis maintenant qu'on s'connaît un peu, y aurait pas de gêne...

— Ouais... Faudrait voir...

— Faudrait qu'tu voie tout d'suite, parce que l'autre, l'chauffeur, y m'a proposé de m'emmener jusqu'à Toronto si j'voulais. Autant t'dire tout d'suite qu'ça m'déplairait pas d'aller là-bas, seulement lui il est un peu bizarre et toi tu m'plais bien, alors...»

Encore tout à ce qu'il vient de vivre, sans plus aucune des inhibitions qu'il avait avant d'abdiquer devant la chair, Nathan s'imagine partageant une chambre avec Sherilyn, partageant son lit aussi souvent qu'il le voudrait. «*Et puis si ça coûte moins cher...*»

«D'accord, dit-il avant d'ajouter: Toi aussi, tu me plais bien...

— T'as quel âge, des fois tu parais tout jeune, des fois plus vieux?

— Je vais avoir dix-huit», ment-il carrément puis, il se rend compte aussitôt qu'il s'engage sur une voie sinistre et qu'il songe à revenir sur l'accord de *coopération*. Mais, riante et espiègle, elle s'approche de lui et, dans ce qui se veut sans doute une promesse, lui mordille la lèvre inférieure.

— Ça va être super! affirme-t-elle».

Il se le répète, essayant de faire taire la voix «*fatigante*» qui lui susurre le contraire.

32

Au petit matin, Louis Roberge les dépose à l'intersection de deux boulevards de la zone industrielle du sud de la ville.

«Continuez tout droit au nord et vous arriverez dans le centre, leur a-t-il indiqué. Allez! Sans rancune et bonne chance!»

Le «sans rancune» doit concerner la mauvaise humeur qu'il a manifestée lorsque Sherilyn lui a déclaré qu'elle s'était «arrangée avec Nathan» et resterait à Vancouver. Il n'a plus prononcé une parole du reste du voyage.

À cette heure matinale, le boulevard est presque désert. Au-dessus de la ville, le ciel est d'un rose violacé et laiteux au caractère presque irréel, seuls quelques véhicules aux phares inutiles vont dans un sens ou l'autre vers des occupations que Nathan essaie de se représenter. Étant sans bagage, il s'est galamment chargé du sac de Sherilyn, et, attirés, magnétisés par l'appel du centre-ville qui, croient-ils, répondra à toutes leurs attentes, leur offrira toutes les opportunités, tous deux avancent d'un pas rapide en direction du nord, regard rivé vers la forêt de tours qui, dans leur optimisme candide encore avivé par l'air neuf du matin, incarne ce que ce monde peut offrir de plus prestigieux en architecture, commerce, finance, administration, arts; tout cela et davantage, condensé sur quelques centaines d'hectares pour former ici, comme à Londres, Rome ou New York, l'essence même de la civilisation. Civilisation dont lui rêve de devenir capitaine et elle amante favorisée. Lui songe à un bureau feutré, lambrissé de chauds panneaux de bois exotiques, au profond tapis couleur coquille d'œuf, à des baies fumées bleu acier dominant la ville prodigue, le Pacifique et les hommes-four-mis. Un bureau environné d'une armada de secrétaires mitraillant tous azimuts dans le crépitement incessant des claviers alphanumé-riques et le jaillissement des courbes phosphorées sur les moniteurs; son bureau dans sa tour dont la masse géométrique déchirera l'azur d'où il dirigera son empire, celui qu'il bâtira pour Missy. Sherilyn, elle, songe à des réceptions de cristal, robes du soir *de Paris*, rivières de diamants, pyramides de flûtes de champagne, fins de soirées à l'heure où les autres retournent travailler, retour en voiture scintillante à l'appartement blanc, spacieux, habillé de soieries abricot, payé par un monsieur portant costume romain et foulard blanc au passage duquel s'inclinent les domestiques en livrées blanches et ceux en costumes de série. Ni lui ni elle n'ont conscience du claquement sec de leurs pas sur le bitume du boulevard.

«J'suis crevée, on aurait dû prendre un taxi! déclare Sherilyn après plus d'une heure de marche au cours de laquelle ils ont d'abord franchi de vastes zones d'entrepôts entourées de barbelés, puis des rues et des rues peuplées de résidences toutes différentes dans leur apparence, mais toutes semblables dans leur esprit, traversé le Ruis False sur un pont supportant une voie rapide où filent les voitures maintenant de plus en plus nombreuses et pressées d'atteindre le centre névralgique autour duquel orbite l'existence de leurs occupants, et enfin atteint la limite de ce centre qui les attire.

«On arrive, remarque-t-il.

— J'vois bien qu'on arrive, mais c'est grand en bibitte.

— C'est la première fois que tu viens à Vancouver?

— J'suis venue une fois quand j'étais p'tite. Y a longtemps qu'j'ai décidé que je r'viendrais.

— Qu'est-ce que tu comptes faire?

— Money! fait-elle en levant l'index comme pour faire part d'une grande révélation.

— Faudra que tu m'en laisses, parce que nous sommes deux sur la même ambition.»

Elle lui envoie un coup de coude amical.

«Si tu gagnes le gros lot, j'pourrais m'contenter de l'dépenser, tu sais...»

Il n'est pas sûr si elle plaisante ou non. «*Faudrait pas que tu te fasses d'illusions, ce que je vais gagner c'est pour Missy et personne d'autre. Toi et moi c'est juste...*

Juste quoi? Juste pour les économies ou pour la fesse?

Je crois bien que c'est les deux. Peut-être même davantage sa présence que les économies. Qu'est-ce qu'elle a de spécial pour me faire bander comme ça?

C'est extraordinaire comme tu peux changer de raisonnement, il y a quelques heures il n'était pas question que tu y touches, et maintenant tu t'apprêtes à partager un bout de vie avec pour en profiter. Bravo!

C'est assommant de toujours se poser des questions et se faire des reproches. Voilà que j'ai l'occasion d'avoir un peu de compagnie et aussitôt, ça y est, il faut que je me demande si c'est bien, si ça se fait, si c'est moral. Pourquoi ne pas profiter tout simplement puisque de toute façon, lorsqu'on a le choix, on ne fait que ce que l'on a vraiment envie de faire?

Parle pour toi, tout le monde n'est peut-être pas aussi faible. Il doit y avoir des gênes du Pasteur en toi.

Merde!»

«Et si on mangeait un morceau, propose-t-il. Je crois que j'ai faim.

— Attendons d'être vraiment dans l'centre, y doit y avoir des beaux trucs.

— Plus chers...

— Pour fêter notre arrivée... prenant conscience qu'il malaxe toujours une balle entre ses doigts, elle lui en demande la raison. Pourquoi t'arrêtes pas de tourner cette balle dans ta main? Qu'est-ce qu'elle a?»

Il lui explique.

Au pied des tours de verre, d'aluminium et de béton ils marchent le nez vers le ciel. La présence imposante de ces constructions leur indique qu'ils sont arrivés, qu'à partir de maintenant ils n'auront plus qu'à se servir. Nathan sent des frissons d'excitation dans ses joues. Voilà! Il y est dans la Grande Ville, celle où il pourra rejoindre tous les acheteurs. Oh bien sûr! Il sait qu'il va devoir apprendre la ville, il croit même déjà pouvoir en imaginer toutes les turpitudes; qu'importe, il saura les déjouer! Bien sûr il se dit que, malgré toutes les apparences, tout cela n'est qu'un égout, mais qu'il est passionnant! Un frisson de jubilation le traverse à la simple idée qu'il se trouve au cœur de ce qu'il y a de plus terrible, de plus redoutable, de plus mauvais même, mais que lui, Nathan Barker, saura dominer, dresser, asservir.

«Ça fait drôle d'être là, constate Sherilyn. C'est excitant, tu trouves pas?

— Oui, c'est vrai... Au fait! tu m'as pas dit, à part l'histoire de ta sœur, c'était vrai l'histoire que t'as racontée au chauffeur?

— Sur mon vieux et tout ça?

— Ouais, celle-là.

— Disons qu'elle est vraie, mais au passé. Pourquoi?

— Eh bien je te demande ça... c'est difficile à raconter, parce que chez nous il s'est passé un peu la même chose...

— Ton père et ta sœur?

— Avec mon frère, mon demi-frère...

— C'est vraiment tordu.

— Tu le dis comme si ça ne te choquait pas plus que ça?

— J'sais bien qu'ça n'a pas dû être marrant pour ton frère, mais moi, tu sais, j'ai assez à faire avec mes troubles, tout c'qui compte c'est d'tâcher d'les oublier. À moins qu'celui que t'appelles ton demi-frère, ce soit toi?

— Non! Non! Pas du tout! Pourquoi tu dis ça?

— Parce que si ç'avait été l'cas, on aurait pu s'offrir une... comment y appellent ça déjà? une thérapie mutuelle. Tu vois le genre, moi j'te conte mes misères avec la libido détraquée de mon vieux et toi les tiennes avec celle du tien. J'sais même pas si ça pourrait marcher parce que c'est complètement différent. Pour dire vrai, l'problème, c'est qu'avec mon vieux c'était pas comme on voit dans les témoignages dans les journaux. C'est pas arrivé un jour comme ça: il débarque dans la chambre et baisse ses pantalons, pas du tout! C'est venu petit à petit, gentiment on pourrait dire, si gentiment qu'un beau jour, sans trop savoir c'qui s'est passé, on s'est r'trouvés à poil dans un lit, et même encore là, y a pas eu d'violence, pas d'obligation, pas d'coups d'poing sur la gueule, au contraire! Et c'était bien pire puisque c'était pas

408

déplaisant, enfin... ça paraissait presque naturel, et c'est là tout l'problème, parce qu'avec le temps il a bien fallu se rendre compte qu'tout ça c'était pas vraiment normal... Hé! r'garde, l'p'tit restaurant là, il est pas moche.»

Ils s'arrêtent devant une vitrine de bois à petits carreaux épais et flous, teintés en vert, jaune ou rouge. L'entrée est surmontée d'un auvent de toile à bandes blanches et vertes. Nathan est sidéré par ce qu'elle vient de lui dire.

«Tu veux dire que quand ça s'est passé, t'as... t'as aimé ça?

— Aimé, l'mot est fort mais... ouais. J'sais qu'ça peut paraître curieux, mais l'assistante sociale m'a dit qu'ç'était pas si rare, qu'ça dépendait comment c'était amené, que j'suis normale... On entre ou on entre pas?

— Heu... Allons-y.»

Assis autour d'une lourde table de bois massif, chacun un napperon de lin blanc cassé devant soi, ils observent les lieux et Nathan a la nette impression en comparant leur tenue et celle des divers clients présents de n'être pas à sa place.

«On s'croirait dans *Hight Society* à la TV, fait Sherilyn à voix basse, tu trouves pas?

— Jamais écouté, mais par contre je crois bien qu'on a peut-être pas la tenue qu'il faut...

— Pas grave, ça! C'est eux qu'ont l'air constipé dans leurs p'tits costumes d'exécutants. J'ai lu quêque part qu'les vrais riches, y vont n'importe où habillés comme y veulent. Tiens, r'garde Greg Stanwick, il est pas loin d'être milliardaire lui, eh bien il était en jeans et sandales quand il a été reçu à la Maison Blanche.

— Tu m'as l'air renseignée sur tout ça...

— Fais-moi confiance, j'sais c'qui faut faire pour pas avoir l'air province. J'lis tous les magazines qui comptent, on y apprend des tas d'affaires...

— Moi je trouve que tous ces journaux, toutes ces émissions sur les faits et gestes des gens riches, c'est un peu superficiel.

— Wo... Tu dis ça parce que t'es jaloux ou qu't'es trop fier pour admettre qu't'en fais pas partie...

— Pas du tout! Il se tait comme une serveuse, habillée en

«paysanne russe du dimanche» d'après ce qu'il peut en juger, apporte, sous cloche d'argent, les œufs-bacon commandés. Il change de sujet. J'arrive pas à me mettre dans la tête qu'hier soir on se connaissait même pas, c'est drôle...

— C'est la vie... Elle approche son visage du sien. Si t'avais été différent cette nuit, j'veux dire dans l'camion, on s'rait pas là tous les deux.

— Différent?

— ...Gentil, pas comme les autres... Pas comme l'camionneur par exemple.»

Nathan se raidit, que s'est-il passé qu'il ignore?

«Qu'est-ce qu'il t'a fait?

— Rien de spécial, seulement qu'tu t'es pas comporté comme lui, pas comme beaucoup d'autres, c'est tout.

— Pourtant, j'ai... enfin on a tout fait?

— C'est ça, on a tout fait, ensemble, puisque tu veux des explications, tandis qu'avec lui, comme avec beaucoup d'autres, y faut passer par leurs caprices, tu sais, dans le style (toujours à voix basse, elle prend un timbre masculin:) tu jouis, cochonne, dis-le, allez, dis-le. Ou encore: r'garde si elle est belle, hein qu'elle est belle, suce, suce, dis-moi que t'aimes ça...

— Arrête! Arrête ça! C'est écœurant!

— C'est la vie...

— La vie... la vie... Il semble se souvenir de quelque chose. Tout à l'heure, t'as dit comm*e beaucoup d'autres*... ça veut dire que t'as fait ça souvent et avec beaucoup de partenaires?

— Ça change quêque chose pour toi?

— Non... non...»

Elle lui adresse un sourire qui lui rappelle celui qu'elle avait quand il est remonté dans le camion. Il ne comprend pas comment, là, entre deux bouchées d'œufs-bacon, il peut éprouver une telle flambée de désir.

«Après ça, faudra se trouver un hôtel, fait-il le plus banalement qu'il puisse et cherchant dans ces mots un encouragement de Sherilyn.

— Toi, j'te vois venir!» répond-elle en plissant malicieusement les paupières.

Rassasiés, ils retrouvent la rue qui maintenant est agitée par le ballet incessant des gens et des véhicules. Malgré l'attrait de la ville, malgré tout le café qu'ils ont bu, peut-être est-ce le fait d'avoir bien mangé, ils se ressentent tout à coup du manque de sommeil.

«Cette fois, c'est vrai que j'suis crevée, fait-elle en mettant sa main devant sa bouche en prévision d'un bâillement. Y doit bien y avoir des hôtels, dans c'coin-ci...

— J'ai plutôt l'impression qu'y faudrait s'éloigner un peu du centre, par ici, ça va coûter les yeux de la tête.

— Tu m'as dit qu't'avais pas mal d'argent?

— C'est pas une raison, c'est d'l'argent pour investir, pour en gagner d'autre...

— Justement! Comme on sait qu'l'argent va à l'argent, vaut mieux qu'on reste là où y en a. On a bien plus d'chance de s'trouver des occasions par ici.

— Et si c'est pas le cas, dans trois, quatre jours, on sera sans un sou. Non! Faut être raisonnables.

— Tu veux dire qu'y va encore falloir faire des milles à pied avant de s'trouver un machin minable?

— On pourrait prendre un taxi, en expliquant au chauffeur ce qu'on veut, il saura sûrement où nous conduire.

— J'ai bien peur qu'tu manques de ce grain d'folie qui fait les grands hommes...

— Qu'est-ce que tu veux dire?

— C'est bien connu, y faut être un peu fou pour réussir.

— Je veux bien le croire, mais faudrait pas confondre le grain de folie dont tu parles avec le désir d'avoir tout et tout de suite.»

L'air un peu affligé, elle hausse les épaules.

«Tu dois être un peu pingre, mais en tout cas, faisons comme t'as dit, on verra bien...

— Je suis pas pingre, j'essaie seulement d'être prévoyant.

— C'est c'qu'y disent tous, mais c'te prévoyance-là, pour moi, c'est d'la peur, la peur d'manquer.

— Moi, j'ai toujours pensé que la prévoyance était plutôt une qualité, toi t'as l'air à considérer ça comme une tare?

— C'en est une! Qu'est-ce que tu risqueras si t'as peur de manquer? Et si tu risques rien, ben... t'auras rien.

— D'accord avec toi, mais il n'y a rien à gagner à dilapider ses sous juste pour une question de confort.

— D'accord! D'accord! J'ai dit qu'on faisait comme t'as dit.»

Le ton un peu excédé de la jeune fille attriste Nathan qui se demande ce qu'il a fait pour qu'elle affiche cette attitude négative à son endroit. «*Elle a mauvais caractère, se dit-il, C'est curieux d'être aussi dur avec des gens qu'on connaît à peine. C'est vrai qu'elle a l'air à en avoir vécu de toutes sortes.*

Elle n'est pas la seule, toi aussi tu en as vécu des vertes et des pas mûres. Il n'y a pas que les autres qui ont des misères.

C'est vrai! parce que finalement j'ai aussi eu ma part!»

Le chauffeur du taxi, un gigantesque sikh barbu au turban moutarde, semble avoir compris ce que Nathan recherche et c'est sans prendre garde à la moue dégoûtée de Sherilyn qu'il les dépose à un bloc du quartier chinois, devant une grosse bâtisse cubique aux murs extérieurs en vieille brique noircie par le temps, zébrés par des escaliers d'incendie rouillés.

«Vraiment super, maugrée Sherilyn, et quel nom prestigieux! L'Hôtel San-Francisco...

— L'important pour l'instant c'est d'avoir un lit et un toit sur la tête.

— Ouais... espérons qu'on s'ra seuls dans le lit.

— J'ai pas l'intention de sous-louer une chambre.

— Les puces et les punaises le savent p'têt pas...»

La réception accentue encore l'impression de vétusté et même de décrépitude reçue à l'extérieur. Un cercle de fauteuils fatigués, habités par des personnages sans âge qui paraissent avoir troqué leur âme contre un masque d'indifférence. Derrière le vieux comptoir de bois meurtri par d'innombrables éraflures, un homme dans la cinquantaine, la peau gris-jaune, quelques cheveux d'une teinte indéfinissable, chemise d'un blanc sale saillant sous la poussée d'un bourrelet ventral qui pourrait donner l'illusion d'une bouée, leur demande ce qu'ils veulent:

«Ouais?

— Ce serait pour une chambre, demande Sherilyn qui comprend sur-le-champ qu'elle sera plus à l'aise que Nathan avec cet individu.

— Pour quoi faire? demande l'homme en levant la tête vers les autres et en échangeant avec eux un rictus railleur.

— Pour dormir. Moi et mon frère on vient d'arriver en ville. On a fait un long voyage.

— Avec deux lits alors?

— Évidemment!»

Il leur donne le tarif, explique qu'il y a un lavabo dans la chambre, mais que la salle de bains est au fond du couloir, puis, comme Nathan le paie pour deux nuits, sans même lui faire remplir de registre, il lui tend une clef alourdie d'une étoile en laiton.

«Quatre cent vingt-huit, quatrième étage, oubliez pas de mettre la chaîne de sûreté, on est responsable de rien, et interdit de pisser ou laver ses chaussettes dans le lavabo. Prenez l'escalier à gauche, l'ascenseur marche pas.»

L'escalier en colimaçon grimpe entre des murs d'un brun orangé, l'odeur dominante est celle du tabac refroidi. Au quatrième, ils longent un couloir aux murs bruns, éclairé par une ampoule nue; le sol est recouvert d'un tapis dont la couleur rouge n'est plus apparente que sur les bords, le centre étant complètement usé. Quelques portes sont ouvertes et leur permettent d'apercevoir quelques-uns des pensionnaires de l'établissement, pour la plupart des hommes en bout de piste, portant chapeaux et bretelles, les doigts jaunes de nicotine, la barbe piquante et grise, l'œil humide et froid, absorbés sans réaction par l'écran d'un poste de télévision ou, à travers la fenêtre à guillotine aux vitres poussiéreuses, par le spectacle d'une rue qui n'appartient plus à leur génération.

«Vraiment charmant! fait Sherilyn, un hôtel de vieilles croûtes racornies.

— C'est pas très gentil...

— Comment ça pas gentil? Tu les as vus? Un tas d'vieux grincheux qu'l'égoïsme a conduit là où y sont, seuls.

— On ne sait pas, on ne peut pas juger.

— Toi, t'es trop bon... Bon, voyons voir à c't'heure la suite que tu nous as louée...»

La chambre est comme celles qu'ils ont pu apercevoir du

couloir: petite, triste, avec un papier peint dont, avec le temps, les teintes vives sont devenues rouille et les blancs ont viré à l'ocre, une commode sans style en placage comme il s'en trouve à l'Armée du Salut. Deux lits de fer qui font un creux profond en leur milieu sont recouverts de couvre-lits couleur paille. Comme l'homme de la réception le leur a dit, il y a bien un petit lavabo taché de rouille avec une robinetterie datant d'une époque où l'acier inoxydable n'était pas encore en usage.

«Combien j'te dois pour l'taxi et ça? demande-t-elle comme pour bien faire comprendre qu'il n'est pas question qu'elle puisse accepter *ça* comme cadeau et qu'elle tient à payer sa part afin de pouvoir critiquer tout à loisir.

— Laisse faire, on verra plus tard...

— Non, non, il faut tenir nos comptes, sinon on oubliera des affaires et ça f'ra des histoires.»

Les *comptes* réglés, ils restent assis, face à face, chacun sur un lit, elle l'observant avec ce demi-sourire qui enflamme Nathan et lui se demandant ce qu'il convient de faire; il ne veut pas donner l'impression d'un animal en rut.

«Tu sais qu'tas une belle gueule?», lui dit-elle.

Il ne sait comment interpréter cette assertion, l'éducation qu'il a reçue la rendant plutôt péjorative. Mais le ton de Sherilyn infirme cette impression. Bien que n'appréciant pas outre mesure ce genre de compliment, il fait comme si la remarque lui faisait plaisir «*puisque,* se dit-il, *elle a dû me la faire dans ce but*».

«Toi, tu es superbe, lui retourne-t-il

— Ouais... j'suis pas mal, on m'l'a déjà dit.»

Cette fois Nathan trouve que cette réponse est nettement teintée de vanité; moralement il la réprouve. Cependant, sans comprendre que c'est justement son côté vénal qui le stimule, elle agit sur lui comme un aphrodisiaque dont il n'a pourtant pas besoin.

«Et si on se couchait? propose-t-elle, dès ce soir on pourra partir à la conquête de cette ville.

— Comment comptes-tu t'y prendre?

— Y a pas trente-six solutions, pour une femme sans diplôme mais pas trop mal tournée: il faut séduire.

— Séduire?

— Bah! Qu'est-ce que tu crois? Que j'suis venue ici pour servir aux tables, faire des ménages ou décortiquer du poisson?

— Doit bien y avoir autre chose...»

Tout en parlant, elle a fait glisser son pantalon, l'envoie à travers la pièce jusque sur la commode, puis se lève devant lui, en petites culottes, jambes nues, toujours vêtue de son spencer et de son débardeur. Elle prend la pose devant lui, un pied ramené sur l'autre, bras levés, mains croisées derrière la nuque.

«Non, fait-elle, y a rien d'autre, juste ça... J'te fais pas d'effet?

— Si...

— Tu vois! Pour s'imaginer l'unique propriétaire de ce cul, y en a sûrement plus d'un qui est prêt à payer bien plus que tout ce que je pourrais gagner à faire reluire des chiottes ou à servir des hamburgers.

— C'est de la prostitution... J'ai rien contre mais...

— Wo! Une pute ça loue son corps à taux fixe, moi c'que j'propose c'est d'meubler agréablement une existence solitaire, avec tout c'que ça comporte de fidélité ou autre machin du genre...

— Bref tu te cherches un mari riche?

— En tout cas quelqu'un qu'aurait envie d's'occuper d'moi.

— Y a pas beaucoup de sentiments dans tout ça...

— Les sentiments! Les sentiments! Des niaiseries! Crois-tu que parce qu'il aura des p'tites fesses bien moulées dans une paire de jeans à la mode et qu'y fera gronder les cylindres d'un bolide à trois sous, j'vais m'laisser embobiner par un tuyauteur-soudeur qui, dès qu'y m'aura passé la bague au doigt et se s'ra lassé de vivre l'grand coup d'foudre, n'aura rien d'plus pressé à faire que d'aller r'joindre d'autres tuyauteurs-soudeurs à la taverne, d'rentrer fin soûl, d'soigner sa panse, d'beugler hourra quand son club de hockey ou de base-ball marquera et d'se croire tellement héroïque parce qu'il aura réussi à négocier les meubles et la roulotte sur trente ans qu'y s'pensera autorisé à m'balancer des taloches pour un oui pour un non. Merci bien! P'têt qu'un plus riche f'ra les mêmes affaires dans un autre genre, qu'il ira au club ou à l'amicale au lieu d'aller à la taverne, qu'y boira du cognac plutôt que d'la bière, s'intéressera au polo ou j'sais pas quoi plutôt qu'au hockey, qu'y m'f'ra sodomiser par un nègre plutôt que d'me tatouer des lunettes de soleil autour des yeux, mais en tout cas j'aurai pas besoin d'aller pointer l'matin dans une fabrique ou un restaurant pour joindre les deux bouts. Et si j'ai pas besoin d'aller, comme tu dis, m'prostituer au boulot pour quêques sous, p'têt que j's'rai d'bonne humeur, qu'ça déteindra sur mon bonhomme, et qu'si on est content tous les deux, p'têt alors qu'ce s'ra vrai qu'on s'appréciera et même, pourquoi pas, qu'on finira par s'aimer; ça s'est d'jà vu.»

Nathan se demande ce qu'elle fait ici, dans cette chambre avec lui, si elle est venue en ville pour se trouver un bon parti. Il voudrait le lui demander, le lui reprocher, mais il se rend compte qu'elle ne lui a rien promis d'autre que de partager les dépenses. Et puis aussi, s'il se fâche ou simplement se montre moralisateur, peut-être va-t-elle le laisser là? La faim qu'il a d'elle le contraint à ne pas risquer cette issue; encore une fois, il se sent lâche, mais se contente de commenter l'impression que lui laisse le point de vue de Sherilyn.

— C'est noir comme vision de l'existence.

— C'est réaliste.

— Je croyais que les femmes d'aujourd'hui voulaient travailler, faire carrière?

— Ça c'est un truc lancé par les grosses poches quand ils ont compris qu'les femmes étaient souvent plus consciencieuses et posaient moins de questions. Non, faut pas tomber dans le piège, bientôt, si ça continue comme c'est parti, y aura plus rien qu'des femmes au travail pendant qu'les hommes s'la couleront douce entr'eux autres, eux qui auront pris la place de bobonne à la maison sans pour autant s'en occuper plus qu'ils le font aujourd'hui, et qui en plus pourront même pas faire les bébés. Non! En toute chose faut être réaliste.

— Moi, je crois que je préfère un peu de romantisme.

— Pourquoi? T'as peur de la réalité?

— La réalité, je crois que c'est ce qu'on ressent, non?

— Moi je ne ressens que d'l'horreur pour toutes ces p'tites vies ratées.

— On vit pas pour réussir sa vie...

— Merde alors! Pour quoi d'autre? Me dis pas qu'c'est pour gagner son ciel?

— Le ciel je ne sais pas vraiment, mais... autre chose...»

Elle s'approche davantage de lui et oscille presque imperceptiblement sur elle-même. De sa place Nathan détaille longuement, sans gêne, les jambes et les cuisses.

«Autre chose?», demande-t-elle.

Selon lui, elle a les agissements d'une aguicheuse. En imagination il s'est déjà placé devant ce genre de tentation, il s'est représenté Hérode offrant la tête de Jean pour une danse de Salomé, il s'est persuadé que la plus jolie femme ne pourrait le convaincre de «mal faire» en usant de ce genre d'attitude, c'était trop «*grossier*», trop «*corrompu*», trop «*avilissant*». Mais là..., ce corps si clair, cette peau si douce, ce parfum naturel si suave, si entêtant... Comment dire non?

«Tu réponds pas? fait-elle faussement semblant de s'étonner. T'es capable de dire non à *ça* pour une supposée *autre chose*?

— À quoi? demande-t-il pour gagner du temps.

— Tu l'sais bien, chantonne-t-elle, tu l'sais bien.

— Ça dépend...» se décide-t-il à répondre en croyant pouvoir reprendre le dessus.

Elle est surprise:

«Ça dépend d'quoi?

— De ce que tu pourrais demander en échange. Pour une incertaine autre chose je veux bien, mais pour quelque chose de concret ça pourrait être différent...

— Donne un exemple, un seul?

— Bien, si tu me demandais de faire du mal à quelqu'un, par exemple.

— Ça... ça dépend comment c'est présenté, pour deux secondes de jouissance y en a qui sont capables d'briser leur ménage ou pire, d'gâcher la vie d'leurs enfants. Quand l'désir s'est accroché dans la tête, donne-lui du temps et y fera n'importe quoi.»

«*Je sais pas si elle a raison, mais elle a réponse à tout*», se dit Nathan ne sachant que rétorquer. En fait, ses pensées sont confuses et il n'a qu'une hâte, qu'elle finisse de se déshabiller et qu'ils se rejoignent tous les deux. Quelque part dans son esprit il ose même espérer qu'après, lorsqu'ils se seront vraiment *connus*, elle abandonnera son projet de rechercher un bon parti. Plus profondément encore, il n'abandonne pas son but ultérieur de faire fortune pour Missy, mais Sherilyn, elle, va obligatoirement l'aimer, c'est sûr! Évidemment, il ne va pas jusqu'à évaluer quand il devra rompre, de toute façon pour l'instant la chose est très difficile à envisager. Irrésistiblement attiré, il avance sa bouche à la rencontre d'unc cuisse et goulûment y promène ses lèvres.

«J'vois qu't'as tout compris, fait-elle, amusée.»

Il s'apprête lui-même à lui ôter son spencer, mais comme il ébauche le geste de le déboutonner, elle recule d'un pas.

«Ça t'dirait pas d'mettre un peu d'piquant à la chose?

— Du piquant?

— Allons prendre une douche, tu vas voir...

— Mais? Elles sont au bout du couloir et...

— Ça fait rien ça...»

Et, sous le regard surpris de Nathan, elle ouvre la porte de la chambre et sort dans le couloir. «*Bon sang! elle est à moitié nue!*» Avec un intervalle de quelques secondes, il la suit et ne il sait pas comment interpréter ce qu'il voit. Appuyée des deux mains de chaque côté du cadre de porte d'une chambre ouverte devant laquelle ils sont passés tout à l'heure, elle interpelle l'occupant:

«La douche, s'il vous plaît?»

Avec cependant beaucoup moins de rage, Nathan éprouve à nouveau ce qu'il a ressenti lorsque Jolene remontait la plage en petite tenue. «*Elle le fait exprès, elle essaie d'allumer le vieux, c'est sûr! Pourquoi?*» Avec ce qu'il suppose être un éclair de malice dans les yeux, elle se tourne vers Nathan et lui adresse un clin d'œil comme pour lui dire: r'garde c'qui va se passer.

«La douche... la douche....., entend-il le pensionnaire qui, assurément, essaie de retenir le plus longtemps possible cette apparition inespérée.

— Oh, mais c'est joli cette gravure! fait-elle en s'avançant dans la chambre et en oubliant apparemment ce qui est supposé l'avoir arrêtée devant cette porte.

— Ah ça! c'est la ferme de mes parents, là où j'ai grandi.»

Désemparé, ne sachant s'il doit retourner dans sa chambre ou aller au devant de Sherilyn, ce qui lui permettrait de signifier qu'elle est avec lui, Nathan reste en retrait sans voir dans la chambre. «*Qu'est-ce qu'elle cherche?*»

«Ça d'vait être agréable? poursuit-elle.

— Ah y avait des bons moments, pour sûr. Ah oui...

— Racontez! racontez, j'aime ça entendre parler d'l'ancien temps. Ça vous fait rien?

— C'est que... enfin... oui...

— J'peux m'asseoir?

— Pour sûr! Pour sûr!

— Alors c'était où cette ferme? Heu... c'est comment votre petit nom?...»

Trop intrigué, curieux de jeter un coup d'œil, Nathan va contre le mur opposé et le longe jusqu'à avoir une vue de biais sur la chambre où Sherilyn vient de lier connaissance. Il l'aperçoit, déjà assise sur le lit, face à l'homme qui, se tordant les mains, se tient sur une chaise à côté de la fenêtre. Elle a ramené ses genoux entre ses bras, offrant sans doute au pensionnaire, d'après ce que Nathan peut en juger, une vue plongeante sur ses petites culottes. Pris d'une vague nausée, le cœur battant, il se précipite vers sa chambre, se jette sur son lit la tête entre les bras. Il a envie de hurler. «*Tu le savais ce qu'elle était! Tu le savais! Pourquoi tu t'étonnes? Elle est comme ça, bon, et alors? Tu savais très bien qu'elle ne t'appartenait pas. C'est pas parce qu'on a envie d'une fille qu'il faut aussitôt croire qu'elle nous appartient. Sherilyn est comme ça, qu'est-ce que tu veux y faire, elle changera pas, il faut la prendre comme elle est.*

Oui, mais c'est quoi ces histoires d'aller montrer ses fesses aux inconnus, elle qui en plus disait tout à l'heure que c'était un tas de vieux grincheux? Si seulement je pouvais accepter ce qu'elle est, y aurait pas de problème, mais comment accepter que la fille dont on a envie s'en aille se montrer à un inconnu? Du piquant qu'elle a dit? Je vois pas du tout. Non, je vois pas! Merde et j'ai encore envie! Comment je vais m'en sortir? C'est insensé toute cette histoire, il faut que ça finisse!

T'as juste à mettre son sac dans le couloir avec son pantalon, lui faire savoir que c'est terminé et fermer la porte, dé-fi-ni-ti-ve-ment!

Si je fais ça, elle est bien capable de se faire héberger par un des vieux du couloir. Elle coucherait avec...

Et alors?

Et alors non! Je veux qu'elle revienne ici, je ne veux pas qu'elle couche avec un vieux! Je veux qu'elle couche ici, avec moi! Je veux la toucher! Je veux me coller! Je veux la baiser! Oui! C'est ça! La baiser! Voilà ce que je veux!

T'es complètement obsédé...

Oui! Oui! et je m'en fous!»

Déterminé à la ramener, il se lève, sort de la chambre et retourne à son dernier point d'observation. L'homme parle, il n'entend même pas ce qu'il dit, tout ce dont il se rend vraiment compte en voyant son regard fixe, son visage rubicond, sa façon de se tenir penché en avant c'est qu'il est littéralement envoûté par ce que Sherilyn lui dévoile. De réaliser que l'homme peut éprouver les mêmes désirs que lui le désarçonne, sa première réaction en est presque une de pitié: «*Pauvre bougre, lui aussi, il aimerait bien...*» Au bout d'un moment il se rend compte que l'homme a cessé de parler, la bouche ouverte il reste fixé sur le doigt de Sherilyn qu'elle déplace sous la lisière élastique de ses petites culottes comme pour se gratter machinalement, peut-être est-ce le cas?

«Forrest? fait-elle comme pour lui rappeler qu'il a cessé de parler, ça va pas?»

L'homme s'empourpre davantage et a l'air de se fâcher:

«C'est quoi, ces affaires-là, de venir s'installer à moitié à poil sur le lit du monde? C'est comme ça, chez les jeunes maintenant, ou bien tu veux rire de moi? Moi j'ai travaillé quarante ans à la Sucrerie, j'ai jamais rien demandé à personne, et quand j'ai envie de voir de la fesse, je vais voir les danseuses au *Dallas*... C'est quoi, ces manières-là? À moins que ça t'amuse d'asticoter les vieux bonshommes, c'est ça, dis?

— Faut pas vous fâcher d'même, Forrest, j'ai pas pensé à mal, j'ai toujours l'habitude d'me mettre à l'aise, j'm'excuse si j'vous ai choqué.»

Le pensionnaire paraît se radoucir.

«Je suis pas choqué, grommelle-t-il, mais faut pas s'imaginer que c'est parce qu'on a des cheveux blancs qu'on a plus de réaction...

— Vous voulez dire qu'ma tenue vous a..., dit-elle avec l'air candidement étonné. Oh, j'm'excuse, j'vais aller passer quêque chose. D'toute façon faut qu'j'aille prendre une douche. C'est où vous m'avez dit?

— ...bout du couloir.

— Ça va aller?

— Comment ça, ça va aller?

— J'veux dire si j'vous ai... disons dérangé, si c'est l'cas, j'demande qu'à réparer...

— Ça alors!... Mais t'es une vraie salope, toi!»

C'est exactement ce que pense Nathan en la voyant se lever vivement du lit.

«Ça c'est pas gentil! lance-t-elle sur un ton offensé, puisque vous l'prenez d'même, salut.»

Elle a déjà quitté la chambre lorsque le pensionnaire réagit avec véhémence:

«Salope! Salope! Sale garce! Sale pute! Plutôt être tapette que de s'envoyer une traînée dans ton genre!»

En apercevant Nathan dans le couloir, à la façon d'un garnement qui se sauve avec ses camarades après un mauvais coup, elle met une main devant sa bouche en pouffant et, de l'autre, l'entraîne par le bras vers leur chambre.

«Pourquoi t'as fait ça? demande-t-il sitôt la porte refermée.

— Pour rigoler.

— Tu trouves ça drôle, toi, faire monter le sang d'un vieux bonhomme? Dis plutôt que t'aimes allumer, oui! que t'es une allumeuse, que tu veux te prouver que tu plais, c'est ça, hein?»

Elle a réellement l'air surpris par l'attitude de Nathan.

«Mais qu'est-ce qui t'prend? C'était juste pour rigoler...

«Rigoler! Rigoler! Tu y as pensé au vieux? Tu trouverais ça drôle, toi, que quelqu'un te fasse venir l'envie et qu'il te lâche là? Tu trouverais ça rigolo?

— Pfff... Y en aurait bien un autre pour m'passer ça.

— J'en doute pas! Mais lui il a sûrement personne, comme toi tu trouveras personne lorsque t'auras son âge...

— Mais enfin, qu'est-ce qui t'arrive? C'est rien qu'du sexe, c'est pas sérieux!

— Ah! Moi je trouve ça sérieux.

— Bah t'as pas fini d'être malheureux, j't'assure...

— C'est peut-être toi qui seras malheureuse, le jour où tu t'apercevras que personne ne te prend au sérieux, justement parce que toi, tu prends ça à la légère.

— Alors c'qu'on a fait dans l'camion c'était sérieux? Tu crois ça?

— Oui!

— Et c'que j'ai fait dix minutes plus tôt avec le chauffeur, c'était sérieux aussi?

— Bah...

— Ouais, tu sais plus quoi dire, quand ça te concerne c'est sérieux, quand c'est pour les autres c'est différent. J'suppose que t'imagines qu'avec le chauffeur j'l'ai fait par obligation, hein? Bien détrompe-toi, j'l'ai fait parce que j'croyais qu'vous alliez vous y mettre tous les deux, et j'trouvais qu'ce s'rait marrant. Voilà pourquoi!»

Nathan est atterré, non pas tant par ce qu'elle vient de lui avouer (après tout ce qu'il vient de voir il n'est plus tellement étonné) mais parce que, malgré tout ça, son désir d'elle est toujours aussi virulent, sinon davantage. Qu'a-t-elle qui lui fait cet effet?

«T'es fâché, tu veux que j'parte? poursuit-elle avec plus de douceur.

— Non! s'exclame-t-il en l'attrapant par la taille, non, reste!»

Debout près d'un des lits, alors que des millions de particules blanches dansent dans le rayon de lumière qui a réussi à percer le voile poussiéreux de la fenêtre, alors que dans cette lumière dorée la décrépitude de la chambre prend des allures quasi-romantiques, Nathan couvre Sherilyn de baisers affamés. Se laissant aller, elle approche ses lèvres de l'oreille du garçon.

«Avoue que tout ça t'a excité», lui murmure-t-elle.

À quoi bon avouer? À quoi bon penser? Juste se perdre, se laisser glisser, sentir le corps se refermer sur soi, le reconnaître, le soumettre et s'y soumettre, s'épouser et se laisser emporter à deux dans un voyage au pays où la nuit est faite de couleurs brutes qui roulent l'une contre l'autre sans jamais se confondre, là où les ténèbres sont rouges, vertes, jaunes et bleues. Répondre au sacrifice de son intimité, recevoir celle de l'autre...

«Nathan... Nathan...»

Puisqu'il ne dort pas, il ne se réveille pas. Mais il a l'impression de sortir d'un rêve. Un rêve qui n'est pas fini.

«Oui?

— T'as raison.

— Pour quoi?

— Pour le vieux d'à côté, j'ai été sauvage, j'vais aller l'soulager.

— Quoi! Mais t'es folle! Et nous?

— Ben justement ça te donnera une pause, quand j'vais revenir on remettra ça d'plus belle, et puis si on finit maintenant j'aurais p'têt pas l'goût d'y aller.

— Mais je veux pas! Je veux pas!

— Pourquoi? Donne-moi une seule bonne raison?

— Mais... parce que je te veux pour moi! Juste pour moi! Voilà pourquoi!

— Et pourquoi tu m'veux juste pour toi?

— J'en sais rien, moi, c'est comme ça.

— Ça m'paraît pas une bonne raison, fait-elle en secouant la tête et en se levant.

— C'est ça! je te suffis pas, il t'en faut un autre! Tu te dis qu'un vieux saura mieux y faire, c'est ça!

— Eh bien la voilà ta raison! T'as peur qu'un autre me fasse jouir et t'acceptes pas parce que t'as peur que j'me mette à aimer mieux l'autre, autrement dit, tu veux que j't'aime, toi, et personne d'autre, c'est pas ça?

— C'est normal, non?

— Pourquoi ce s'rait normal?

— On peut pas aimer tout le monde, c'est pas possible. Oh et puis merde! On est tout seul sur cette terre, ça prend au moins quelqu'un pour essayer de partager cette solitude, sinon c'est pas vivable! Et le seul moyen qu'on a trouvé pour la briser, cette foutue solitude, c'est d'échanger ce qu'on a de plus intime, mais si y a plus rien d'intime, qu'est-ce qu'on devient? Hein, qu'est-ce qu'on devient?

— Et, en admettant que d'se frotter des bouts d'viande nous

rende moins seul, c'est moi, moi qu't'u connais d'puis à peine une douzaine d'heures, qu't'as choisi pour partager ta solitude?

— Ce que nous étions en train de faire, t'appelles ça se frotter des bouts de viande?

— Tu réponds pas à ma question?

— Bah...

— Tu vois! Donc si j'vais passer l'envie du vieux, ça devrait rien changer pour toi.

— C'est vrai que t'es une salope!

— Et toi! Non mais... Regarde-toi, tu bandes comme un étalon, tu jouis rien qu'à imaginer l'vieux en train de m'mettre.

— Ça va pas! Qu'est-ce que tu racontes!

— J'raconte que t'es tellement certain de m'faire jouir, ça te fait tellement bander de penser qu'tu pourrais faire mieux que lui, que même si tu l'admets pas, tu souhaites qu'il me monte, t'imagines déjà sa vieille bite molle sur moi et c'est ça qui t'fait dresser...

— T'es pas bien! T'es complètement malade!

— Ouais... si malade que lorsque j'vais rev'nir tu s'ras là, la langue pendante, avec juste l'idée de me la mettre, (elle rit) et j'sais par expérience que ce s'ra bon.

— Jamais! Jamais!

— Combien tu gages?

— N'importe quoi, tout ce que j'ai.

— O.K.!»

Sur ce pari auquel il ne prend garde, elle enfile ses petites culottes, son débardeur et s'apprête à sortir.

«Tu ne vas pas y aller? fait-il suppliant.

— Et comment!»

Elle disparaît, puis presque aussitôt, souriante, elle repasse la tête par la porte.

«Tu peux venir écouter si tu veux...

— Fous le camp!»

Mais deux minutes plus tard, enseveli sous un flot incontrôlable d'images luxurieuses, il saute du lit à son tour, enfile son pantalon et passe dans le couloir, bien décidé à *«m'écœurer une fois pour toutes de cette nymphomane»*. L'oreille collée à la porte, le cœur battant à tout rompre, il essaie de comprendre les propos épars dont il ne saisit que des bribes entrecoupées de silences: «...pas à dire, t'as un joli derrière, toi», «Super! Forrest, y avait longtemps...» Sait-elle qu'il est là derrière la porte? Dit-elle cela pour l'enrager? À présent il n'entend plus que le son caractéristique d'un vieux sommier, et ça dure, et ça dure... Elle le fait exprès! c'est sûr! Lorsque viennent les râles, il n'en peut plus et doit faire un violent effort de volonté pour ne pas forcer la porte de la chambre et lui faire voir, là, comme ça! Au lieu de cela, il retourne vers sa chambre et se jette sur son lit, recroquevillé sur lui-même, soufflant comme un bœuf, les doigts crispés dans ses paumes, étreint par une furieuse envie de détruire, de soumettre à sa volonté, de la soumettre, «*Oui! C'est ça! La soumettre! Elle va voir, la garce! Elle va crier! Elle va jouir!*»

Il est toujours dans cet état d'esprit lorsqu'elle revient, le corps luisant de transpiration. «*Elle a donc vraiment eu du plaisir?*» Elle a ce sourire qu'il a d'abord pris pour celui d'un ange, mais qu'à présent il juge infernal et donc encore plus redoutable, plus ensorcelant. Quelques mèches noires sont plaquées dans son cou par la sueur; encore cette sueur, la sueur de l'amour.

«C'était bien?», demande-t-il en essayant d'être sarcastique.

Mais elle ne répond pas, se contente de l'observer avec ce sourire bizarre, debout près du lit, en une attitude frêle, les yeux étrangement flous, se mordillant la lèvre inférieure, le ventre plat et luisant entre la lisière des petites culottes et celle du débardeur. Le ventre... Elle va voir!

Comme une tornade, il n'a que ce ventre en tête lorsqu'il l'attrape par le poignet, la renverse en travers du lit et l'investit comme une armée meurtrie entre enfin dans la cité vaincue.

«Tu vas voir»! répète-t-il tout haut avec dans les yeux des larmes de rage, de haine, de douleur et... d'amour.

Des larmes qu'il ne comprend pas, pas plus l'or en fusion qui coule en toutes les veines de son corps, un or dont il veut embraser la fille entre ses bras, cette créature étrange de la nuit, au regard et à la chevelure couleur de minuit, ce charme pervers et, malgré tout, innocent. Cette évanescence des ténèbres éclaire les siennes d'une noire lumière. Et pourquoi pleure-t-elle maintenant?

Elle est debout et habillée lorsqu'il émerge d'un sommeil

profond et inestimable quant à sa durée. Elle vient de laisser retomber son pantalon à lui sur le plancher et, ayant jeté un coup d'œil au contenu du portefeuille, en retire la liasse de billets accumulés cet été.

«Qu'est-ce que tu fais? demande-t-il sans s'inquiéter

— On a gagé, j'prends c'qui m'appartient.»

Il se redresse instantanément.

«Hein!... Tu peux pas! T'as pas le droit!

— T'as bien gagé tout c'que t'avais, pas vrai?

— Oui, mais...

— C'est tout, c'est comme ça. Une gageure est une gageure.

— Ça va pas, qu'est-ce que je vais faire, moi?

— Ça, mon vieux, c'est ton problème...»

Bien décidé à récupérer ce qu'il estime être son bien, il se lève précipitamment et l'attrape par le bras.

«Sherilyn, rends-moi cet argent!»

Pour toute réponse, elle lui envoie un violent coup de genou dans les testicules. Le souffle coupé, le cœur au bord des lèvres, il se plie en deux et tombe sur les rotules.

«J'veux bien qu'on m'bouscule un peu pour baiser, dit-elle froidement, mais pour le reste... Bon, j'ai été ravie de t'connaître, comme on dit. Si on s'rencontre à nouveau on pourra toujours prendre une autre gageure... de toute façon tu perdras encore, t'es trop porté sur la chose.»

Sans plus rien ajouter elle attrape son sac, ouvre la porte et disparaît.

«Attends! crie-t-il en reprenant son souffle et sans parvenir à croire qu'elle part réellement, attends!»

Mais elle est déjà dans l'escalier.

33

Sans y croire vraiment il a espéré, mais évidemment elle n'est pas revenue. Combien de temps est-il resté allongé sur ce lit à se maudire, à maudire Sherilyn, à maudire le monde? Tout ce qu'il a gagné durant l'été est parti, envolé, il ne sait s'il est plus affligé par cette perte ou par la déception. Peut-être que la déception est moralement plus insidieuse, mais le souci de se retrouver complètement démuni au cœur de cette ville inconnue l'emporte dans ses premières préoccupations. Que va-t-il faire? Que va-t-il manger? Où dormira-t-il après-demain quand il lui faudra quitter cet hôtel? Et puis cette horrible masse grise qu'il imagine, cet agglomérat hideux qu'il sent au-dedans de lui et qui lui donne la nausée, comment va-t-il s'en débarrasser? Comment a-t-il pu se «*laisser ainsi aller? J'ai trompé Missy et je suis puni. Par ma faute, par ma faiblesse j'ai perdu ce que j'avais gagné pour nous. Je l'ai mérité! Et tout ça pour baiser! J'aurais dû me douter. Je le savais qu'elle n'était pas correcte et, le pire, je crois que c'est ce qui m'a plu en elle. Ouais, elle a raison, je suis obsédé, totalement incapable de lutter lorsque le plaisir se présente. J'ai voulu profiter, j'ai pas pensé un instant qu'il y aurait un prix à payer. Quel imbécile! J'en ai marre! Je suis fatigué de moi. À quoi ça sert tout ça? Merde! On a fait l'amour et elle est partie avec mes sous, comment est-elle faite? Je serais pas capable de faire ça. Il y a donc des gens qui n'ont aucun sentiment?*» Il repasse toujours, indéfiniment, ce qui s'est passé, se débat inlassablement avec ses pensées lorsque rapidement la lumière du jour fait place au voile gris et lugubre du crépuscule, puis, tout aussi rapidement, dense comme une coulée de goudron, triste et froide, la nuit inonde la chambre. Une nuit seulement blessée par les éclats rouillés que les réverbères de la rue lancent vers la fenêtre sale où les gouttes égarées d'une pluie fatiguée tracent des sillons noirs. Mourir? Est-ce que ce serait si grave? Quelle importance au fond? Qu'est-ce que c'est que cette vie où il faut courir après des chimères pour se mériter la gloire d'un sourire affectueux, et encore, ce n'est pas certain, peut-être que ce sourire ira à l'autre, à Endicott Fairfield. Alors à quoi bon? Mourir? Comme il fait noir déjà, comme c'est triste! Et si Sherilyn lui avait fait une blague, si elle revenait maintenant, est-ce possible? Pourquoi le laisse-t-elle aussi seul dans cette horrible chambre? Mourir? C'en serait fini de cet exil loin de la chaleur, loin de l'Amour, le vrai, celui qui comprend, celui qui aime, celui qui ne supporte pas que l'autre souffre. Mourir? Ici, il est peut-être trop tard pour aimer, le mal a pris trop d'avance. Le mal. Il est là, au coin de la rue, vêtu de cuir et de métal luisant, vêtu des chairs putrides de s'être corrompues, comme lui l'a fait. Il est là dans l'ombre, ricanant de ses dents ivoire, des éclats de rouille à la place des yeux, le claquement de ses bottes ferrées marquant le rythme de sa progression inexorable, il est là, peau sur peau jusqu'au sang noir de haine, derrière la fenêtre sillonnée de larmes de nuit, s'étourdissant des fracas électriques, des sueurs de l'amour, d'eau morte, de géométrie angulaire, de ciment pulvérisé, il est là, à l'intérieur de lui, tumeur grisâtre qui s'enfle et prospère des cendres de son renoncement, il est dans Sherilyn, dans son ventre, ses entrailles, la brûlant d'un souffre inextinguible, il est dans les autres, il flatte leur cécité, leurs sens ne reconnaissent plus que ses caresses, les appellent, peau contre peau, ventre contre ventre, violemment! Pour jouir! Pour s'embraser! Toujours plus! Encore! Encore! Mais surtout loin du cœur! Retrouver l'animal! Le néant! Il est là, impitoyable, il attend. Lui échapper, s'enfuir... Mourir?... Non! il n'a pas le droit, il y a sa mère, la faire souffrir équivaudrait justement à rendre tribut à celui qui attend derrière la fenêtre. Et puis il a peut-être encore une chance de se racheter, pour lui, pour Missy... Alors il se lève, va à la fenêtre, l'ouvre, laisse entrer l'air de la nuit gonflé du sel de l'océan, des relents d'asphalte humide, de ceux d'une friterie invisible, des exhalaisons d'innombrables cheminées de brique noircie, des fétidités de mille ruelles obscures où séjournent la misère et les rats et du parfum sensuel et sophistiqué des élégantes à long cou au bal du *Pan Pacific*; des odeurs de la vie. Il décide d'y aller. À quoi bon rester plus longtemps ici? Prendre le taureau par les cornes, se coltiner avec la ville. Elle vient de lui infliger une sérieuse défaite, mais il n'est pas encore battu, il lui reste un atout: Missy!

C'est ainsi qu'un peu avant minuit, alors qu'il crachine, que les réverbères se reflètent tristement dans les caniveaux, qu'il n'a plus rien d'autre que ses poches profondes, il quitte l'hôtel bien décidé à ne plus y revenir. À quoi bon puisque de toute façon il doit obligatoirement trouver autre chose.

Un bloc plus loin, dans le quartier chinois vers lequel il s'est dirigé sans préméditation, il s'arrête devant une longue vitrine crasseuse à travers laquelle il observe un vieux Chinois choisissant dans des centaines d'alvéoles de bois les idéogrammes qui viennent s'appuyer contre les autres et qui tous ensemble formeront une page du journal, car, d'après ce qu'il peut juger, il s'agit là d'une imprimerie. Cette simple observation, sans but, le détourne quelque peu de son accablement. C'est la preuve qu'il existe autre chose, que la vie lui réserve des millions de facettes imprévues qui, comme les idéogrammes que manipule le vieil homme, représentent chacune un éclat propre et particulier. Le Pasteur était l'un d'eux, Sherilyn un autre, tout comme Jolene, Jack Conroy ou... Non! Pas Missy! Missy, elle, n'est pas une facette de cette vie, elle est l'autre partie de lui, celle qu'il a invitée dans son iceberg, la seule, il se le répète, qu'il aimera jamais. Et là, tout seul dans cette rue humide, en train de regarder un vieux Chinois dans une vitrine jaune, sachant qu'il n'a même pas de quoi se payer un café chaud, personne à qui dire combien la nuit est fraîche et humide, jamais il n'a mieux ressenti ce que voulait dire le verbe aimer. Et s'il pleure maintenant, ses larmes sont pures. Des larmes d'un repentir sincère qui ne s'adresse qu'à celle qu'il est conscient d'avoir trompée. *«Tu sais, Missy, je suis ce que je suis, mais, malgré tout, je te jure que je t'aime! Oh oui! Tu peux pas savoir comme je t'aime!»*

Ça fait du bien! Il sait, bien sûr, qu'il n'a pas été entendu, mais néanmoins il a l'impression de lui avoir parlé, d'être presque avec elle, un peu moins seul.

S'avançant au hasard, il remonte des rues inconnues de lui, mais qui, du simple fait de les parcourir à ces heures où tous les gens sages sont couchés et retirés de l'autre côté de la magie, semblent lui livrer leurs secrets les plus intimes. Rues des faubourgs, rues moches, rues mornes; elles distillent secrètement, dans l'alambic de leurs murs de stuc et de brique, les millions de rêves que le temps a stérilisés. C'est presque une substance éthérée qui s'infiltre en lui par ses narines, sa bouche, ses pores et gagne son cerveau pour y projeter les images de ce qui a été. Des images plus colorées que la réalité, car leurs couleurs restituent aussi l'essence véritable qui les anime. Là, la devanture d'un restaurant depuis longtemps fermé et oublié se change en un tableau vivant: une vitrine propre et étincelante à travers laquelle il distingue un long comptoir de formica supportant des plateaux de tartes recouverts de leurs cloches transparentes. Derrière le comptoir, un homme plutôt court, plutôt rond, dans la cinquantaine, le teint olivâtre, peut-être un Grec? Habillé en pantalon blanc, chemise blanche et casquette blanche, il est accoudé et discute avec un homme âgé au visage décharné sous un chapeau de ville marron et vêtu d'un pardessus anthracite, peut-être un Italien? Dans l'esprit de Nathan, ils parlent de leurs espoirs déçus, il prête au «*Grec*» des nostalgies bleues et blanches comme les images qu'il a pu voir de ce pays lointain. Peut-être, lorsqu'il est arrivé sur ce continent, l'homme rêvait-il qu'un premier restaurant deviendrait une chaîne de restaurants, qu'un jour il retournerait au pays en vainqueur, que tous ceux qu'il y avait laissés l'attendraient comme si depuis son départ, là-bas, le temps s'était figé dans l'attente de son retour, que les jeunes filles quittées trente ou quarante ans plus tôt seraient toujours les mêmes et se retourneraient en minaudant sur son passage? Au lieu de cela, certainement qu'aujourd'hui, s'il n'est pas mort, peut-être attend-il cette échéance dans le fauteuil berçant en tubes inoxydables d'un foyer de vieux en banlieue, peut-être, à tour de rôle, ses enfants vont-ils le voir le dimanche après-midi et détournent pour quelques courts

430

instants son regard d'une rue ou passent et repassent sans fin des automobiles sans âme, et aussi de jeunes Grecs ou Portugais ou Salvadoriens ou Kampuchéens pressés, non plus de retourner au pays des ancêtres, mais de se fondre dans l'éclaboussement des lumières de celui-ci. Et lui, Nathan, entretient-il des espoirs aussi fragiles? Ses ambitions sont-elles vouées aux mêmes aboutissements? Cette rue est laide, abandonnée, les rêves déçus dont elle alimente son alambic planent sur elle comme autant de fantômes qui n'auraient pas compris que tout est fini, que la roulette a cessé sa course folle, que c'est encore la banque du casino qui a gagné, qu'ils peuvent maintenant reposer en paix.

Est-ce un bruit, est-ce dans l'atmosphère? Son attention est attirée vers l'autre extrémité de la rue. À présent il entend des voix; du coup il est presque content de rencontrer du monde. Sûrement des gens qui reviennent d'une fête. Il se dirige de leur côté, espérant inconsciemment trouver de l'aide, une compagnie passagère, mais au fur et à mesure que se rapprochent les silhouettes, glacé, il reconnaît le mal qui, tout à l'heure à l'hôtel, attendait à sa fenêtre. Ils sont trois, de type asiatique, vêtus – ou plutôt déguisés – de façon paramilitaire sauf, identiques, leurs T-shirts noirs à l'emblème d'un crâne énorme dans les orbites duquel sont crucifiées des jeunes femmes dégoulinantes de sang. L'horreur! Avant qu'il ait pu décider de s'éloigner, les voici qui l'entourent. Ils ne sont pas plus gros que lui, mais ils sont trois, et comme si ce n'était pas suffisant, l'un d'eux exhibe un coup-de-poing en laiton terminé par une large et courte lame scintillante.

«Perdu? demande celui du milieu.

— Non, non, je faisais un tour...»

Ils se regardent tous les trois et rient, sans aucune joie.

«T'habites par ici? demande le même.

— Pas très loin...

— C'est bien de tomber sur toi, c'est que justement on se trouvait un peu à court...», dit celui au coup-de-poing sur un ton faussement jovial.

Comprenant ce qu'ils désirent et n'ayant rien de toute façon, Nathan s'empresse de retirer de sa poche son portefeuille vide pour leur démontrer que lui aussi est à *court*. Ce constat a l'air de les chagriner, mais ils ne se contentent pas de jeter un simple coup d'œil, ils inspectent ses papiers comprenant une vieille carte de l'hôpital de Swift Current où il n'a pas mis les pieds depuis des années, sa carte d'assurance maladie de Saskatchewan et enfin une carte périmée comme quoi il était membre du Club des Astronomes amateurs de sa province. Ils ont vite fait de comprendre qu'il est loin de chez lui.

«La Saskatchewan, c'est quand même assez loin..., fait remarquer celui du milieu d'une voie dénuée de toute humanité.

— Pas mal, je suis de passage chez mon grand-père.

— Y doit être inquiet, le pauvre monsieur... Son petit-fils parti au milieu de la nuit... Avoue que t'es bien perdu?

— Bah... un peu...

— Un peu!»

C'est celui qui n'a pas encore parlé qui vient de s'exclamer. Il s'approche de Nathan presque jusqu'à poser son nez sur le sien et l'empoigne par le col de sa chemise.

«Nous on connaît le coin, dit-il, on va te reconduire si tu nous dis où c'est.

— C'est pas la peine...

— J'ai dit qu'on allait te reconduire, grimace son vis-à-vis en serrant davantage sa prise sur le col de Nathan.

— Hôtel San-Francisco, indique Nathan.

— Tu restes à l'hôtel avec ton grand-père?

— Heu... oui...

— Ça n'a pas l'air très convaincu comme réponse?

— Mais enfin qu'est-ce que ça peut faire puisque je vous dis que tout va bien!

— Mais il se fâche! Il se fâche le petit à son pépère!»

C'est maintenant celui du milieu qui sort de la poche de sa vareuse kaki une lame papillon d'aspect très coupant et, comme pour le prouver, taillade le portefeuille.

«Je crois que tu ne nous dis pas toute la vérité. Bien sûr nous sommes des bons garçons, si maintenant tu nous dis tout on oubliera ce petit accroc à la franchise, sinon...

— Bon, vous avez raison, croit plus prudent d'avouer Nathan, je suis pas d'ici, j'ai plus un sou et je suis perdu.

— Alors ce grand-père, il n'existe pas?

— Non.

— Mais alors, tu fais vraiment pitié, perdu et si loin de chez toi! dit celui qui le tenait par le col et qui le relâche, en mimant l'apitoiement.

— C'est pas si terrible...

— Et comment se fait-il que tu sois à Vancouver? Tout seul?

— Je voyage sur le pouce, je suis arrivé comme ça...

— Sur le pouce... tous les trois s'adressent un signe entendu. Tu peux dire que t'es bien tombé, on va t'aider, tu veux qu'on t'aide?

— Non, vous dérangez pas, ça va aller...

— On aime ça rendre service, répond celui au coup-de-poing, on va t'emmener voir un bon ami à nous, lui il sait comment faire pour dépanner des gens mal pris comme toi.

— Je vous assure c'est pas...»

Se retrouvant subitement avec la lame du couteau sous le nez, il s'interrompt. Brusquement la peur s'insinue en lui comme un serpent froid. Que fait-il ici au milieu de cette rue déserte? Qui sont ces gars qui parlent avec cette affectation cruelle, une telle froideur. Pareille méchanceté dans le regard d'êtres humains ne peut exister, ils font semblant, bientôt ils vont rire et lui dire que tout ceci n'était qu'une plaisanterie...

«On ne refuse pas quand des amis veulent rendre service, c'est pas gentil, pas gentil du tout, dit plaintivement le porteur du coup-de-poing.»

«*Je n'ai qu'à leur dire oui et filer à la première occasion,* se dit-il. *Qu'est-ce qu'ils peuvent me vouloir? Ils ont bien vu que j'avais pas d'argent. Ils ne veulent pas me tuer quand même! À quoi ça leur servirait? Ils n'ont peut-être pas besoin que ça serve à quelque chose, juste pour le plaisir... Oh merde!*»

Le serrant de près, ils l'entraînent par des rues et des ruelles qui, outre les ténèbres, ont en commun de vagues et sinistres nuances de rouille. Quelque part à proximité d'un terrain vague, celui qui plus tôt l'a pris par le col entre dans une cabine télépho-nique et y discute quelques minutes avec un correspondant dont Nathan, se doutant qu'il est question de lui, se demande avec anxiété qui il peut être. En ressortant de la cabine, le gars donne un signe d'assentiment à ses acolytes et ceux-ci se dirigent vers un boulevard moins délabré mais tout aussi désert. Quelques minutes plus tard, une fourgonnette noire vient les accoster et ils s'y engouffrent en y poussant Nathan. Ce dernier réalise à présent sans l'ombre d'un doute qu'il est victime d'un enlèvement. La question qui demeure est de savoir dans quel but. Il n'y a pas de vitres sur les parois latérales du véhicule et Nathan ne voit pas où ils se dirigent, et quand même il le verrait, cela ne lui dirait pas grand-chose. L'intérieur du fourgon est entièrement recouvert, sol, parois et plafond, d'une moquette bleu royal à poils longs que l'on s'attendrait davantage à trouver sur le plancher du salon d'un bungalow que dans une fourgonnette. La moitié arrière est occupée par un matelas recouvert d'une imitation grossière de peau de tigre sur laquelle il est assis les jambes étendues, encadré par celui au couteau et celui au coup-de-poing. Celui qui conduit pourrait être leur frère tant il leur ressemble. Il est vrai que pour Nathan, qui n'a pas l'habitude de les côtoyer, tous les «*Chinois*» se ressemblent même si, en l'occurrence, ce sont des Vietnamiens de souche. Ils ne disent pas un mot. Cherchant à évacuer une peur qui lui noue le ventre, Nathan essaie de se concentrer sur des issues heureuses: «*Après tout, ce sont peut-être des bons gars...*» Mais chaque fois que, dans la lueur du plafonnier diffusant une lueur bleuâtre, il rencontre le crâne et les suppliciées sur leur T-shirt, chaque fois il sait qu'il ne doit pas se leurrer. «*Personne avec un iota d'humanité ne pourrait porter ça sur son dos, c'est impossible!*»

Ils ont roulé près de trente minutes et, lorsque le fourgon s'arrête, Nathan se rend compte en sortant qu'ils sont au pied d'une tour à condominiums d'un abord plutôt luxueux, perchée sur une hauteur donnant vers l'océan dont, à cette heure, dans une étendue d'encre noire où çà et là se reflètent des bouquets de lumière, il ne peut que deviner la présence et sentir l'iode porté par une brise légère qui pourrait lui paraître agréable s'il n'était pas ainsi entouré. Dans l'entrée entièrement couverte de miroirs teintés d'un rose orangé, l'un de ses agresseurs, il ne voit pas d'autre façon de les nommer, appuie sur une sonnette face à une plaque de cuivre où s'étale, gravé en calligraphie anglaise, un nom qu'il reconnaît lui aussi pour être asiatique. Quelques paroles brèves: «Oui?

— Il est avec nous, répond celui au couteau.

— C'est bon, montez».

Déverrouillage automatique d'une seconde porte qui autorise l'accès au corps de l'immeuble proprement dit, lente ascension jusqu'au troisième dans un ascenseur insonorisé, lui aussi tout en miroirs, quelques pas dans un couloir à la douce lumière tamisée, à la moquette épaisse et aux murs de brique ocre, arrivée devant une lourde porte en bois massif qui s'ouvre aussitôt sur un personnage dans la trentaine, «*Chinois*» comme les autres, vêtu uniquement d'un peignoir de soie d'un rouge violacé qui s'arrête au-dessus des genoux et sur lequel, côté cœur, se tortille un serpent doré à tête de dragon. Même si, vaguement, celui que les autres nomment Gia semble sourire poliment, son visage impassible n'exprime que le froid glacé d'un corps déserté par son âme. D'un œil qui pourrait tout aussi bien être une bille de verre noir, il observe Nathan quelques secondes avant de se retourner et d'avancer à l'intérieur de l'appartement. Comme s'il s'agissait d'un signal d'invitation, les trois autres poussent Nathan derrière lui sans autre explication. Parvenu à l'extrémité de ce qui semble n'être rien d'autre qu'une vaste entrée, Gia se retourne:

«Vous pouvez nous laisser, dit-il aux autres. Dites seulement à Ly de se tenir en bas jusqu'à nouvel ordre. Et fermez la porte s'il vous plaît. Il pose son regard toujours aussi impénétrable sur Nathan. Suis-moi dans le salon. Prendrais-tu un verre?

— Je veux bien», répond Nathan, ayant remarqué qu'avec ces gens tout refus de sa part est *mal interprété*.

D'un geste presque féminin dans le mouvement, mais, dans son essence, celui d'un fauve, son *hôte* passe ses doigts dans la longue frange noire qui lui barre le front et la renvoie en arrière. Baissant les yeux, Nathan remarque ses jambes imberbes, fait un rapprochement: «*On dirait un de ces mannequins en plastique dans les vitrines...*» et il se demande, bien que jugeant sa propre question tout à fait déplacée, si le «Chinois» s'épile les jambes ou non? Alors que l'entrée ne lui a rien appris de particulier, il en va tout autrement du salon: immense, tapis de laine blanc, murs et plafond entièrement laqués d'un noir immaculé, éclairage indirect diffusant çà et là des halos coniques de lumière blanche, trois profonds divans bas en cuir, noirs eux aussi, trois tables basses au plateau d'argent ciselé, et, on dirait ici que tout va par trois, trois aquariums géants à l'onde bleutée où, dans un lent ballet sans cesse renouvelé, vont et viennent d'étranges poissons comme jamais il n'a cru qu'il pouvait en exister. Pour finir, et c'est peut-être ce qui le marque et l'inquiète le plus, un immense triptyque en noir et blanc représente le profil de ce qu'il identifie immédiate-ment pour en avoir vu de semblables à la télévision, comme étant un camp de concentration tel que les nazis en avaient érigés durant le Troisième Reich. Il ne comprend pas du tout quelle force malsaine peut pousser quelqu'un à mettre *ça* sur son mur. Pas plus que les T-shirts que portaient les autres.

«Installe-toi à ton aise, lui signifie Gia, je vais préparer ton verre».

Mais Nathan reste debout durant que l'autre est à la cuisine. Il n'a pas envie de s'installer, aucune envie de rester ici, juste celle de partir. Et s'il ne le fait pas, se rend-il compte, c'est uniquement parce qu'il a peur. Il a peur de ce Gia. Il a la certitude que s'il faisait un mouvement en direction de la sortie il serait immédiatement rattrapé d'une manière ou d'une autre. Mieux vaut attendre et voir venir.

«Ainsi donc tu es perdu? fait Gia en revenant en portant un long verre.

— Je connais pas très bien la ville...

— Et tu n'y connais personne non plus?

— Personne.

— Tes parents? Ta famille doit bien savoir où tu te trouves, non?

— À vrai dire, la dernière fois que j'ai donné des nouvelles, j'étais dans le nord et...»

Nathan s'arrête et se rend compte qu'il n'a pas besoin d'en dire tant. L'homme lui tend le verre qu'il lui destine, orné d'une rondelle d'orange et plein d'un liquide rosâtre.

«Cocktail maison, le renseigne-t-il. Donc tu disais et?

« — Et rien depuis.

— Dans le nord?

— Au Yukon.

— Oh! intéressant... Qu'y faisais-tu?

— La plonge.

— Moins intéressant, n'est-ce pas?

— Sûrement, Surtout qu'on m'a volé mon argent. Je me demande maintenant pourquoi je l'ai fait.

— Je m'en doute! Donc, en récapitulant, tu viens d'arriver à Vancouver sur le pouce, tu n'y connais personne, ta famille ignore où tu te trouves et on t'a volé tes sous, c'est une mauvaise situation...

— C'est tout à fait provisoire! Je vais appeler chez moi, ma mère m'enverra un peu d'argent pour le retour et ce sera fini.

— Bien sûr! Bois, bois donc, je l'ai préparé à ton intention, jus d'agrumes adouci au marasquin.»

D'abord inquiet, Nathan trempe les lèvres dans le verre, puis reconnaissant que c'est bon et se rendant compte qu'il a la gorge sèche, que tous ces événements lui ont donné soif, il avale plusieurs gorgées coup sur coup. C'est seulement en relevant les yeux et en apercevant le triptyque qu'il se demande s'il a eu raison. Mais pourquoi toutes ces appréhensions? Il ne s'agit que d'un jus, après tout! Chacun a bien le droit d'avoir ses goûts en matière de peinture ou de musique ou de n'importe quoi. Il y a des millions de gars de son âge qui portent des T-shirts violents et n'écoutent que des chansons où il est question d'assassinats, de tortures et d'agressions plus violentes les unes que les autres; ce ne sont pas pour autant des assassins. N'est-ce pas le Pasteur qui a dit un jour: «Aujourd'hui, le Mal et le Pouvoir forment un couple uni pour la mort et pour le pire jusqu'à ce que le meilleur les sépare, et leur fille unique, la Loi – qui s'inquiète de ce que des jeunes cherchent des aurores colorées dans les champignons, le chanvre ou les cactus – trouve naturel que certaines idoles affichent Satan pour image de marque.»

«*Te raconte pas d'histoires! Tu sais bien que ce type-là veut quelque chose. Quoi?*»

«Tes parents sont divorcés?

437

— Non, pourquoi?

— Tout à l'heure tu as dit: ma mère m'enverra?

— Mon père est mort.

— Excuse-moi, je suis parfois trop curieux.»

Pourtant Nathan a la certitude que l'information qu'il vient de donner a fait plaisir à Gia. Pourquoi le fait que son père soit mort serait-il un bon point? Il se rappelle à présent combien les autres ont insisté pour tout savoir sur lui, Que veulent-ils? Pas une rançon, ça n'aurait aucun sens, si encore il était Endicott Fairfield, mais lui, Nathan Barker?

«C'est pour ça que je suis allé au Yukon, explique-t-il à tout hasard, en voulant convaincre son interlocuteur de la pauvreté de sa famille, pour gagner un peu d'argent pour Maman qui est malade et ne peut plus travailler.»

Il se rend compte qu'il en a peut-être un peu trop mis, que «*ça fait un peu Oliver Twist*», mais l'autre n'a pas l'air de le prendre ainsi:

«C'est louable, on ne voit plus beaucoup ça de nos jours, des jeunes se dévouant pour leur famille. Et se faire voler ensuite! Eh bien, tiens, je suis très content de pouvoir t'apporter un peu de soutien.

— Je ne veux pas vous déranger, vous êtes très gentil et...

— Tsss! Tsss! Tsss! Laisse-moi juger ce que je dois faire.»

Soudainement Nathan sent comme un fluide chaud lui parcourir les veines, malgré lui il s'étire comme pour se délasser, puis bâille et bâille encore.

«Fatigué? demande Gia.

— Non! Non! assure Nathan en clignant des yeux.

— Parce que si c'est le cas, ne te gêne pas pour le dire, j'ai une chambre à ta disposition, et j'ajoute même qu'il n'est pas question que je te laisse retourner dormir dehors.

— Je... Je vous remercie...»

«*Je vais accepter sa proposition,* se dit Nathan de plus en plus abruti de sommeil, *puis dès qu'il dormira, je me sauve et bonjour tout le monde. C'est vrai que cette fois je tiens un coup de fatigue. Pas étonnant, avec tout ce qui s'est passé depuis le 402.*»

À présent Gia lui parle, mais il a du mal à enregistrer ce qu'il lui dit. Inexorablement ses paupières tombent et malgré tous ses efforts il est incapable de les relever à un niveau qui lui permettrait peut-être de rester éveillé.

«Je crois que je vais accepter votre invitation, s'entend-il dire alors qu'oubliant comment il est arrivé ici, il rêve de s'étendre entre une bonne paire de draps frais.

— Bien sûr! Bien sûr!»

Il est déjà dans une espèce de rêve confus et glauque lorsqu'il suit Gia vers la chambre que celui-ci lui destine. C'est à peine s'il a conscience de la décoration de la pièce qui pourtant n'a rien pour inciter au sommeil.

Il est trop assommé par les barbituriques qu'en toute ignorance il a ingurgités avec le *cocktail maison* et, malgré un long tressaillement physique, consciemment il ne se rend compte de rien lorsque plus tard dans la nuit Gia lui injecte une première intraveineuse d'un mélange comportant une infime quantité d'héroïne et une plus grande partie de *Dilaudid*. L'homme connaît son mélange, il lui a fallu du temps pour le mettre au point. Au début il n'utilisait que de l'héroïne, mais il devient parfois trop difficile de s'en procurer régulièrement, et puis c'est hors de prix, tandis que le mélange qu'il a mis au point a l'avantage de rapidement créer une dépendance physique, mais davantage au *Dilaudid* qu'à l'héroïne elle-même qui au fond ne sert qu'à amorcer le processus d'asservissement. Dans trois jours il en diminuera la dose. À raison d'une injection aux six heures pour commencer, puis ensuite aux quatre heures, d'ici soixante-douze heures Nathan devrait être suffisamment «*accroché*» pour commencer son «*entraînement*» et dans moins d'une semaine il sera «*opérationnel*», comme les autres.

34

«Approche, approche...»

Alors qu'il s'est arrêté à quelques pas, par pur réflexe de
répulsion face au naufrage d'une vie que jusqu'à ces derniers
temps il avait cru indestructible, Endicott s'approche plus près du
lit où son grand-père lui fait signe d'une main décharnée au dos de
laquelle d'épaisses veines bleues courent sous une peau jaunâtre,
presque diaphane, constellée de taches de vieillesse. Il est loin, le
Cornelius Fairfield qu'il a connu, même la chambre, dans son
essence, semble avoir perdu cet esprit obstiné d'un homme qui
non seulement s'est voulu le maître d'un territoire, mais aussi a
voulu lui donner l'empreinte de sa personnalité. Ce n'est plus
qu'un mourant dans une chambre de mourant, et tout ce qui hier
faisait sa force s'est dissipé dans l'angoisse morbide de sa fin
inéluctable. Une fin que dans son orgueil il n'avait certainement
jamais prise en considération autrement que comme hautement
improbable. Endicott ne se l'avoue pas, mais il est déçu, il aurait
voulu voir son grand-père mourir comme il a vécu, c'est-à-dire
fort. Mais là, ce vieillard tremblotant, presque larmoyant, que lui
est-il arrivé?

«Tu as froid, Grand-père?

— Ça va, Ça va, répond l'homme sur le ton vaguement irrité
des gens qui ne supportent pas l'attention des autres. J'ai quelque
chose à te dire pendant que nous sommes seuls entre nous.

— Oui, Grand-père?

— Tu te rappelles, il n'y a pas si longtemps nous parlions de la petite Bagriany de laquelle tu me disais qu'elle était l'amie de ce garçon, le fils du pasteur fou?

— Je me rappelle, Grand-père, pourquoi?

— Tu te rappelles également que je t'avais dit en plaisantant que si on voulait une fille il fallait la conquérir, et cela même si elle était déjà dans les ambitions d'un autre, eh bien ce soir je te demande de ne pas appliquer cette règle, en tout cas, pas sur cette jeune fille en particulier.»

Endicott ne répond pas sur-le-champ. En fait cette demande le prend totalement au dépourvu pour la bonne et simple raison que depuis peu il a compris qu'il était amoureux de Missy Bagriany.

«Mais pourquoi, Grand-père? finit-il par s'exclamer en marquant sa surprise.

— Parce que tu es mon petit-fils et qu'elle est ma fille... Voilà pourquoi!»

Si Endicott pouvait s'observer d'une manière détachée, il éclaterait certainement de rire, il a laissé tomber ses bras, sa bouche est littéralement grande ouverte et ses yeux sont exorbités par l'étonnement. Comment pourrait-il savoir qu'il ne s'agit là que d'une invention de son grand-père qui, angoissé par ses actions passées et l'idée qu'il devra bientôt se présenter pour la «grande entrevue», se simule lui-même un remords qu'il n'éprouve pas vraiment. Cette idée d'*avouer* à Endicott qu'il est le père de Missy lui est venue en cherchant un moyen de racheter à travers son fils le mal qu'il a pu faire au jeune Joshua Barker. Mal qui, il en est certain à présent, par contagion, a conduit ce dernier aux extrémités que tout le monde connaît. Lorsque Endicott lui a appris que Nathan était l'ami de Missy, cette information a suivi longuement son chemin avant que ne lui vienne l'idée que s'il faisait en sorte que son petit-fils ne *vole* pas l'amie de Nathan Barker, ce serait un peu comme s'il demandait au ciel de racheter ce qu'il avait commis durant cette nuit de printemps. Évidemment, loin d'imaginer cela, Endicott est sidéré, il ne veut pas admettre cette réalité:

«Mais... Grand-père! C'est la fille de William Bagriany!

— C'est ce qu'elle croit, que tout le monde croit et doit continuer à croire, tu me comprends bien sur ce point? Tu dois bien savoir que parfois dans une vie il arrive qu'un homme se laisse emporter par une fièvre passagère, c'est ce qui m'est arrivé avec... (il cherche le prénom de Lesja sans parvenir à s'en souvenir) avec sa maman. Oh, je ne cherche pas du tout à me disculper, seulement il fallait que je te le dise puisque l'autre jour tu m'as laissé entendre qu'il serait possible qu'entre toi et elle, avec le temps... enfin tu me comprends?

— Alors ce serait..., comment on peut appeler ça? Ma demi-petite-sœur?

— Peu importe l'appellation, ce qui est certain, c'est qu'elle est de ton sang et tu sais qu'en pareil cas les relations intimes sont interdites.

— Mais si personne ne le sait?

— Sa mère évidemment le sait, toi, tu le sais! Et puis dans ce cas, lorsque je parle d'interdiction, je parle d'interdiction divine!»

Il appuie sur ces deux derniers mots pour bien faire comprendre à son petit-fils qu'on ne badine pas avec ce genre de loi. Endicott fixe le visage de son grand-père encadré d'une masse de cheveux qui, il n'y a pas si longtemps, étaient si blancs que parfois ils en paraissaient presque bleus; mais à présent ils sont jaunes, un jaune nauséeux, *«comme s'ils avaient macérés dans de l'urine. Comme il a changé!»* L'éclat intransigeant du regard a laissé place à une lueur sombre où transparaît l'angoisse morbide, les linéaments fiers qui faisaient sa marque se sont comme avachis et expriment à présent l'incertitude, le tourment, l'anxiété de s'être trompé. Non, il ne le reconnaît pas! Est-ce lui l'homme qui a dirigé ce ranch, l'a marqué de sa personne? Est-ce lui qui, il n'y a pas un an, mêlait encore rêve et réalité et revenait d'Orient avec des reproducteurs brahmans? Est-ce lui, au fait, l'homme qui lui a appris le ciel immense qui court au-dessus des collines, le blizzard lugubre qui, surgissant du Nord, gobe toute chaleur sur son passage et ne laisse derrière lui qu'une traînée d'argent froide et solitaire? Est-ce lui qui lui a enseigné le souffle chaud du chinook qui courbe l'herbe, caresse la terre, en absorbe les parfums et va rendre fous le jeune homme et la jeune fille? Est-ce lui l'homme qui lui a enseigné qu'un homme se devait d'ignorer la peur, de combattre les démons et de préserver ce qui est pur de toute souillure et de toute vulgarité inhérente à la «plèbe»? Est-ce lui l'homme qui affirmait que si les Rocheuses dérangeaient il n'y avait qu'à les déplacer? Que lui est-il arrivé? Et puis pourquoi lui fait-il cet aveu maintenant? Il n'avait pas le droit! Pourquoi n'est-il pas mort subitement, sur l'un de ses chevaux, terrassé par la foudre avant d'être rattrapé par «*la vérole de la Vieille Pute. Comment je vais faire à présent pour chasser Missy de ma tête? On commençait pourtant à bien s'entendre. Il n'avait pas le droit de faire ça! Et puis il aurait pu le dire avant, l'autre jour.*»

«Pourquoi tu ne me l'as pas dit l'autre jour? reproche-t-il à son grand-père.

— Ce n'est pas le genre de chose que l'on raconte comme ça sans y réfléchir. Est-ce que...

— Non, non; rien.

— J'ai encore autre chose à te demander avant que tu ne partes et me condamne pour cet instant de faiblesse.»

«*Il n'aurait jamais dit ça voilà quelques semaines,* se dit Endicott, *jamais il n'aurait quêté ainsi l'aumône d'un pardon. Est-ce que la maladie ronge aussi l'esprit? Est-ce une preuve que nous ne sommes qu'une enveloppe? Cornelius Fairfield n'est pas mort et pourtant il n'est plus. Comment il s'appelait ce prof de biologie à Manchester? Macon! C'est ça! C'est lui qui disait que le corps n'était qu'une fédération regroupant les milliards de cellules qui le composent et lui font confiance comme une fédération le fait envers son gouvernement central pour assurer le bienêtre de chacune de ses parties; et, comme dans une fédération où le gouvernement va trop longtemps à l'encontre des vœux de certains, il y a d'abord des rebuffades, puis des révolutions. Estce pareil pour Grand-père? Contre lesquelles de ses cellules serait-il allé à l'encontre? C'est quoi cette maladie qui l'emporte finalement? Le médecin a beau parler d'usure, quand même, avant que je parte il ne paraissait pas si usé. Le père de Missy! C'est complètement aberrant! Le monde est vraiment tordu, et puis... c'est vrai! C'est lui qui a racheté la ferme des Bagriany. C'est peut-être pour ça, pour assurer les besoins de la famille, il devait se sentir responsable. Peut-être même qu'il est retourné avec la mère de Missy? C'est peut-être ça qui l'a usé? À la voir*

comme ça, on dirait pas, on dirait une sainte comme les catholi-
ques les aiment. Missy, ma demi-petite-sœur... Quand je pense que
l'autre jour il s'en est fallu de peu qu'on s'embrasse... Qu'est-ce
qu'il veut me demander?»

«Je t'écoute, dit-il à son grand-père, la voix chargée d'un
certain ressentiment qu'au fond il voudrait bien ne pas éprouver
parce que, tout de même, son grand-père est en train de mourir et
que, malgré tout, c'est certainement lui qu'il a le plus admiré, et
aussi, c'est de lui qu'il a le plus appris.

— Ce que j'ai à te dire concerne le Ranch. Comme tu as dû
t'en rendre compte, la sécheresse commence sérieusement à hy-
pothéquer l'avenir, je crains que lorsque je ne serai plus là, ton
père ne soit amené à faire des gestes inconsidérés, comme de
vendre ou même, tout bonnement, d'abandonner; ça, je ne le veux
pas! Il faut que tu l'en empêches!

— Moi, je veux bien, Grand-père, mais c'est mon père, il fait
ce qu'il veut, je ne peux pas aller contre...

— Oui ou non, ce ranch t'intéresse-t-il?

— Bien sûr!

— Tu dois savoir, je te l'ai sûrement enseigné, que l'on n'a
rien pour rien?

— Je sais, Grand-père.

— Bon, alors jusqu'où serais-tu prêt à te rendre pour posséder
ce ranch?

— Comment ça?

— Serais-tu prêt, si nécessaire, à subvenir aux besoins de ton
père jusqu'à la fin de ses jours? Tu sais comme moi qu'il est un
peu... disons poète.

— Évidemment! Je le ferais même sans le ranch, mais la
question ne se pose pas.

— Elle pourrait se poser, rien n'est impossible... Cela dit je
suis content de ta réponse; en fait je m'y attendais et c'est
pourquoi, je te l'annonce à présent, j'ai tout arrangé pour que ce
soit toi qui hérites directement de tout si tu acceptes les conditions
stipulées.»

La surprise secoue Endicott qui ne sait quoi dire. Curieusement,
comme si une partie impassible de son cerveau se contentait

d'observer l'autre, il s'aperçoit que la première image que lui impose cette nouvelle inattendue est celle de lui et Missy en propriétaires du Ranch. Aussitôt, à cause de la révélation précédente, il s'emploie à effacer cette vision.

«Je... je ne sais pas quoi dire, fait-il.

— Tu ne demandes pas les conditions?

— C'est quoi?

— La première, comme tu dois l'avoir compris, serait de subvenir aux besoins de tes parents si le cas devait se présenter, la seconde te paraîtra plus étrange et je ne veux pas t'en expliquer le pourquoi, tu devras seulement t'y conformer. Elle stipule qu'en acceptant le Ranch tu t'engages également à mettre légalement toute la terre que j'ai rachetée à la mère de Missy au nom de Nathan Barker...

— Nathan Barker! Mais pourquoi? Pourquoi lui?

— Je t'ai dit que je n'avais pas de raison à te donner, tu m'as bien dit que lui et Missy s'entendaient bien?

— Oui, mais...

— Eh bien ça devrait les aider à continuer. C'est tout ce que j'ai à dire.

— Oh j'ai compris! Tu fais ça pour m'éloigner d'elle, pour qu'elle reste attachée à lui! Y avait pas besoin, tu sais, les filles, c'est pas ça qui manque...

— Oui, elles occupent un peu plus de la moitié de la planète, mais j'ai aussi remarqué que souvent les hommes choisissent celles qui sont nées à deux pas de chez eux.

— Pas Papa!

— Non, c'est vrai, de ce côté-là je lui tire mon chapeau, mais ton père est comme personne...

— On pourrait en dire autant de toi, Grand-père.

— Comment dois-je le prendre?

— J'aimais mieux quand tu n'étais pas... malade, est incapable de mentir Endicott.

— Je m'en doute, je m'en doute...»

Les derniers mots d'Endicott ont imperceptiblement amené une grimace au coin des lèvres de celui que, dans cet état, il ne peut plus appeler le Rancher. Le vieillard baisse les paupières et lève mollement la main décharnée avec laquelle il a invité son petit-fils à approcher:

«Tu peux me laisser, dit-il, je crois que je vais dormir un peu.

— Bonsoir, Grand-père, et merci..., dit Endicott en se demandant comment, aux frontières de la mort, on peut encore songer à dormir alors qu'il doit rester tant à voir.

— Bonne nuit, Endicott Fairfield.»

À peine la porte s'est-elle refermée sur son petit-fils que le vieillard laisse s'étaler beaucoup plus largement la grimace ébauchée. Par les fenêtres, le soir étend son voile éternel où flottent déjà des pans de nuit. Les ombres du crépuscule parlent au vieil homme de tout ce qui a été sous le poids de ses pas et l'insistance de son regard. Pourquoi est-ce toujours la jeunesse, celle d'avant vingt ans, qui revient toujours dans ces moments? Alors qu'on vit celle-ci avec la hâte d'en finir, la hâte de jouer aux jeux des grands, on passe ensuite le reste du temps à regretter de l'avoir gâchée, bâclée, négligée. Mais la jeunesse serait-elle ce qu'elle est s'il fallait s'en occuper! En pensée il se remémore un moment particulier de la sienne: il se trouvait au Texas, à San-Antonio où il s'était rendu avec son père dans le but de se procurer quelques taureaux Galoway dont on disait à l'époque que la race ferait fureur dans le nord. Un soir, il se souvient que ce devait être un samedi, il était sorti seul de son hôtel sans autre but que de faire une balade en fumant un dernier cigare. C'est ainsi que ses pas l'avaient conduit jusque sur une petite place dont la nuit avait été habillée de lampions multicolores en papier plissé. Dans un coin de la place, sur une estrade, un orchestre mexicain donnait chaleur et rythme à une constellation de couples tournoyant. Alors que tous les hommes privilégiaient le noir, les filles, elles, arboraient d'immenses foulards et d'amples jupes de toutes les couleurs: rouge cerise, jaune d'or, bleu turquoise, vert véronèse. Et plus elles tournaient, plus s'élevaient les robes, dévoilant, gainées de bas noirs, des chevilles graciles, des mollets volontaires et même, parfois, un terrible genou rond ou la base pulpeuse d'une cuisse. Subjugué, il s'était assis sur un banc en retrait. Jamais encore il n'avait connu ou imaginé pareille chose; c'était si beau, toutes ces jeunes filles virevoltant sous l'impulsion de leurs cavaliers tout pénétrés de leur virilité, fiers comme personne au nord n'oserait l'afficher. Et sur les guitares de bois, les doigts magiques des musiciens exécutaient un invraisemblable ballet, transmettant à la foule, sous forme d'ondes sonores, quelque chose qui n'était plus seulement de la musique, si jamais elle n'est que cela, mais quelque chose comme une poésie parlant d'un soleil d'or, des langueurs du jour rêvant les feux de la nuit et les abandons de l'aube, de la tristesse noire toujours prélude à la joie, de sang versé pour l'honneur ou simplement pour sa beauté, de larmes versées pour une mama, pour une sœur, pour une belle; c'était de l'amour à l'état brut. Et les filles tournaient, tournaient, tournaient de plus en plus vite, et leurs yeux noirs brillaient de bonheur, brillaient de plaisir, et leurs lèvres cerise s'étiraient en des rires de lumière blanche ou se scellaient, dangereuses, dans le songe d'un baiser unique, et leurs robes amples s'élevaient, aériennes et colorées, en tournoyant toujours plus vite. Et lui, le jeune homme du Nord assis sur ce banc, il les aimait toutes, il les aimait comme on aime les fleurs des champs, sans avoir besoin de les couper pour les emporter chez soi, il les aimait d'être là, d'être heureuses, d'être belles, de virevolter tout en couleurs. Il était resté là jusqu'à l'aube, assis sous les lampions de papier, jusqu'à ce que meure doucement la *fiesta*, tandis que, dans une direction ou l'autre, au bras de leurs cavaliers, les filles s'en allaient l'une après l'autre, peut-être entre quatre murs de crépi blanc, sur un lit de bois sombre, pour jeter dans un coin la robe de couleur et l'habit sombre, cherchant dans les premières lueurs de l'aube à prolonger l'union, autrement, à prolonger le bonheur d'être deux, d'être tous, d'être jeune, et de vivre alors que tous les autres sont morts, comme il faudra bien mourir à son tour, comme il faudra bien partir pour d'autres demeures. Il était rentré dans la lumière blême du petit matin, la tête et le cœur encore pleins des couleurs et de la musique. La ville semblait un peu triste dans l'écho de ses pas, la chambre d'hôtel aussi lorsque, étendu sur son lit, les bras croisés derrière la nuque, il laissait revivre sur l'écran de ses paupières la trop belle sarabande des amples robes colorées tournoyant et s'élevant sous les lampions, s'imaginant hidalgo allumant des éclairs de bonheur dans les yeux ardents d'une conchita. Mais ici il n'était qu'un homme du Nord, avec la façon d'aimer que l'on a dans le nord; aussi il ne pouvait qu'imaginer, avec des larmes du sud roulant sur ses joues. Finalement, le jour doré avait nettoyé toutes les hésitations de l'aube et anesthésié tous les sens de la nuit lorsqu'il avait fini par s'endormir, emporté dans un flamenco solitaire. Oh! bien sûr, c'était triste, mais qu'est-ce que c'était beau! Rien que pour ces quelques heures, toute une vie valait d'être vécue. Et lui, il avait eu droit à d'autres moments de jeunesse comme celui-là. Oh rien de bien extraordinaire à première vue, comme cette fois où il se trouvait quelque part dans le Montana, à pied, seul, il semble que l'on est toujours seul dans ces moments-là. Pourquoi était-il là, il ne s'en souvient même plus, ce qu'il sait c'est que cela se passait un peu à l'extérieur d'une petite ville, le long d'une route étroite longeant un modeste terrain d'aviation qui, à l'époque, devait servir d'exutoire à quelques casse-cous suicidaires et aussi, plus prosaïquement, comme relais aux avions transportant par-dessus la frontière un whisky prohibé que des Canadiens comme les Fairfield ne se privaient pas de distiller. Peut-être était-ce pour ce genre d'affaire qu'il était là-bas? Toujours est-il que c'était l'une de ces douces soirées de mai où l'air de la nuit, comme nettoyé de toute la lie accumulée durant un cycle des saisons, embaume du frais parfum de millions de jeunes fleurs virginales, tandis qu'au-dessus de sa tête, insondable, ultramarine, parée de l'éclat scintillant de milliers de joyaux que l'inaccessibilité et le mystère rendent d'autant plus merveilleux, la voûte céleste semblait appuyer l'assise de sa courbe gigantesque de part et d'autre de l'immense continent qui restera à jamais sauvage et solitaire malgré l'acharnement des hommes à vouloir le domestiquer, à essayer de lui occulter son caractère éternel qui les angoisse comme jamais rien d'autre ne pourra le faire, eux qui sur cette terre immense et indomptable ne sont en chacun qu'une éphémère poussière de vie dont la course du temps ne retiendra rien, rien sinon peut-être l'émotion extatique que soudain, comme ça, pour rien, il avait ressenti envers le monde, pour une nuit comme celle-là dont sa jeunesse pleine de sève pensait pouvoir se gaver, s'étourdir. Oui, il se souvient très bien de cette petite route où la nuit limpide, douce et parfumée s'était offerte à lui, presque comme une femme avec laquelle il aurait eu la sensation d'appréhender le monde, la vie et les choses, de s'en être imprégné par tous les pores de sa peau, par tous ses sens et même par l'esprit. Ce soir, alors qu'il sent avec terreur que sa vie s'achève, il sait très bien que, de tout ce temps néanmoins trop court qui lui a été accordé, seules quelques perles rares comme celles-ci demeureront, si ce n'est dans la mémoire, du moins comme des apparitions, des fantômes que, solitaire entre la voûte de la nuit et l'immensité du continent, un autre jeune homme, une autre jeune fille, par une belle soirée de printemps, rencontrera sans frémir au bord de la route, ou sous des lampions de papier.

35

Assommé par les barbituriques que Gia a continué à lui administrer, hébété par la drogue, ne reprenant vaguement connaissance que pour des besoins essentiels comme se nourrir, Nathan a vécu ces trois derniers jours dans un véritable état léthargique. Aujourd'hui, toutefois, les choses ont changé: Gia a interrompu les barbituriques et, pour la première fois depuis son arrivée, le garçon s'éveille vraiment et prend conscience de ce qui l'entoure. Tout d'abord il ne comprend pas ce qu'il fait dans ce lit, complètement nu alors qu'il n'aperçoit son linge nulle part; qu'elle est cette chambre dans laquelle il se trouve? Elle ne lui plaît pas, mais alors pas du tout! Quels sont ces murs rouges, ces frises de plâtre doré au plafond, ces immenses miroirs? Brusquement, sans toutefois concevoir qu'il est ici depuis trois jours, il se souvient chez qui il se trouve et, comme cette information lui revient en mémoire, son premier mouvement est de sauter du lit en direction de la porte afin d'aller s'informer de ce que finalement on lui veut. Il est un peu surpris de la trouver verrouillée de l'extérieur; normalement une chambre ne se barre que de l'intérieur? Comme pour chercher une autre issue, il se dirige vers la baie vitrée, celle-ci doit pouvoir s'ouvrir, mais malheureusement elle se trouve trois étages au-dessus du stationnement. Dépité, il en profite néanmoins pour observer l'océan dont, pour un très court instant, la vue le rassérène; il ne doit rien pouvoir arriver de vraiment terrible alors qu'on a ça sous les yeux. C'est d'abord en se grattant machinalement puis en baissant les yeux sur lui-même qu'il constate les traces de piqûres à l'intérieur de ses bras. «*Qu'est-ce que c'est? Qu'est-ce qu'ils m'ont fait?*» D'un seul coup, toute la peur qu'il ressentait avant que le premier verre qui l'a assommé ne fasse effet, toute cette peur et même davantage s'empare de lui. Terrifié, mais aussi indigné, il retourne vers la porte et la martèle de ses poings.

«Ouvrez! Ouvrez!»

Presque aussitôt, entendant le son d'un mécanisme de serrure, il recule pour laisser le passage à Gia, toujours vêtu de son peignoir de soie rouge.

«Alors tu es réveillé, fait-il avec dans les yeux un éclair d'ironie qui n'échappe pas à Nathan, gêné d'être surpris dans cette tenue.

— Où sont mes vêtements? Pourquoi m'avez-vous enfermé?

— Parce que tu es mon *invité*, voilà pourquoi.

— Mais qu'est-ce que vous me voulez?

— Il est encore un peu tôt pour te l'expliquer. Veux-tu déjeuner?

— Non! J'veux m'en aller!

— Impossible... impossible, rétorque Gia en secouant la tête avec un faux air de commisération

— Pourquoi impossible? Qu'est-ce que vous voulez de moi, j'ai pas d'argent, je ne suis pas riche, j'ai rien! Rien du tout!

— D'abord, pour répondre à ta première question, je ne peux pas te laisser aller parce que dans moins de deux heures maintenant tu vas avoir besoin de ta dose... Eh oui, si tu regardes tes bras, tu t'apercevras que tu as reçu des injections, de l'héroïne pour ton information, et si tu connais un peu le processus, tu dois savoir ce que peut entraîner l'état de manque: angoisse respiratoire, vomissements, état de douleurs intenses et généralisées, ça fait très très mal, sensations d'étouffement et même, dans certains cas, risques de collapsus. Tu vois que dorénavant, pour toi, il vaut mieux ne pas risquer de te trouver loin d'une source sûre. Ensuite, à ta seconde question, tu as beaucoup plus que tu ne crois. Veux-tu déjeuner maintenant?

— Vous m'avez drogué? Drogué! Vous... vous... Je veux mes vêtements!»

Ces vociférations ne semblent pas du tout démonter Gia qui se contente de l'observer sans faire montre ni de colère ni d'amusement, rien. Tout au plus se contente-t-il de laisser entrevoir les *avantages* qu'il va procurer à Nathan:

— Toute cette fureur alors que grâce à moi tu vas connaître des choses et des moments qui ne sont donnés qu'à très peu de mortels.

— Vous pouvez vous les mettre où je pense!

— Tu comprendras plus tard.

— Jamais! Et puis votre drogue, ce sera jamais assez pour me retenir! Et...»

Il n'a pas vu venir le coup de poing qui l'atteint au menton et l'envoie chuter au pied du lit. Sonné il tente de reprendre ses esprits mais Gia est déjà sur lui et, ayant attrapé dans la poche de son peignoir une de ces paires de menottes qui se vendent dans les panoplies pour enfants, il passe l'une d'elles au poignet de Nathan, enroule la chaîne autour d'un des barreaux du lit en laiton cuivré et referme la seconde menotte sur l'autre poignet. En proie à la panique, le garçon essaie de se dégager, mais malgré leur fragilité apparente, les menottes-jouets tiennent bon. Le laissant quelques instants, Gia sort de la pièce et revient avec une autre paire de menottes dont il entrave les chevilles de Nathan.

«Vas-y, vas-y, remue tant que tu veux, j'ai l'habitude, dit Gia le plus naturellement du monde, j'en ai dressé d'autres et des pires. C'est comme les chevaux sauvages, au début ça rue, ça veut tout démolir, mais une fois domptés on en fait ce qu'on veut. Comme je vais faire de toi ce que je veux, c'est à dire une pute.»

Cette assertion paralyse Nathan qui, incrédule, tourne la tête vers Gia et cherche sur le visage impénétrable à comprendre ce qu'il a vraiment voulu dire. L'homme opine légèrement du menton.

«Eh oui, mon mignon, tu as bien entendu, je vais faire de toi une pute.

— Mais?... Qu'est-ce que c'est?», demande Nathan qui sait ce que signifie le mot pute, mais ne parvient pas à s'expliquer comment il pourrait s'appliquer à lui.

Cette fois Gia semble apprécier la question.

«Formidable! Un ingénu! C'est ce qui fonctionne le mieux... Pour te répondre, une pute c'est celui ou celle qui monnaye son corps, qui le loue.

— Vous êtes fou! Est-ce que vous croyez que je vais aller coucher avec n'importe qui pour vous faire plaisir? Jamais! Et puis, il doit pas y a avoir beaucoup de femmes prêtes à payer pour ça. Détachez-moi!

— Qui t'a parlé de femmes?

— ...

— Oui, oui, tu as très bien compris, les gens avec qui nous faisons affaire sont généralement des messieurs. Pas vraiment des homosexuels, non, ces gens-là font leurs affaires entre eux, nous c'est plutôt le chef de famille entre deux âges, souvent des cols blancs, des fonctionnaires, des magasiniers, des petits patrons qui un beau jour, peut-être lassés des expédients conjugaux ou tout simplement lassés d'être *normaux*, décident de s'offrir, selon leurs moyens, une heure ou tout un bel après-midi de vice. Mais alors du vrai vice, celui qui fait horreur, sinon ce ne serait pas du vice, et quoi de plus vicieux pour le gentil chrétien du dimanche qu'une sordide partie de fesses avec un petit jeune homme comme toi?»

Nathan a fermé les yeux comme si cela pouvait l'empêcher d'entendre. Toute cette saleté l'épouvante. Les larmes au bord des yeux, il secoue vigoureusement la tête:

«Vous n'aurez jamais rien de moi, non! Ça n'arrivera jamais! J'aimerais mieux mourir!

— Je sais, je sais, ils disent tous la même chose.

— Moi, c'est vrai!

— Serais-tu un surhomme? Un saint?

— Je le serai!

— Bravo! Mais laisse-moi en douter.»

Le laissant sur ces mots, Gia quitte la chambre et revient quelques minutes plus tard, un téléviseur portatif à la main.

«Pour commencer, explique-t-il, je vais faire de toi une bête de sexe. Première leçon: cinéma.

— Rien n'y fera! s'exclame Nathan.

— Tu te répètes, garde plutôt tes forces si tu veux essayer de combattre ce qui t'attend.»

Quelques minutes plus tard, Gia a installé le téléviseur et un magnétoscope en face du lit. Il a tiré les double-rideaux et mis une cassette.

«Celui-ci s'intitule: *Esclaves des sens*. Amuse-toi bien...

— J'écouterai pas!»

Sans faire de commentaire, Gia sort de la pièce et referme la porte derrière lui. Tenant volontairement la tête tournée sur le côté, le cœur battant comme s'il allait livrer un combat à mort, Nathan essaie de se concentrer sur un moyen de sortir de là. Mais il doit bien vite se rendre à l'évidence: pour le moment, il est enchaîné à ce lit et ne peut absolument rien faire. «*Il ne m'aura pas!* se jure-t-il. *Je ne me laisserai pas faire! Pourquoi est-ce qu'il y a des gens aussi mauvais? Pourquoi a-t-il mis le volume aussi haut?*» Malgré lui il ne peut s'empêcher d'entendre les propos échangés dans le film depuis quelques secondes. Il est question de «belles queues», de «belles chattes», d'une voix féminine graveleuse ordonnant: «Fourrez-les-moi! Mettez-les-moi!» C'est le pluriel du verbe qui, malgré toute la ténacité qu'il met à ne pas regarder, fait relâcher l'attention de Nathan et suscite sa curiosité. D'abord du coin d'un seul œil il voit, ahuri, car jamais il n'a été mis en présence de matériel pornographique de ce genre, une blonde décolorée plutôt grassouillette mélangée de façon obscène avec trois mâles en rut. La première impression de Nathan en est une d'immense dégoût. «*Comment des êtres humains peuvent-ils faire ça, comme ça, et devant une caméra? Ils ne doivent plus pouvoir se regarder dans une glace, c'est impossible! Ils doivent être malheureux dans leur peau. C'est écœurant! Bestial!*

C'est comme toi avec Sherilyn...

Non! Pas du tout! Ça, c'est l'horreur, c'est pire que tout. Trois sur une femme, ce n'est plus une femme après, c'est... Qui pourrait lui faire confiance? Seigneur! Sors-moi de là! S'il Te plaît! Je sais! Je sais qu'après ce que Tu as fait pour ma main, je ne T'ai pas remercié, je sais que j'ai été ingrat, mais s'il Te plaît, sors-moi de cet enfer! Sors-moi de là sinon je ne pourrai plus jamais croire en Toi. Je Te jure que je ne pourrai plus! C'est moi, dans le fond, c'est juste moi qui dois être fort. Si je sombre, ce sera ma faute, celle de personne d'autre. Il faut que je réagisse! Et tout d'abord détour-

ner les yeux de cette ordure qui me lève le cœur... C'est curieux, ça me lève le cœur et je suis quand même porté à regarder, pourquoi? C'est sûrement ça, la tentation; si le mal ne nous attirait pas ce ne serait pas la tentation. Ça ne m'attire pas du tout! Pas du tout!

Tu dis ça pour t'aveugler, pour essayer d'oublier que tu es à poil sur ce lit, que si tu y penses, tu peux bander n'importe quand, que le Chinois pourrait te surprendre dans cet état et en déduire qu'il a gagné.

Il ne gagnera pas! De toute façon ce genre de truc ne me fera jamais bander! C'est vrai au fait! Il m'a drogué. Qu'est-ce que ça va faire?»

Il a tenu bon toute la durée du film; à part un ou deux petits coups d'œil, il n'a plus regardé. Du mieux qu'il a pu, il a fermé ses oreilles aux dialogues qui, il s'en est vite rendu compte, revenaient toujours à la même chose. Mais, outre l'inconfort de sa position, il y a quelque chose qui le dérange à présent et, pour l'avoir vécu en partie à l'hôpital de Fort Nelson, il sait ce que c'est: le manque. Et comme s'il lisait en lui, Gia se présente.

«Le film t'a plu?

— Non!

— Le suivant sera mieux.

— Le suivant?

— Oui, bien sûr, le cours en comporte pas moins d'une quinzaine.

— Il aurait beau y en avoir cent que ce serait pareil, de la viande ça reste de la viande.

— Tu ne crois pas si bien dire... Est-ce que par hasard tu ne voudrais pas une petite piqûre?

— Non! Je veux juste m'en aller.

— Dis-toi bien que tu ne partiras d'ici que lorsque tu auras passé toutes les épreuves du concours avec succès. Ce n'est pas l'école publique ici, je ne relâche que les étudiants qui ont réussi.

— Et les autres?

— Il n'y en a pas d'autres.

— Il y en aura un!

— Très bien, très bien... Le film suivant s'intitule: *Si tous les Grecs*... Je suppose que tu connais l'Histoire antique... Tu ne réponds pas, c'est pas grave, tout ce qu'il importe de savoir, c'est que dans la Grèce antique bien des hommes n'épousaient les femmes que pour se reproduire, pour le reste..., tu vas voir.»

Pendant tout le film, les yeux fermés, Nathan ne cesse de répéter dans sa tête le nom de Missy, certain d'y trouver la force dont il a besoin. À la fin cependant il a vraiment mal partout. «*Je vais juste accepter une seule piqûre,* se promet-il, *juste une le temps de voir venir.*» Aussi, lorsque Gia revient à la fin du film en apportant une nouvelle cassette, il est prêt à dire oui lorsque le «Chinois» lui proposera la piqûre. Mais au lieu de cela l'homme ne fait que glisser une autre cassette dans le magnétoscope.

«J'ai décidé, dit-il ensuite, de ne te donner ta dose que si tu regardes le film suivant.

— Je les regarde vos films, ça ne me fait rien du tout.

— Faux !

— Comment le savez-vous?»

Gia désigne les miroirs:

«Parmi ces miroirs, il y en a un à travers lequel on voit tout ce qui se passe dans cette chambre. Le film suivant n'a pas de titre.»

Le film suivant n'est pas un film, mais une image quasiment fixe de lui-même entravé sur ce lit. Au début, comme pour les autres, Nathan ne regarde pas, puis la douleur irradiant tous ses muscles, et aussi le fait que cette fois il n'y a pas de dialogue, il tourne son regard vers le téléviseur. Tout d'abord, voyant de quoi il s'agit, il fait une grimace avec l'air de dire: et alors? Puis, sans comprendre, puisque cette image ne peut susciter aucun danger, il continue à se regarder d'un œil morne. Les minutes passent et il ne se rend pas vraiment compte que petit à petit il cesse d'observer sa physionomie comme étant la sienne, mais comme celle d'un autre, un autre gars dont il n'a pas honte de regarder la nudité, et c'est normal puisque c'est lui. Il souffre vraiment lorsque le «Chinois» revient trente minutes plus tard, cette fois avec une seringue contenant le mélange qu'il a mis au point pour la première partie de l'*entraînement,* un mélange comprenant des antidépresseurs IMAO capables de créer une véritable inversion euphorique de l'humeur et aussi d'exacerber les sens sexuels.

«Une piqûre?», demande-t-il.

Nathan n'ose pas dire oui, mais il ne dit pas non. L'injection faite, pour la première fois il en ressent consciemment les effets. Un immense bien-être physique, comme si tout son épiderme n'était constitué que de milliers d'yeux destinés à recevoir le flash qui le parcourt, le réchauffe comme un trait de soleil, le désarçonne par son intensité. Tout à coup, il se sent extrêmement bien et ne se demande même plus pourquoi il devrait lutter.

«Prêt pour un autre film? demande Gia.

— Ouais... ouais...»

Tout à son bien-être, il lui faut quelque temps avant de s'apercevoir que le nouveau film n'est pas plus animé que le précédent; seul le personnage à changé, il s'agit maintenant de Gia.

Après quarante-huit heures de ce régime, seulement entrecoupé par de brefs repas et de brèves heures de sommeil au cours desquels Gia le détache, Nathan ne sait plus du tout où il en est; dans son esprit tout se mélange, son corps, le corps de Gia et le flash de lumière auquel le «Chinois» qui est lui ou lui qui est le «Chinois» paraît associé. Et Gia paraît savoir ce qu'il fait lorsqu'il lui demande:

«Veux-tu qu'on fasse l'amour?

— Non.

— Pourquoi?

— C'est pas bien, non?

— Tu n'aimes pas mon corps?

— Je sais pas...

— Et le tien?

— Je sais pas...

— Et la lumière?

— Oui... la lumière c'est bien...

— Nos corps en font partie, non?

— Tu crois?

— Évidemment!»

Nathan ne s'étonne pas lorsque, pour la première fois en réel, Gia ôte son peignoir devant lui; il n'est pas offusqué, c'est tellement normal. Il ne s'étonne pas plus lorsqu'à la représentation vidéo suivante il s'observe côte à côte sur le lit avec Gia. Bientôt cette scène est associée à la lumière... Et ainsi de suite, jusqu'à ce qu'ils soient dans les bras l'un de l'autre, faisant des gestes que toute sa vraie conscience vomirait si elle n'était pas muselée.

Mais bientôt il va falloir lui donner un peu de champ libre, Gia le sait parfaitement.

Nathan ignore que depuis hier soir, Gia a supprimé les antidépresseurs. Ce matin l'homme n'est pas venu l'attacher ni lui faire sa piqûre. Que se passe-t-il? Petit à petit il émerge de la brume visqueuse dans laquelle il évoluait depuis quelques jours et, au fur et à mesure, malgré le manque qui se fait déjà sentir, il commence à mesurer ce qui s'est produit dans cette pièce. C'est comme si une infirmière diabolique venait de le brancher sur une perfusion qui, goutte à goutte, ferait couler dans son sang une concoction verdâtre et purulente. Il en est là, avec l'impression de nager dans la fange, lorsque son geôlier ouvre la porte, encore une fois avec une cassette sous le bras.

«Bonjour, mon mignon.

— Qu'avez-vous fait?

— Que veux-tu dire?

— Qu'est-ce que vous m'avez donné?

— Tu veux parler de la lumière?

— Faites pas l'innocent! Vous m'avez drogué, puis vous m'avez violé! C'est ça! Vous m'avez violé!

— Violé! Eh bien justement j'ai apporté cette cassette, nous allons voir...»

La mort dans l'âme, trop écœuré pour réagir, Nathan ne peut que se voir, acceptant sans équivoque les services de Gia, et lui-même lui rendant la pareille. Il voudrait pleurer, ça le laverait un peu, mais même cela lui semble défendu. Il est l'un des deux acteurs de cette tragédie, c'est lui et bien lui sur ces images qu'il y a seulement quelques jours il aurait refusé de regarder. Gia feint de compatir:

«C'est terrible, n'est-ce pas de constater ce que nous sommes? Ah... que veux-tu... Il n'y a de salut et d'oubli que dans l'acceptation de ce que l'on est.

— Ce n'est pas moi, non, ce n'est pas moi!

— Qui alors?

— Je sais pas... la drogue, oui! C'est la drogue!

— Très bien, si c'est la drogue, n'en prends plus.

— J'en prendrai plus!

— Parfait, très sage décision... Bon, j'ai à faire, si jamais tu as besoin, appelle-moi.

— Laissez-moi partir!

— Ce soir, ce soir je te laisserai partir, à moins bien entendu que d'ici là tu ne veuilles une piqûre, auquel cas il faudrait tourner un autre vidéo. Tu sais que ça se vend bien...

— Foutez-le camp! Foutez-le camp!»

À peine la porte refermée, Nathan estime qu'il faut absolument qu'il se sauve maintenant sinon, dans une heure, peut-être deux, il appellera le «Chinois». Mais comment faire puisque la porte est toujours verrouillée et qu'il se trouve au troisième étage? «*C'est pas possible!* se désespère-t-il, *il n'y a qu'au cinéma que les héros s'échappent, dans un film j'aurais... Mais oui! Bon sang! C'est tout bête, pourquoi je n'y ai pas pensé? Attacher les draps et les couvertures ensemble... Oui, mais s'il regarde à travers le miroir? Tant pis, il faut prendre une chance. Et si ça marche, j'espère que sa foutue caméra filmera tout. Maudit c'est vrai! J'ai rien pour m'habiller? Tant pis, je vais envoyer une couverture par la fenêtre et je m'envelopperai dedans rendu en bas. Pourvu que j'y arrive!*»

Sans plus attendre, il noue ensemble les deux draps, le couvre-lit, attache une extrémité du cordage improvisé au pied du lit, ouvre la fenêtre, est un peu surpris par une brise venue du large, roule la couverture en boule, la jette en bas, envoie son assemblage à l'extérieur, est surpris de constater qu'il atteint presque le niveau du sol et, sans plus réfléchir, enjambe le rebord de la fenêtre et se laisse descendre, uniquement préoccupé par la crainte d'être rattrapé. «*De toute façon, maintenant, ils auraient beau me tirer dessus, je me laisserai pas faire. Pourquoi j'ai pas pensé à ça plus tôt?*»

Le stationnement devant l'immeuble est désert et apparemment personne ne l'a remarqué. Il se dépêche de mettre la couverture sur ses épaules, et, craignant que le «Chinois» ne le recherche d'abord dans la rue, choisit de filer en contournant l'immeuble. Il passe par-dessus une courte palissade de bois, traverse la cour d'un autre immeuble apparemment plus modeste, s'apprête à s'engager dans la rue, puis, changeant d'idée, s'engouffre dans l'entrée de cet immeuble et appuie sur la première sonnette. Pas de réponse, à la seconde non plus. Ce n'est qu'à la troisième qu'une voix de femme un peu bourrue lance: «Qu'est-ce que c'est?

— Madame, s'il vous plaît, je voudrais aller à l'hôpital, je suis perdu, je ne sais pas où c'est?

— Qu'est-ce que c'est encore? Un misérable qui au lieu d'aller travailler casse les pieds des braves gens...

— Je vous en supplie! J'ai été kidnappé, je me suis enfui, ils vont bientôt me rechercher...

— Très bien, j'appelle la police.»

Nathan hésite un peu, mais il ne voit pas d'autre alternative.

«S'il vous plaît, Madame, et dites-leur qu'ils viennent me chercher ici le plus vite possible!

— Bon, c'est bien je vais les appeler, dit-elle avec plus de chaleur et une note d'intérêt. En attendant je peux vous ouvrir la porte en bas, vous pourrez vous abriter dans l'immeuble, mais vous devez comprendre que je ne vous ouvre pas chez moi, on ne sait jamais, aujourd'hui...

— Merci, Madame, merci!»

Une voiture de patrouille devait se trouver tout près car il ne s'est pas écoulé plus de cinq minutes lorsqu'elle se présente à l'entrée de l'immeuble. Immédiatement, Nathan qui surveillait à travers la double-porte vitrée depuis un recoin, s'élance vers la voiture.

«C'est moi qui vous ai fait demander, dit-il au premier policier qui vient de sortir du côté passager. Je me suis enfui de l'immeuble là, en face, au troisième, C'est un Chinois qui me gardait prisonnier. Il m'a drogué toute la semaine, j'ai déjà mal partout. Je voudrais aller à l'hôpital...

— Wo! Wo! Ça fait beaucoup à la fois. Commençons par le début, d'abord tu dis que t'as été enlevé?»

Visiblement, même s'il trouve un peu étrange de rencontrer un garçon simplement couvert d'une couverture, le policier, un grand type de six pieds au visage joufflu, rougeaud et en partie dissimulé derrière une épaisse moustache noire, ne semble pas prêt a accorder un total crédit à l'histoire de Nathan.

«Oui, recommence le garçon, par un Chinois, dans l'immeuble qu'on voit là.

— Pourrais-tu nous conduire à l'appartement en question?

— Hein! Mais?

— T'as rien à craindre, t'es avec nous maintenant.

— Heu... oui, accepte Nathan s'apercevant qu'il n'a pas d'autre choix.

— Monte en arrière, on va faire le tour.»

À peine est-il installé sur la banquette de moleskine que le policier qui est au volant l'assaille de questions:

«Pourquoi t'ont-ils kidnappé? Comment t'es-tu enfui? Pourquoi tu n'as que ça sur le dos? Tu t'appelles comment?

— Je crois que c'est un réseau qui enlève des jeunes comme moi pour les forcer à se prostituer, ça fait je sais pas combien de jours que je suis piqué (Il montre l'intérieur de ses bras) et là je commence à en avoir besoin...»

À ces mots les deux policiers se regardent et échangent un signe de tête entendu.

«Tu vas nous indiquer l'appartement, fait celui qui conduit, et tout de suite après on te conduira où il faut.

— Est-ce qu'on va me donner une piqûre?

— T'inquiète pas, les docteurs savent ce qu'il faut faire.

— Mais je vais avoir une piqûre, hein?

— Mais oui..., mais oui...»

Le temps d'effectuer le tour par la route, Nathan leur a déjà expliqué que c'était l'appartement d'un «Chinois», qu'il le retenait enfermé dans une chambre depuis plusieurs jours, et qu'il était «obligé de regarder des films obscènes».

— C'est tout ce qu'il fallait que tu fasses? a demandé celui qui conduisait.

— Non», a simplement répondu Nathan.

La première chose qu'il remarque, c'est que les draps qui lui ont permis de s'enfuir ne pendent plus le long de la façade. *«Maintenant il sait que je me suis enfui.»* Il le signale mais dans le même temps, montant depuis les garages du sous-sol, il aperçoit une longue conduite blanche avec, entre deux reflets du soleil sur le pare-brise, le profil de Gia.

«C'est lui! là! indique-t-il aux policiers en pointant du doigt.
— T'es sûr?
— Oui! Oui! C'est lui!»

Peut-être plus par réflexe que par décision, le policier au volant emballe le moteur et s'élance à la poursuite de la voiture qui vient de les doubler par l'arrière. En l'espace de quelques secondes, Nathan a l'impression irréelle d'être plongé au beau milieu d'un film policier comme il y en a tant. Tandis que les deux véhicules franchissent maintenant les vitesses autorisées, presque grisé par le son de la sirène que le conducteur a mis en marche, Nathan se tend en avant comme si cela pouvait aider à la capture de l'autre devant. Ce n'est qu'en l'imaginant capturé, traduit au tribunal, qu'il se rend compte que *«obligatoirement»* il devra témoigner, il y aura des fouilles dans l'appartement, ils découvriront les vidéos sur lesquels il est en compagnie de Gia, des journaux en parleront, des tas de gens verront ces vidéos et il sait que malgré tout ce qu'ils y mettront de compréhension ils le jugeront, lui, d'après les images qu'ils verront, que lui-même voici quelques jours n'aurait pu admettre qu'une drogue quelconque puisse entraîner un individu aussi bas. Et dans le fond il ne l'admet pas encore. Plus il y pense, plus cette idée ajoute à son tourment en attendant que le supplice physique qui l'aiguillonne dans sa chair n'emporte tout. Il extrapole, imagine que sa mère viendra au procès, que la chose se saura à Bluestone, que Missy saura. *«De toute façon elle devra bien savoir, réalise-t-il, si jamais je lui cache quelque chose tout sera inutile. Alors je l'ai perdue! C'est fini, jamais elle ne pourra comprendre, qui pourrait comprendre ça? Je ne suis qu'une loque, je n'ai pas su résister. Mais résister à quoi? Il n'y avait rien que me tentait dans ce que j'ai fait.*

Pourtant, sur le vidéo, ça ne marche pas tout seul, pas sans désir...

J'ai jamais eu de désir! Jamais!

Peut-être que tu ne veux pas l'admettre? Tu dis toi-même que tu n'as pas pu résister, mais pour qu'il y ait résistance il faut qu'il y ait tentation. Tout cela te paraît complètement perverti et c'est pour ça que tu ne veux pas admettre que tu as pu ressentir une tentation quelconque, mais ça ne veut pas dire qu'il n'y en a pas eu. Peut-être qu'on veut tellement s'imaginer parfait qu'on refuse d'admettre les tentations que l'on peut avoir, mais ce qui compte c'est sûrement de les surmonter, pas de les nier. Maintenant tu es avec les policiers en train de courir derrière lui, est-ce que c'est vraiment pour te venger, pour le punir ou parce que tu veux être à l'abri?

Pour le punir! Pour l'empêcher de nuire à nouveau! Pour ça et rien d'autre! Qu'est-ce que c'est que toutes ces divagations! J'ai jamais eu envie de faire quoi que ce soit avec le Chinois! Jamais!

Tu dis souvent jamais, ces derniers temps.

Je le dis quand faut le dire! Pourquoi toujours chercher midi à minuit? Je suis Nathan Barker, sain de corps et d'esprit. J'ai pas de tentations bizarres, j'ai jamais eu envie de coucher avec un autre homme! Le seul qui pourrait prétendre le contraire, c'est le Diable, en voulant me persuader que je suis ceci ou cela, on n'est pervers que si on l'accepte!»

Les deux voitures sont maintenant engagées sur une voie rapide et, tout en zigzaguant entre les files, roulent à une allure que Nathan n'a jamais connue.

«Ce coup-là on va l'avoir! fait le conducteur, il n'y a plus de sortie avant quatre milles, il va voir ce qu'on a sous les fesses.»

Et, comme il l'a prévenu, il appuie sur l'accélérateur qui, à la surprise de Nathan, possède encore du jeu. Ils remontent sans faiblir sur la conduite blanche jusqu'à finalement se placer à sa hauteur. Le coéquipier, revolver à la main, fait signe à Gia de se ranger sur le côté. Ce dernier n'a plus d'autre choix que d'obtempérer.

«Tu le reconnais? demande le conducteur à Nathan.

— Oui, c'est bien lui.»

Ils se garent derrière la conduite, le patrouilleur au volant descend le premier, lui aussi revolver à la main, et ordonne à Gia de descendre, les mains en l'air, ce que ce dernier exécute aussitôt, mais en protestant:

«J'ignorais que ce petit fumier n'était pas majeur, je ne l'ai découvert qu'aujourd'hui, il voulait me faire chanter, que je lui paie sa dope. Son visage affiche maintenant la plus profonde déconvenue. Il m'a fait croire qu'il m'aimait, mais ce n'est qu'une petite pute! Vous devez me croire!»

Les deux policiers, une nouvelle fois, ont un coup d'œil entendu.

«De nos jours, ça prend plus que des mots pour qu'on puisse croire le premier venu...

— Mais j'ai toutes les preuves dans la voiture, là, dans la mallette brune.

— Bouge pas! mon collègue va jeter un coup d'œil.»

Le coéquipier se penche dans la voiture, y reste quelques instants et, lorsqu'il en ressort, adresse un signe d'assentiment à l'autre:

«Il a raison, fait-il, on s'est fait entuber par le gamin. Il se tourne vers Gia. On va garder les preuves pour examen, on laisse le jeunot, vous vous arrangerez à l'amiable avec lui et qu'on entende plus jamais parler de cette histoire, O.K.?

— Comptez sur moi!»

Nathan ne comprend pas ce qui se passe lorsqu'il voit Gia remonter dans sa voiture et les policiers revenir vers la leur avec une mallette sans surveiller celui qu'ils devraient arrêter. Il comprend encore moins lorsque le conducteur ouvre sa portière et lui demande de sortir.

«Pour quoi faire?

— Tu vas aller gentiment t'expliquer avec ton copain.

— Mais?...

— Allez bordel! On a pas de temps à perdre.»

Mais comme Nathan ne bouge pas, il l'attrape par le bras et le conduit sans ménagement vers la voiture de Gia et, plutôt brutalement, l'installe à l'avant. Tremblant, affolé, Nathan commence à comprendre ce qui se passe.

«Vous pouvez pas! Vous avez pas le droit! Il va me tuer!»

Mais déjà le policier referme la portière et fait demi-tour.

«Inutile d'insister, fait Gia, je les ai achetés. Je peux même dire que tu viens de me coûter très cher. Tu vas être long à rentabiliser.»

Anéanti, Nathan ne réplique même pas. *«Le monde est pourri! pourri! complètement pourri! Je veux mourir, je ne veux plus rien avoir à faire avec ce monde! J'en ai marre! Ça sert à rien! J'ai mal!»*

Il ne remarque même pas la voiture de patrouille qui passe devant eux, il demeure absent lorsqu'à son tour Gia réintègre le trafic.

«Assieds-toi sous le tableau de bord.

— Non!»

Nathan ne voit pas venir le coup qu'il reçoit en plein dans l'oreille et l'envoie heurter la portière.

«Assieds-toi sous le tableau de bord, répète Gia.»

Mais ce dernier se rend compte qu'il vient de faire une erreur d'appréciation, son coup, au lieu de soumettre Nathan, n'a fait que sortir celui-ci de sa torpeur presque morbide et l'a plongé dans une rage qui ne connaît pas le raisonnement. Sans s'occuper du fait qu'ils sont en train de rouler sur une voie rapide, il saute sur Gia en hurlant et cognant sur tout ce qui se présente. Immédiatement la voiture fait une embardée, manque couper le chemin à une fourgonnette de livraison et va s'arrêter brutalement en travers de l'accotement herbeux. Nathan continue à cogner sur Gia. Ralentissant, un automobiliste se demande qui peut bien être ce type complètement nu en train de taper sur un autre. «Des malades! dit-il, filons.»

«Tu m'auras pas! salopard! hurle Nathan. Je vais te tuer! Je vais te tuer!»

Étourdi sous les coups, Gia a du mal à retourner la situation à son avantage. Alors que Nathan lui martèle la tête, il étend son bras, pose sa main derrière la nuque du garçon et, d'un geste vif, attire la bouche vociférante contre la sienne et l'embrasse violemment. L'effet sur Nathan est immédiat, totalement déconcerté, ahuri, il a l'impression d'être paralysé.

«Tu n'es qu'une pute, lui dit Gia, tu ne veux pas l'admettre, mais je sais ce que tu es. Tu t'es sauvé car tu avais peur d'avoir à le reconnaître.

— C'est faux! C'est faux!», hurle le garçon brusquement secoué de sanglots.

Comme s'il était soudain devenu son ami, son confident, Gia le prend par les épaules et l'attire contre lui.

«Là, là, ça va aller maintenant... On va oublier tout ça, on va retourner se coucher et on fera l'amour tous les deux, toute la journée, toute la nuit, jusqu'à ce que tu saches qui tu es. Mais tu le sais déjà, pas vrai?

— Non je ne suis pas ça! Non je ne suis pas ça! répète Nathan qui ne sait plus ce qui se passe.

— Laisse-moi te le prouver, si je me trompe tu n'auras qu'à te retirer, je m'avouerai vaincu. Tu ne veux pas voir en face qui tu es?

— Vous aurez beau essayer ce que vous voulez, sans la drogue...»

Alors, sans autre préambule, le tenant d'une main par la gorge, Gia se baisse vivement et referme sa bouche sur le sexe de Nathan. Incrédule celui-ci observe la tête sur son bas-ventre comme s'il s'agissait d'un fantôme. Un instant, certain de vivre sa propre agonie, il se sent palpiter dans la bouche chaude, il se souvient de Jolene placée à peu près dans la même position et peut-être est-ce cette image qui le ramène à lui-même? «*Pouah!*» Il rit presque, content de lui lorsqu'il s'extirpe de la succion de Gia.

«Inutile, fait-il, maître de lui, ça m'écœure et rien d'autre.»

Gia paraît sincèrement surpris.

«Oh, je vois: un sursaut dans la volonté de rester aveugle.

— Non, ça m'écœure, c'est tout. Allez-vous tenir parole?

— Un moment, tu as bandé pourtant?

— Réaction nerveuse, rien d'autre.»

Gia cette fois paraît soucieux.

«Laisse-moi te proposer un autre marché, avec de l'argent à la clef cette fois, beaucoup d'argent...

— Vous voulez gagner du temps. Vous ne voulez pas me laisser aller, c'est ça? Ça me fait rien vous ne pourrez pas me retenir.

— Tu peux y aller maintenant si tu veux, vas-y, mais le marché que je te propose, si tu le gagnes te fera gagner... disons cent mille dollars. Penses-y, cent mille dollars! Et ça te prouvera une fois pour toutes que tu n'es pas une pute, ce qui soit dit en passant m'étonnerait beaucoup.

— Pourquoi vous risqueriez autant?

— Parce que si réellement je me trompe, cela voudrait dire

qu'il faudrait que je repense totalement ma conception de l'humanité.

— Elle doit pas être jolie... Alors je peux y aller?

— Tu peux, descends quand tu voudras.»

Nathan attrape la couverture et ouvre la portière.

«Tu as peur de perdre, n'est-ce pas?

— Pas du tout!

— Alors pourquoi ne veux-tu pas risquer?

— Parce que j'ai pas confiance et aussi parce que j'ai mal partout et qu'il faut que j'aille à l'hôpital recevoir une piqûre.

— Si ce n'est que cela, (il tend sa main sous le siège et en rapporte une trousse en tissu) j'ai tout ce qu'il faut là-dedans.»

Nathan regarde la trousse avec intérêt.

«Peur de perdre...» ironise Gia en agitant la trousse.

Soudain Nathan se souvient du triptyque aperçu dans le salon de Gia, il réalise que cet homme a placé toute sa confiance dans le Mal, qu'il est certain que celui-ci vaincra du reste. Il ignore par quel cheminement il arrive à la pensée suivante, mais il y arrive: *«Si je gagne sur lui, je gagnerai sur le Mal, je rachèterai ce que j'ai fait, je rachèterai ce que le Pasteur a fait.*

Tu risques de perdre, souviens-toi avec Sherilyn...

Avec Sherilyn j'aurais encore peur de perdre, pas avec lui. Si je perds avec lui je ne serai que ce qu'il dit: une pute. Mais je ne suis pas une pute!»

«Il reste que j'ai pas confiance en vous, dit-il néanmoins à Gia.

— Est-ce que je ne t'ai pas dit que tu pouvais partir? Est-ce que je t'en empêche?

— Je ne suis pas encore parti.

— D'accord! Si tu acceptes, je rentre le premier dans l'appartement, je vais chercher les menottes, tu me les passes et tu pourras me laisser entraver jusqu'à ce que l'un de nous gagne son pari. Je vais même te prouver maintenant que tu peux me faire confiance, (de nouveau il passe sa main sous le siège et l'en ressort avec un automatique qu'il tend à Nathan). Tu vois... Il est chargé.»

Nathan a sursauté en apercevant l'arme; à présent il la regarde dans sa main tandis que des pensées confuses lui traversent l'esprit.

«C'est quoi au juste ce pari?

— Ça..., tu comprendras que je ne te le dise pas avant.

— Entendu, s'entend-il dire, faites-moi ma piqûre et allons-y.

— Tu vas perdre, sourit Gia. Tu vas perdre.

— Donnez-moi juste un minimum, demande Nathan en désignant la trousse, je veux pas perdre les pédales.

— Parfaitement d'accord, je tiens à ce que tout soit pleinement... vécu.»

Devant la porte de l'appartement, Nathan se traite de tous les noms et se reproche d'avoir accepté ce pari immoral en soi. *«Gagner contre le Mal, gagner contre le Mal, pour qui tu te prends?»*

«Tu veux que j'entre chercher les menottes? demande Gia en désignant implicitement le pistolet que Nathan tient sous sa couverture.

— Entrons, fait celui-ci, on verra à l'intérieur.»

Une fois la porte refermée, ils restent là, face à face. Nathan ressent un picotement désagréable lui courir sur les reins.

«Alors? Qu'est-ce qu'on fait maintenant? demande-t-il mal à l'aise.

— Pour commencer, je voudrais que tu me menottes sur le lit où tu étais toi-même.

— Vous menotter!

— C'est bien ça.

— Je ne vois vraiment pas où vous voulez en venir?

— Chaque chose en son temps.»

Gia le devance dans la chambre, se tourne vers lui, lui sourit d'un trait blanc rectiligne, ôte le gilet noir qu'il porte, ses pantalons en daim, son sous-vêtement, et va s'étendre sur le matelas en étendant les bras et les jambes, prêt à être entravé.

«Alors? demande-t-il à Nathan, tu m'attaches, oui ou non?

— Ça fait partie du pari?

— Si on veut...»

De plus en plus mal à l'aise, le cœur battant à grands coups douloureux dans la poitrine, Nathan fait ce que Gia lui demande.

«Et maintenant? demande-t-il.

— Maintenant tu vas prendre la première cassette qui est sur le vidéo, tu nous la fais jouer, tu laisses tomber ta couverture et tu viens t'installer à côté de moi. Si d'ici disons... tiens, trois heures du matin, j'aime bien ces heures-là, si d'ici ce temps-là tu réussis à rester de marbre, si tu ne me sautes pas dessus ou si tu ne te branles pas ou si t'éjacules pas, alors t'auras gagné cent mille dollars. Sinon, eh bien tu seras à mon service. Il y a bien sûr la troisième possibilité, que tu abandonnes et t'en ailles avant l'heure... Ah! j'oubliais, pas question de dormir ou de ne pas regarder la télé. Est-ce que les conditions te conviennent?

— C'est complètement tordu!

— Délicieusement tordu, tu veux dire.

— Vous pariez cent mille dollars que je suis homosexuel, c'est ridicule!

— Je ne t'ai jamais dit que tu étais homosexuel, je t'ai dit que tu étais une pute, ça peut être la même chose mais ça peut aussi être différent. Une pute c'est celui ou celle qui ferait n'importe quoi pour jouir, c'est celui qui trouve son plaisir dans ce que certains appellent la perversité.

— Et pourquoi je serais ça, moi?

— Parce que tout le monde est comme ça, mon joli. J'ai bâti mon commerce là-dessus. Regarde-toi, je suis certain que tu salives déjà de me voir nu et à ta merci. Tu le vois ce pénis? Bientôt tu vas le fixer, hypnotisé, tu n'auras plus qu'une idée en tête, t'abandonner sur moi et jouir sur mon ventre. Tu la mets, cette cassette?

— Tant que vous voudrez, je me fous totalement de votre queue et de tout ce qui s'ensuit!

— Tu deviens vulgaire, c'est un signe qui ne trompe pas.»

La mort dans l'âme, Nathan va mettre la cassette. Comme il s'y attendait, c'est une de celles qui a été filmée alors qu'il se soumettait à Gia. Il hausse les épaules et va s'étendre avec rudesse à côté de l'homme. «C'est complètement absurde! se tance-t-il. C'est tout à fait immoral! Je vais gagner, c'est sûr, mais ces choses-là ne se font pas, même pour beaucoup d'argent. Qu'est-ce qui me dit que le «Chinois» ne jouit pas de me voir comme ça à côté de lui? C'est comme de la prostitution, même pour cent *mille dollars. Est-ce qu'il va falloir regarder cette cassette durant toutes ces heures? C'est pas possible!»*

«Dans le fond, commente Gia, je trouve que nous formons un beau couple. Hé! regarde ce passage, tu as l'air d'aimer ça... Tu bandes comme un jeune cerf.

— J'étais pas dans mon état normal.

— Peut-être est-ce que c'est la drogue qui révèle ta vraie nature, tu ne crois pas?

— Pas du tout!

— Mais c'est vrai au fait! dans quelques heures il va falloir te refaire une piqûre, avant cela peut-être, celle que je t'ai donnée en voiture était plutôt mince.

— J'ai compris! Vous comptez que j'en reprenne pas mal et que je ne sache plus ce que je fais.

— À mon tour de dire pas du tout. Je tiens à savoir.

— Moi je sais déjà.

— Nous en reparlerons... Bien, étant donné que je ne suis que l'objet de la tentation dans cette affaire, ça ne te dérange pas si je dors un petit peu?

— Y a rien qui vous dira si je regarde la cassette.

— Tu regarderas autre chose...»

Dix minutes plus tard il semble vraiment s'être endormi et Nathan en profite pour baisser les paupières à son tour. Il se sent sale, l'âme et le corps sales. Il ne comprend pas ce qui lui est arrivé, plus la cassette tourne, plus le soupçon que la drogue n'est peut-être pas responsable fait à nouveau son chemin. Ne se rappelant pas ses émotions à ces moments-là, il a tendance à prêter foi aux images qui défilent jusque dans sa tête. «*Si tu penses comme ça, tu fais son jeu, se dit-il, si tu te persuades que tu es comme il dit, alors tu éprouveras les besoins qu'il t'a dits.*

Si je les éprouvais, ce serait que je serais... Et puis merde! merde! et merde! Demain matin je vais repartir avec cent mille dollars, c'est tout ce qui compte! Cent mille dollars, ça fera un bon début pour racheter la terre à Missy. Missy, si tu me voyais en ce moment, tu ne serais pas fier de moi. Je ne sais pas si j'aurai la force de te raconter tout ça. J'ai hâte de rentrer chez nous. Dans le fond, y a rien de mieux que la Prairie. Dommage

*qu'il y traîne l'ombre du Pasteur. Le Pasteur! Je porte ses gènes!
Est-ce pour ça que le «Chinois» dit que je suis une pute? Non! on
ne pense pas à ça! le Pasteur n'était pas une pute, simplement un
malade, c'est ça! Un pauvre malade! Comme moi je serais si...
Pas de conditionnel!*

*Mets-toi dans la tête que tu n'as jamais bandé pour un homme
et que c'est pas parce qu'un «Chinois» te dit le contraire que ce
sera vrai.*

Pas bandé, pas bandé, c'est pas ce que je vois sur la télé.

*Ça c'est pas toi, c'est un drogué. Rappelle-toi le pauvre gars
qui a tué sa famille à Fort Nelson, quand ils lui donnaient leurs
machins chimiques il ne pleurait plus, il n'était plus lui-même...*

*Fort Nelson? Pourtant là, je me suis laissé masturber par
l'infirmière, c'est pas un signe de putasserie ça?...*

*Non! Ça c'est normal, enfin presque... Hypnotisé par son
pénis, qu'il dit. Il est vraiment tordu s'il pense que ça peut
m'intéresser, je veux même pas le voir son machin.*

As-tu peur que...

*Non! Faut pas que ça recommence, j'ai pas peur, je peux
regarder tant qu'on voudra, ça ne me fera ni chaud ni froid.*

Prouve-le...

*Tiens! Là! Voilà! T'es content? Qu'est-ce que tu veux que ça
me fasse.*

*Je me demande s'il dort vraiment? Je pourrais le tuer comme
ça, il est sans défense. Ce ne serait que justice après tout ce qu'il
m'a fait.*

Arrête, Nathan, faut pas penser à ça.

*Faut pas penser à ça! Faut pas penser à ça! Tu sais juste
répéter ça. Si on ne peut même pas penser alors, que faut-il faire?
Est-ce qu'on a des choses à se cacher?*

*Et quelles sont les questions? Si je suis une pute? Si d'avoir un
Chinois à poil à côté de moi peut me faire bander?*

*Non! la question n'est pas là, elle est de savoir si au fond tu
n'aimerais pas pouvoir refaire ce que tu vois sur la cassette si tu
ne craignais pas le remords et tout ça. Elle est là la question et je
suppose que la nuit y répondra.*

Je suis là pour ça.

Non, non, c'est toi qui dois y répondre, tu dois imaginer, comme il te l'a dit, que tu te couchais sur lui...

Ce sont des cochonneries tout ça!

N'écarte pas la question qui est de savoir ce qui se passera si tu laisses aller ton imagination.

L'imagination c'est la tentation. On peut imaginer n'importe quoi et s'imaginer que c'est bien.

Alors tu penses que tu pourrais trouver ça agréable de te coucher sur lui, de poser ton sexe sur le sien et...

Arrête! Maudit c'est écœurant! Dégoûtant! Ça y est, j'ai mal au cœur.

Eh voilà! Tu l'as ta réponse: ça t'écœure. Pourquoi tourner autour du pot et ne pas répondre à ses propres questions? Y a-t-il des raisons d'en avoir peur?»

Dormait-il vraiment? Comme s'il devinait ses pensées, Gia lui pose une question:

«Qu'est-ce que tu trouves de repoussant dans le fait qu'un homme puisse prendre du plaisir avec un autre?

— C'est repoussant, c'est tout!

— Ce n'est pas une réponse... N'est-ce pas ton éducation qui te l'a enseigné? Ta religion? Si c'est cela, dis-toi bien que même dans la Bible le grand roi David aimait Jonathan de tout son cœur, tu vois ce que je veux dire...

— Je vois où vous voulez en venir, vous perdez votre temps.

— Quelle heure est-il?

— Ça doit être le début de l'après-midi.

— Il reste donc encore au moins douze heures, C'est long douze heures...

— Oui c'est long.

— Si tu veux, je te propose de raccourcir ça à cinq minutes, cinq petites minutes?

— Comment?

— Tu te mets à cheval sur moi, tu poses ton gentil pénis sur le mien et si tu n'as pas de réaction au bout de cinq minutes tu as gagné.

— Jamais!

— Tu n'es pas sûr de toi, je le savais!

— Je suis sûr de moi!

— Prouve-le!

— Jamais comme ça.

— C'est bien ce que je disais... Tant pis pour toi, dans cinq minutes tu partais avec cent mille dollars.

— Peut-être, mais j'aurais fait quelque chose qui me répugne.

— Qui te répugne! Entendez-vous ça! Non mais, tu ne t'es pas regardé sur les cassettes? Veux-tu me dire ce que ça changerait?

— Tout.

— Je te signale que d'ici quelque temps tu auras besoin d'une autre piqûre, ta volonté va se relâcher.

— Pas besoin de volonté.

— Sais-tu pourquoi il y a tant de couples malheureux? demande Gia.

— Pourquoi cette question?

— Pour parler, juste pour parler. Eh bien je vais te dire: parce que les êtres ne savent pas s'abandonner, tu sais, l'abandon total d'un petit bébé sur sa maman. Imagines-tu si les partenaires pouvaient en faire autant en amour... Mon business serait mort... et sais-tu pourquoi? Parce que c'est ce que recherchent les messieurs qui viennent voir mes gars, un inconnu qui saura comment ils sont faits, de quoi ils sont faits, avec lequel il n'y aura pas de rôle à jouer, juste jouir pour jouir avec quelqu'un qui jouit.

— C'est l'enfer!

— Tu l'as dit! C'est ça qui est plaisant.

— Vous êtes le Diable!

— Tu ne t'imagines pas... laisser de côté tout ce que tu crois que tu es, venir contre moi, pleurer un bon coup et te laisser aller... tu ne crois pas que ce serait bon?

— Ce serait de... de la viande!

— Alors si ce n'est que de la viande, pourquoi ne pas en finir en cinq minutes?

— J'ai dit jamais.

— Bon, alors pour passer le temps laisse-moi te raconter l'histoire de Lala. Cela se passe à... disons Detroit...

La rue. C'est devenu sa maison, son chez-soi, son univers. Lala, en jupon vermeil, a les fesses posées sur l'asphalte du trottoir, le menton sur les genoux, les bras noués autour des jambes et le dos appuyé contre un réverbère inutile depuis une autre époque. Ambres, insondables, ses prunelles fixent une flaque huileuse où scintillent, mensongères, des éclaboussures d'or, d'argent, d'émeraude et de rubis; toutes arrachées aux néons accrocheurs qui clignotent le long des murs de briques noircies ou de métal corrodé, le long des murailles géométriquement déchiquetées sur fond de soir – ou peut-être est-ce encore le jour? Quoi qu'il en soit, un ciel de suie, oppressant, oublié par les habitants du trottoir qui n'en reçoivent que les humeurs humides et sulfureuses.

Silencieuse, luisante, une voiture passe, emportant avec elle l'un des derniers «costume-cravate» fuyant le cœur de la ville pour se réfugier, jusqu'au lendemain matin, dans la sécurité apparente d'une banlieue qu'une frontière cognitive met à l'abri de ceux qui, comme Lala, délibérément ou non, ont franchi le seuil de la civilisation. Mais non, la voiture noire s'arrête un peu plus loin. Le «costume-cravate» en descend et s'avance dans sa direction. Il en reste toujours quelques-uns qui un jour ou l'autre, irrésistiblement fascinés par le monde trouble qu'ils laissent derrière eux chaque soir, s'attardent en ces lieux qui cessent de leur appartenir dès la fermeture des bureaux et commerces. Ce monde qui les inquiète et les dérange. Ce monde où cependant certains escomptent trouver accomplissement à certains fantasmes incompatibles avec ce que d'autre part ils voudraient être. Sans avoir besoin de l'observer, Lala sent le regard de l'homme fixant, obnubilé, les dessous de son jupon. Elle sait que les lèvres de l'inconnu doivent s'étirer en un sourire à la fois dur et nerveux, un sourire sans compassion. Elle sait également ce qu'il va lui dire. C'est toujours pareil.

— Combien? demande-t-il en faisant écho à ce qu'elle a anticipé.

— De quoi me payer deux «cristal», un pour une pipe.

Pour la première fois, elle le regarde. Un peu bedonnant, comme tout le monde, le visage anonyme de celui qui s'est octroyé trop de compromis. Un instant elle éprouve un vague besoin de le frapper, besoin que vient tempérer celui «absurde» de le «consoler»

« J'ai rien à lui reprocher, se dit-elle, un pauvre cave, comme moi, qui cherche à s'envoyer en l'air pour s'échapper. Mais échapper à quoi, bordel !? »

— *Alors ? demande-t-elle avec une pointe d'irritation dans le ton.*

— *Où ?*

— *Où ? Bah à l'hôtel si t'es prêt à payer, sinon... eh bien dans le coin, là.*

Du doigt elle désigne la bâtisse désaffectée la plus proche parmi tant d'autres qui bordent la rue. Un instant, avec quelque chose de douloureux dans le regard, l'homme considère le tas d'ordures qui encombre l'entrée puis, comme si cela devait obligatoirement s'inscrire dans le contexte, il acquiesce.

Lala a appris que, loin de décourager les clients potentiels, les immondices semblent les émoustiller davantage. Ce n'est pas l'acte qui les attire, seulement l'idée de la Chute.

La Chute ? Où a-t-elle encore été chercher de pareilles stupidités !?

— *Allons dans le coin, là, fait l'homme.*

Comme il ne sort pas son argent, Lala ne bouge pas.

— *Qu'est-ce tu veux ? demande-t-elle.*

— *Ce que je veux ?*

— *Ben oui, vérole ! Une passe à la papa, une pipe, jouer dans le brun ?*

— *Toi tu m'as l'air d'être une belle salope...*

— *Je peux changer de répertoire si celui-là te fait pas bander. Qu'est-ce tu préfères, la jeune vierge effarouchée ?*

— *T'as qu'à être toi-même, ça devrait faire l'affaire.*

Lala fronce les sourcils. Elle-même ? C'est comment déjà ?

— *Là, je sais pas trop... dit-elle avec une brève note d'incertitude dans la voix.*

L'homme prend ce flottement pour l'aveu d'une soumission. Le désir lui fait mal. Il fixe sous le jupon, s'oblige à imaginer que la fille va mouiller pour lui et se croit. Elle lui en devient sympathique. À tel point qu'il lui vient le besoin de se donner des allures d'ami-confident.

— *Comment ça, tu ne sais plus trop ? Tu ne sais plus qui tu es ?*

Lala avance les lèvres dans un mouvement marquant à la fois l'interrogation et le désarroi. Mais c'est très bref et, semblant sortir d'un songe, elle se reprend aussitôt:

— *Je suis rien qu'une pute, affirme-t-elle. On y va ou bien on laisse tomber... Et qu'est-ce que tu veux?*

Un éclat glacé de panique dans les yeux du «complet-cravate». Ses lèvres brillent, comme la flaque huileuse.

— *J'aimerai bien si...*

— *Si quoi, mon gros?*

— *M'appelle pas ton gros!*

Elle ferme les paupières une seconde, le temps de prendre une respiration. Ça a commencé quand ce cauchemar? Est-ce qu'il a eu un début seulement?

— *Bon, comme tu veux, c'est toi le client... Alors?*

— *Bien... tu sais, j'aime bien me faire sucer les couilles...*

Un autre avec des idées tordues. Comment leur en vouloir? Curieuse, elle les a observés durant son travail, elle a fini par avoir l'intuition de ce qu'ils cherchaient. Communier. Un drôle de mot bien sûr pour exprimer son impression, mais elle n'en a pas trouvé d'autre plus approchant. C'est peut-être pour ça qu'il lui arrive d'avoir envie de les consoler?

Une autre voiture passe, rouge vif celle-là, comme son rouge à lèvres. Avec un jeune au volant, et blond en plus! La vraie vie!

— *Sucer les couilles..., renvoie-t-elle d'un air absent. Donne-moi un vingt.*

L'homme est étonné. Au point qu'il manque de dire: «Juste vingt!»

Le prix de la débauche lui paraît dérisoire. Hésitant, il se demande même si ç'en est vraiment une. Peut-on acheter un petit morceau d'enfer pour aussi peu que vingt dollars? S'apercevant que la fille suit toujours la voiture rouge des yeux, il a la réponse à sa question. Si elle est encore capable de rêver, il peut encore lui faire se faire du mal. Comme lui. Se faire mal ensemble et savoir que l'autre sait que l'on sait, comment être plus proche de quelqu'un? Peut-on, sur cette terre, être moins seul?

Nathan attend, mais l'histoire semble bien finir là. Une boule lui noue la gorge. Il a compris ce que Gia essaie de lui communiquer et il a peur, peur de vouloir en savoir davantage.

«Missy! *aide-moi! s'il te plaît! ce type essaie de m'embrouiller...*

Missy ne peut pas t'entendre, elle est loin. Ici il n'y a que toi. Elle, elle est peut-être avec Endicott?

Tu vas pas recommencer...

Et pourquoi pas? Moi je suis là à jongler avec ce qui est bien et ce qui est mal pendant qu'elle est peut-être au Vallon du Crâne en train de faire la chose avec Fairfield. Pourquoi ne pas en finir tout de suite et partir avec l'argent?

T'as peur?

Mais non!

Alors prouve-le que tu n'es pas comme le «complet-cravate», prouve-le que tu n'es pas une pute!

Certain que je vais le prouver!»

«Juste cinq minutes, vous avez dit tout à l'heure?

— Cinq, et tu pars avec l'argent promis.

— J'ai pas de montre.

— Va dans ma chambre, il y en a une sur la table de nuit. La porte au fond du couloir.»

Avec l'impression qu'il y a un manège qui tourne à toute allure dans sa tête, Nathan s'y dirige, ouvre la porte et s'arrête, stupéfait par les lieux. Il s'attendait à quelque chose dans le même style que le reste de l'appartement, mais cette chambre est tout le contraire du reste, presque une chambre de princesse dans les contes de fées. Des draperies lavandes, des bibelots en porcelaine, des meubles de style «*du temps des rois*» d'après ce qu'il peut en juger, le tout baigné d'une douce lumière tamisée par les rideaux de tulle. Au vu de sa chambre, il ne comprend plus du tout le personnage. Est-ce là sa vraie nature ou une ultime ironie?

De retour dans la chambre il reste un instant indécis sur le seuil, observant Gia, cherchant à déterminer sa vraie personnalité. Doit-il poursuivre? Doit-il vraiment se mettre sur lui à califourchon? La chose paraît obscène. Mais, comme toujours lorsqu'on a pris une décision sans vraiment y réfléchir, il sait que c'est incontournable.

«Pose la montre sur le matelas, fait Gia, je te fais confiance, c'est toi qui regarderas les minutes. Oh! une chose encore, Lala, c'était ma sœur... Un jour un «complet-cravate» l'a tuée.

— Ah!»

Ne sachant plus que penser, perdu, mesurant tous ses gestes comme s'il craignait qu'ils ne dépassent sa volonté, Nathan s'approche du lit, pose la montre à la droite de Gia, attend que la grande aiguille ne marque dix secondes avant la douzième minute, pose un genou sur le matelas, étend l'autre jambe pour se placer au-dessus de l'homme et, les mâchoires douloureusement crispées, s'installe tel qu'entendu. Lorsque l'aiguille arrive sur le douze, il se laisse reposer et comprend immédiatement pourquoi il a d'abord refusé cette solution rapide. Dans le même temps il sent l'autre qui se dresse.

«Il n'a pas été mentionné que je ne devais pas avoir d'érection, rit Gia, c'est troublant, pas vrai?

— Pas du tout.»

Une seconde, Nathan cherche à évaluer la nature du contact sous lui, mais comprenant le danger d'une telle interrogation, il se met à chercher activement une échappatoire qu'il finit par trouver dans le souvenir de Missy. Il se concentre intérieurement sur son visage, essaie d'en reconstituer tous les traits, de les animer.

Un coup d'œil à sa montre lui apprend qu'il reste encore trois bonnes minutes. «*Missy! Missy! Missy! C'est pour toi que je fais tout ça, c'est pour toi, mon amour! Dis-moi que tu m'as attendu! Dis-moi que tu ne m'as pas laissé! Qu'on sera tout le temps ensemble tous les deux... Pourquoi c'est si chaud?... Missy! Missy! Missy! pourquoi on est pas juste tous les deux? Non, non, ne crains rien, je reste froid, très froid! Oui, quand tout sera fini on vivra et on rira tous les deux dans notre maison et puis on aura des enfants, des petits bébés... Se laisser aller comme un bébé... Se faire mal ensemble... Non! Donne-moi la main, Missy. Retiens-moi, un faux pas, une pensée qui ne serait pas de moi et je tombe en enfer. Je sais à présent comme il est facile de se laisser leurrer par les sens. Toi et moi c'est quelque chose d'autre... Encore deux minutes!... Ça ne finira donc jamais! Ça va bien! Ça va bien! Oh non! faut pas qu'il remue! Bon sang! C'est juste la peur de ne pas être ce que je veux être qui risque de me faire perdre. Et je suis ce que je veux être! Missy! Missy! quand ce sera fini, je te serrerai dans mes bras et on ne pourra plus nous séparer, nous ne serons plus jamais seuls, on ira par les vallons, la main dans la main, dans le soleil levant, tu sais, quand il y a des fils d'argent qui dansent entre les herbes... Pourquoi se tend-il comme ça?*

Regarde-le.

Non!

Mais si, regarde-le.

Oh Missy! Missy! Voilà que je suis à cheval sur le ventre d'un Chinois. C'est Sale! Sale! Il éjacule, c'est chaud... Missy! Missy tu rirais, non, tu pleurerais, j'ai... j'ai presque envie de... de le consoler, oui, c'est ça, de le consoler. Pourquoi? C'est ridicule!»

«Allez, mon chéri, viens, chuchote Gia complice. Laisse-toi faire, mon ange, tu ne me sens pas jouir de toi? Imagine comme ce serait bon de te laisser aller dans ma bouche, imagine, mes lèvres sur ton sexe... La délivrance... Je t'aime, tu sais, et puis nous sommes juste nous deux, entre nous, personne ne saura, juste nous. Se laisser aller ensemble... Tu ne sens pas comme c'est doux sous tes couilles? Laisse-moi voir bander le jeune cerf que tu es. Tu ne te sens pas trop seul, tu n'as pas envie que je te prenne? Laisse-toi aller, on est entre nous, juste tous les deux...

— Taisez-vous!

— Tu as peur de toi?

— De vous, du Mal.

— Donc tu ne bandes pas non pas parce que tu n'en as pas envie, mais simplement parce que tu as peur du Mal? Autrement tu aimerais ça, pas vrai?

— Je suis autre chose que de la viande!»

«Dix-sept! Dix-sept! C'est fini! Missy! On a gagné!»

«Ça fait cinq minutes», dit-il en s'éjectant.

Les yeux de Gia ne sont plus que deux fentes étroites.

«Tu n'as pas perdu, fait-il avec un étonnement non feint, détache-moi que j'aille chercher ton argent.

— Vous avez une somme pareille ici?

479

— Je n'ai pas confiance dans les banques, elles sont trop curieuses. Tu sais, je ne crois pas que tu aurais tenu dix minutes.

— J'aurais tenu.

— Que tu dis... Comme quoi cent mille dollars peuvent tenir à peu de chose.

— Donnez-moi mille dollars, c'est à peu près ce qu'on m'a volé quand je suis arrivé ici, et tout ce que je vous demande à la place du reste c'est de décrocher le tableau en trois volets qui est dans votre salon. Mettez ça à la poubelle.

— Tu ne veux pas ton argent!

— Non, juste de quoi me dépanner. J'apprécierais pas ce que je pourrais me procurer avec.»

Nathan vient de détacher Gia et celui-ci se masse les mains d'un air songeur.

«C'est peut-être vrai, admet-il. Peut-être au fond que tu n'es pas une pute. Quoi qu'il en soit, tu viens de te sauver la vie.

— Vous vouliez me tuer!

— Tu ne croyais tout de même pas que j'allais laisser partir une pute avec cent mille de mes dollars.

— Je le croyais...

— J'ai compris! Tu n'es pas une pute parce que tu es un doux rêveur.

— Il est écrit: «*Heureux les doux, le royaume des cieux leur appartient*».

— On a pas le même patron... Les doux! Je suis sûr que si je t'avais sucé t'aurais joui, comme tout le monde.»

Après que Nathan se soit lavé, étant sensiblement de la même corpulence, Gia, qui a jeté son linge dès le premier jour, lui a passé un pantalon de coton blanc, une chemise blanche et un chandail style joueur de tennis. Quittant l'appartement, Nathan s'arrête en franchissant le seuil.

«Vous allez les ôter, les tableaux?

— Pourquoi je ferais ça?

— Pour que je sache qu'ici j'aurai quand même servi à quelque chose de positif.

— Je le ferai peut-être si tu réponds franchement à une question.

— Laquelle?

— Qu'est-ce qui se serait passé si ça avait été dix minutes?»

Nathan se souvient de l'instant où il a eu cette étrange tentation de *consoler* Gia. N'était-ce pas une couverture, un artifice de son côté *Pasteur* pour s'abandonner aux exigences de la viande?

«Je l'ignore, répond-il, mais il y a une chose que je sais, c'est que si j'avais flanché c'est que je vous aurais confondu avec une femme, et j'aurais vomi le restant de mes jours. Vous, ça ne vous arrive pas?

— Non, et tu n'aurais pas vomi le restant de tes jours, tu serais rentré dans le peau de ton nouveau personnage, tu te serais trouvé toutes sortes de bonnes explications pour avoir cédé et tu aurais continué à le faire, volontairement. Les hommes ne se repentent pas lorsqu'ils se trahissent eux-mêmes, ils se trouvent des excuses. Va-t'en maintenant.»

36

En sortant de l'immeuble, il a l'impression d'émerger à la lumière après avoir remonté le long d'un puits de grisaille et de puanteurs. Mais la lumière lui semble avoir faibli par rapport à celle qu'il a connue avant. Il connaît cette impression, il l'a déjà éprouvée après la mort de Jonas. Comme si, au fur et à mesure que se présentent les épreuves, celles-ci avaient le pouvoir d'affadir la luminosité, d'alourdir les parfums, de troubler la transparence, comme si le fait de savoir que les épreuves existent, le fait de perdre son innocence, poussait lentement mais sûrement l'individu dans un monde qui serait à la fois le même, mais chaque fois davantage privé de cette essence bienheureuse que seul le tout petit enfant ou peut-être le simple d'esprit est à même de ressentir.

Mains dans les poches, il remonte le boulevard, avec le sentiment ambigu d'avoir gagné une bataille, mais aussi d'avoir perdu un million d'illusions sur lui-même dans cet immeuble qui, en s'amenuisant derrière lui, se confond avec les autres. Par qui sont-ils habités tous ces immeubles dits de luxe qui, dans le mythe de la réussite sociale d'aujourd'hui, remplacent de plus en plus les bungalows qui hier symbolisaient au moins la réussite de la famille? Est-ce que ce sont tous des Gia? Ont-ils renoncé au reste pour le simple plaisir de projeter d'eux-mêmes l'image rassurante de gens de ce siècle, de gens qui *savent*, qui ont *réussi* dans le cadre des valeurs de ce temps? Quelles sont-elles, ces valeurs? Le publiciste qui en suivant le courant populaire utilise implicitement la chair, le désir de celle-ci, pour vanter un savon, une bière ou une voiture, le fabriquant de savon, de bière ou de voiture qui accepte le projet, celui qui le filme, leurs secrétaires, leurs financiers, les médias qui les diffusent, les politiciens qui utilisent ces mêmes médias, ceux qui soutiennent ces politiciens, ceux qui dépendent de tous ces gens, tous à leur façon ne sont-ils pas aussi égarés que le «Chinois»? «*Et qui suis-je pour juger? Est-ce que je ne devrais pas commencer par me regarder moi-même, moi qui suis en train de chercher un taxi pour aller dans un hôpital demander une piqûre ou n'importe quoi pour soulager une douleur que je ne ressens pas encore vraiment. Est-ce que je vais passer mon temps à chercher des piqûres? Il faut que je me désintoxique, c'est tout. J'imagine que c'est un peu de souffrance et puis? Ce ne sera pas comme ceux qui sont accrochés moralement, je devrais réussir à me débarrasser de ça! Après ce que je viens de passer, je devrais en être capable. Oui! C'est décidé, je suis capable! Bon! et maintenant? Je ne sais même pas où je suis? Là-bas il y a le centre-ville, là-bas un parc... Tiens? C'est quoi ce bateau blanc au fond? On dirait un paquebot, comme dans les films... Et si j'allais voir; c'est passionnant les bateaux, c'est étrange de se dire que leurs coques ont touché des contrées lointaines, des pays ou peut-être les gens sont différents, pas meilleurs – tout le monde doit être pareil – mais plus chaleureux. Ici on dirait qu'il n'y a pas une grande différence avec les mannequins dans les vitrines, le même style, froid et stérile. J'aimerais ça aller sur un bateau, traverser les océans, oublier cette ville en particulier, elle sent le fer mouillé, les gaz d'échappement, un peu l'océan, le hot-dog, le bois pourri, le sperme et la solitude. J'ignorais que la solitude avait une odeur, et une couleur aussi, la couleur du ciment, celle de la rouille et celle de la suie sur les briques. Est-ce que toutes les villes sont comme elle? Oui! Changer de décor, sentir les parfums de l'Orient, celui des îles. Il y a peut-être encore des trésors à découvrir dans les îles? Le Chinois a bien raison de dire que je suis un doux rêveur. Il ne faut plus que je pense à ça, je me sens sali. Et pourquoi? Je n'ai rien fait sinon me faire droguer jusqu'aux yeux. C'est peut-être d'avoir découvert que je n'étais pas le chevalier sans peur et sans reproche que je croyais être? Quand je pense que tout à l'heure j'étais encore..., pour une gageure. C'est comme un cauchemar. Missy! tu ne peux pas savoir comme j'ai hâte de te revoir, comme je suis fatigué. Et le pire c'est que je n'ai encore rien amassé, la route est loin d'être finie. Tu es sûre que tu n'aimerais pas un petit chalet dans la montagne? Ou même à Bluestone, je suis certain que Grand-p'pa me laisserait faire de l'élevage sur ses terres. C'est que, des terres, on en a aussi dans la famille, et qui servent à rien, tu sais. Je vois pas tellement ce que ça change qu'elles soient ici ou là? Mais je sais, je sais, tu veux tes terres à toi, celles de ton père; rassure-toi, je continue, même si j'avoue que ça ne me tente plus tellement.»*

Déambulant en direction du port, il traverse des quartiers résidentiels bordés de jeunes arbres dont les troncs frêles sont généralement protégés par des treillis de bois. Ce sont ici des quartiers de maisons de type unifamilial: façade moitié brique, moitié bardeau d'aluminium ou de vinyle, porte-patio donnant sur petite terrasse en bois teinté vert par le traitement fongicide, petite piscine hors-terre dont la turbine du filtre ronronne dans l'après-midi, remise en tôle teintée au four, «livrée, prête à être assemblée», quelque part dans le lointain, le bruit d'une tondeuse et, dans l'air, l'odeur du gazon fraîchement coupé se mêle à celle des assouplisseurs de tissu qui s'échappent par les sorties des sécheuses à linge; de temps en temps le passage d'une voiture, la rencontre d'un vieil homme promenant son chien, ou parfois, se berçant mollement sur son patio, une femme qui profite de la douceur pré-automnale en tournant les pages d'un roman où il doit bien se passer quelque chose. Visiblement, à cette heure du moins, la vie est ailleurs, même si c'est dans ces demeures et ce qu'elles représentent que se concrétisent les attentes avouées de leurs propriétaires. Est-ce parce qu'il est endolori de partout que tout lui paraît morose? Escomptant pouvoir chasser la douleur avec de l'aspirine, il entre dans un petit dépanneur qui marque la transition entre le quartier résidentiel qu'il vient de traverser et ce qui s'annonce comme une zone d'industries bordant le centre-ville et le port. Immédiatement, en longeant les rayons chargés de conserves, il a l'impression de retourner brutalement dans une autre époque et il se revoit, il y a au fond très peu de temps, en train de regarnir les étagères chez Jolene. Jolene! Il a la sensation de l'avoir oubliée depuis cent ans. Jolene qui attend un bébé, un bébé qui est certainement le sien. Il a beau essayer, il ne parvient pas à imaginer ce futur bébé. Le doit-il? Est-ce que la destinée de cet enfant, même s'il est le sien, n'est pas d'être le fils ou la fille du couple Jolene et Paul? Que pourrait-il lui apporter de plus, lui? Alors, a-t-il le droit de s'imaginer que le bébé à naître est le sien? Jolene! Tout ce qu'il y a eu entre eux lui apparaît à présent comme un doux et cher souvenir, un souvenir auquel il voudrait redonner vie, tout en sachant très bien que c'est impossible, que ce ne sera plus qu'un souvenir et qu'aller à l'encontre de cette vérité finirait par tout gâcher. Lorsqu'il reverra Jolene, la seule chose qui pourra se passer entre eux ne sera au plus qu'un éclair complice passant d'une prunelle à l'autre.

Ayant pris un flacon d'aspirine, une canette de cola et des chips à saveur d'oignon et crème sure, il se présente au comptoir où il éprouve son deuxième choc dans cette boutique. Elle doit avoir son âge, les cheveux blonds coiffés à la petit page encadrent un visage triangulaire et rose où, pétillants et rieurs, l'observent une paire d'yeux du bleu le plus profond. Elle porte un chemisier blanc cassé tendu par une poitrine qui semble dire: je suis jeune mais je suis déjà tout ce que je dois être. En voyant cette fille derrière la caisse, si féminine dans son essence, tout ce qu'il vient de subir avec le «Chinois» lui apparaît encore plus répugnant. Il se demande même comment le simple soupçon de pouvoir «*chuter*» a pu l'effleurer et surtout, comment il en est arrivé à accepter de se mettre sur lui? Là, à cette fille inconnue, il voudrait expliquer tout ce qu'il vient de vivre, il voudrait que de la part de toutes les femmes elle lui donne l'absolution et qu'il puisse repartir «*propre*» de ce magasin.

«Vous avez un plan de la ville? demande-t-il.

— Pas ici, t'aurais plutôt ça dans un poste d'essence. T'es pas du coin?»

En demandant le plan, il espérait un peu cette question.

«Pas du tout, je viens des prairies.

— Qu'est-ce qui t'amène par ici? Tu viens de déménager?

— Non, je suis venu sur le pouce, un peu par hasard, je cherche...

— Tu cherches un travail?

— En fait je sais pas tellement ce que je cherche, mais je finirai bien par trouver.

— Ça! Tout le monde cherche quelque chose...

— Toi?

— Moi, vois-tu, je cherche un producteur pour endisquer.

— Endisquer? Tu chantes?

— Ouais, mais jusqu'à présent je n'ai fait que des mariages, des baptêmes ou des trucs comme ça...

— Il faut bien commencer par quelque chose.

— C'est sûr. Un jour j'aurai ma chance!

— Je te le souhaite.»

Elle tape le prix des articles choisis et lui en demande le montant. Il paie, puis, plus rien ne s'offrant à son imagination qui lui permette de rester davantage, il lui fait «salut» et s'en va. Un bloc plus loin, assis sur une margelle de ciment qui, du côté de la voie ferrée, longe un entrepôt de brique sale, il avale deux comprimés à l'aide d'une longue gorgée de cola, puis, mélancolique, attaque son sac de chips. Les yeux dans le vague, son cerveau enregistre l'image des rails rouillés autour desquels, s'accrochant dans les cailloux jaunes du ballast, des touffes d'herbes sèches s'inclinent sous un souffle fantomatique. En esprit, il suit géographiquement la voie ferrée, se convainc que s'il la touche du doigt, en prenant les bons aiguillages, il touche des villes aux noms magiques comme New York, Miami, Montréal, Dallas, Los Angeles, Mexico. Quelle différence avec Vancouver? Peut-être qu'en ce moment même, à New York ou à Montréal, un gars comme lui est en train de rêver à Vancouver. Tout compte fait, d'après ce qu'il en sait, ce doit être les mêmes tours à bureaux, les mêmes quartiers résidentiels, les mêmes tours à appartements, les mêmes entrepôts tristes, les mêmes rails abandonnés, les mêmes «Chinois» proxénètes, les mêmes filles rêvant à une carrière de chanteuse derrière un comptoir d'épicerie, les mêmes voyous dans les rues de la nuit s'exprimant avec les mêmes interjections dures et cyniques, les mêmes passants pressés idolâtrant les mêmes symboles d'un carriérisme triomphant, avec, dans leur serviette, le manuel *Comment réussir sa vie* tiré à cent millions d'exemplaires, les mêmes vieux à la peau tavelée promenant leur chien, leur journal ou leur terrible ennui, et généralement tout cela en même temps, les mêmes Sherilyn venues chercher la sorte de bonheur qui s'achète ou se vole; tous, même s'ils sont nés entre ces rues, des millions d'immigrants en terre étrangère qui, à l'image du restaurateur grec de sa vision, nourrissent l'espoir un jour d'être heureux dans le cadre de leurs rêves réalisés. Il le faut puisque c'est un devoir en terre d'Amérique. Mais comment planter ses racines dans l'asphalte? Comment être heureux ici alors que justement la ville demande à ceux qui veulent y prospérer de se fabriquer une cuirasse d'indifférence et un esprit qui, s'il n'est pas mordant, soit au moins cynique?

Que peut-il bien faire ici qui le fera riche avant de retourner vers Missy?

Finalement, et il en est surpris, les aspirines ont l'air de soulager la douleur. Il a moins mal lorsque, après avoir enjambé sans vergogne quelques barrières, il arrive sur le quai où est amarré le grand paquebot blanc. Jamais il n'avait pensé qu'un navire puisse être aussi gigantesque. Rien à voir avec le traversier qu'il a pris pour aller sur l'Île et pourtant, ce dernier lui avait déjà paru grand. De longues minutes, subjugué, il reste là à observer ce qu'il ne sait s'il doit considérer comme une simple machine ou quelque chose de plus évolué possédant sa propre force vive. De l'endroit où il se tient, il remarque que les passagers passent sur une longue passerelle tendue en l'air entre le navire et le terminal; tout à l'arrière du navire, pas très loin de l'endroit où il se trouve, une simple coupée par où l'équipage – à première vue des Philippins ou des Indonésiens – va et vient entre le bâtiment et le quai. «*Je me demande bien où il va? se demande-t-il. C'est un paquebot, peut-être va-t-il en Alaska, ou en Californie, ou en Asie? J'aimerais monter à bord... Et si je le faisais? Par cette petite passerelle, on dirait qu'il n'y a personne qui surveille? Oui, ce serait drôle de voir... Et puis si quelqu'un me demande quelque chose, je dirai que je voulais voir quelqu'un ou que je voulais visiter. On ne va pas en prison pour ce genre de chose, ils me ramèneront sur le quai et c'est tout.*» Suivant son raisonnement, d'un pas qu'il veut tout à fait léger, comme si réellement il avait affaire à bord, il arrive à la coupée, la franchit et, quelques secondes plus tard, le cœur un peu emballé, il se retrouve dans une coursive peinte d'un vert industriel qui s'enfonce vers la proue. Résolument il s'avance, tourne à droite dans un couloir de travers, avance de nouveau au hasard, monte des escaliers métalliques lorsqu'il croise de nombreux Asiatiques en vestes blanches ou rouges à galons dorés, en tenue de chauffe ou de cuisinier, mais personne, pour son plus grand étonnement, ne lui demande quoi que ce soit. Depuis qu'il est à bord, il ressent le grondement des machines qui semble communiquer une vie à toute la structure. Partout où il passe flotte une odeur mêlée de peinture fraîche, de cambouis et d'autre chose de plus imprécis que, sans savoir, et puisqu'il est sur un bateau, il associe à l'océan. À en juger par le décor, que ce soit pour les murs, les planchers ou les plafonds, tout en parois métalliques peintes de ce vert affligeant, à observer les enchevêtrements de tuyaux de toutes tailles qui courent partout, à l'odeur aussi, il sait, même si c'est la première fois qu'il met les pieds sur un paquebot, qu'il n'est pas encore arrivé au niveau des passagers. C'est immense, un vrai labyrinthe, à tel point qu'au bout d'un quart d'heure il commence à se demander si vraiment il n'est pas possible de se perdre pour de bon dans toutes ces coursives. Il y a des portes partout, la plupart s'ouvrent sur les cabines de l'équipage. Au passage il a aussi vu des réfectoires, puis d'autres portes qui doivent s'ouvrir sur autre chose, mais il n'ose s'y aventurer. Enfin, en haut d'un escalier, il aperçoit un groom en veste rouge franchissant une porte qui semble bien donner sur l'extérieur, sûrement sur un pont. S'y rendant, il constate qu'il s'agit d'une coursive extérieure longeant le quai. Stupéfait, il mesure la hauteur qui le sépare du sol et la distance avec la petite coupée qu'il a empruntée tout là-bas. *«Bravo si jamais je réussis à retrouver la sortie.»* Au lieu de cela, avisant un escalier extérieur, il y grimpe et, rendu au sommet, le plancher en lattes de bois verni semble cette fois en témoigner, il se retrouve sur l'une des coursives extérieures réservées aux passagers. Intrigué, il croise nombre de vieillards affichant plus ou moins les marques de la sénilité. Ils sont accompagnés par de jeunes adultes qui parfois les rappellent gentiment à l'ordre. De plus en plus intrigué, il va de nouveau à l'intérieur pour croiser encore et encore de ces vieux portant valises ou sacs et cherchant avec l'aide de leurs accompagnateurs le numéro de leur cabine. Puis il ressort et, montant plus haut, il finit par atteindre le pont supérieur où d'un seul coup d'œil panoramique il peut englober à la fois la ville, la rive nord et, par-delà le Premier Goulet, l'océan. L'océan! Il réalise que s'il peut avoir le culot de rester à bord, si personne ne lui pose de questions, il se retrouvera sur le Pacifique. «*Je reste!* décide-t-il, *c'est peut-être le destin qui m'ouvre les bras... Bon, je sais que j'ai cru qu'il le faisait pour l'or et je me suis retrouvé à la plonge, mais là... Une fois parti, même si je suis découvert, ils ne pourront pas me jeter à l'eau, et puis je trouverai bien de quoi manger.*» Apercevant de grandes lettres bleues dans le prolongement arrière de la cheminée aux formes aérodynamiques, il apprend qu'il se trouve sur le *Pacific Star*.

Le temps passe, accoudé au bastingage, il observe la ville avec déjà l'œil détaché du voyageur de passage, lorsque, déchirant l'air et les tympans – et lui procurant un long frisson d'exaltation –, il entend par trois fois la sirène. «*Le départ*», se dit-il et, comme pour lui donner raison, il constate que la passerelle des passagers qui liait le navire au terminal est rétractée vers ce dernier. Il est parcouru d'un autre frisson. «*Cette fois, c'est vrai, je pars! Je ne sais pas où, mais je pars! Si ça pouvait être pour les îles, Bora Bora par exemple... Ouah!*»

Il fait presque nuit lorsque le *Pacific Star* quitte les eaux du Goulet. Aux yeux de Nathan le spectacle est grandiose. Aux pieds des montagnes qui se découpent dans la nuit violette, la ville s'est effacée pour n'offrir d'elle que ses lumières. Nathan est maintenant sur la plage arrière. Il rirait presque; dans l'énorme bouillonnement d'écume sous ses yeux il a le sentiment que tout ce qu'il vient de vivre est haché, pulvérisé, que bientôt un Nathan tout neuf va sortir de tout ça. «*Passager clandestin!* n'arrête-t-il pas de se répéter. *Si Missy me voyait... Peut-être qu'elle trouverait que c'est romantique. Ça l'est, bon sang! Partir sur les mers pour rapporter un trésor à sa belle, si ça c'est pas romantique, je sais pas ce que c'est.*»

Au-delà de ces pensées il y a le détachement; en même temps

que le navire s'est éloigné de la terre, Nathan a eu l'impression de larguer les amarres d'avec tout ce qu'il a vécu depuis... depuis qu'il a retrouvé Jonas mort dans son lit. Et ce soir il lui parle à nouveau comme il ne l'a plus fait depuis le cimetière. *«Est-ce que tu vois où je suis? J'aurais aimé que tu sois avec moi, ce serait plus drôle à deux. D'où tu es, tu dois bien savoir où je vais, arrange-toi pour me le faire savoir, arrange-toi surtout pour que je trouve à manger. Si ça doit être une longue croisière je ne voudrais quand même pas mourir de faim. Vois-tu comme c'est beau, là-bas à l'est? Toutes ces lumières, on dirait qu'elles sont là uniquement pour être regardées de cet endroit. Ça en représente des vies! Pour toi, là-haut, je sais pas comment c'est, tu as peut-être encore plus de lumières, mais ici elles ont l'air d'avoir chacune une histoire à raconter. Tiens, celle-ci a l'air de dire: moi j'éclaire la maison de Mary, tu sais, Mary dont le mari prend un coup, celui qui est chauffeur de taxi. Celle-là témoigne: moi je suis la lampe d'un réverbère chargé de veiller sur mon coin de rue, il m'arrive d'éviter des agressions. Cette autre: moi je suis la lampe du bureau de David Miller qui, chaque soir, travaille pour réussir, pour gagner, pour Sherilyn. Et cette autre encore: moi je suis le néon du cabaret, je travaille une bonne partie de la nuit à faire croire aux esseulés, à tous ceux qui s'ennuient, que la nuit est lumière, que la nuit est l'entremetteuse qui leur présentera l'âme sœur. Celle-là encore: moi, je suis la lumière multicolore d'un jeu vidéo entre cent autres jeux vidéos, beaucoup de jeunes passent me voir, je les fascine, je les hypnotise, jusqu'à ce qu'un monsieur vienne leur faire des propositions que le «Chinois» leur interdit de refuser. Tu vois ce que je veux dire, Jonas? Elles sont belles toutes ces lumières, mais bon sang, qu'elles sont tristes aussi!»*

Il a repris deux aspirines, s'est étendu sur un transat un peu en retrait sur la plage arrière et il contemple les étoiles. Peu de personnes sont venues sur ce pont et celles qu'il a vues semblaient être de ces accompagnateurs qui encadrent les vieillards. Aucun de ces derniers n'est encore venu. Il est justement en train de se faire cette réflexion lorsque, arrivant par une coursive extérieure, il entend des voix qui s'approchent:

490

«Vous n'avez pas froid, madame d'Ambrosi? demande une voix jeune, douce et au ton plein de sollicitude. Vous ne voulez pas rentrer?

— Non, non, ma fille, ça va très bien, allons voir la lune se refléter dans le sillage, cela me rappellera de bien vieux souvenirs...»

Une vieille femme et une jeune fille passent devant Nathan et, ne le remarquant pas, ne lui accordent aucune attention en allant s'appuyer sur le bastingage arrière. La lune illumine le pont d'une lumière bleue qui, sur l'océan, s'accroche ici et là en éclats d'argent. La vieille femme est appuyée de sa main gauche sur une canne tandis que son bras droit est passé sous celui de la jeune fille qui l'accompagne. Elle est voûtée, frêle, ses pauvres jambes qui dépassent d'un manteau de laine ressemblent à deux piquets filiformes; seule la toque de fourrure posée sur sa tête lui donne encore une certaine prestance. La jeune fille, que Nathan observe de dos, est tout aussi frêle, mais d'une tout autre façon, ses jambes, bien que fines, dégagent une impression de solidité et de plénitude. Elle porte une robe bain-de-soleil que dans cette lumière Nathan voit violette, une robe simple qui descend un peu au-dessous des genoux et dont les deux minces bretelles et un foulard jeté négligemment laissent apparaître un coin d'épaule nue qui, dans la clarté lunaire, semble luire d'un éclat particulier. Une épaule féminine qui, l'espace d'une seconde, d'une éternité, jette Nathan dans une vision presque onirique où cette épaule symbolise tout à la fois le temps, l'espace, le désir, le bonheur et la douleur; le temps infini et si bref durant lequel gaz, métaux et roches devenus vivants cherchent à comprendre, cherchent à échapper à l'étau de l'exil; l'espace profond et glacial que masque si bien l'immense nuit d'encre adoucie par les caresses argentées de la lune, l'espace où, entre deux horizons, se dressent des murs de brique, des murs de ciment, des murs de terre entre lesquels s'écoule le flux méphitique des armées, des pleurs, des égouts chargés de toutes les faillites de la chair, des murs ou des horizons entre lesquels nul ne parvient à se rejoindre; le désir de goûter les chairs ambres et sucrées, celles d'albâtre, celles de miel et de saisir à travers elles, à travers elle, le monde, la terre immense, profonde et maternelle, l'encre mystérieuse de la nuit, la douceur orangée des matins, l'épice des îles, les vents de l'inconnu, l'écume salée des océans, le bruit lointain des villes de fer et de sang, l'écho cuivré d'une trompette solitaire, l'appel lancinant d'un lointain rivage oublié et le bonheur de croire que l'on se comprend, le bonheur de tout se dire, de ne plus se mentir, de s'abandonner, comme si c'était à tout jamais, comme si la douleur n'existait pas, celle de se perdre, celle, une nouvelle fois, de se retrouver tout nu et froid entre les pierres, les gaz et les métaux.

«Quels souvenirs, madame d'Ambrosi?

— Oh, c'est si vieux... Une tout autre époque, ma fille, un autre monde, un autre paquebot, un autre océan...

— Vous ne voulez pas me raconter?

— Pensez-vous réellement que les radotages d'une vieille femme puissent vous intéresser?

— Bien sûr! Je ne considère pas ça comme du radotage.

— Vous êtes trop généreuse, mais, puisque vous dites y tenir... Cela se passait sur un pont arrière comme celui-ci, la différence était qu'il y avait plein d'ampoules multicolores, et qu'il faisait un peu plus chaud. Il faut dire que c'était aux Caraïbes. (Elle marque un silence comme si elle voulait revivre les détails avant de les conter.) Pour récompenser des études réussies, mes parents m'avaient emmenée en croisière à bord de l'un de ces extraordinaires paquebots français qui, comme le reste bien entendu, n'existent plus aujourd'hui. Ah la la! Ma fille! Je me souviens encore que, ce soir-là, mon père, après le dîner, s'était retiré à la bibliothèque avec quelques amis pour discuter politique, sans doute en fumant un de ces énormes cigares dont j'ai encore l'arôme dans les narines, et pendant ce temps Maman avait rejoint quelques dames pour disputer une partie de bridge. Moi, évidemment, je n'avais pas du tout envie d'aller me coucher; au lieu de cela, peut-être pour faire comme dans les romans, je me suis rendue sur le pont arrière, comme nous nous trouvons à présent. C'est là que je l'ai vu pour la première fois. Il était beau, svelte, vêtu d'un élégant smoking blanc à revers de soie. Vous ne voyez plus cela aujourd'hui, n'est-ce pas?

— À vrai dire, non, pas tellement...

— Il n'y a plus rien aujourd'hui... Enfin, toujours est-il qu'il était là, adossé contre le bastingage, fumant une cigarette avec des mouvements d'un charme fou. J'ai dû avoir l'air un peu cruche car je crois bien qu'en le voyant je me suis arrêtée net pour l'examiner, que dis-je! pour l'admirer. Ça ne vous est jamais arrivé à vous de vous arrêter pour admirer un homme?

— Non, répond la jeune fille en riant, pas que je m'en souvienne.

— Évidemment! Il n'y a plus d'homme aujourd'hui, si ce ne sont pas de ces voyous qui se complaisent dans la vulgarité; ce sont tout juste des minets pour qui le mot virilité doit être synonyme de dépassé. Dans le fond je vous plains.

— Ce n'est pas si terrible...

— C'est vous qui le dites... Mais revenons-en à mon histoire. Je disais donc que j'étais là, comme une cruche, en face de lui, lorsqu'il baissa les yeux sur moi. Oh, ces yeux! Noirs! À la fois doux et violents. Et voici qu'il me dit: «Il ne manquait plus que vous, Mademoiselle, afin que toutes les étoiles de la nuit, dont vous êtes la plus belle, soient au rendez-vous.»

«Je ne me vois pas disant des trucs comme ça à Missy», se dit Nathan.

«C'est beau! approuve la jeune fille.

— Et ce n'est pas tout, en plus il avait l'accent italien. Non pas celui des petites italies que l'on retrouve dans toutes nos grandes villes, pas du tout, le sien était celui d'un seigneur, d'un aristocrate de Florence ou de Milan. Voyez-vous, ma fille, je vivais un véritable conte de fées.

— Je n'en doute pas. Que s'est-il passé ensuite?

— Eh bien, je vous jure que je ne me rappelle pas de ce qui a suivi directement, tout ce dont je me souviens, c'est que je me suis retrouvée dans ses bras, en train de danser sur une musique qui n'existait que dans nos têtes.

— Et après?

— Après? Après, nous avons parlé, qu'est-ce que nous avons pu parler! Jusqu'à l'aube en fait. Je nous revois en train de contempler les étoiles qui commençaient à s'effacer et le ciel qui prenait ces étranges teintes de l'aurore, vous savez, d'abord c'est bleu nuit puis on ne sait si c'est mauve, violet ou rose jusqu'à ce qu'à l'Orient tout explose. C'est à ce moment-là que nous nous sommes embrassés pour la première fois, et je peux dire qu'ayant parlé toute la nuit, nous nous connaissions déjà bien. Ce n'était pas un baiser en l'air, enfin vous comprenez ce que je veux dire?

— Bien sûr, madame d'Ambrosi. Je devine que le monsieur dont vous me parlez était le comte, votre mari?

— Je n'en ai jamais connu d'autre!

— Ainsi c'est comme cela que vous l'avez rencontré... C'est vraiment comme dans les romans.

— Je crois bien que toute ma vie a été un roman. Je pourrais en apprendre à toutes ces femmes qui se creusent l'imagination pour sortir ces petits livres destinés à extraire d'autres femmes d'un quotidien qui lui n'a rien de romantique. Ce que je viens de vous conter là, ma fille, je crois que c'est le plus beau moment de mon existence. Existence qui malheureusement commence maintenant à s'étirer en longueur.

— Voyons! Il ne faut pas dire ça.

— Et pourquoi donc? J'ai fait mon temps, comme tous ces gens invités sur ce navire. Que nous reste-t-il d'autre que la solitude, les regrets, des souvenirs qui parfois s'embrouillent, et le lent, le long refroidissement? On ne devrait pas survivre à celui ou à celle dont on a partagé la vie. C'est trop triste de se retrouver seul. Vous n'imaginez pas ce que c'est de se réveiller le matin à côté d'un oreiller vide. À votre âge, il y a l'espoir qu'un jour viendra s'y poser un visage aimé, au mien on sait trop bien qu'il restera vide pour aussi longtemps que le temps voudra encore de nous. Et cela, ce n'est que le réveil, il reste la journée, toute la journée derrière une fenêtre ou devant la télé, ce qui est pareil, il n'y a plus qu'à regarder vivre les autres. Et aussi les repas face à soi-même, le petit verre de vin que l'on avale en espérant secrètement qu'il nous soûl un petit peu, de longs après-midi, les genoux sous une table, les coudes sur celle-ci et la tête entre les mains, et le soir... ces longues soirées lugubres quand la lumière fuit, que les meubles deviennent menaçants, les ombres hostiles, les souvenirs aigus et le lit froid, bien trop froid, impossible à réchauffer... Mais je parle, je parle, je me lamente; vous êtes bien trop jeune pour entendre les jérémiades d'une vieille folle qui a été trop gâtée.

— Pas du tout! Pas du tout, Madame. Ce n'est pas parce que je suis jeune que je ne vois pas.

— Mais justement! Il ne faut pas voir à votre âge; il faut être heureuse, c'est tout.

— Je suis heureuse, j'aime bien ce que je fais, j'aime bien votre compagnie, celle d'autres personnes comme vous; je trouve, et c'est peut-être égoïste, que c'est enrichissant.»

Comme la jeune fille renifle soudain avec cette façon pudique que l'on a de renifler lorsqu'on refoule des larmes, la vieille dame se tourne vers elle.

«Eh bien, ma fille, que vous arrive-t-il?

— Vous allez trouver que c'est bête, mais je ne sais pas, est-ce que c'est votre belle histoire, est-ce que c'est ce que vous avez dit sur la vieillesse, ou tout cela en même temps, je ne sais pas?

— Vous savez ce que je crois, je crois que vous avez une trop grande sensibilité. Remarquez, ce n'est peut-être pas un défaut après tout. Quand on voit combien les gens passent les uns à côté des autres sans se remarquer... Et si nous rentrions, je suis contente d'être venue à cet endroit, mais parfois les souvenirs sont féroces. C'est curieux quand même de constater comment une si belle nuit perd de sa magie lorsqu'on n'est plus qu'un seul à la regarder.

— Je n'ai pas de mal à vous croire. Je vous raccompagne, Madame...»

Nathan les voit s'éloigner sans plus le remarquer qu'à leur arrivée. «*Qui était cette fille? se demande-t-il, elle a l'air d'être gentille... Et cette pauvre femme, j'avais jamais réalisé qu'un jour on devait se retrouver encore plus seul qu'on est à mon âge et pourtant je croyais que c'était le plus sale âge, celui où l'on a perdu les illusions de l'enfance alors qu'on est pas encore assez vieux pour être deux comme dans le fond on voudrait l'être, et l'on est trop vieux pour aller se réfugier sur les genoux ou dans les bras de maman. Ça devrait être différent... Enfin, dans tout ça ils n'ont pas dit où on allait, tout ce que j'ai réussi à comprendre c'est qu'il doit s'agir d'un voyage de vieillards. Il va falloir que je me trouve à manger aussi, je commence à avoir faim. Peut-être que demain*

matin je pourrai me glisser au travers des autres pour le petit
déjeuner, en me faisant passer pour un accompagnateur.»

Un quart d'heure a passé et il est vraiment surpris lorsqu'il voit
réapparaître la jeune fille de tout à l'heure. Seule, les bras croisés
sur la poitrine, avançant d'un pas songeur. Cherchant à faire sa
connaissance, sans penser qu'en le faisant il va se découvrir, il ne
peut résister à l'idée de lui retourner les mots du comte italien:
    «Il ne manquait plus que vous, Mademoiselle, afin que toutes
les étoiles de la nuit, dont vous êtes la plus belle, soient au rendez-
vous.»
    Surprise, elle se tourne brusquement vers lui.
    «Hein! Qui êtes-vous? Vous étiez ici?
    — J'étais dans cette chaise longue, vous n'avez pas fait atten-
tion à moi.»
    Elle s'approche pour mieux l'apercevoir et se rend compte
qu'ils doivent être sensiblement du même âge.
    «Tu es un accompagnateur? Je ne te reconnais pas...
    — Non, non, je suis simplement un passager.
    — Un passager! Mais...? Cette traversée est entièrement ré-
servée aux personnes invitées par la comtesse d'Ambrosi, des
personnes du troisième âge.
    — La dame de tantôt?
    — Oui, c'est elle. Elle va être furieuse si elle apprend que la
Compagnie a loué des passages à d'autres personnes, déjà qu'ils
ont dit qu'il n'y avait pas assez de place pour tout le monde...
    — Ne le lui dis pas, s'il te plaît!
    — Oh, ce n'est pas à toi qu'elle en voudra.»
    Sans que rien ne le lui prouve, Nathan pressent qu'il peut faire
confiance à cette fille. Plus, il éprouve le besoin de se raconter:
    «Là n'est pas le problème...
    — Où est-il?»
    Un bref instant, dans l'irisation bleutée, il contemple son
visage ovale, son petit nez supportant des lunettes qui lui donnent
un air de sérieux que veut démentir le dessin délicat mais plein de
vie de ses lèvres, tout cela sous une masse de cheveux bouclés
ramassés en un chignon presque anachronique. Il se demande s'il

doit lui faire promettre le silence, puis il se fait la réflexion que ce serait déjà mettre des marques de méfiance entre eux. Il préfère s'en tenir à sa première impression et la mettre dans la confidence sans l'obliger à quoi que ce soit:

«Je ne devrais pas être là, je n'en ai pas le droit...

— Je ne comprends pas?

— Je suis ce qu'on appelle un passager clandestin.

— Ouah! Tu me racontes des histoires!

— Non, non, je t'assure!

— Un passager clandestin, mais comment tu aurais fait pour monter à bord?

— Au départ je n'avais rien prévu, je passais par là, j'ai vu une passerelle à l'arrière du bateau, je suis monté à bord pour voir, par curiosité, et puis de fil en aiguille je me suis dit que ce serait peut-être intéressant de rester, voilà.

— Voilà! C'est tout ce que tu trouves à dire? Ah! je ne te crois pas!

— Bon, ne me crois pas, que veux-tu que je te dise...

— Vraiment? Tu es là sans billet de passage?

— Puisque je te le dis. Il lui désigne un transat vide sur sa droite. Et toi, tu t'appelles comment? Que fais-tu ici?

— Beaucoup de gens m'appellent Trini, mais mon vrai nom c'est Trinité. J'accompagne madame d'Ambrosi.

— Trinité... C'est vraiment joli! Dommage de l'abréger.

— Tu dis ça pour être gentil.

— Non, je t'assure! Ton nom a quelque chose de mystérieux, de médiéval... C'est très beau!

— Merci.

— Que veux-tu dire par j'accompagne madame d'Ambrosi? C'est vraiment elle qui a invité tous les autres?

— Bien oui, c'est en cherchant une maison de repos pour elle-même qu'elle s'est dit qu'il y avait vraiment beaucoup de vieilles personnes qui faisaient pitié, c'est ce qui l'a décidée à louer tout le bateau qui de toute façon serait parti à vide pour Honolulu où...

— Attends! Tu dis que ce bateau va à Honolulu?

— Ne me dis pas que tu l'ignorais?

— Super! Les îles! Hawaï!

497

— Alors c'est vrai! Tu es parti sans savoir où tu allais! On aura tout vu! Mais qu'est-ce que tu vas faire? Pas de cabine, pas de nourriture, rien?

— On verra bien... Ouah! je suis content d'aller à Hawaï!

— Mais tes parents, tout ça, qu'est-ce qu'ils vont dire? Ils vont s'inquiéter?

— Non, je suis parti depuis près de trois mois maintenant. Des fois, j'appelle Maman pour lui dire où je suis. Je suis parti chercher fortune.

— Fortune! Tu es parti chercher fortune! Mais ça n'existe plus, ça! On ne trouve plus fortune le long des chemins... Toi, c'est comment ton petit nom?

— Nathan... Pourquoi on ne pourrait plus trouver fortune?

— Bien... parce que maintenant pour faire de l'argent, il faut beaucoup d'argent. Des gens comme Thomas Edison, Walt Disney ou Stephen Wozniak pouvaient inventer ou créer des choses dans leur garage, mais maintenant il faut des moyens énormes pour mettre au point quelque chose de nouveau.

— Rockefeller n'a rien inventé et pourtant il est devenu très riche.

— C'est de l'histoire ancienne, du temps où le premier venu pouvait accaparer n'importe quoi parce qu'il était le premier, du temps où il n'y avait pas de syndicat et qu'on pouvait faire travailler les gens pour presque rien. Maintenant il y a des compagnies avec des milliards de dollars qui écument la planète à la recherche de ce qui pourrait encore rapporter quelques bénéfices, et, à moins d'être un joueur de hockey, de base-ball ou une vedette de la chanson ou du cinéma, que veux-tu qu'une personne toute seule, sans moyen, un passager clandestin de surcroît, puisse faire contre tout ça? Et puis, est-ce que c'est vraiment important de faire fortune?

— Pour moi, oui.

— Mais pourquoi?

— C'est personnel.

— En tout cas, pour moi ce n'est pas un but.

— Tu ne m'as toujours pas dit pourquoi tu accompagnais la vieille dame?

— Il y a longtemps que je la connais, elle habite pas loin de chez moi et souvent, presque tous les jours en fait, je vais chez elle pour voir si elle n'a besoin de rien, ou tout simplement pour lui tenir compagnie. J'aime bien parler avec les vieilles gens, du reste je veux étudier en gérontologie. C'est parce que je lui tiens compagnie souvent que lorsqu'elle a décidé de payer le voyage à tous ces gens elle m'a demandé si je voulais bien l'accompagner.

— Elle doit être riche.

— Son mari lui a laissé une chaîne hôtelière, il y en a partout à travers le monde. Et c'est drôle, elle est restée très simple.»

Elle se décide enfin à accepter l'invitation de Nathan et s'assied de travers sur le transat, les coudes appuyés sur les genoux, le menton entre les mains, tournée vers lui.

«Mais qu'est-ce que tu vas faire? demande-t-elle, avec dans la voix une note de préoccupation qui lui vaut une reconnaissance muette du garçon.

— J'en sais rien du tout.

— Je n'arrive pas à comprendre comment tu as pu arriver là? Tu dis que tu es parti depuis trois mois, qu'as-tu fait tout ce temps-là?

— Il y a long à dire, c'est presque inimaginable. J'ai vécu chez moi des années sans qu'il se passe rien pour moi et, tout d'un coup, paf! tout m'arrive, et pas toujours pour le meilleur, je t'assure! D'abord je suis parti de Saskatchewan, c'est de là que je viens, je suis allé sur l'Île de Vancouver pour opérer une débusqueuse, puis dans les Territoires du Nord-Ouest comme chercheur d'or, à la frontière du Yukon comme plongeur...

— Arrête, arrête, fait-elle en riant, on se croirait dans un roman de Jack London.

— Ouais, j'en ai lu, et je te jure que c'était pas tout à fait pareil... Dans les bouquins, on dirait que l'aventure grandit celui qui la vit, mais moi, j'ai l'impression d'y avoir perdu des plumes, ou en tout cas bien des illusions...

— Tu as l'air triste?

— ...

— Tu ne veux pas en parler? Des fois, ça fait du bien de raconter ce qu'on a sur le cœur, même à quelqu'un qu'on ne connaît pas.»

Il la regarde, en proie à une étrange émotion qui lui rappelle quelque chose dont il n'arrive pas à se souvenir. Tout ce qu'il ressent, c'est un immense besoin d'être gentil.

«Tu sais, dit-il, il y a des gens qu'on ne connaît pas et d'autres qu'on connaît depuis toujours, et ce n'est pas nécessairement le fait de s'être rencontré auparavant qui fait ça. Dans ton cas, tu remarqueras que je t'ai tout de suite avoué ce que je faisais sur ce bateau.»

Elle ne répond pas, se contente de le regarder avec un sourire tout en douceur. Même s'il le ressent, il voudrait bien voir son regard derrière les verres où se reflète la nuit. «*Qui est-elle? Une jeune fille qui veut s'occuper des vieux, c'est curieux? Je ne vois pas du tout Missy m'annoncer ça, encore moins Jolene, sans parler de la charmante Sherilyn... Missy disait qu'elle voulait être zoologiste mais on sentait bien que c'était par intérêt professionnel, tandis qu'elle, on a pas l'impression qu'elle n'a d'autre but que de faire plaisir et de rendre service. Je ne connais personne d'autre qui s'amuserait dans ses temps libres à rendre visite à une vieille dame. Elle est gentille! C'est plaisant d'être là, sur l'eau, au beau milieu de la nuit, voguant vers Hawaï et en train de discuter avec une personne comme elle. Qu'est-ce qu'il y a comme étoiles!*»

«Qu'est-ce que c'est beau! répète-t-il tout haut, levant la tête vers le ciel, mais voulant surtout exprimer par ces quelques mots l'entier de ce qu'il éprouve.

— Oui, tu as raison. Elle se tait quelques secondes puis en vient à ce qui la tracasse depuis un moment. J'étais en train de me demander comment tu allais pouvoir faire pour manger et tout le reste.

— Ne t'inquiète pas pour moi, je m'arrangerai bien.

— Ça ne te tracasserait pas, toi, si tu étais ici, confortable et tout, et qu'un autre soit à la place où tu es maintenant?

— Si, peut-être... Mais on ne peut pas s'en faire pour toutes les misères que l'on côtoie, ce ne serait plus vivable.

— Au contraire! C'est lorsqu'on déclare forfait que ce n'est plus vivable.

— Je vais te retourner le compliment, si jamais c'en est un, que l'on m'a fait il n'y a pas longtemps: tu es trop bonne.

— Oh non alors! Je ne connais pas d'exemple d'une personne qui ait été trop bonne.

— Moi peut-être... Que dirais-tu d'une personne qui, pour avoir voulu trop longtemps se tenir dans la bonne ligne, se serait ensuite totalement égarée. N'aurait-il pas mieux valu qu'elle fasse des petits écarts de temps en temps?

— Non, fait-elle en riant doucement, si elle s'est complètement égarée c'est qu'elle était déjà dans la mauvaise voie.

— Qui es-tu?

— Moi? Eh bien je suis la fille d'un chirurgien et d'une femme d'intérieur, j'ai deux frères, un grand et un petit: Brian et Dusty; j'habite une vieille mais jolie maison dans un vieux mais joli quartier de Victoria. Comme le mari de madame d'Ambrosi, nous sommes une famille de souche italienne, catholique bien entendu; tous les jours de la semaine, Maman prépare le déjeuner pour le presbytère. Chaque été nous partons toute la famille en roulotte pour visiter un parc national. Tous genres mélangés je raffole de Fauré, Rachmaninov, Arkenstone, Ofra Haza, Kawabata, Thomas Wolfe, Faulkner, Goya, Le Greco, la peinture impressionniste – surtout Van Gogh –, j'adore les dessins de Norman Rockwell, les photographies de Catherine Bibollet et les films de Charlie Chaplin. Ceci dit j'aime bien tout le reste sans discrimination, en autant que ce soit fait avec le cœur et les tripes. Je joue du piano mais je ne suis pas musicienne, je fais de la couture mais je ne suis pas couturière, je ne supporte ni les mauvaises odeurs, ni la vulgarité gratuite et enfin, je consacrerais ma vie à Jésus si j'avais assez de caractère ou de force morale. À toi maintenant?

— Moi...

— C'est assez bref, dit-elle avec une gentille ironie, alors qu'il n'ajoute rien.

— Moi, tu sais... Je suis le fils d'un pasteur qui est mort, j'ai eu un frère qui est mort aussi; Maman habite maintenant chez mes grands-parents, je viens du sud-ouest de la Saskatchewan, la Prairie, la vraie, et c'est magnifique! Si mon père était presbytérien, du côté de Maman c'est catholique comme toi, mais moi je ne sais plus trop ce que je suis. Jusqu'à cette année, j'ai passé toutes mes vacances dans la Prairie. Je crois pouvoir dire que je sais apprécier les belles choses, mais je dois reconnaître que je suis incapable de te citer un nom; ah! si: *Ben Hur*, c'est vieux, mais j'adore ce film-là. Autrement, je me passionne pour les étoiles, le cosmos et je me demande souvent pourquoi ceci et pourquoi cela. Quant à Jésus, je crois que je joue à cache-cache avec lui, tu sais, comme quand quelqu'un doit de l'argent à un autre.

— *Nul serviteur ne peut servir deux maîtres...*

— Comment ça?

— Tu viens de dire que tu jouais à cache-cache avec Jésus, puis tu as ajouté: comme quand on doit de l'argent à quelqu'un. En plus, tout à l'heure tu m'as dit que tu cherchais fortune, ça m'a fait penser lorsque Jésus a dit qu'on ne pouvait servir Dieu et l'argent.

— Oh mais je ne sers pas l'argent! Je cherche fortune pour aider quelqu'un à retrouver ce que le destin lui a pris.

— Qu'est-ce que tu peux parler mystérieusement!

— Excuse-moi.

— Ne t'excuse pas, tu as droit à tes secrets.

— Je n'ai pas de secret, mais si je devais tout te raconter...»

Elle ne dit rien, continue à regarder Nathan avec ce voile de douceur qui le remue, lui fait trouver cette nuit si belle, sa position hautement enviable et la création en général beaucoup plus inté-ressante qu'il y a quelques heures.

«Que fait-on exactement en gérontologie? demande-t-il, sur-tout pour poursuivre le dialogue et ne laisser à Trinité aucune raison de s'en aller.

— On peut faire toutes sortes de choses. Il y en a qui s'occuperont des causes biologiques du vieillissement, d'autres des problèmes physiologiques, d'autres de la psychologie des vieillards, d'autres encore de statistiques démographiques du vieillissement, moi, tout ce qui m'intéresse c'est d'être auprès d'eux, de leur apporter un peu de chaleur, un peu de présence, c'est tout.

— Une sorte d'assistante sociale?

— Oui, mais je n'aime pas le terme, ni l'image, ni les motiva-tions. Je préfère voir cela un peu dans le sens... sœur de la charité si tu vois ce que je veux dire?

— Tu veux être nonne?

— L'idée me plaît, mais comme je voudrais aussi avoir une famille et tout ça, alors...

— Alors tu risques de te retrouver assistante sociale, c'est ça?

— J'en ai bien peur...

— Beaucoup affirment que le plus court chemin d'un point à l'autre est la ligne droite, moi je n'en suis pas si sûr. Ainsi, dans ton cas par exemple, si tu épousais un riche homme d'affaires, tu pourrais te livrer librement aux activités charitables comme tu l'entends, tandis que si tu deviens assistante sociale, il te faudra suivre la ligne de conduite d'un fonctionnaire plus haut placé.

— Quelle mentalité! Quand je te dis que je veux une famille, je veux dire une famille avec un mari que j'aime, pas quelqu'un que j'aurais épousé pour sa situation sociale, non! À ce moment-là plutôt entrer dans les ordres.

— C'était juste un exemple. Tu n'aimerais pas, je ne sais pas... comme tu disais tout à l'heure, faire de la recherche sur les causes du vieillissement ou sur les moyens de rester en bonne santé quand on est vieux. Il me semble que ça aiderait autant, même si c'est d'une manière différente?

— Nathan, je crois que tu es atteint par le virus de l'époque.

— Que veux-tu dire?

— Tu ne crois plus aux vertus du cœur et de l'amour, tout doit être prouvé, rationnel, froid. Tu présupposes que les maladies ont pour causes les virus ou je ne sais quels dérèglements biologiques, tu appréhendes ton corps comme une machine, compliquée, certes, mais une machine.

— Pas du tout!

— Donc, comme moi, tu penses que les maux ont pour cause le mal de l'âme?

— Bah...?

— Tu ne sais pas? Pourtant c'est comme la politique ou l'économie, il n'y a pas de mauvais système; idéalement parlant ils sont tous excellents, trop justement, ils ne peuvent s'ajuster à l'homme. La monarchie, le communisme, le capitalisme, l'anarchie sont des théories merveilleuses, leur seul défaut est qu'ils ne prennent pas en considération les aptitudes et les inaptitudes de l'être humain. Alors, pourquoi j'irais faire des recherches sur les causes du vieillissement quand je sais fort bien que, de toute façon, et tu l'as sans doute compris si tu as entendu madame d'Ambrosi tout à l'heure, le plus grand mal dont souffrent les gens, et particulièrement les vieux, c'est la solitude et tout ce qu'on fait de travers pour se la cacher. Alors à quoi bon savoir que la cellule est programmée comme ci ou comme ça? À quoi bon savoir quel est le pourcentage de vieillards dans une population donnée?

— Tu as raison, Trinité.

— Ah!

— Qu'y a-t-il?

— Bien, pour te dire la vérité, tu es le premier garçon à m'appeler par mon nom en entier; ça fait curieux.

— Je suis content si ça te fait plaisir, moi j'aime bien parler avec toi. C'est drôle, tu ne trouves pas?... On vient juste de se connaître et on parle déjà de la marche du monde et de ce qu'on pense comme si nous étions de vieilles connaissances.

— Ces choses-là arrivent...

— Je me sens en confiance, c'est pour ça.

— Moi aussi, même si je n'arrive pas à me défaire de l'impression que tu traînes quelque chose de lourd... Tu ne veux rien me dire?»

Il l'observe sans répondre immédiatement. Il se demande toujours qui elle est, pourquoi il éprouve ce vide à l'intérieur de lui. Où l'a-t-il déjà ressenti?

«Je viens de te dire que tu avais raison, car ce que tu m'as dit m'a rappelé des événements que j'ai vécus ces derniers temps, à propos de ce qu'on peut faire de travers et même de mauvais pour se cacher la solitude.

— Tu as fait des choses mauvaises? De toute façon si tu les regrettes sincèrement, elles ne t'appartiennent plus.

— C'est pire, bien pire! Je me suis aperçu que sous certaines conditions, j'aurais pu succomber à des actes répugnants, à un laisser-aller qui me révolte.»

Il n'en ajoute pas davantage, mais Trinité semble attendre qu'il aille plus loin. Elle sait qu'il est inutile, au contraire, de forcer une confession. Lui, subitement, prend pleinement conscience du grondement sourd des machines, du brassage titanesque des flots par les hélices, de l'immensité presque douloureuse du ciel, de la pureté cristalline de la nuit, du mystère sombre des abysses océanes, de la distance qui, chaque seconde, s'accroît entre l'univers froid, stérile et méphitique qu'il vient de quitter et ce qu'il pense être le renouveau doré et salvateur des Îles du Sud vers lesquelles il vogue. Et puis, comment ne pas tenir compte de cette fille assise près de lui depuis plus de temps que n'en demande la simple amabilité, comment ignorer cette étrange sensation à deux courants, vide et plénitude, qui, il n'y a plus à en douter, n'a d'autre cause que cette présence amie? Et pourquoi ne pas tout lui dire à cette amie, se laisser aller une bonne fois avant que le temps n'enlise toute cette gangrène dans le tourbillon de la banalisation et de l'oubli forcé? Pourquoi ne pas faire la grande toilette avant d'aborder de nouveaux rivages? S'il lui raconte tout, peut-être saura-t-elle trouver les mots qui expliquent et les encouragements qui font revivre? Et s'il lui raconte tout, peut-être deviendra-t-elle vraiment son amie? Une amie à qui il pourrait tout dire et de qui il pourrait tout accueillir; une amie à consoler quand, à son tour, elle sera touchée par les flèches de la désolation. Ce doit être extraordinaire d'apporter le réconfort à ceux que l'on aime.

«As-tu un peu de temps pour une longue histoire? demande-t-il non sans une certaine appréhension dans la voix.

— Raconte, Nathan, raconte...»

Il a commencé le récit de son histoire par l'excursion au Vallon du Crâne et terminé par le pari de Gia. Sans rien omettre, en essayant d'être le plus sincère possible, il a tout dit. Tout. Au fur et à mesure de la narration, Trinité a abandonné la position assise pour s'étendre à son tour sur son transat. Mais ce n'est que lorsqu'il a abordé son enlèvement que, doucement, elle a tendu la main, qu'il l'a prise dans la sienne et qu'ils sont restés ainsi, les doigts entremêlés dans le vide séparant les deux chaises longues. Enveloppant leur intimité, la nuit a pris cette teinte plus lumineuse propre aux heures qui débutent un nouveau jour. Déjà à l'horizon, juste au-dessus de la ligne de partage des eaux, s'étirent des lambeaux d'un bleu royal qui annonce l'aube. Tout en haut, au-dessus de leurs têtes, révélant l'insondable, de minuscules points de glace solitaires. Les étoiles lointaines leur rappellent que cette nuit n'en est qu'une parmi des milliards d'autres identiques, et cette information qui devrait les angoisser dans ce qu'elle a d'implacable pour ce qu'ils sont, au contraire, les emplit d'un sentiment de plénitude qui étrangement ne le cède qu'à la sensation de légèreté qu'il provoque en eux.

«Tu sais, dit-elle peut-être en essayant par ces mots de lui retourner la confiance qu'il lui a portée, je crois bien que c'est la première fois de ma vie que je vais voir se lever le jour sans m'être couchée. Ma première nuit blanche.»

D'abord, il se demande pourquoi elle ne dit rien à propos de tout ce qu'il vient de lui raconter, puis rapidement il convient que par cette simple remarque elle lui témoigne beaucoup plus de compréhension et d'appui que par n'importe quel autre commentaire.

«C'est vrai? Ça te fait quelle impression?

— Je sais pas... Je suis heureuse. Oui, c'est ça, je me sens heureuse.

— Moi aussi», dit-il en serrant davantage les doigts entre les siens.

Ce n'est qu'après un long silence que, tout doucement, sans prévenir de quoi il va s'agir, elle commence à relater une *ancienne* histoire qui s'est passée dans une vieille rue de sa ville natale. Il y avait une devanture en bois dont la peinture d'un bleu délavé s'écaillait en laissant à nu le bois gris, une petite vitrine poussiéreuse derrière laquelle s'entassaient, pêle-mêle, des piles de volumes disparates. Pour entrer elle devait franchir une porte vitrée qui, par un système de corde et de poulies, faisait tinter une collection de cloches «comme il y en a au cou des vaches suisses dans les films».

«Bonjour, monsieur Nelson, avait-elle dit en entrant.

— Tiens! Si c'est pas la jeune Trini. Par les testicules de mon ancêtre, il y avait longtemps qu'on t'avait vu

— Monsieur Nelson!»

Dans un angle de la pièce obscure entièrement occupée par des étagères croulant sous les livres, installé derrière une table de ferme, elle aussi couverte de livres et de poussière, Monsieur Nelson posait chaque matin ses cent quarante kilos dans un fauteuil à bras de style victorien au recouvrement râpé, dont les pattes d'apparence frêle ne semblaient vraiment pas adéquates pour le poids de l'homme. Pourtant, depuis aussi loin que Trinité pouvait s'en souvenir, elle l'avait toujours connu sur ce fauteuil, autour des mêmes livres et de la même poussière. Depuis des années il portait la même soixantaine, le même triple menton, les mêmes longs cheveux gris-jaune ébouriffés, les mêmes yeux porcins et la même veste bleue en coutil. Anglais d'origine, comme cela peut arriver dans les ports, il avait été un jour un marin en goguette qui, insensible à l'appel de son navire, avait choisi l'exil et une femme. Il y avait de cela très longtemps, et la femme était retournée à la terre, quoique, à écouter cet homme, elle dût toujours vivre à travers lui car, à l'instar d'un pape, il s'exprimait non pas à la première personne du singulier, mais à la première du pluriel ou, encore, avec le pronom on. C'est dans cette boutique, où le gros homme vendait, échangeait et louait des livres, que Trinité avait constitué jusqu'alors le plus gros de sa bibliothèque. Ce jour-là, sa curiosité la poussait à rechercher un livre occulte spécifique.

«Monsieur Nelson, Je suis à la recherche d'un livre.»

Il avait eu un regard de bouledogue désapprobateur.

«On suppose que c'est encore quelque chose de léger. Toi et tes amies n'en avez donc jamais assez?»

Sans répondre à cette question, Trinité avait poursuivi:

«Le titre est: *Le Plan du Diable*. C'est écrit par un certain Arthur Delay. Avez-vous ça?»

Il avait posé devant lui l'un de ses éternels livres d'horreur, à se demander comment il ne les connaissait pas tous par cœur, avait attrapé une branche de badiane déjà à moitié mâchée, l'avait portée à sa bouche, puis avait hoché longuement la tête.

«Nous en avons déjà entendu parler, voyons... Il avait levé les yeux vers le plafond comme pour se rappeler en quelles circonstances puis avait abandonné. Non, impossible de nous souvenir où et quand.

— Alors, vous ne l'avez pas?

— Certainement pas, nous le saurions.»

Monsieur Nelson avait toujours coutume de prétendre que le jour où il ne saurait plus exactement ce qu'il y avait et ce qu'il n'y avait pas dans sa boutique, il fermerait. Par contre, une fois qu'il avait affirmé qu'un volume était là, c'était au client de se débrouiller pour le trouver. Monsieur Nelson ne se déplaçait pas.

«C'est dommage, avait répondu Trinité, ce livre m'intrigue.

— Si tu cherches quelque chose sur le Diable, il y a quelque part ici, d'un certain Cristiani: *Présence de Satan dans le monde moderne*. Pour ceux qui y croient, j'imagine que ça peut être utile.

— Vous n'y croyez pas, vous?»

Pour la première fois depuis qu'elle le connaissait, monsieur Nelson avait éclaté d'un rire aigu qui secouait tous ses mentons et découvrait deux rangées de chicots noirs.

«As-tu déjà dormi, jeune fille?

— Bien sûr!

— Que se passe-t-il quand tu ne rêves pas?

— Rien.

— Et tu crois que ce sera différent deux mètres sous terre? Sans lui laisser le temps de répondre, il avait fait part de ses conclusions: Non! Et Freud avait bien raison de croire que le Diable n'est que l'incarnation de nos pulsions anales refoulées.»

Une moue de dégoût sur les lèvres, les yeux agrandis par la surprise, Trinité fixait monsieur Nelson avant de répondre.

«Le Diable a plus d'un tour dans son sac, monsieur Nelson. Prenez par exemple l'Inquisition, elle ne livrait pas les sorcières au bûcher parce qu'elles étaient possédées mais bien parce que l'Inquisition elle-même était conduite par Satan qui voulait ainsi dénigrer l'Église. Le but de Lucifer n'est pas tant de faire le mal que de laisser croire qu'il n'existe pas, et du même coup, que rien n'existe qui nous dépasse.»

De nouveau l'homme avait éclaté de rire.

«Ça te passera avant que ça nous reprenne.»

Trinité, qui avait toujours été gentille avec lui, avait eu soudain envie de le blesser:

«Mais de qui parlez-vous quand vous dites nous?»

Le rire subitement éteint, il la fixait avec une impassibilité inquiétante que sa masse ne faisait que renforcer.

«J'ai voulu t'aider, avait-il dit d'une voix sombre. Tant pis pour toi. Le Diable existe bien pour qui veut qu'il existe et, pour répondre à ta question, nous, c'est Stella et moi. Moi parce que je suis là, et Stella parce que tant que je serai vivant elle sera là aussi. Si tu n'es pas capable de comprendre ça, je n'ai rien à faire avec les jeunes sottes de ton espèce.

— Excusez-moi si je vous ai blessé, avait-elle dit en ouvrant néanmoins la porte, faisant tinter les cloches.

— On ne s'excuse pas de ce que l'on a voulu», avait-elle entendu avant de refermer la porte.

Dans la rue elle était restée sur place sans bouger, le regard perdu dans les eaux sales du caniveau.

«Est-ce que je vais me mettre les gens à dos comme ça?
Retourne t'excuser une autre fois, il le faut sinon...»

De nouveau elle avait franchi la porte, presque penaude, s'était avancée vers la table et, pour la première fois de sa vie, elle avait imploré un vrai pardon.

Un sourire misérable avait erré sur le visage bouffi du gros homme qui avait laissé tomber son masque de bouledogue, avait montré un regard de solitude et avait tendu les bras à Trinité.

«Viens ici.»

Elle avait hésité une seconde avant d'obtempérer. Il lui semblait presque dénaturé d'aller au-devant de ces bras énormes, mais elle y était allée quand même en comprenant que, pour elle, il avait laissé tomber le masque et ce geste demandait gratitude. Sitôt qu'elle avait été à sa portée, il l'avait happé, l'avait attirée contre lui et elle s'était retrouvée le menton dans les cheveux qui dégageaient une odeur de cendre éteinte. Interdite, plongée dans une situation qu'elle était incapable de débrouiller, elle ne savait que faire et, bien que se trouvant stupide, elle s'était penchée pour déposer un baiser sur le front couvert d'une moiteur qui lui avait laissé un arrière-goût d'urée sur les lèvres. Brusquement, sans crier gare, monsieur Nelson qui à présent la maintenait encore plus fermement avait remonté une main sous sa jupe, avait glissé vivement ses doigts dans les petites culottes et s'était mis à lui titiller le clitoris de son gros doigt. Trinité avait tenté un brusque mouvement de recul, mais, avec la résistance brute d'un étau, le bras de monsieur Nelson la retenait.

«Arrêtez! Arrêtez!»

Figée, abasourdie, honteuse, elle n'avait rien pu contre une humidité qui sitôt remarquée avait provoqué l'abandon de la main fouineuse.

«Merci! s'était exclamé l'homme. Merci, je suis encore capable de faire mouiller les jeunes pucelles!»

Complètement dépassée par les événements, sans remarquer tout de suite qu'il avait employé la première personne du singulier, Trinité s'était dirigée à reculons vers la porte.

«C'est pas bien!», avaient été les seuls mots qu'elle était parvenue à prononcer alors qu'elle était déjà sur le trottoir et refermait la porte.

«Tu reviendras, petite», lança le gros homme.

Évidemment elle n'y était jamais retournée.

De nouveau un long silence peuplé de compréhension et même de mansuétude s'installe entre Nathan et Trinité. Ils n'ont plus besoin de parler pour comprendre ce que chacun a voulu exprimer, ce dont ils ont cherché à se libérer et ce qui, finalement, les a rapprochés. Le ciel est rose à présent. Il fait doux et les côtes du continent sont dans un autre univers. En levant un peu la tête, ils peuvent apercevoir l'océan qui, loin d'épouser la couleur du ciel, apparaît d'un bleu uni presque turquoise, séparé sous leurs yeux par la frange d'écume blanche du sillage. *Je crois bien que je n'ai jamais été aussi bien,* se dit Nathan. *Comme tout paraît doux... Je crois que cette fois je suis dans la bonne direction... Comme elle est gentille!»*

Mais celle dont il est question interrompt le fil de ses pensées par un rire tout en douceur.

«Tu ris? demande-t-il.

— Oui, je me demande la tête que va faire madame d'Ambrosi lorsque je vais lui demander de te couvrir.

— Que veux-tu dire?

— Ce que j'ai dit, rien de plus. Tu as entendu son histoire, ce ne devrait pas être difficile de la convaincre que j'ai rencontré quelqu'un de bien sur la plage arrière du bateau.

— Pourtant tu as pu remarquer que je ne suis pas si bien que tu veux le prétendre.

— Au contraire! Quelqu'un de moins bien m'aurait raconté tout un tas de sornettes sur sa bonté, son altruisme et tout ce qui s'ensuit.

— Pour te séduire, mais moi je n'ai cherché qu'une amie.

— Un garçon qui passe une nuit à côté d'une fille et qui cherche à s'en faire une amie plutôt qu'à la mettre dans son lit, ce garçon-là ne peut pas être mauvais.

— Mais...

— Oui, je sais, tu vas m'objecter l'épicière, l'infirmière, cette auto-stoppeuse infernale et le reste qui, je te le fais remarquer, ne se trouve que dans ton imagination, moi je te réponds d'avance par ce que je viens de vivre avec toi. Et puis au fond, si tu as eu des rapports physiques avec celles-là, peut-être était-ce parce qu'elles n'avaient rien de plus à t'offrir, qu'elles n'attendaient rien d'autre, on ne sait pas.

— Je t'assure que dans le cas de Jolene et celui de Sherilyn je mourais d'envie de faire ce que tu sais.

— Tu es de chair, non? Moi aussi. Nous le sommes tous, c'est incontournable. Le désir nous habite et plus on le réfutera, plus il nous trahira. Ce qui compte c'est de ne pas lui laisser la priorité. Comme tout le monde, je crois qu'en les désirant tu cherchais à les aimer et à te faire aimer davantage, tout le monde passe par là.

— Je voudrais bien être comme toi, tous les problèmes te semblent si facile à résoudre.

— Ils le sont à partir du moment où tu acceptes, de ton propre arbitre, de ne plus être ton propre maître.

— Qui le sera alors?

— Pour ma part, je m'en remets à Dieu.

— Mmm... je voudrais bien pouvoir le faire, mais j'ai peur de me tromper.

— Comment cela? As-tu peur que l'amour ne soit pas ce qui prime sur tout? Que l'esprit ne soit qu'une fabulation?

— Non, bien sûr!

— Alors remets-t'en à l'Amour, Celui qui t'a permis de déceler un brin d'humanité chez le Chinois, Celui qui t'a fait lui demander d'ôter ses tableaux. Et puis, si tu n'y arrives pas, tu n'es pas obligé de donner un nom ou une apparence à Dieu; qu'il te suffise de savoir qu'Il est cet amour, de l'amour infini à profusion et rien d'autre.

— Tu as peut-être raison... Cela dit, je ne veux pas que tu t'attires des ennuis avec mes histoires, je me débrouillerai bien...

— Il n'y aura pas d'histoire, Nathan. Je connais madame d'Ambrosi, elle sera la première à être heureuse de pouvoir t'aider. Cela dit, comme tu dis, je crois bien en parlant d'elle qu'il va falloir que je rentre; je partage sa cabine, et si elle se réveille et ne me trouve pas, qui sait ce qu'elle va pouvoir s'imaginer? Tu me promets de m'attendre ici jusqu'à ce que je vienne te retrouver? On ira déjeuner ensemble, tu dois avoir faim, non?»

Il la regarde en se mordillant la lèvre inférieure, l'idée de se séparer d'elle l'attriste, il a l'impression que dès qu'elle aura quitté ce pont, tout va redevenir comme avant: terne. D'autre part il se dit qu'il faut qu'elle aille se reposer, il s'inquiète pour elle.

«Vas vite te reposer, lui commande-t-il. Je reste ici.

— Je vais d'abord te chercher une couverture à la cabine, dit-elle. Ce sera plus confortable si tu veux dormir.

— Non, non, ne te dérange pas, ça va très bien.

— Pour parler, c'est très bien, mais pour dormir, tu as besoin d'une couverture, pas d'histoire!»

Et sans lui laisser le temps de protester, elle s'éloigne vivement. À peine a-t-elle disparu, qu'il se retourne dans l'espoir impossible de retenir d'elle quelque chose de concret. *«Elle est merveilleuse! Je crois que je me suis attaché à elle?*

En quelques heures, ce n'est pas possible, et puis, pense à Missy...

Missy, elle est loin. Je crois qu'il y a longtemps qu'elle m'a oublié.

Tu dis ça parce que tu viens de rencontrer quelqu'un de bien et...

Justement, Trinité est quelqu'un de vraiment bien, pas une seconde je ne pourrais douter d'elle, ce qui n'a pas toujours été le cas avec Missy.

Dis que Missy n'est pas bien pendant que tu y es?

Non, c'est pas ça, c'est... c'est différent. Victoria, elle habite à

Victoria, quand on arrivera au bout du voyage et qu'elle repartira, je ne la reverrai jamais...

Tu vois comment tu es, tu commences déjà à penser à la fin du voyage et il ne fait que commencer. Oublie la suite, sens comme l'air est léger.

C'est vrai ça! Et la lumière est si douce, c'est comme dans un rêve. Quand je pense qu'hier... Non! hier n'existe plus. Hein! mais c'est vrai, je n'ai même pas repris d'aspirine... Merci, mon Dieu! C'est fini! Je suis libéré! Trinité, Trinité, c'est plaisant à prononcer. Ce serait encore mieux de pouvoir le crier tout haut, là... Tout serait si facile, si facile si seulement... Une petite maison blanche perdue dans les feuillages, quelques gros rochers moussus où les vagues viendraient clapoter à marée haute, une petite maison blanche en bois avec des fenêtres à petits carreaux, des planchers cirés sur lesquels viendrait refléter la chaude lumière jaune du soleil, une belle cuisine avec des casseroles en cuivre, une table en gros bois massif, un salon où le soir nous serions assis tous les deux côte à côte sur une causeuse de velours bleu roi un peu à l'écart du halo doré de la lampe, on écouterait Fauré et Arkenstone, on essaierait de comprendre Faulkner ensemble, mais on ne pourrait pas voir Charlot car il n'y aurait pas de télévision, nous n'en aurions pas besoin. Il y aurait aussi une chambre toute simple avec un grand lit de laiton recouvert d'une courtepointe multicolore, un petit guéridon de bois foncé, un napperon de dentelle, un vase avec un bouquet de fleurs des champs. La maison. La maison... Ce serait si bien, si simple. La maison... avec des petits...»

«Me revoici!»

Il ne l'a pas entendue arriver et sursaute presque lorsque, sans prévenir, elle étend sur lui une couverture.

«Il ne fallait pas te déranger, proteste-t-il, ravi.

— Notre cabine n'est pas loin, tu seras mieux pour dormir. Allez, bonne fin de nuit...

— Dors bien, Trinité.»

Elle a déjà fait quelques pas lorsqu'elle se retourne et revient rapidement lui donner un bref baiser sur la tempe, puis, aussi vite, sans rien ajouter, elle s'en va, le laissant totalement secoué. Il voudrait bien s'éjecter du transat et danser sur le pont mais il ne veut pas sortir de sous cette couverture placée sur lui par une amie. Une véritable amie! Un petit geste, bien sûr, mais pour lui tellement chargé de sens qu'il symbolise tout ce à quoi il s'attendait à l'intérieur de son iceberg. Une amie... Quoi de plus chaud au cœur, même si le Pasteur disait: «Les amis sont ceux qui nous renvoient l'image la plus approchante que l'on se fait de soi-même, les autres sont ceux qui la remettent en question.» Une amie!

C'est un visage endormi mais radieux que surprend le premier rayon d'or du soleil en émergeant des flots, là-bas, entre le paquebot et le continent.

37

BLUESTONE

Aujourd'hui l'été a quitté la Prairie. Ce n'est pas écrit sur les journaux ni dans les almanachs, personne n'en a parlé sur les ondes, c'est tout simplement une évidence qui se constate à une multitude d'infimes détails: le ciel est toujours aussi bleu, mais peut-être avec un peu moins de luminosité, les grandes herbes jaunes sont les mêmes sauf que cette fois il est notoir qu'aucune pluie ne pourra les faire reverdir, elles sont mortes et le craquement sinistre qu'elles font sous le pas le prouve. Si l'on fait attention, on s'aperçoit aussi que le vent descend maintenant depuis la Baie d'Hudson et porte en lui, presque dissimulées, les premières pointes d'une froidure qui ne sont que l'avant-garde de l'invasion inévitable qui va suivre. À califourchon sur la petite moto rouge tout terrain à trois roues que son père vient de lui offrir, Endicott se dirige à travers les vallons en direction de la maison de Missy. Hier, quand il lui a annoncé le cadeau qu'il venait de recevoir, ils ont décidé que, pour bien profiter de la dernière journée avant la rentrée, il passerait la prendre ce matin et qu'ils iraient jusqu'au Montana, qui finalement ne se trouve qu'à quelques milles et que rien ne distingue ni ne sépare de ce qu'il y a ici, sinon l'impression bien subjective que l'on est ailleurs. Ils ont prévu de faire un peu «d'exploration» puis de pique-niquer sur les rives de la Frenchman. Un programme simple et attrayant. Roulant lentement pour éviter d'éventuels terriers de spermophiles ou pour ne pas déranger la torpeur d'un serpent-minute, Endicott se reproche de continuer à «*fréquenter*» Missy. Depuis l'autre jour, il ne se passe pas deux heures sans que cela ne lui revienne en tête. Au début il s'était promis de cesser de rencontrer Missy, mais c'est comme si cette promesse avait au contraire le don de le pousser à la voir davantage encore qu'auparavant. Usant même entre eux de n'importe quel prétexte: les études à venir, un conseil ou un livre. Rares sont les jours où ils ne se rencontrent pas. Depuis la confession de son grand-père, il n'a revu celui-ci que durant quelques minutes éparses. Dernièrement, il lui a tenu des discours qui ne lui ressemblent guère, des «À en juger par notre façon de vivre, il est clair que l'on est très peu convaincu de l'Éternité, sinon ne mènerions-nous pas notre existence en fonction de notre Salut? Réussir sa vie ne serait-il pas synonyme de se mériter son au-delà?», des «Il n'y a pas le Bien et le Mal, il y a l'Amour et le Néant; il suffit de choisir. La vie nous offre l'opportunité d'accéder à l'Amour ou de retourner au Néant. Et si l'on ne veut pas croire à l'Amour, demandons-nous pourquoi ses absences nous font tant souffrir et commettre autant d'erreurs?» Non, l'homme ne se ressemble plus, mais parce qu'il décline rapidement, de peur de le condamner, Endicott n'essaie même pas de le comprendre. Il n'a plus été question de Missy entre eux. La première fois qu'il l'a revue, après la révélation du vieil homme, il a vainement tenté de se convaincre que Missy était *«une sorte de grande petite sœur»* mais ce fut sans succès; elle reste toujours pour lui la fille de feu William Irving. *«Après tout, pense-t-il, je connais Grand-père, il m'a peut-être dit ça dans l'espoir que je la laisse tomber pour que plus tard j'en épouse une riche; ce serait bien de lui. Pauvre Grand-père...»* Ce matin, comme il en a pris l'habitude depuis peu, il a demandé de ses nouvelles à sa mère qui lui a répondu par un pincement de lèvres significatif. «J'irai le voir ce soir», a-t-il dit, à quoi sa mère a conseillé: «Ne t'éloigne pas trop aujourd'hui». Mais, surtout parce qu'il a prévu cette excursion avec Missy, il a préféré ignorer cette remarque. En vérité, et même s'il ne se l'avoue pas, il est un peu fâché après son grand-père, d'abord parce qu'il n'est pas resté jusqu'au bout l'homme qu'il prétendait être, ensuite à cause de cette curieuse idée de donner à Nathan Barker l'ancienne ferme de William Bagriany. Endicott a beau se dire que par là Cornelius Fairfield a voulu être sûr d'attacher «sa *fille illégitime*» à un autre que lui, il a beau retourner cela dans tous les sens, cela ne correspond pas au caractère de l'homme. Il y a autre chose, quoi? «*Eh bien non! s'affirme-t-il. Barker aura peut-être la ferme, mais moi je garde Missy. Je ne vois pas pourquoi je l'abandonnerais. On s'entend bien, je crois qu'elle m'aime bien, en tout cas, moi je l'aime! Et puis, après tout, ce n'est pas ma sœur, elle est peut-être de la famille, et ce n'est là qu'un peut-être, mais qu'est-ce que ça change? Pour transmettre des caractères domi-nants, Grand-père lui-même faisait s'accoupler des taureaux avec leurs filles. Les pharaons, eux, se sont mariés avec leurs sœurs pendant deux millénaires. Et puis ça n'a rien à voir de toute manière! Désolé, Grand-père, Missy je l'aime et je reste avec!*»

À peine entre-t-il dans la cour chez Missy que celle-ci sort sous la véranda, portant à bout de bras un petit sac de toile qui doit contenir les provisions pour ce midi. Elle a attaché ses cheveux que le soleil de l'été a blondis en une queue qui n'est retenue qu'à la hauteur du cou, elle porte une chemise d'homme blanche à rayures bleu ciel, une salopette en denim un peu trop grande pour elle et une paire de bottes à bouts carrés en peau retournée.

«Alors c'est ton trois-roues? fait-elle sans bouger de son promontoire.

— C'est l'engin. Es-tu prête?

— Il y a la place pour deux sur ta selle?

— On est pas si gros que ça.

— Hmmm...»

Peut-être pour se rendre compte du véhicule sur lequel Endicott et Missy doivent partir, Lesja sort à son tour sur la galerie en tenant serré son gilet de laine sur sa poitrine.

«Bonjour, Endi. Oh mais c'est moins chaud aujourd'hui! Le vent a tourné.

— Bonjour, madame Bagriany. Ne vous inquiétez pas, ce sera quand même une belle journée.

— Tu devrais mettre un manteau, conseille Lesja à Missy, ta veste de cuir brun, ce serait l'idéal pour voyager là-dessus.

— Ta mère a raison, approuve Endicott, on sait jamais, le vent peut se lever, ça sent l'automne ce matin.»

Comme si elle n'avait attendu que l'opinion du garçon, Missy opine et rentre à l'intérieur pour prendre son vêtement. Lesja s'approche d'Endicott.

— Et ton grand-père, comment va-t-il?

— Pas très fort...

— C'est curieux quand même, je le revois ici il n'y a pas si longtemps...

— Tout le monde se pose la question, il paraissait fait pour vivre cent ans... Enfin, je ne veux pas dire qu'il va mourir, mais... Tout ce que je sais c'est que quand je suis rentré d'Angleterre il n'était déjà plus pareil. C'est durant ce temps que vous l'avez vu?

— Oui, c'est comme si c'était hier.»

Il l'a surveillée du coin de l'œil, cherchant un indice qui prouverait quelque chose, mais elle semble tout à fait «innocente». Curieusement, autant il serait prêt à jurer que Missy n'a rien à voir avec son grand-père, autant il conçoit sans difficulté une ancienne liaison entre cette femme et le Rancher. «Elle a l'air trop innocente pour que ce soit naturel. Peut-être qu'elle a voulu faire chanter Grand-père ou un truc comme ça et elle lui aura dit que Missy était de lui. On voit ça tous les jours à la télé des histoires dans ce genre-là, et c'est toujours celles qui n'en ont pas l'air qui sont coupables. Il se peut que je me trompe, mais...

N'oublie pas que c'est la mère de Missy.

Je sais, je sais, je ne l'incrimine pas, dans le fond c'est certain que Grand-père devait avoir plus de je ne sais pas quoi que Bill Bagriany, faut se mettre à la place de cette femme, d'un côté un gentil mari, soit, mais bien ordinaire, de l'autre un homme avec une forte personnalité. Elle ne pouvait pas résister. Par contre, son air de sainte, je trouve qu'elle en met beaucoup.»

Loin de se douter de la façon dont elle est jugée par Endicott, Lesja se retourne pour regarder Missy qui vient de ressortir.

«Je sais que je n'ai pas à te le dire, recommande-t-elle presque à voix basse à Endicott, mais soyez prudents.

— Ne craignez rien, ces machines-là, c'est juste pour se promener, pas pour aller vite.

— Je voulais aussi dire de faire attention de... ne pas vous égarer.»

Endicott s'apprête à rétorquer qu'il emporte toujours sa boussole, mais il réalise que la recommandation doit certainement avoir un autre sens.

«Nous ferons attention», répond-il avec un peu d'une vexation qu'il ne s'explique pas.

«C'est normal qu'une mère se fasse du souci pour sa fille, même si elle-même...»

«Maman! s'exclame Missy en descendant les marches, je suis sûre que tu es en train de couvrir Endi de recommandations, tu vas l'offenser et ensuite tu vas lui paraître vieux jeu si tu continues. En arrivant elle passe son bras autour de l'épaule de sa mère et l'embrasse sur le front. Endi, il faut que tu saches que, parce qu'on part tous les deux dans la nature, Maman s'imagine des tas de choses épouvantables...

— Tu es bête! répond Lesja en riant. Allez! allez-vous-en tous les deux.»

En prenant à travers les terres du Ranch C&E qui s'étend jusqu'à la frontière et même au-delà, ils sont rapidement entourés par la succession ininterrompue des vallons. Il n'y a plus rien d'autre qu'eux deux, le ciel bleu implacable et les hautes herbes cassantes qui empêchent encore la terre trop sèche d'être emportée par le moindre souffle. Malgré le relatif inconfort du véhicule, Missy prend vite goût à la promenade. Pour ne pas perdre l'équilibre alors qu'il contourne un vallon trop abrupt, elle pose ses mains sur la taille d'Endicott. Ce geste commis d'abord sans arrière-pensée, déclenche en lui quelque chose qui lui laisse comme une lourdeur sur la langue, un vide dans l'arrière-gorge et une autre lourdeur vers le bas-ventre. Elle, de son côté, sent le garçon à travers ses vêtements, elle le sent comme il est, elle sent sa chaleur et se l'approprie sans permission, comme une voleuse. Ce simple contact anodin lui révèle de quelles amplitudes est capable le toucher et, bien que ses mains n'aient pas changé de place, ce n'est plus du tissu que ses doigts effleurent, ce n'est même pas la taille, c'est la chair elle-même dans ce qu'elle a de plus intime. *«Est-ce qu'il s'en rend compte?»* se demande-t-elle. Rien ne le dit, il surveille devant lui comme il se doit, comme indifférent à la charge électrique qui pour lui jaillit des doigts de Missy et lui irradie le corps. Non il n'y a pas d'indifférence, il ressent les doigts sur sa taille et il est parfaitement conscient qu'ils ne sont plus là par simple nécessité. Il aime ce contact et souhaite qu'il perdure, perdure, toujours. Elle, elle a un peu honte et ne peut s'empêcher de réaliser que c'est aussi cela qui fait qu'elle apprécie ces petites sensations qui n'engagent à rien. Il réprime une contraction alors que, dans un autre virage qui n'en demande pas tant, elle resserre son emprise et garde à présent ses mains posées la paume tout contre le ventre. Il voudrait que le voyage se poursuive indéfiniment jusqu'à ce que... Il ignore quelle est exactement la finalité espérée, mais l'imagine à la fois douloureuse, bienheureuse et limpide. Un peu comme ce lumineux coucher de soleil atlantique qu'il a éprouvé un jour sur la côte près de Liverpool. Un crépuscule tout en vapeurs dorées, fleurant bon l'iode, le sel, la chlorophylle et toutes les émanations mélangées de la ville assoupie dans un abandon et une langueur pourtant peu coutumiers des îles britanniques.

«C'est bien, hein? lance-t-il par-dessus son épaule.

— Terrible! acquiesce-t-elle après avoir hésité une seconde sur le sens de la question. Dommage que ça fasse tant de bruit, si c'était silencieux, ce serait parfait.

— J'ai mon walkman dans la poche de ma veste, prends-le, ce sera plus agréable pour toi.»

Presque à regret elle se détache de lui, prend le baladeur dans la poche, regarde la cassette qui est à l'intérieur, hausse les épaules dans un geste d'ignorance puis met les écouteurs sur ses oreilles. Immédiatement une musique chaude et enveloppante, une musique pleine d'images lui emplit la tête. «*Endicott a raison*, approuve-t-elle, *c'est encore plus agréable, c'est comme si j'étais montée à bord d'un autre véhicule à l'intérieur du premier. Quel drôle de voyage! Je suis bien avec lui... Je me demande ce qu'il dirait si je posais ma tête sur son dos?*» Les yeux mi-clos, elle se laisse emporter par la course du trois-roues et celle des vagues musicales qui, dans sa tête, allument des folies.

Hier soir, sous ses draps, elle a décidé que ce serait aujourd'hui, si Endicott le veut bien, mais elle n'entretient pas de doute à ce sujet. C'est aujourd'hui qu'elle fera l'amour. Elle se rappelle qu'au début le garçon n'a pas ménagé les allusions auxquelles les réponses auraient pu lui indiquer si elle était consentante ou non, puis, comme elle s'est tenue sur ses gardes, il a semblé mettre de côté les possibilités en ce domaine et s'en est tenu à une stricte camaraderie. «*Certainement*, s'est-elle convaincue, *en attendant que je sois prête*». Elle a pris cette nouvelle décision en se rendant compte que, dans l'obscurité de sa chambre, songeant autant à Nathan qu'à Endicott, sa main cherchait machinalement le plaisir. «*Si c'est pour ça*, s'est-elle dit, *aussi bien y aller carrément. Pourquoi non puisque j'en ai envie? Je t'ai attendu, Nat, mais tu ne reviens pas et puis, je dois bien te le dire, je me suis habituée à Endi. Je ne sais pas si je l'aime, mais j'ai lu quelque part que c'est après l'amour qu'une femme sait si oui ou non elle aime un homme. Oh, je serai franche, si je tombe amoureuse d'Endi je le dirai à Nat, sinon, eh bien Endi n'aura pas tout perdu.*»

Même s'il ne peut la voir, Endicott sent bien que Missy n'est pas comme d'habitude. Il a la sensation très nette que toute la personne de Missy se libère soudain d'une énergie trop longtemps sécrétée. Cela ne se voit pas, ne se touche pas, ne se sent pas, mais c'est là, indubitablement. Comment la tristesse fait-elle pour arracher des larmes? Comment le ridicule fait-il pour provoquer le rire? Comment la poésie fait-elle pour allumer l'exaltation? C'est la même question qui se pose en ce moment: comment Missy fait-elle pour lui communiquer ce courant chargé d'excitabilité qui projette dans son crâne l'extrapolation de ce qu'il n'a encore jamais découvert. Ici c'est la gracieuseté fragile du cou qui l'émeut, là, les proéminences intimes dont le côté interdit et la lactescence subjective lui assèchent la langue, plus bas c'est la surface ferme du ventre sur lequel, toutes ardeurs épuisées, il voudrait poser sa tête et écouter les battements du cœur, ceux de la vie, ceux de la terre maternelle et nourricière. Ce n'est pas lui qui invente tout cela, c'est elle qui le lui communique. Comment? Et voici à présent qu'elle pose ses paumes sur ses épaules et... n'est-ce pas la tête qu'elle vient d'appuyer entre ses omoplates? Quel est cet abandon qui le rend à la fois si fier de pouvoir se dire que, par ce geste, cette personne si précieuse vient de lui signifier ce qu'il représente et qui le laisse si perplexe quant à la suite à donner.

Elle a les yeux fermés, la musique lui emplit la tête de couleurs et agit sur son esprit comme un alcool, ne lui laissant percevoir les choses que soumises à l'influence de son état d'esprit. Elle se sent toute pleine du ciel immense, il est tout entier en elle et pourtant elle y vole comme libérée de l'apesanteur. Elle se sent bien, là, contre Endi. À quoi bon se soucier, ce qui doit arriver arrivera. Quelque part, protégés par un rempart de hautes herbes, il y aura quelques mots, ils se déshabilleront, poseront sur l'autre des doigts avides et anxieux et...? Comme si, d'où il se trouve, Nathan cherchait à empêcher ce qu'elle a décidé, l'image du garçon s'impose à elle. «*Tu ne préférerais pas en ce moment que ce soit lui sur ce trois-roues? se demande-t-elle. Est-ce que tu ne vas pas avec Endi juste parce que Nat n'est pas là? Bon, Endi est beau gars, il te fait des choses, mais est-ce assez? C'est drôle, enfin, tu as envie de faire ça avec lui, mais dans le fond tu sais que c'est avec Nat que tu serais heureuse, vraiment heureuse... Est-ce que tu n'as pas toujours derrière la tête de récupérer la ferme de Papa à travers Endi?*»

«Voilà la rivière», lui crie Endicott pour couvrir la musique.

Missy ouvre les yeux pour apercevoir le mince ruban bleu vif qui serpente au pied des vallons. La sécheresse a presque réduit la Frenchman à un filet d'eau. La terre assoiffée absorbe tout ce qu'elle peut sur son cours. Il n'en reste pas moins que, aussi rétrécie qu'elle soit, la rivière ajoute à la prairie qu'elle parcourt une dimension plus vivante et, comme pour confirmer cette impression, une antilope traverse leur champ de vision en grands bonds successifs et disparaît presque aussitôt, laissant derrière elle des secondes magiques.

«Tu l'as vue? demande Missy.

— Oui, on en voit plus beaucoup. Plus bas il ajoute: C'est beau!

— Qu'est-ce que tu dis? demande-t-elle en ôtant les écouteurs.

— Je dis c'est beau.

— Oui, je crois que le monde était plus beau avant nous.

— C'est sûr, mais sans nous ça n'aurait servi à rien qu'il soit beau.

— Quand tu es revenu d'Europe tu disais pourtant que le genre humain avait gangrené la planète?

— C'est vrai.

— Qu'est-ce qu'on peut faire?

— Rien.

— Alors on va mourir?

— Qui a dit que l'humanité devait être éternelle? Et pourquoi le serait-elle? L'avons-nous mérité?

— Je ne me sens pas coupable.

— Personne, je suppose, et pourtant on en est là.

— De savoir que je vais mourir un jour, ça me tracasse, mais je ne trouve pas que c'est tragique, tandis que la disparition de toute l'humanité..., d'envisager qu'un jour il n'y aura plus rien, plus personne, c'est pas gai.

— T'as raison, parlons d'autre chose. Du menton il désigne un des méandres de la rivière entre deux vallons particulièrement élevés. Et si on s'arrêtait là?

— Si tu veux, c'est bien.»

À l'arrêt du moteur, le silence se fait tellement souverain que pendant quelques instants ils ont l'impression insolite qu'il siffle dans leur crâne. Sans dire un mot, attirés par l'onde, ils s'approchent au bord de la rivière et en contemplent le cours lent et silencieux dans lequel se mire l'azur.

«Quand j'étais petit, évoque Endicott, avec les autres nous construisions des bateaux, des maquettes, et nous faisions des courses sur la rivière. On s'y croyait vraiment, je me souviens qu'une fois j'avais chipé une maquette à la maison qui représentait un galion espagnol ou quelque chose du genre, ah la belle journée! Tout l'après-midi je me suis vraiment cru dans la peau d'un pirate, rien ne me résistait, tout le monde me craignait, j'étais terrible, mais je savais aussi faire preuve de magnanimité; bref j'étais un héros.

— On se prend toujours pour d'autres quand on est petit.

— Pas seulement quand on est petit, oh non! Installe-toi dans n'importe quel coin de rue, observe les gens et tu t'aperçois vite que tout le monde sans exception joue un rôle: les secrétaires se prennent pour des femmes de carrière, les femmes de carrière pour des amazones, les commis de bureau pour des businessmen, les businessmen pour des chevaliers, les maçons, les charpentiers et les plombiers pour des cow-boys, les cow-boys pour des acteurs de cinéma, les ménagères pour des vamps, les vamps pour des stars, les stars pour des incomprises, les jeunes incompris pour des idoles de la chanson, les idoles pour des dieux, les religieux pour des saints, les saints pour des martyrs, les désaxés pour des anges bannis, les commerçants pour des capitaines d'industrie, les capitaines d'industrie pour des empereurs, les fonctionnaires pour des politiciens, ceux-là pour des philosophes, les clochards pour des poètes, et ainsi de suite, tandis que les petites filles et les petits gars essaient chacun ces rôles tour à tour, et il y a un million de variétés caractérielles pour chaque rôle. Y a personne qui est vraiment soi et dans le fond, c'est triste... Et tout ça pour quoi? Pour essayer d'éblouir les autres, essayer de les séduire. Si tu t'installes dans un coin de rue, je le sais je l'ai essayé à Manchester, tu ne vois plus que les tout petits enfants, les fous et les chiens qui ont de l'humanité dans les yeux, pour le reste il n'y a plus que des miroirs vitreux, presque sans âme. Chacun remue sa petite personne anonyme dans la cohue anonyme, croise des tonnes de tragédies sans sourciller, uniquement préoccupé de jouer son petit rôle, de déguiser les soixante-dix ou quinze ans qui lui sont statistiquement octroyés en quelque chose qui n'a pas plus de réalité que les rêves. À quoi ça sert?

— Tu vois vraiment les choses en noir... Si tout le monde joue un rôle, veux-tu me dire lequel je joue, moi?»

Il la regarde et secoue lentement la tête.

«Nous sommes à l'âge où l'on a pas encore choisi. Demande-toi quel rôle tu as préféré quand tu étais petite et tu sauras peut-être lequel tu finiras par choisir.

— Toi? C'était lequel?»

Il étire les lèvres dans un sourire malicieux:

«Je viens de te le dire...

— Pirate!

— Oui, ça me plaisait bien.

— Hum... C'est inquiétant...

— Tu as peur?

— Non... non, je n'ai rien contre les pirates.

— Pourtant les pirates étaient des tueurs sans foi ni loi!

— Je crois que c'étaient surtout des gens qui n'avaient pas peur de se retourner contre ce qui les écrasait. Toi, Endi, qu'est-ce qui t'écrase?»

Endicott ne répond pas tout de suite. Il ignore par quelle circonvolution, mais cette question le replace devant les mots que depuis quelque temps il ressent le besoin de dire à Missy. Des mots éculés, dits et redits des milliards de fois et qui pourtant veulent encore une autre fois s'épanouir, se répandre dans l'air, papillonner dans la lumière, provoquer l'émoi, renverser les barrières du désir, traverser le mur des apparences, révéler et puis anéantir la terrible solitude. *«Ce qui m'écrase? Ce qui m'écrase, mais c'est tout ce que j'éprouve pour toi, Missy. C'est complètement idiot, je sais, mais je n'y peux rien! Si seulement j'avais le courage de te dire tout ce que je ressens, peut-être que je serais moins écrasé? Est-ce si sûr? Est-ce que l'amour, l'amour comme on l'entend, existe vraiment ou alors est-ce juste encore un déguisement pour masquer qu'en ce moment, comme pendant tous les autres moments, je brûle de me pencher sur toi, de poser mes lèvres sur les tiennes, et de... Et si je lui disais quand même? De toute façon il faudra bien en arriver là, pourquoi ne pas le dire maintenant?»*

«Ce qui m'écrase, c'est tout ce que j'éprouve pour toi, Missy. Enfin, écraser n'est peut-être pas le bon mot, disons: tout ce qui me tourne dans la tête...»

Voilà! Il lui a dit. Elle le regarde, les yeux légèrement agrandis, interrogateurs et étonnés, se mordillant la lèvre inférieure. Comment va-t-elle réagir? Qu'elle se dépêche, c'est insupportable! Quelle idée il a eue d'aller lui dire ça, il a peut-être tout gâché? Oh! Comme elle est belle! Il ne faut pas qu'il ait tout gâché, ce serait trop moche. Qu'elle dise quelque chose! Qu'elle réponde! Mais Missy ne sait que répondre. Même si au plus profond elle s'y attendait depuis longtemps, la déclaration d'Endicott l'a totalement prise au dépourvu. Encore sous le choc, le cœur cognant durement dans sa poitrine, un vide immense dans le ventre, elle cherche des mots qui ne veulent pas venir. Que répondre? Qu'elle aussi ne pense qu'à lui? Ce n'est pas tout à fait vrai. Qu'elle est flattée? Même si c'est le cas ce serait hors de propos. Qu'il est gentil? Ce serait l'éconduire poliment et elle n'y tient pas. Pourquoi ne pas tout simplement sourire, ce sourire un peu mélancolique, un peu complice, un peu mystérieux, qu'un jour d'ennui elle s'est amusée à mettre au point? Oui, c'est sans doute le mieux. Suivant son idée, elle le fixe en baissant la tête pour mieux faire ressortir son regard, remonte imperceptiblement les commissures de la bouche et, à peine plus qu'une illusion, ourle la partie charnue de ses lèvres. Immédiatement fasciné par la calme limpidité des prunelles violettes, le dessin des lèvres évoquant un appel silencieux, Endicott interprète cela comme un message d'encouragement. Mais d'encouragement à quoi?

Parce qu'il faut bien faire quelque chose, il s'assoit sur le sol, les genoux remontés, les bras enserrant les jambes. Aussitôt, s'installant juste à ses côtés, elle l'imite. Devant eux, il n'y a que le cours de l'eau silencieuse, autour, rien d'autre que l'ocre mûr ondulant des hautes herbes coiffé par le ciel d'un bleu dur. Endicott pose le menton sur ses genoux, Missy fait pareil. L'un et l'autre ressentent leur proximité, la vastitude qui les entoure et les isole d'un monde qui au loin, très loin, continue à engloutir les âmes dans la gueule béante et vorace de l'anonymat. Ils ressentent la vertigineuse immensité du ciel, la colossale étendue de la terre sous leurs fesses, l'éternelle migration de l'eau. Abandonnant la position assise, presque en chœur, ils s'allongent et braquent les yeux vers l'azur à s'en étourdir. Bercés de bien-être, mais aussi proie sans défense de vertiges et d'excitations, l'œil en coin, chacun surveille l'autre, guette les mouvements de sa poitrine, les détails anatomiques que veulent bien révéler les vêtements. Ils ont chaud même si, et malgré une débauche de luminosité, l'air ne se réchauffe pas vraiment lorsque blanc et aveuglant le soleil atteint son zénith. Nullement dupe, l'un observe l'autre qui souvent s'étire comme pour chasser un engourdissement. Bientôt, les sens en déroute, Endicott se redresse et s'approche de la rivière dans le but de s'en asperger le visage. Au contact de l'eau sur sa main, il se rend compte que celle-ci n'a pas encore été attaquée par le vent du nord, elle garde encore en elle le souvenir des ondes brûlantes d'un été qui n'a vu croître que des tourbillons de poussière safranée et sèche et l'odeur âcre de la terre assoiffée.

«Elle est bonne», dit-il en marquant sa surprise.

À son tour Missy se redresse pour tremper ses doigts dans l'eau. «*On pourrait se baigner,* pense-t-elle en associant des images à cette idée, *ça forcerait la barrière, ça a déjà failli au lac...*»

«C'est vrai! s'exclame-t-elle, elle est presque chaude! On pourrait se baigner, tu ne trouves pas?

— Se baigner?

— Ça ne te tente pas?

— C'est que... j'ai rien...

— Endi...

— Oui?

— Avec ce que tu m'as dit tout à l'heure, est-ce qu'on est pas au-delà de ces détails?

— Tu n'as rien non plus?

— Rien.

— Ah bon... Bien... allons-y!»

Avec une circonspection qu'ils n'ont pas d'habitude pour ce genre d'activité, tout en parlant de tout et de rien comme pour signifier qu'il n'y a rien là que de très banal, ils commencent par ôter leurs bottes, les rangent côte à côte, prennent tout leur temps pour enlever les chaussettes qu'ils placent ensuite dans les bottes. Aucun n'ose regarder dans la direction de l'autre. Tandis que lui retire sa chemise, elle fait glisser sa salopette en se répétant qu'elle a eu tort de proposer cette baignade. «*C'est stupide! Stupide!*» Endicott, lui, à cause de conceptions encore très sommaires sur la sexualité a des préoccupations que lui-même juge scabreuses: «*Si je bande, elle va me prendre pour un satyre, d'un autre côté elle a peut-être des copines qui lui ont dit que c'était comme ci et comme ça, et si je bande pas elle risque de penser que je suis pas à la hauteur. C'est idiot, cette baignade!*

C'est pas idiot du tout! Ça va être l'occasion que t'attends depuis longtemps. Au-delà de ces détails, a-t-elle dit, ça veut dire bien des choses...

Où est-ce qu'elle en est?»

Il ne peut s'empêcher davantage de porter son regard dans la direction de Missy et, alors qu'il croyait ne pouvoir jeter qu'un bref coup d'œil, il reste saisi par la silhouette de la jeune fille qui vient d'ôter sa chemise et se trouve ainsi, seins nus, tout juste vêtue de sa petite culotte. Sentant l'air frais et propre sur sa poitrine elle s'étonne presque de ne pas trouver cela désagréable, bien au contraire! Elle s'apprête à prendre une bonne respiration avant d'enlever rapidement son sous-vêtement pour aller le plus vite possible se jeter à l'eau, mais, comme prévenue par un sens inconnu, elle se tourne vers Endicott dont elle sent les yeux sur elle. Pendant un instant qui leur semble une éternité, ils s'observent, chacun avec la certitude d'avoir l'air complètement ahuri.

«T'es... tu es jolie! affirme Endicott qui se sent totalement bête.

— Ah... Merci.

— Tu es vraiment belle!

— Tu exagères, répond-elle, stupéfaite de se sentir grisée par ce compliment et également désireuse qu'il y en ait d'autres. Je suis bien ordinaire.

— Non! Non! Tu es extraordinaire! Tu es très belle! Sans réfléchir à son comportement il s'approche d'elle bras tendu comme un naufragé vers une bouée.

— Je... Je peux t'embrasser?»

Bien sûr, elle ne répond pas, se contente de rejeter sensiblement la nuque en arrière et d'entrouvrir la bouche. Ils ne se rencontrent pas, ils se heurtent. Leurs lèvres se scellent, leurs bras se referment et chaque parcelle de l'un part à la recherche de toutes celles de l'autre. Endicott a l'impression qu'il va perdre toute raison en prenant conscience du contact des seins écrasés contre sa poitrine, instinctivement son bassin est la proie d'un mouvement irrépressible qu'il découvre. Missy, elle, s'excite de ressentir l'effet qu'elle provoque sur le garçon, sa chair s'affole du contact avec l'autre. Tandis que, dans sa tête, virevolte la certitude nouvelle, enfin, d'avoir trouvé un autre soi, son pareil qui va la remplir et sur lequel elle va se refermer, elle se demande par bribes comment elle a pu ne pas comprendre jusqu'à maintenant qu'elle était un autre lui-même, que lui était une autre elle-même? «*Nous sommes pareils, tous les deux!*» Cette assurance l'enivre, la fait se lover plus étroitement encore contre lui, ce qui a pour conséquence d'embraser définitivement Endicott qui à présent n'a plus qu'un instinct prédominant: entrer en elle.

«On ne devait pas se baigner?», hésite-t-elle dans l'ultime sursaut d'une conscience chahutée.

Surpris, tremblant, Endicott s'écarte de façon à la regarder dans les yeux.

«Tu ne veux pas qu'on fasse l'amour? demande-t-il presque avec désespoir. Je t'aime, tu sais! Je t'aime Missy! Laisse-moi te le prouver!

— Je ne sais pas...

— Je ferai attention! Je te le jure!»

Sans attendre de réponse, il est de nouveau sur elle, s'enivrant de tout ce qu'il découvre, ne sachant où poser ses lèvres, telle une abeille qui, sautant de fleur en fleur, ne parvient pas à déterminer laquelle possède le plus de nectar. Pour Missy, les choses atteignent un point de non-retour lorsque, glissant à genoux, c'est lui qui doucement, le cœur fou, comme s'il cherchait à forcer le secret d'un trésor dangereusement gardé, descend les petites culottes. Il y a des soirs et des matins qu'il a prévu, imaginé et rêvé à cet instant, cela n'a pas été suffisant. Pendant un moment qu'il ne peut évaluer, un moment pendant lequel Missy cesse de respirer, il fixe le nid clair, littéralement angoissé par ce qu'il voit, par la portion d'éternité qu'il représente. Est-ce donc là la matrice de la vie, le refuge des larmes et des ardeurs, le repos des vainqueurs, la citadelle où tout amour trouve son aboutissement? Plus heureux qu'il n'a jamais été, plus malheureux qu'il ne s'en souvient, la gorge obstruée par un cri qui ne veut pas sortir, les yeux noyés dans une eau qui n'est pas des larmes, il pose son front sur le ventre et cherche à embrasser cette bouche étrange.

«Endi! Endi!», fait-elle, un peu paniquée.

Que s'est-il passé? Chacun a l'impression d'avoir perdu un petit bout de conscience lorsqu'ils se retrouvent sur le sol, se jurant des mots d'amour qui maintenant se déversent de leurs bouches comme un torrent de montagne. L'instant est arrivé et Endicott, irrité contre lui-même, cherche à se défaire de cette ridicule image dans sa tête où il est le toréador présentant son épée avant la mise à mort. Il ne veut pas penser à autre chose, il ne veut que se concentrer sur ce bonheur qu'on dit insoutenable, il est certain que s'il fait tout comme il faut ils couleront ensemble dans une zone à eux seuls, un pays où l'on est toujours deux, deux qui s'aiment au-delà de tout préjudice. Il est certain que la clef de ce monde est là, à portée. Il suffit d'entrer en elle et d'exploser ensemble.

«Missy! Missy! Je t'aime! Je te couvrirai de diamants, on fera le tour du monde, plus rien d'autre ne comptera que toi. Je t'aime!

— Moi aussi, Endi, moi aussi, je t'aime.

— Je peux?

— Oui...»

Il est certain que quoi qu'il puisse arriver par la suite il ne pourra jamais oublier les yeux qu'elle a à présent: grands ouverts, d'abord ils semblent étonnés, effrayés, puis il s'enfonce en eux avec la sensation d'être aspiré dans une autre dimension, une dimension violette ou tout est différent. Lorsqu'il entre un peu en elle, il les voit s'agrandir davantage, il voit aussi sa bouche s'entrouvrir en un petit cercle douloureux. Inquiet à présent, il avance encore un peu.

«Oh!

— Hein! Je t'ai fait mal?

— Non, non, Endi, ça va...»

Il est visible qu'elle souffre, que se passe-t-il?

«Missy? Tu veux que j'arrête?

— Non, non, c'est normal...

— Mais...

— C'est la première fois, tu sais.

— Oh! Je t'aime!

— Viens Endi, viens...»

Alors plus rien ne peut l'arrêter. Et lorsqu'elle crie, sans retenue cette fois, il ignore complètement si c'est de plaisir ou de douleur. Lorsqu'il explose il se dit bien quelque part que la communication attendue n'a pas lieu, mais il oublie cela aussi vite pour se contenter d'un feu d'artifice en noir et blanc.

Lorsque s'apaise le souffle de la tempête qui les a emportés, lorsque chaque atome bousculé reprend sa place, lorsque du feu l'épiderme moite regoûte à la fraîcheur, lorsque assouvies leurs chairs se témoignent cette tendresse reconnaissante qui suit l'amour, ils sont pleinement convaincus de leur sincérité alors qu'ils continuent à s'affirmer qu'ils s'aiment et qu'ils s'aimeront toujours.

38

Trinité n'a pas fait faux bond à Nathan; elle a même si bien défendu sa cause auprès de madame d'Ambrosi que celle-ci est allée prévenir le premier commissaire de bord pour lui signifier que «la pauvre tête d'une pauvre vieille femme» avait complètement omis de signaler à la Compagnie le «petit-neveu» qui l'accompagnerait. Était-il encore possible de lui trouver une petite cabine ou tout au moins une couchette? «Imaginez, le pauvre, il n'a pas osé déranger et a dormi sur le pont, la nuit dernière.»

On lui a trouvé une cabine à partager avec un vieil homme un peu excentrique, professeur d'histoire retraité de l'Université de Dalhousie.

Deux jours à présent qu'il a troqué son statut de passager clandestin contre celui, nettement plus enviable, d'un jeune estivant en croisière. Deux jours qu'il vit un conte de fées en compagnie de la vieille dame, mais aussi et surtout de la jeune fille. Naturellement, parce qu'elle désire être pour quelque chose dans la «*remontée des abîmes*» du garçon, madame d'Ambrosi a tout voulu savoir sur ce qui lui est arrivé depuis le début de sa fugue; aussi, omettant seulement les détails intimes déjà avoués à Trinité, au gré des repas et des promenades sur les ponts, une nouvelle fois il a fait le récit de son histoire.

Ce soir c'est magique. Il est évident que, sans se rendre compte où et quand précisément, ils ont pénétré dans le royaume envoûtant des «mers du sud». La nuit est vraiment douce, comme veloutée, les étoiles plus nombreuses et, absurdement, plus proches. L'océan lui-même semble avoir abandonné son côté austère et rébarbatif pour quelque chose de langoureux. Sitôt après le dîner, pour «savourer cette soirée», ils se sont attablés tous les trois autour d'une petite table ronde dressée dans le prolongement extérieur du *Cocktail Lounge*. Lorsqu'il l'a rencontrée hier matin, il a tout de suite aimé madame d'Ambrosi; il lui trouve un air radieux, rarement rencontré, sinon chez Trinité. Malgré l'âge qui a parcheminé sa peau, ses traits demeurent d'une grande beauté. Non pas tant de ces beautés spectaculaires qui font se retourner les hommes et allume la convoitise dans leurs regards, mais de celle qui semble exprimer un état élevé de l'âme assorti d'une bonté et d'une largesse de vue à toute épreuve. L'air indulgent et amusé, la vieille dame fixe tour à tour Trinité et Nathan de l'éclat aigue-marine de ses yeux rieurs.

«Ne me dites pas tous les deux que vous envisagez une nouvelle fois de passer une grande partie de la nuit à discuter sur le pont? Que pouvez-vous bien vous raconter durant toutes ces heures?

— Nous parlons de tout, répond Trinité.

— Et parlez-vous aussi de l'avenir?»

Parce que, chacun de son côté, ils y ont déjà pensé, ni Nathan ni Trinité ne savent quoi répondre à cette question embarrassante en cela qu'elle semble les assortir.

«Que voulez-vous dire? demande enfin Nathan.

— Je veux dire, mon garçon, que depuis deux jours que je vous côtoie, je commence à me faire une bonne idée de qui vous êtes; et cela étant je trouve dommage, pour ne pas dire tragique, que vous gâchiez votre jeunesse à courir après quelque chose qui n'existe pas.

— Comment ça, qui n'existe pas?

— Si j'ai bien compris votre histoire, et j'espère que mon opinion ne vous offensera pas, vous cherchez à acheter l'amour d'une jeune fille de votre village natal au détriment de ce que vous aimez vraiment.

— Mais... Non! Non!

— Ne m'avez-vous pas dit que vous étiez parti pour chercher fortune afin de lui racheter la ferme de son père?

— Oui...

— Eh bien permettez à la pauvre femme que je suis de vous dire ce que j'en pense. J'en pense que vous faites votre malheur, celui de cette jeune personne et celui d'autres encore. D'abord, parce que vous vous éloignez de ce que vous aimeriez faire, ensuite, parce que si jamais vous réussissiez, on ne sait jamais, et même si cette jeune fille a du sentiment pour vous, elle ne pourrait que se sentir liée ensuite par ce que vous lui auriez apporté et ses sentiments en seraient dénaturés. Il y a quoi, quarante-huit heures que je vous connais, et vous m'avez déjà parlé au moins dix fois des étoiles, du cosmos et des galaxies. N'est-ce pas là ce qui vous passionne?

— Je crois.

— Ne vous avouez-vous jamais que vous préféreriez, et de loin je pense, étudier la formation de je ne sais quelle étoile plutôt que de passer votre temps à faire grossir un capital?

— Oui, mais j'ai promis...

— Je sais, je sais... Voulez-vous, je vais vous dire quelque chose: allez à l'Accueil dès maintenant, le paquebot est relié au monde par un satellite, réclamez la communication téléphonique avec cette jeune fille et demandez-lui clairement si elle désire que vous poursuiviez votre quête. Si elle vous dit oui, croyez-moi, ce serait qu'elle ne vous aime pas beaucoup, si elle dit non, eh bien... dans les deux cas vous serez mieux à même de choisir ce qui vous convient.»

Nathan est malheureux. Non pas à cause de ce que vient de lui dire madame d'Ambrosi; cela finalement il le sait depuis un moment, peut-être depuis le début. Il sait aussi que ce qui a vraiment déclenché sa fugue tient plus à Jolene qu'à Missy. Non, ce qui l'attriste, c'est que madame d'Ambrosi parle de Missy en présence de Trinité. L'autre nuit il a tout dit à la jeune fille, mais à présent il a l'impression incompréhensible de trahir sa nouvelle amie simplement en mentionnant l'existence de Missy. Comment est-ce possible? Maintenant, là, il voudrait dire à Trinité que tout cela c'est le passé, que ça n'a plus d'importance, que tout ce qui compte est qu'ils soient amis, mais ça ne ferait pas sérieux. Comment pourrait-elle comprendre ce que lui ne comprend même pas? Pourtant... Elle est si douce! Si belle! Ce soir, pour le *dîner du commandant*, elle a laissé ses lunettes à la cabine, c'est la première fois qu'il la voit ainsi. Ses prunelles sont acajou, pleines de poussière d'or, de rêverie, de candeur et... oui, ce n'est pas autre chose, d'amour à l'état brut. «*Missy m'a révélé que j'étais seul,* se dit-il, *les autres me l'ont confirmé, mais Trinité, elle, me dit que je ne le suis plus. Et parce qu'elle existe je ne le serai plus jamais!*»

«Si je faisais ce que vous dites, répond-il à la vieille dame en revenant à la conversation, c'est comme si je demandais de rendre la promesse que j'ai donnée.

— Ça, c'est juste...

— Alors, vous voyez...

— Moi, je trouve tout ça ridicule! s'exclame Trinité. C'est vrai enfin! Si un garçon faisait ce que tu fais pour racheter la maison ou la terre ou je ne sais quoi que ma famille aurait vendu, je lui passerais un beau savon. C'est vrai, Nathan! Madame d'Ambrosi a raison, tu devrais appeler, tu verras, elle te répondra d'arrêter tout ça sur-le-champ. Du reste, je crois que tu le sais très bien, et que c'est pour ça que tu ne l'as jamais appelée depuis que tu es parti.

— C'est ce que tu dirais parce que toi tu es bonne! Tu es généreuse! Tu es...» lance-t-il en s'apercevant, mais trop tard, tout ce que ces quelques mots impliquent.

Il n'ose lever les yeux, sentant sur lui le regard étonné mais toujours complice de Trinité, et celui plein de compréhension de madame d'Ambrosi.

«Mais enfin, ce que tu dis n'a pas de sens! lui renvoie finalement Trinité.

— Oh oui, fait-il en relevant lentement les yeux vers elle, oui, Trinité, ça en a...

— Ma petite Trini, révèle madame d'Ambrosi avec une certaine sollicitude, ou je ne m'y connais pas du tout, ou ce que je viens d'entendre, parce que cela a vraiment été arraché du cœur, est la plus belle proclamation dont il m'ait été donné de rendre témoignage.»

Confus, embarrassé, Nathan, qui ne sait quelle attitude adopter se lève précipitamment.

«Excusez-moi, dit-il, je dois..., je dois aller... Je reviens tout de suite...»

Et sans préciser davantage, il se sauve un peu maladroitement, droit devant lui, avec dans la tête l'image d'un téléphone et le son d'une voix lointaine qui dit des oui et des non mais rien d'autre.

Cachant ses mains tremblantes sous la table, comme Nathan, Trinité affiche une mine déroutée, bouleversée et inquiète.

«Qu'est-ce qu'il a? demande-t-elle à la vieille dame comme pour s'entendre confirmer ce dont elle se doute.

— La solitude est un désert, Trini, et comme tous les déserts elle a ses propres mirages. Ce garçon, lui, court depuis des mois derrière l'un d'eux, seulement voilà... – appuyée en cela d'un éclair de complicité jailli du fond des prunelles, elle adresse un sourire complice à la jeune fille avant de conclure – je crois qu'il vient de rencontrer autre chose..., quelque chose de beaucoup plus réel.»

Trinité le sait. Cherchant à éviter à la vieille dame le partage d'une étrange douleur, elle baisse les paupières; elle a mal de ce que Nathan a souffert.

Tout de métal et de rêves, le grand paquebot blanc traverse minuit.

FIN

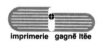

imprimerie gagné ltée

IMPRIMÉ AU CANADA